LA BIOLOGÍA HUMANA Y LA SALUD

Anthea Maton
Ex coordinadora nacional de NSTA
Alcance, secuencia y coordinación del proyecto
Washington, DC

Jean Hopkins
Instructora de ciencias y jefa de departamento
John H. Wood Middle School
San Antonio, Texas

Susan Johnson
Profesora de biología
Ball State University
Muncie, Indiana

David LaHart
Instructor principal
Florida Solar Energy Center
Cape Canaveral, Florida

Maryanna Quon Warner
Instructora de ciencias
Del Dios Middle School
Escondido, California

Jill D. Wright
Profesora de educación científica
Directora de programas de área internacional
University of Pittsburgh
Pittsburgh, Pennsylvania

Prentice Hall
Englewood Cliffs, New Jersey
Needham, Massachusetts

Prentice Hall Science

Human Biology and Health

Student Text and Annotated Teacher's Edition
Laboratory Manual
Teacher's Resource Package
Teacher's Desk Reference
Computer Test Bank
Teaching Transparencies
Product Testing Activities
Computer Courseware
Video and Interactive Video

The illustration on the cover, rendered by Keith Kasnot, shows the human skeletal system in motion.

Credits begin on page 273.

SECOND EDITION

ISBN 0-13-225483-2

2 3 4 5 6 7 8 9 10   97 96 95 94

Prentice Hall
A Division of Simon & Schuster
Englewood Cliffs, New Jersey 07632

STAFF CREDITS

Editorial:	Harry Bakalian, Pamela E. Hirschfeld, Maureen Grassi, Robert P. Letendre, Elisa Mui Eiger, Lorraine Smith-Phelan, Christine A. Caputo
Design:	AnnMarie Roselli, Carmela Pereira, Susan Walrath, Leslie Osher, Art Soares
Production:	Suse F. Bell, Joan McCulley, Elizabeth Torjussen, Christina Burghard
Photo Research:	Libby Forsyth, Emily Rose, Martha Conway
Publishing Technology:	Andrew Grey Bommarito, Deborah Jones, Monduane Harris, Michael Colucci, Gregory Myers, Cleasta Wilburn
Marketing:	Andrew Socha, Victoria Willows
Pre-Press Production:	Laura Sanderson, Kathryn Dix, Denise Herckenrath
Manufacturing:	Rhett Conklin, Gertrude Szyferblatt

Consultants

Kathy French	National Science Consultant
Jeannie Dennard	National Science Consultant

Prentice Hall Science

La biología humana y la salud

Student Text and Annotated Teacher's Edition
Laboratory Manual
Teacher's Resource Package
Teacher's Desk Reference
Computer Test Bank
Teaching Transparencies
Product Testing Activities
Computer Courseware
Video and Interactive Video

La ilustración de la cubierta, realizada por Keith Kasnot, representa el esqueleto en movimiento.

Procedencia de fotos e ilustraciones, página 273.

SEGUNDA EDICIÓN

ISBN 0-13-801937-1

2 3 4 5 6 7 8 9 10   97 96 95 94

Prentice Hall
A Division of Simon & Schuster
Englewood Cliffs, New Jersey 07632

PERSONAL

Editorial:	Harry Bakalian, Pamela E. Hirschfeld, Maureen Grassi, Robert P. Letendre, Elisa Mui Eiger, Lorraine Smith-Phelan, Christine A. Caputo
Diseño:	AnnMarie Roselli, Carmela Pereira, Susan Walrath, Leslie Osher, Art Soares
Producción:	Suse F. Bell, Joan McCulley, Elizabeth Torjussen, Christina Burghard
Fotoarchivo:	Libby Forsyth, Emily Rose, Martha Conway
Tecnología editorial:	Andrew Gray Bommarito, Deborah Jones, Monduane Harris, Michael Colucci, Gregory Myers, Cleasta Wilburn
Mercado:	Andrew Socha, Victoria Willows
Producción pre-imprenta:	Laura Sanderson, Kathryn Dix, Denise Herckenrath
Manufactura:	Rhett Conklin, Gertrude Szyferblatt

Asesoras

Kathy French	National Science Consultant
Jeannie Dennard	National Science Consultant

Autores contribuyentes

Linda Densman
Instructora de ciencias
Hurst, TX

Linda Grant
Ex–instructora de ciencias
Weatherford, TX

Heather Hirschfeld
Escritora de ciencias
Durham, NC

Marcia Mungenast
Escritora de ciencias
Upper Montclair, NJ

Michael Ross
Escritor de ciencias
New York City, NY

Revisores de contenido

Dan Anthony
Consejero de ciencias
Rialto, CA

John Barrow
Instructor de ciencias
Pomona, CA

Leslie Bettencourt
Instructora de ciencias
Harrisville, RI

Carol Bishop
Instructora de ciencias
Palm Desert, CA

Dan Bohan
Instructor de ciencias
Palm Desert, CA

Steve M. Carlson
Instructor de ciencias
Milwaukie, OR

Larry Flammer
Instructor de ciencias
San Jose, CA

Steve Ferguson
Instructor de ciencias
Lee's Summit, MO

Robin Lee Harris Freedman
Instructora de ciencias
Fort Bragg, CA

Edith H. Gladden
Ex-instructora de ciencias
Philadelphia, PA

Vernita Marie Graves
Instructora de ciencias
Tenafly, NJ

Jack Grube
Instructor de ciencias
San Jose, CA

Emiel Hamberlin
Instructor de ciencias
Chicago, IL

Dwight Kertzman
Instructor de ciencias
Tulsa, OK

Judy Kirschbaum
Instructora de ciencias y computadoras
Tenafly, NJ

Kenneth L. Krause
Instructor de ciencias
Milwaukie, OR

Ernest W. Kuehl, Jr.
Instructor de ciencias
Bayside, NY

Mary Grace Lopez
Instructora de ciencias
Corpus Christi, TX

Warren Maggard
Instructor de ciencias
PeWee Valley, KY

Della M. McCaughan
Instructora de ciencias
Biloxi, MS

Stanley J. Mulak
Ex–instructor de ciencias
Jensen Beach, FL

Richard Myers
Instructor de ciencias
Portland, OR

Carol Nathanson
Consejera de ciencias
Riverside, CA

Sylvia Neivert
Ex–instructora de ciencias
San Diego, CA

Jarvis VNC Pahl
Instructor de ciencias
Rialto, CA

Arlene Sackman
Instructora de ciencias
Tulare, CA

Christine Schumacher
Instructora de ciencias
Pikesville, MD

Suzanne Steinke
Instructora de ciencias
Towson, MD

Len Svinth
Jefe de Instructores de ciencias
Petaluma, CA

Elaine M. Tadros
Instructora de ciencias
Palm Desert, CA

Joyce K. Walsh
Instructora de ciencias
Midlothian, VA

Steve Weinberg
Instructor de ciencias
West Hartford, CT

Charlene West, PhD
Directora de Curriculum
Rialto, CA

John Westwater
Instructor de ciencias
Medford, MA

Glenna Wilkoff
Instructora de ciencias
Chesterfield, OH

Edee Norman Wiziecki
Instructora de ciencias
Urbana, IL

Panel asesor de profesores

Beverly Brown
Instructora de ciencias
Livonia, MI

James Burg
Instructor de ciencias
Cincinnati, OH

Karen M. Cannon
Instructora de ciencias
San Diego, CA

John Eby
Instructor de ciencias
Richmond, CA

Elsie M. Jones
Instructora de ciencias
Marietta, GA

Michael Pierre McKereghan
Instructor de ciencias
Denver, CO

Donald C. Pace, Sr.
Instructor de ciencias
Reisterstown, MD

Carlos Francisco Sainz
Instructor de ciencias
National City, CA

William Reed
Instructor de ciencias
Indianapolis, IN

Asesor multicultural

Steven J. Rakow
Profesor asociado
University of Houston–Clear Lake
Houston, TX

Asesores de Inglés como segunda lengua (ESL)

Jaime Morales
Coordinador Bilingüe
Huntington Park, CA

Pat Hollis Smith
Ex-instructora de inglés
Beaumont, TX

Asesor de lectura

Larry Swinburne
Director
Swinburne Readability Laboratory

Revisores del texto en español

Teresa Casal
Instructora de ciencias
Miami, FL

Victoria Delgado
Directora de programas bilingües/multiculturales
New York, NY

Delia García Menocal
Instructora bilingüe
Englewood, NJ

Consuelo Hidalgo Mondragón
Instructora de ciencias
México, D.F.

Elena Maldonado
Instructora de ciencias
Río Piedras, Puerto Rico

Estéfana Martínez
Instructora bilingüe
San Antonio, TX

Euclid Mejía
Director del departamento de ciencias y matemáticas
New York, NY

Alberto Ramírez
Instructor bilingüe
La Quinta, CA

CONTENTS

HUMAN BIOLOGY AND HEALTH

THIS IS A

SMOKE-FREE BUILDING

CONTENIDO

LA BIOLOGÍA HUMANA Y LA SALUD

NO SE FUMA

EN ESTE EDIFICIO

Activity Bank/Reference Section

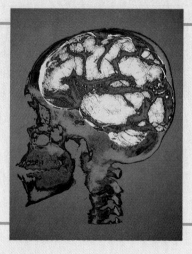

Features

Pozo de actividades/Sección de referencias

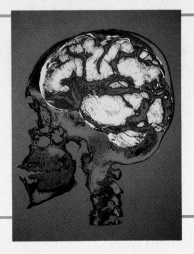

Artículos

CONCEPT MAPPING

Throughout your study of science, you will learn a variety of terms, facts, figures, and concepts. Each new topic you encounter will provide its own collection of words and ideas—which, at times, you may think seem endless. But each of the ideas within a particular topic is related in some way to the others. No concept in science is isolated. Thus it will help you to understand the topic if you see the whole picture; that is, the interconnectedness of all the individual terms and ideas. This is a much more effective and satisfying way of learning than memorizing separate facts.

Actually, this should be a rather familiar process for you. Although you may not think about it in this way, you analyze many of the elements in your daily life by looking for relationships or connections. For example, when you look at a collection of flowers, you may divide them into groups: roses, carnations, and daisies. You may then associate colors with these flowers: red, pink, and white. The general topic is flowers. The subtopic is types of flowers. And the colors are specific terms that describe flowers. A topic makes more sense and is more easily understood if you understand how it is broken down into individual ideas and how these ideas are related to one another and to the entire topic.

It is often helpful to organize information visually so that you can see how it all fits together. One technique for describing related ideas is called a **concept map**. In a concept map, an idea is represented by a word or phrase enclosed in a box. There are several ideas in any concept map. A connection between two ideas is made with a line. A word or two that describes the connection is written on or near the line. The general topic is located at the top of the map. That topic is then broken down into subtopics, or more specific ideas, by branching lines. The most specific topics are located at the bottom of the map.

To construct a concept map, first identify the important ideas or key terms in the chapter or section. Do not try to include too much information. Use your judgment as to what is

really important. Write the general topic at the top of your map. Let's use an example to help illustrate this process. Suppose you decide that the key terms in a section you are reading are School, Living Things, Language Arts, Subtraction, Grammar, Mathematics, Experiments, Papers, Science, Addition, Novels. The general topic is School. Write and enclose this word in a box at the top of your map.

SCHOOL

Now choose the subtopics—Language Arts, Science, Mathematics. Figure out how they are related to the topic. Add these words to your map. Continue this procedure until you have included all the important ideas and terms. Then use lines to make the appropriate connections between ideas and terms. Don't forget to write a word or two on or near the connecting line to describe the nature of the connection.

Do not be concerned if you have to redraw your map (perhaps several times!) before you show all the important connections clearly. If, for example, you write papers for Science as well as for Language Arts, you may want to place these two subjects next to each other so that the lines do not overlap.

One more thing you should know about concept mapping: Concepts can be correctly mapped in many different ways. In fact, it is unlikely that any two people will draw identical concept maps for a complex topic. Thus there is no one correct concept map for any topic! Even

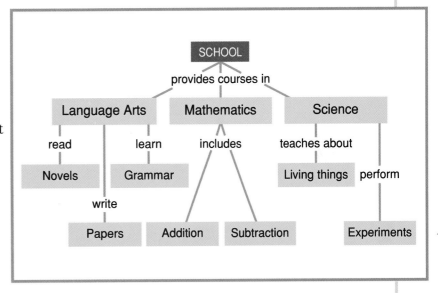

though your concept map may not match those of your classmates, it will be correct as long as it shows the most important concepts and the clear relationships among them. Your concept map will also be correct if it has meaning to you and if it helps you understand the material you are reading. A concept map should be so clear that if some of the terms are erased, the missing terms could easily be filled in by following the logic of the concept map.

MAPA de CONCEPTOS

Al estudiar temas científicos, aprenderás una variedad de palabras, datos, figuras y conceptos. En cada tema nuevo que aparezca habrá una serie de palabras y de ideas que a veces te va a parecer interminable. Pero cada idea relativa a un tema especial está relacionada de cierto modo a las demás. En ciencias no hay ningún concepto aislado. Por eso, podrás entender mejor el tema si lo ves en conjunto; es decir, cómo todas las palabras e ideas se conectan entre sí. Ésta es una manera más efectiva y provechosa de estudiar que memorizar datos separados.

En realidad, este proceso debe serte familiar. Aunque no te des cuenta, analizas muchos de los elementos de la vida diaria, considerando sus relaciones o conexiones. Por ejemplo, al mirar un ramo de flores, lo puedes dividir en grupos: rosas, claveles y margaritas. Después, asocias colores con las flores: rojo, rosado y blanco. Las flores serían el tema general. El subtema, tipos de flores. Un tema tiene más sentido y se puede entender mejor si comprendes cómo se divide en ideas y cómo las ideas se relacionan entre sí y con el tema en su totalidad.

A veces es útil organizar la información visualmente para poder ver la correspondencia entre las cosas. Una de las técnicas usadas para organizar ideas relacionadas es el **mapa de conceptos**. En un mapa de conceptos, una palabra o frase recuadrada representa una idea. La conexión entre dos ideas se describe con una línea donde se escriben una o dos palabras que explican la conexión. El tema general aparece arriba de todo. El tema se divide en subtemas, o ideas más específicas, por medio de líneas. Los temas más específicos aparecen en la parte de abajo.

Para hacer un mapa de conceptos, considera primero las ideas o palabras claves más importantes de un capítulo o sección. No trates de incluir mucha información. Usa tu juicio para decidir qué es lo realmente importante. Escribe el tema general arriba

de tu mapa. Un ejemplo servirá para ilustrar el proceso. Decides que las palabras claves de una sección son Escuela, Seres vivos, Artes del lenguaje, Resta, Gramática, Matemáticas, Experimentos, Informes, Ciencia, Suma, Novelas. El tema general es Escuela. Escribe esta palabra en un recuadro arriba de todo.

ESCUELA

Ahora, elige los subtemas: Artes del lenguaje, Ciencia, Matemáticas. Piensa cómo se relacionan con el tema. Agrega estas palabras al mapa. Continúa así hasta que todas las ideas y las palabras importantes estén incluídas. Luego, usa líneas para marcar las conexiones apropiadas. No dejes de escribir en la línea de conexión una o dos palabras que expliquen la naturaleza de la conexión.

No te preocupes si debes rehacer tu mapa (tal vez muchas veces), antes de que se vean bien todas las conexiones importantes. Si, por ejemplo, escribes informes para Ciencia y para Artes del lenguaje, te puede convenir colocar estos dos temas uno al lado del otro para que las líneas no se superpongan.

Algo más que debes saber sobre los mapas de conceptos: pueden construirse de diversas maneras. Es decir, dos personas pueden hacer un mapa diferente de un mismo tema. ¡No existe un único mapa de conceptos! Aunque tu mapa no sea igual al de tus compañeros, va a estar bien si muestra claramente los conceptos más importantes y las relaciones que existen entre ellos. Tu mapa también estará bien si tú le encuentras sentido y te ayuda a entender lo que estás leyendo. Un mapa de conceptos debe ser tan claro que, aunque se borraran algunas palabras se pudieran volver a escribir fácilmente, siguiendo la lógica del mapa.

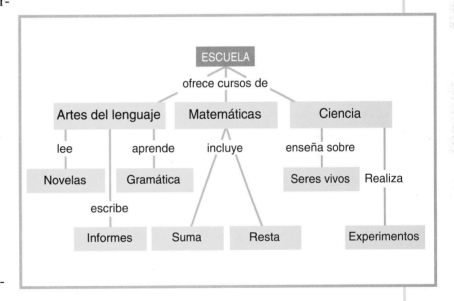

HUMAN BIOLOGY AND HEALTH

To play soccer, all parts of the bodies of these young soccer players must work together in perfect harmony.

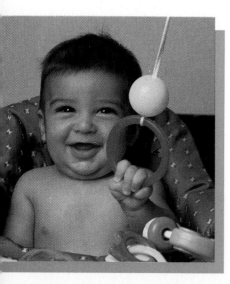

A smiling child reaching for a toy illustrates how different parts of the body—even a very young body—work together.

The day for the championship soccer game has finally arrived. The stadium is filled to capacity. The game is about to begin. The crowd quiets down as a soccer player on the attacking team prepares to kick off. The defending team members anxiously await the ball on their half of the field so that they can advance the ball into the attacking team's territory. The players on both sides have spent many years of training for this moment.

As the kicker begins to kick off, nerves carry messages to her brain, telling her body exactly what movements it must make. Her muscles move, pulling on her bones so that she kicks the ball out of the center circle. At the same time, chemicals flow through her blood, informing certain parts of her body to speed up and others to slow down.

CHAPTERS

Now comes the kickoff. She moves toward the ball, keeping her nonkicking foot next to the ball, her head down, and her eyes on the ball. Then she swings her kicking leg with the toes pointed downward and kicks the ball squarely with her instep. It's out of the center circle. The game has begun!

To help her team win the championship, all parts of the soccer player's body have to work in perfect harmony. And even though you may never compete in a championship soccer game, your body parts are also working in their own perfect harmony at this very moment. In this textbook you will discover how the different parts of your body work and how they all work together as one.

▲ *Exercise, such as running, helps to keep the body in good working condition.*

Discovery Activity

Yesterday, Today, and Tomorrow

1. Take a look at your classmates or a group of people who are about your age. Make a mental note of the features that you share with them.

2. Complete the same exercise with a group of adults and a group of young children.

   ■ In what ways are people of all ages the same?

   ■ What changes occur in people as they grow from children to adults?

   ■ Are all changes that occur in people easily observed?

LA BIOLOGÍA HUMANA Y LA SALUD

Para que estos jóvenes puedan jugar al fútbol, todas las partes de sus cuerpos deben funcionar juntas y en armonía.

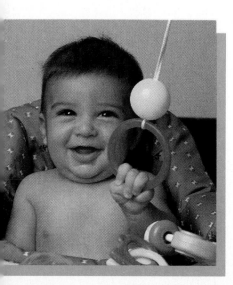

Un niño sonriente que tira de un juguete muestra cómo diferentes partes del cuerpo—aun en un cuerpo muy joven—funcionan juntas.

Por fin ha llegado el día del campeonato de fútbol. El estadio está lleno. El partido va a comenzar. Cuando el jugador del equipo visitante se dispone a patear reina el silencio. Los miembros del equipo defensor esperan ansiosos el momento de llevar la pelota al campo del equipo visitante. Los jugadores de ambos equipos han estado entrenándose muchos años para esta ocasión.

Cuando el jugador comienza a patear la pelota, los nervios le trasmiten mensajes a su cerebro, y éste a su vez le dice exactamente al cuerpo los movimientos que debe realizar. Sus músculos se mueven, y accionan los huesos para que pueda patear la pelota fuera del círculo central. Al mismo tiempo, la sangre transporta sustancias químicas que llevan mensajes a ciertas partes de su cuerpo, indicándoles a unas que se muevan más rápido y a otras que lo hagan lentamente.

CAPÍTULOS

¡Ahora sí, a patear! Se acerca a la pelota y pone el pie que no va a patear junto a ella, la cabeza hacia abajo y los ojos en la esfera. Luego prepara la otra pierna, con los dedos del pie hacia abajo, y patea la pelota con el empeine. Ya está fuera del círculo central. ¡El partido ha comenzado!

Para ayudar a su equipo a ganar el campeonato, todas las partes del cuerpo del jugador deben funcionar en perfecta armonía. Y aunque tú no llegues nunca a competir en un campeonato de fútbol, en este momento todas las partes de tu cuerpo están funcionando en perfecta armonía. En este libro vas a descubrir cómo las diferentes partes de tu cuerpo funcionan como un todo.

▲ *Un ejercicio, como correr, ayuda a mantener el cuerpo en buen estado.*

Para averiguar Actividad

Ayer, hoy y mañana

1. Mira a tus compañeros de clase o a un grupo de personas de tu edad. Nota qué características compartes con ellos.

2. Haz lo mismo con un grupo de adultos y un grupo de niños.
   - ¿En qué se parecen las personas de distintas edades?
   - ¿Qué tipo de cambios ocurren en las personas a medida que van creciendo?
   - ¿Se pueden observar fácilmente los cambios que ocurren en las personas?

The Human Body

Guide for Reading

After you read the following sections, you will be able to

1–1 The Body as a Whole

- Define homeostasis.
- Explain why energy is important to the human body.

1–2 Levels of Organization

- Describe the levels of organization of multicellular living things.
- Classify the four basic types of tissues.

All objects, including the human body, give off infrared rays. Infrared rays cannot be seen, but they can be felt as heat. You have felt infrared rays in the form of heat from the sun or a glowing light bulb. A thermograph, which looks like a small television camera, converts the body's invisible infrared rays into a visible picture called a thermogram. So an object that appears to be invisible in the dark becomes visible with the help of a thermograph.

As a thermograph converts the invisible heat rays given off by the body into thermograms, it creates heat maps. Look carefully at the thermogram, or heat map, of a young boy and his dog. Notice that different areas of the body show various colors. The warmest areas of the body appear white. The coolest areas appear purple or black. What does the color of the dog's nose tell you about its temperature?

Thermograms are useful in medicine because they help doctors "see" what is happening inside the body. In some cases, they help doctors diagnose certain illnesses. As you turn the pages that follow, you too will be able to "see" what is happening inside the human body. Why not take a look.

Journal *Activity*

You and Your World In your journal, draw a picture of yourself performing your favorite activity. Below your drawing, describe what you are doing and what parts of your body are involved in the activity. Which actions occur automatically? Which actions do you have to think about?

◄ *In this thermogram, the warmest areas appear white and the coolest areas appear black.*

El cuerpo humano

Todos los objetos, incluso el cuerpo humano, emiten rayos infrarrojos. Los rayos infrarrojos no se pueden ver, pero se pueden sentir. Tú has sentido el calor de los rayos infrarrojos que emite el sol o una lámpara. Un termógrafo, que es como una pequeña cámara de televisión, convierte los invisibles rayos infrarrojos del cuerpo en una imagen visible llamada termograma. Así, un objeto que es invisible en la oscuridad, se vuelve visible por medio del termógrafo.

El termógrafo, al convertir los rayos invisibles de calor emitidos por el cuerpo en termogramas, crea mapas de calor. Mira con atención el termograma, o mapa de calor, de un muchacho y su perro. Observa que las distintas zonas del cuerpo tienen varios colores. Las más cálidas son de color blanco. Las más frías aparecen de color púrpura o negro. ¿Qué te indica el color de la nariz del perro acerca de su temperatura?

Los termogramas son muy útiles en medicina porque les permiten a los médicos "ver" lo que está ocurriendo en el interior del cuerpo. En algunos casos, ayudan a los médicos a diagnosticar cierto tipo de enfermedades. Da vuelta las páginas y tú también podrás "ver" lo que ocurre en el interior del cuerpo humano. ¿Por qué no le damos un vistazo?

Diario *Actividad*

Tú y tu mundo En tu diario, dibújate a ti mismo haciendo tu actividad favorita. Abajo de tu dibujo describe lo que haces y qué partes del cuerpo intervienen. ¿Qué acciones ocurren automáticamente? ¿En qué debes pensar antes de realizarlas?

En este termograma, las zonas más cálidas son las blancas, y las más frías, las negras.

1–1 The Body as a Whole

Every minute of the day, even when you are asleep, your body is busily at work. Blood is being pumped through blood vessels by your heart. Air is being pushed in and out of your body by your lungs. Your intestines are giving off chemicals that break down the food you have eaten into smaller parts. Your nerves are sending out signals from the brain to all parts of your body. Chemical messengers are regulating all kinds of processes.

To you these activities probably seem quite different—and in many ways they are. However, all these activities have the same purpose: to delicately control the body's internal environment. This internal environment must remain stable, or constant, even during extreme changes in the activities of the body or in its surroundings.

For example, you may eat a large amount of sweets (foods containing mainly sugar) on one day and none at all on the next day. The amount of sugar that goes into your body is quite different on the two days. But the amount of sugar in your blood

Figure 1–1 *No matter what the weather is outside, the human body is able to maintain homeostasis, or a stable internal environment.*

1–1 El cuerpo como un todo

Cada minuto del día, aún cuando duermes, tu cuerpo se mantiene activo. El corazón bombea la sangre a través de los vasos sanguíneos. Los pulmones hacen entrar y salir aire. Los intestinos secretan substancias químicas que separan lo que comiste en partes más pequeñas. Los nervios envían señales desde el cerebro a todas las partes de tu cuerpo. Los mensajeros químicos regulan toda clase de procesos.

Probablemente, estas actividades te parezcan bastante diferentes—y de alguna manera lo son. Sin embargo, todas estas actividades tienen el mismo propósito: controlar minuciosamente la estabilidad interna de tu cuerpo. Esta estabilidad interna debe permanecer constante, aún durante cambios extremos en las actividades del cuerpo o en el exterior.

Por ejemplo, un día puedes comer grandes cantidades de dulces (alimentos que contienen principalmente azúcar) y nada de dulces al día siguiente. La cantidad de azúcar que entró en tu cuerpo varió mucho en esos dos días. Pero el nivel de azúcar de

Figura 1–1 *El cuerpo es capaz de mantener su homeostasis, o estabilidad interna, a pesar de los cambios que ocurren en el exterior.*

remains remarkably stable, or unchanged. **The process by which the body's internal environment is kept stable in spite of changes in the external environment is called homeostasis** (hoh-mee-oh-STAY-sihs). Put another way, **homeostasis** is the process by which the delicate balance between the activities occurring inside your body (amount of sugar in the blood) and those occurring outside your body (amount of sweets you eat) is maintained.

In order to perform all the life activities, humans, like all living things, need energy. Even homeostasis needs energy. After all, the body works hard to keep its internal environment stable. Where does the body get the energy to do all of this work? Just as an engine uses gasoline as its energy source, living things use food as the source of energy for all their activities.

1–1 Section Review

1. What is homeostasis?
2. What is the body's source of energy?

Critical Thinking—*Applying Concepts*
3. Explain why it is important for all living things to maintain homeostasis.

1–2 Levels of Organization

Here's a riddle for you: What do you and an ameba have in common? The answer: Both of you are made of cells. Actually, the whole "body" of the ameba is made up of one cell. Your body, however, is made up of many cells. Living things that are composed of only one cell are called unicellular; those that are composed of many cells are called multicellular.

In multicellular living things—humans, birds, trees, turtles, and hamsters, to name just a few—the work of keeping the living thing alive is divided among the different parts of its body. Each part has

Guide for Reading

Focus on this question as you read.

▶ *What are the levels of organization in the human body?*

tu sangre permanece estable. **El proceso mediante el cual el cuerpo mantiene su estabilidad interna a pesar de los cambios que ocurren en el exterior se llama homeostasis.** En otras palabras, la **homeostasis** es el proceso que mantiene el equilibrio entre las actividades que ocurren en el interior de tu cuerpo (nivel de azúcar en la sangre) y las que ocurren en el exterior (cantidad de dulces que comes).

Los seres humanos, como todos los seres vivos, necesitan energía para realizar sus funciones vitales. Aún la homeostasis necesita energía. Después de todo, el cuerpo trabaja intensamente para mantener su estabilidad interna. ¿De dónde obtiene el cuerpo la energía para poder funcionar? Una máquina necesita gasolina como fuente de energía, y los seres vivos necesitan alimentos como fuente de energía para sus actividades.

1–1 Repaso de la sección

1. ¿Qué es la homeostasis?
2. ¿Cuál es la fuente de energía del cuerpo?

Pensamiento crítico—*Aplicar conceptos*
3. Explica por qué es importante para los seres vivos mantener la homeostasis.

ACTIVIDAD
PARA AVERIGUAR

La fuerza que empleamos

1. Con una cinta métrica mide la altura de las escaleras hasta el primer piso. Anota ese número.

2. Dile a tu compañero(a) que tome el tiempo que tardas en subir al primer piso. Anota ese número.

3. Para calcular tu fuerza divide la altura que subiste por el tiempo que tardaste.

¿Cuánta energía pueden producir tus músculos?

■ ¿Tienen la misma fuerza las personas de diferentes pesos y edades? Explica tu repuesta.

1–2 Niveles de organización

Aquí tienes una adivinanza: ¿Qué tienes en común con una ameba? La respuesta es: los dos están formados por células. En realidad, todo el "cuerpo" de la ameba es sólo una célula. Tu cuerpo, por el contrario, está formado por muchas células. Los seres vivos que tienen sólo una célula se llaman unicelulares; los que están compuestos por muchas células se llaman multicelulares.

En los seres vivos multicelulares—humanos, aves, árboles, tortugas y hámsters para nombrar unos pocos— las diferentes partes del cuerpo se dividen el trabajo de mantener al ser vivo. Cada una de las partes cumple con

Guía para la lectura
Piensa en esta pregunta mientras lees.

▶ *¿Cuáles son los niveles de organización en el cuerpo humano?*

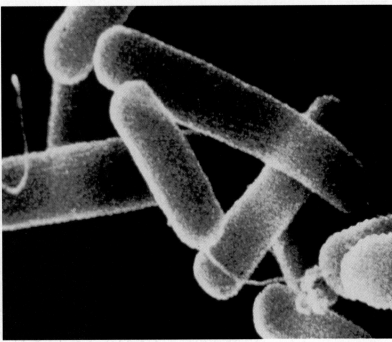

Figure 1–2 *All living things are made of cells. Bacteria are unicellular, whereas the giraffe is multicellular. Does the giraffe have bigger cells than a bacterium or just more of them?*

Activity Bank

A Human Cell vs. an Ameba, p. 246

ACTIVITY

CALCULATING

How Many Cells?

There are 5 million red blood cells in every milliliter of blood. How many red blood cells are there in 5 milliliters of blood? How many milliliters of blood will contain 7.5 million red blood cells? Ten million red blood cells?

a specific job to do. And as the part does its specific job, it works in harmony with all the other parts to keep the living thing healthy and alive.

The groupings of these specific parts within a living thing are called levels of organization. **The levels of organization in a multicellular living thing include cells, tissues, organs, and organ systems.**

Cells

Your body is made up of different **cells,** which are the building blocks of living things. Just as a house is made up of many bricks, so your body is made up of many cells—trillions of cells, in fact! And each of the trillions of cells in your body has its own special job. For example, some cells work to continuously provide fuel for your body. Other cells are involved in sensing external conditions for your body. And still other cells aid in the job of the organization and control of your entire body.

Cells come in all shapes and sizes. There are box-shaped cells, cells that resemble giant balls, and cells that look like tiny strands of wool. Regardless of its particular job or shape, a cell works in harmony with other cells to keep the body alive. Let's take a look at three different kinds of cells, each specialized for a particular job.

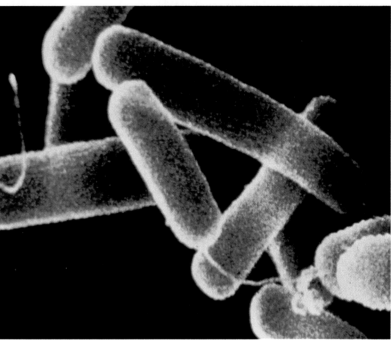

Figura 1–2 *Todos los seres vivos están formados por células. Las bacterias son unicelulares. La jirafa, por el contrario, es multicelular ¿Son las células de una jirafa más grandes que las de una bacteria, o más numerosas?*

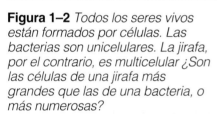

Pozo de actividades

Una célula humana y la de una ameba, p. 246

ACTIVIDAD

PARA CALCULAR

¿Cuántas células?

Hay 5 millones de glóbulos rojos en cada mililitro de sangre. ¿Cuántos glóbulos rojos hay en 5 mililitros de sangre? ¿Cuántos mililitros de sangre contendrán 7.5 millones de glóbulos rojos? ¿y diez millones de glóbulos rojos?

una función específica. Y a la vez que cada parte hace su trabajo específico, funciona en armonía con las demás partes del cuerpo para mantener al ser vivo saludable y con vida.

Las agrupaciones de estas partes específicas en un ser vivo se llaman niveles de organización. **Los niveles de organización en un ser multicelular son células, tejidos, órganos y sistemas de órganos.**

Las células

Tu cuerpo está hecho de diferentes **células**, que son las estructuras básicas de los seres vivos. Así como una casa está hecha de ladrillos, tu cuerpo está formado por muchas células—¡billones de ellas! Cada una de ellas realiza un trabajo especializado. Por ejemplo, algunas células trabajan continuamente para dar energía a tu cuerpo. Otras células detectan las condiciones externas. Y aún otras colaboran en la organización y control del cuerpo.

Hay células de todas formas y tamaños: algunas tienen forma de caja, otras son como pelotas gigantes, y otras como hebras de lana. Independientemente de su forma o tamaño, una célula trabaja en armonía con otras para mantener vivo al cuerpo. Vamos a observar tres tipos de células que realizan trabajos específicos y distintos.

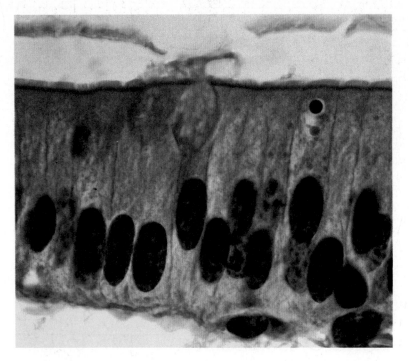

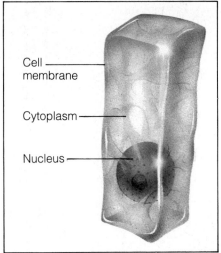

Figure 1–3 The illustration shows some of the basic parts of a typical cell. Can you find the corresponding parts in the photograph of cells of the small intestine?

ABSORBING CELLS   The small intestine is a tube-like structure located below the liver and the stomach. The small intestine plays an important role in the process of digestion. Lining the inside of the small intestine are cells that absorb digested food and then transport it to the bloodstream. The bloodstream (also made of cells) delivers the digested food to all parts of the body. Remember, food provides the body with the energy it needs to stay alive. In order to do this, the food must come into contact with huge numbers of absorbing cells.

Figure 1–4 Each of these "hills" in the small intestine contains blood vessels ready to carry digested food throughout the body. Why is a "hilly" small intestine better suited to absorbing digested food than a smooth small intestine would be?

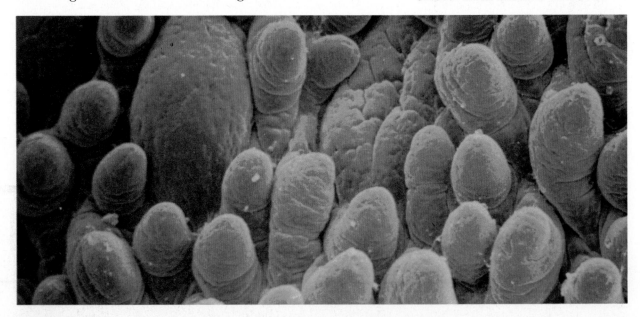

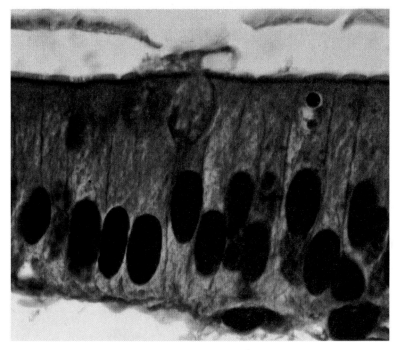

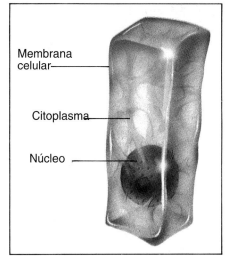

Figura 1–3 *La ilustración muestra algunas de las partes básicas de una célula. ¿Puedes encontrar las mismas partes en la foto del intestino delgado, a la izquierda?*

Membrana celular

Citoplasma

Núcleo

CÉLULAS DE ABSORCIÓN El intestino delgado es una estructura en forma de tubo que está debajo del estómago y del hígado. Juega un papel muy importante en el proceso de la digestión. Su interior está cubierto por células que absorben los alimentos digeridos y luego los transportan a la sangre. La sangre lleva los alimentos digeridos a todas partes del cuerpo. Recuerda, los alimentos dan al cuerpo la energía que necesita para mantenerse vivo. Para que esto ocurra, deben entrar en contacto con las células de absorción.

Figura 1–4 *Cada uno de los "dedos" del intestino delgado tiene vasos sanguíneos listos para transportar alimentos digeridos a través del cuerpo. ¿Por qué esta forma rugosa del intestino delgado es mejor que una forma lisa para absorber alimentos?*

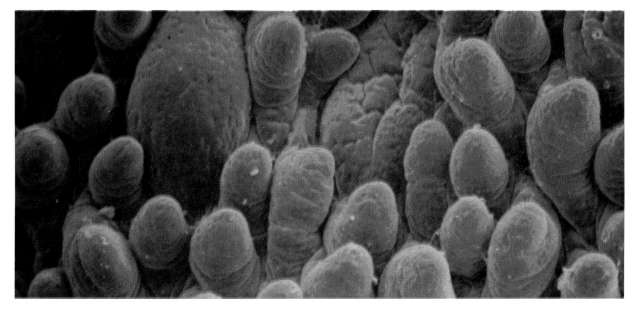

ACTIVITY

DISCOVERING

The Skin

1. Wet your finger and blow on it. Describe how it feels. Wet a spot on your arm and blow on it. Describe this feeling.

2. Think about when you first get out of a shower or a bathtub. How do you feel when you are wet? Do you feel better after you are dry? Think about the times you perspire. How do you think perspiration helps the body?

3. Now touch a cotton ball that has been dipped in water and another cotton ball that has been dipped in isopropyl (rubbing) alcohol on two different areas of your arm. Compare the different feelings you experience in both areas.

■ Which functions of the skin are apparent in these activities?

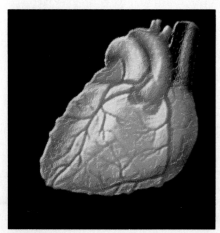

If you were to look at the lining inside the small intestine under a microscope, you would see that it is covered by structures resembling tiny and even tinier hills. See Figure 1–4 on page 17. In just 6.5 square centimeters of the small intestine, there are 20,000 tiny hills and 10 billion tinier hills!

Within each hill is a network of tiny blood vessels. As digested food passes through these hill-like structures, it is absorbed by these cells. Then it is passed on to the tiny blood vessels, which carry the digested food to all parts of the body.

ASSEMBLY CELLS The body contains millions of cells that are responsible for assembling, or putting together, important chemical substances. The pancreas, a fish-shaped structure located just behind the stomach, contains a variety of these assembly cells. Some of them are specialized to produce enzymes. Enzymes are chemicals that help to break down food into simpler substances. Others are specialized to produce hormones. Hormones are chemical messengers that help to regulate certain activities of the body.

CELLS FOR MOVEMENT Every move you make—from the twitch of an eyebrow to the powerful stride of running to the lifting of this textbook—depends on muscle cells. A muscle cell is like no other type of cell in the body because a muscle cell is able to contract, or shorten. In doing so, a muscle cell causes movement. You will read more about the different types of muscle cells in Chapter 2.

Tissues

Your body is a masterpiece of timing and organization. Its trillions of cells work together to keep you alive. To help you accomplish this task, the cells that make up your body are organized into **tissues.** A tissue is a group of similar cells that perform the same function. **There are four basic types of tissues in the human body: muscle, connective, nerve, and epithelial** (ehp-ih-THEE-lee-uhl). Observing these tissues under a microscope, you might be surprised to see how different they are from one another.

Figure 1–5 *The heart contains muscle tissue, epithelial tissue, connective tissue, and nerve tissue.*

ACTIVIDAD

PARA AVERIGUAR

La piel

1. Humedécete un dedo y sóplalo. ¿Qué sientes? Haz lo mismo con una zona del brazo. Describe esta sensación.

2. ¿Qué sientes cuando sales de la ducha mojado(a)? ¿Te sientes mejor una vez que te secas? Piensa en cuando transpiras. ¿Cómo beneficia la transpiración al cuerpo?

3. Con un copo de algodón humedecido en agua y otro copo de algodón humedecido en alcohol medicinal, frótate dos zonas diferentes del brazo. Compara lo que sientes en las dos zonas.

■ ¿Qué funciones de la piel son evidentes en estas actividades?

Si observas la cubierta interior del intestino delgado bajo un microscopio, verás que tiene unas estructuras parecidas a dedos llamadas vellosidades. Mira la figura 1–4 en la página 17. En 6.5 centímetros cuadrados del intestino delgado, hay 20,000 pequeñas vellosidades y 10 mil millones de vellosidades aún más pequeñas.

Dentro de cada una hay una red de pequeños vasos sanguíneos. Los alimentos digeridos son absorbidos a través de estas vellosidades y pasan a una red de vasos sanguíneos que llevarán los nutrientes a todas las partes del cuerpo.

CÉLULAS DE REUNIÓN El cuerpo contiene millones de células que reúnen y procesan importantes substancias químicas. El páncreas, una estructura en forma de pez que está detrás del estómago, contiene una variedad de estas células. Algunas se especializan en producir enzimas. Las enzimas son substancias químicas que participan en la degradación de los alimentos en substancias más simples. Otras producen hormonas. Las hormonas son mensajeros químicos que ayudan a regular ciertas actividades del cuerpo.

CÉLULAS DE MOVIMIENTO Cada movimiento que haces—pestañear, correr o levantar el libro, entre otros—depende de células musculares. Las células musculares no se parecen a ningún otro tipo de células del cuerpo porque pueden contraerse o acortarse. Al hacerlo, producen movimiento. En el capítulo 2 podrás leer más acerca de estas células.

Los tejidos

Tu cuerpo es una obra maestra de cronometraje y organización. Sus billones de células trabajan juntas para mantenerte vivo. Para cumplir con este cometido, las células que forman tu cuerpo están organizadas en **tejidos**. Un tejido es un grupo de células semejantes que realizan la misma función. **Hay cuatro tipos básicos de tejidos en el cuerpo humano: muscular, conectivo, nervioso y epitelial.** Al observar estos tejidos bajo un microscopio, puede que te sorprenda ver cuán diferentes son unos de otros.

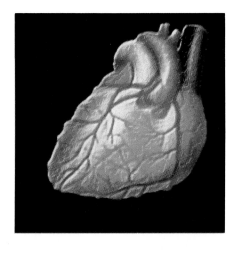

Figura 1–5 *El corazón contiene tejido muscular, tejido epitelial, tejido conectivo y tejido nervioso.*

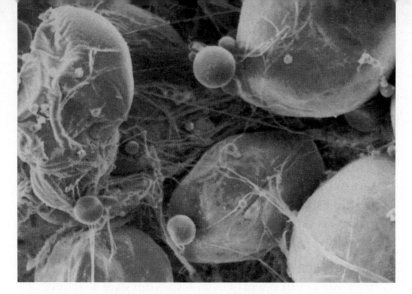

Figure 1–6 *Notice how these human fat cells vary in size, depending on the amount of fat they are storing. Why is fat considered a type of connective tissue?*

MUSCLE TISSUE The only kind of tissue in your body that has the ability to contract, or shorten, is muscle tissue. By contracting and thus pulling on bones, one type of muscle tissue makes your body move. Another type of muscle tissue lines the walls of structures inside your body. This muscle tissue does jobs such as moving food from your mouth to your stomach. A third type of muscle tissue is found only in the heart. This muscle tissue enables the heart to contract and pump blood.

CONNECTIVE TISSUE The tissue that provides support for your body and connects all its parts is called connective tissue. Bone is an example of connective tissue. Are you surprised to learn that bone is a tissue? Not all tissues need to be soft. Without bone, your body would lack support and definite shape. In other words, without bone you would just be a blob of flesh! Blood is another example of connective tissue. One of the blood's most important jobs is to bring food and oxygen to body cells and carry away wastes. A third kind of connective tissue is fat. Fat keeps the body warm, cushions structures from the shock of a sudden blow, and stores food.

NERVE TISSUE The third type of tissue is nerve tissue. Nerve tissue carries messages back and forth between the brain and spinal cord and every other part of your body. And it does so at incredible speeds. In the fraction of a second it takes for you to feel the cold of an ice cube you are touching, your nerve tissue has carried the message from your finger to your brain. Next time you have a chance to hold an ice cube, think about this.

A**CTIVITY**

Fast, Faster, Fastest

Nerve messages travel at incredible speeds. In fact, they can reach speeds of up to 100 meters per second. Nerve messages, however, are not the fastest things on Earth. Sound and light travel at speeds greater than the speed of a nerve impulse. To find out how fast sound and light travel, solve these riddles.

If sound travels 3.3 times faster than a nerve impulse, how fast does sound travel? If light travels 30,000 times faster than a nerve impulse, how fast does light travel? Arrange these speeds from slowest to fastest.

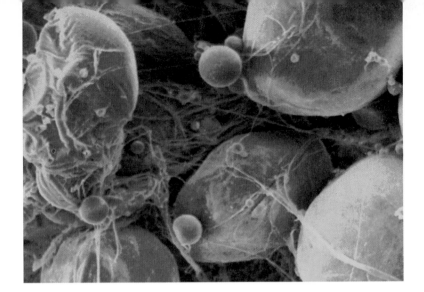

Figura 1–6 *El tamaño de estas células humanas de tejido graso varía según la cantidad de grasa que almacenan. ¿Por qué se considera la grasa un tipo de tejido conectivo?*

TEJIDO MUSCULAR El tejido muscular es el único tejido del cuerpo humano que puede contraerse. Un tipo de tejido muscular tira de los huesos al contraerse y hace que el cuerpo se mueva. Otro tipo tapiza las estructuras internas de tu cuerpo. Este tejido muscular es el que lleva comida desde tu boca hasta tu estómago. Un tercer tipo de tejido muscular se encuentra sólo en el corazón y es el que permite que el corazón se contraiga y bombee la sangre a todo el cuerpo.

TEJIDO CONECTIVO Es el que soporta y conecta las partes de tu cuerpo. Un tipo de este tejido son los huesos. ¿Te sorprende? No todos los tejidos son blandos. Sin los huesos tu cuerpo no tendría soporte ni forma definida. ¡Sin los huesos serías una masa de carne amorfa! La sangre es otro ejemplo de tejido conectivo. Una de las funciones más importantes de la sangre es la de llevar oxígeno a las células y deshacerse de los productos tóxicos. Un tercer tipo de este tejido es la grasa, que protege las estructuras del cuerpo, mantiene al cuerpo caliente y almacena alimentos.

TEJIDO NERVIOSO El tercer tipo de tejido es el tejido nervioso. Este tejido es el encargado de trasmitir mensajes entre el cerebro, la espina dorsal y el resto de tu cuerpo, y lo hace a velocidades increíbles. Cuando tocas un cubito de hielo sólo tardas una fracción de segundo en sentir frío; ese es el tiempo que ha tardado tu tejido nervioso en llevar el mensaje desde tu dedo hasta tu cerebro. Piensa sobre esto la próxima vez que toques un cubito de hielo.

ACTIVIDAD

PARA CALCULAR

Veloz, más veloz, velocísimo

Los mensajes nerviosos viajan a velocidades de hasta 100 metros por segundo. Sin embargo, no son los más veloces del mundo. El sonido y la luz viajan a velocidades superiores a la de los impulsos nerviosos. Resuelve estas adivinanzas para averiguar a que velocidades viajan la luz y el sonido. ¿A qué velocidad viaja el sonido si es 3.3 veces más veloz que el impulso nervioso? ¿A qué velocidad viaja la luz si es 30,000 veces más veloz que el impulso nervioso? Ordena estas velocidades de menor a mayor.

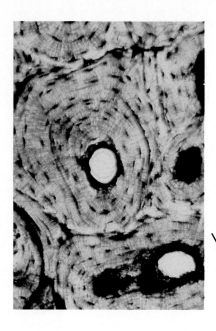

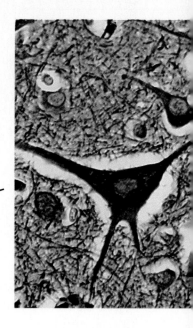

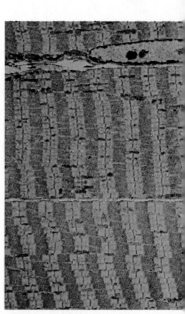

Figure 1–7 *Tissues are groups of similar cells that work together. How do connective tissue (top left), nerve tissue (top right), muscle tissue (bottom right), and epithelial tissue (bottom left) allow for the delicate movements needed to kick a soccer ball?*

EPITHELIAL TISSUE The fourth type of tissue is epithelial tissue. Epithelial tissue forms a protective surface on the outside of your body. When you look in a mirror, you are looking at a special kind of epithelial tissue, one that makes up your outer covering—your skin! Another kind of epithelial tissue lines the cavities, or hollow spaces, of the mouth, throat, ears, stomach, and other body parts.

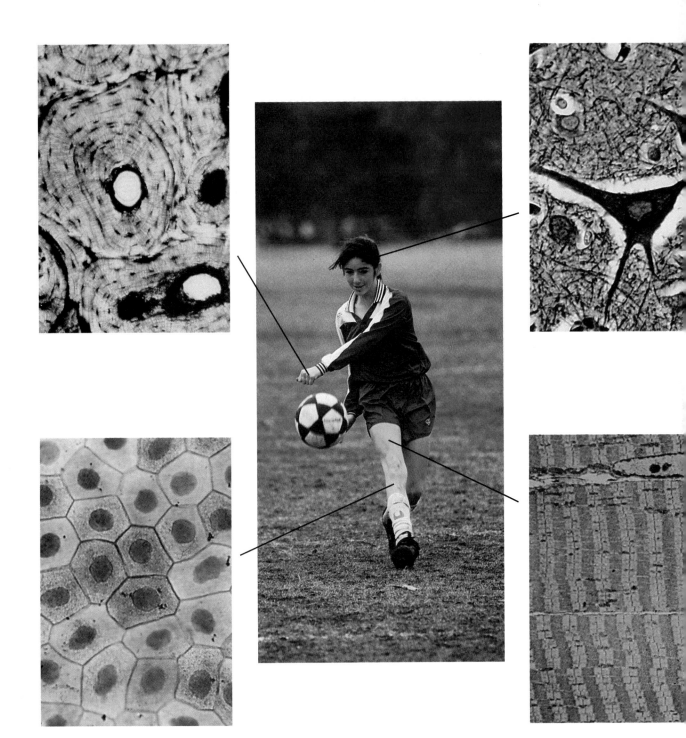

Figura 1–7 *Los tejidos son grupos de células que realizan la misma función.¿Cómo permiten los tejidos conectivos (arriba izquierda), nervioso (arriba derecha), muscular (abajo derecha) y epitelial (abajo izquierda) sincronizar los movimientos necesarios para patear una pelota de fútbol?*

TEJIDO EPITELIAL El cuarto tipo de tejido es el epitelial. Este tejido forma una cubierta protectora en el exterior del cuerpo. Cuando te miras al espejo, estás mirando un tipo muy especial de tejido epitelial, el que forma tu cubierta exterior—¡tu piel! Otro tipo de tejido epitelial cubre las cavidades o espacios de tu boca, garganta, estómago, oídos y otras partes del cuerpo.

Organs

Just as cells join together to form tissues, different types of tissues combine to form **organs.** An organ is a group of different tissues with a specific job. The heart, stomach, and brain are familiar examples of organs. But did you know that the eye, skin, and tongue are also organs? The heart is an example of an organ made up of all four kinds of tissues. Although the heart consists mostly of muscle tissue, it is covered and protected by epithelial tissue and also contains connective and nerve tissues.

Organ Systems

Many times even a complicated organ is not adequate enough to perform a series of specialized jobs in the body. In these cases, an **organ system** is needed. An organ system is a group of organs that work together to perform a specific job. Your body can work as it does because it is made up of many organ systems. The organ systems and their functions are shown in Figure 1–9 on page 22. Although each system performs a special function for the body, no one system acts alone. Each organ system contributes to the constant "teamwork" that keeps you, and most multicellular living things, alive.

To help you better understand how organ systems, organs, tissues, and cells are related, try this: Think of an organ system as an automobile manufacturing company. The organs would be represented by the different company divisions that are responsible for a particular model of automobile. Within each division, there are many departments— for example, accounting, assembly, design, and sales. Each department would represent the tissues that form each organ. And the people that work in each of the various departments would represent the cells that make up each type of tissue.

So whether it's in the automobile manufacturing company or in the body, it should now be clear to you that each level has its own specialized job to do. Yet each level is dependent on the activities of the other levels to either build an automobile or keep a body alive.

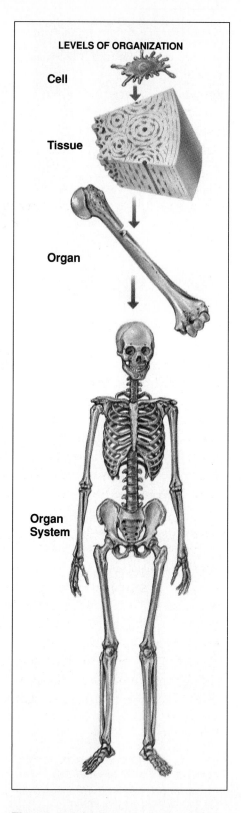

LEVELS OF ORGANIZATION

Cell

Tissue

Organ

Organ System

Figure 1–8 *Notice how bone cells are organized to form a tissue, an organ, and an organ system.*

Órganos

Así como las células se agrupan para formar tejidos, diferentes tipos de tejidos se combinan para formar **órganos**. Un órgano es un grupo de tejidos diferentes que realizan un trabajo específico. El corazón, el estómago y el cerebro son ejemplos de estos órganos. ¿Sabías qué los ojos, la piel y la lengua también son órganos? El corazón es un ejemplo de órgano formado por los cuatro tipos de tejidos. Si bien consiste principalmente de tejido muscular, está cubierto y protegido por tejido epitelial y también contiene tejido conectivo y nervioso.

Sistemas de órganos

Muchas veces, aún un órgano complejo no es lo suficientemente adecuado para realizar una serie de funciones especializadas en el cuerpo. En estos casos, es necesario un **sistema de órganos**. Un sistema de órganos es un grupo de órganos que funcionan juntos para realizar una tarea específica. Tu cuerpo puede funcionar como lo hace porque está formado por muchos sistemas de órganos. Los sistemas de órganos y sus funciones se ven en la figura 1–9, de la página 22. Si bien cada sistema realiza una función específica en el cuerpo, ninguno funciona por separado. Cada sistema de órganos colabora en un continuo trabajo de "equipo" que te mantiene vivo a ti y a la mayoría de los seres multicelulares.

Para ayudarte a entender mejor cómo están relacionados los sistemas de órganos, los órganos, los tejidos y las células, imagínate una compañia que fabrica automóviles. Dentro de cada división hay varios departamentos—por ejemplo: contabilidad, montaje, diseño y ventas. Cada departamento representa los tejidos que forman cada órgano. Y las personas que trabajan en los distintos departamentos representan las células que forman cada tipo de tejido.

Por lo tanto, en una tarea determinada ya sea en la fábrica de automóviles o en el cuerpo, cada nivel depende de las actividades de los otros niveles, ya sea para construir un automóvil, o para mantener el cuerpo con vida.

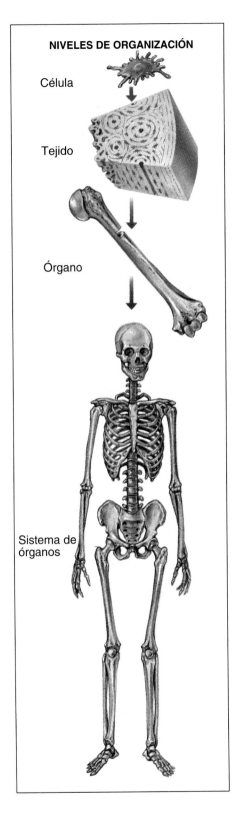

NIVELES DE ORGANIZACIÓN

Célula

Tejido

Órgano

Sistema de órganos

Figura 1–8 *Observa cómo las células óseas forman un tejido, un órgano y un sistema de órganos.*

Figure 1–9 *The 11 organ systems of the human body are shown in the chart. Which of these systems are you using right now?*

SYSTEMS OF THE HUMAN BODY

System	Functions
Skeletal	Protects, supports, allows movement, produces blood cells, and stores minerals
Muscular	Allows body movement and maintains posture
Digestive	Breaks down food and absorbs nutrients
Circulatory	Transports nutrients, wastes, and other materials and plays a role in the immune response
Respiratory	Exchanges oxygen and carbon dioxide between blood and air
Excretory	Removes solid and liquid wastes
Nervous	Detects sensation and controls most functions
Endocrine	Plays a part in the regulation of metabolism, reproduction, and many other functions
Reproductive	Performs reproduction and controls male and female functions and behaviors
Immune	Controls the immune response and fights disease
Integumentary (skin)	Protects, regulates temperature, prevents water loss

ACTIVITY

WRITING

Organs and Organ Systems

On a sheet of paper, copy the following chart.

Organ   **Organ System**
lung
small intestine
kidney
brain
rib
heart
thyroid gland
biceps
skin
pancreas

Using books in the library, find out the name of the organ system to which each organ belongs. Write the name of the organ system next to the proper organ. Now expand this list by adding other organs you have heard of or read about. Find out to which organ system each of these organs belongs.

1–2 Section Review

1. List the levels of organization in humans.
2. What are the four basic types of human tissues?
3. List the organ systems of the human body.

Connection—*You and Your World*

4. Using a bicycle or any type of machine as an example, explain how each part of the machine works with every other part so that the machine can do its job. Compare this with the way the systems of the body work together.

Figura 1-9 *En esta tabla aparecen los once sistemas del cuerpo. ¿Cuál de ellos estás usando ahora?*

LOS SISTEMAS DEL CUERPO HUMANO

Sistema	Funciones
Esquelético	Protege, sostiene, permite el movimiento, produce glóbulos rojos y almacena minerales
Muscular	Permite el movimiento del cuerpo y mantiene su postura
Digestivo	Degrada los alimentos y absorbe los nutrientes
Circulatorio	Transporta nutrientes, desperdicios y otros materiales y juega un rol importante en la reacción del sistema inmunológico
Respiratorio	Intercambia oxígeno y dióxido de carbono entre la sangre y el aire
Excretor	Deshecha desperdicios líquidos y sólidos
Nervioso	Detecta sensaciones y controla la mayoría de las funciones
Endocrino	Juega un rol importante en la regulación del metabolismo, la reproducción y muchas otras funciones
Reproductor	Realiza y controla las funciones y el comportamiento reproductor masculino y femenino
Inmunológico	Controla las reacciones inmunológicas y combate las enfermedades
Integumentario (piel)	Protege, regula la temperatura y previene la pérdida de líquido

ACTIVIDAD

PARA ESCRIBIR

Órganos y sistemas de órganos

Copia en una hoja de papel la siguiente tabla.

Órgano	Sistema de órganos
pulmón	
intestino delgado	
riñón	
cerebro	
costilla	
corazón	
glándula tiroide	
bíceps	
piel	
páncreas	

En la biblioteca, averigua el nombre del sistema de órganos al que pertenece cada órgano. Amplia la lista añadiendo otros órganos que conozcas o sobre los que hayas leído. Averigua a qué sistema de órganos pertenece cada uno de ellos.

1-2 Repaso de la sección

1. Enumera los niveles de organización en los humanos.
2. ¿Cuáles son los cuatro tipos básicos de tejidos humanos?
3. Enumera los sistemas de órganos del cuerpo humano.

Conexión—*Tú y tu mundo*

4. Usando como ejemplo una bicicleta o cualquier otro tipo de máquina, explica cómo cada parte de la máquina trabaja junto con las demás para que la máquina funcione. Compara esto con la manera en que trabajan juntos los sistemas del cuerpo.

Artificial Body Parts

Thanks to *chemical technology,* many worn-out or damaged body parts can be replaced totally or in part by plastics. Plastics can be stronger than steel or lighter than a sheet of paper. Plastics are synthetic materials that can be shaped into any form, from a transparent bag to a football helmet. In fact, the word plastics comes from the Greek word *plastikos,* which means able to be molded.

Plastics are made from chemicals. These chemicals come from such raw materials as coal, petroleum, salt, water, and limestone. Because plastics have a variety of special properties, they can do some jobs better than other materials.

Two special properties—harmless to the human body and unaffected by chemicals in the body —make certain plastics useful in medicine. For example, if a hip, knee, elbow, or shoulder joint breaks because of an accident or wears out from a disease (such as arthritis), it can be replaced with an artificial joint made of plastics. Plastics have also been used to replace parts of the intestines and faulty valves in the heart. Whenever surgeons do these or other types of body repair, they use threads made of plastics to sew all the parts into place. Strong, lightweight plastics are also used to make artificial body parts. Some artificial hands have "skin" made of plastics, complete with fingerprints and a partial sense of touch!

As you might imagine, the list of uses for plastics in medicine is almost endless. In fact, the day of a bionic person— once a figment of the imagination of a television scriptwriter—may soon become a reality.

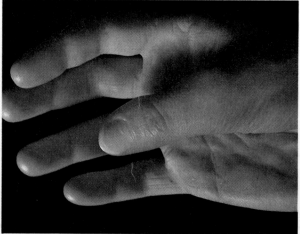

Partes artificiales del cuerpo

Gracias a la *tecnología química*, muchas partes desgastadas o dañadas del cuerpo se pueden reemplazar con plásticos. Más fuertes que el acero o más livianos que una hoja de papel, estos materiales sintéticos se pueden moldear de distintas formas, para hacer desde una bolsa transparente hasta un casco de fútbol. La palabra plástico se deriva del griego *plastikos* y significa moldeable.

Los plásticos vienen de substancias químicas. Para obtenerlas se usan materias primas como el carbón, el petróleo, la sal, el agua y la cal. Los plásticos tienen propiedades especiales que los hacen más viables que otros materiales.

El plástico tiene dos propiedades especiales que lo hace muy útil en la medicina: no es dañino y los elementos químicos del cuerpo no lo afectan. Por ejemplo, si nos fracturamos la cadera, la rodilla, la articulación del hombro o el codo debido a un accidente o si se desgastan por los efectos de una enfermedad (como la artritis,) se las puede reemplazar con una articulación artificial de plástico. Los plásticos también se usan para reemplazar partes de los intestinos y válvulas defectuosas en el corazón. Cuando los cirujanos realizan intervenciones en el cuerpo, usan hilos de sutura de plástico. También para hacer partes artificiales del cuerpo se usan plásticos resistentes y livianos. Algunas manos artificiales tienen "piel" hecha de plástico con huellas digitales artificiales y sentido parcial del tacto. Como te podrás imaginar la lista de los usos del plástico es interminable y el día en que la persona biónica se convierta en una realidad no está muy lejos.

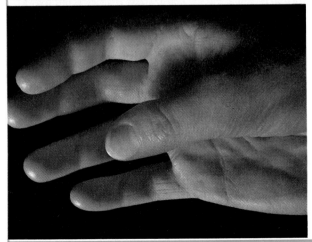

Laboratory Investigation

Looking at Human Cheek Cells

Problem

What are the characteristics of some typical human cells?

Materials *(per pair of students)*

microscope	medicine dropper
glass slide	methylene blue
coverslip	paper towel
toothpick	

Procedure 🧪 📷 👁

1. Place a drop of water in the center of the slide.

2. Using the flat end of the toothpick, gently scrape the inside of your cheek. Although you will not see them, cells will come off the inside of your cheek and stick to the toothpick.

3. Stir the scrapings from the same end of the toothpick into the drop of water on the slide. Mix thoroughly and cover with the coverslip.

4. Place the slide on the stage of the microscope and focus under low power. Examine a few cells. Focus on one cell. Sketch and label the parts of the cell. (Refer to Figure 1–3 for the basic parts of the cell.)

5. Switch to high power. Sketch and label the cell and its parts.

6. Remove the slide from the stage of the microscope. With the medicine dropper, put one drop of methylene blue at the edge of the coverslip. **CAUTION**: *Be careful when using methylene blue because it may stain the skin and clothing.* Place a small piece of paper towel at the opposite edge of the coverslip. The stain will pass under the coverslip. Use another piece of paper towel to absorb any excess stain.

7. Place the slide on the stage of the microscope again and find an individual cell under low power. Sketch and label that cell and the cell parts that you see.

8. Switch to high power and sketch and label the cell and its parts.

Observation

How are cheek cells arranged with respect to one another?

Analysis and Conclusions

1. What is the advantage of staining the cheek cells?

2. Explain why the shape of cheek cells is suited to their function.

3. Based on your observations, to which tissue type do cheek cells belong?

4. **On Your Own** Examine some other types of human cells, such as muscle, blood, or nerve, under the microscope. Sketch and label the parts of the cell. How does this cell compare with the cheek cell?

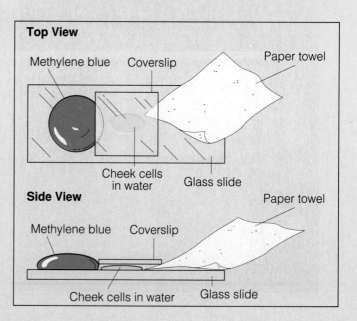

Top View — Methylene blue, Coverslip, Paper towel, Cheek cells in water, Glass slide

Side View — Methylene blue, Coverslip, Paper towel, Cheek cells in water, Glass slide

Investigación de laboratorio

Observación de las células de la mejilla

Problema

¿Cuáles son las características de algunas células humanas típicas?

Materiales *(por pareja de estudiantes)*

microscopio	gotero medicinal
portaobjetos	azul de metileno
cubreobjetos	toalla de papel
palillo de dientes	

Procedimiento 🧪 🧰 👁

1. Coloca una gota de agua en el centro del portaobjetos.

2. Con la parte plana del palillo de dientes raspa apenas el interior de tu mejilla. Algunas células, que no podrás ver, se desprenderán de la parte interior de tu mejilla y se pegarán al palillo.

3. Pon las raspaduras del palillo en la gota de agua sobre el portaobjetos. Mezcla bien antes de colocar el cubreobjetos.

4. Coloca el portaobjetos bajo el microscopio, en la parte lisa de baja magnitud. Examina algunas células. Enfoca una de ellas. Dibuja una célula y describe sus partes. (Observa las partes básicas de una célula en la figura 1–3).

5. Usa la alta magnitiud. Dibuja una célula y los nombres de las partes que observes.

6. Quita el portaobjetos del microscopio. Con un gotero medicinal, coloca una gota de azul de metileno en el borde del cubreobjetos. **CUIDADO:** *el azul de metileno puede manchar la piel y la ropa.* Coloca un trozo de papel toalla en el extremo opuesto del cubreobjeto. La gota pasará debajo del cubreobjetos. Con otro trozo de toalla de papel absorbe el exceso de azul de metileno.

7. Coloca el portaobjetos bajo el microscopio otra vez y localiza una célula a baja magnitud. Dibuja esa célula y escribe los nombres de las partes que observes.

8. Cambia a alta magnitud; dibuja la célula y escribe los nombres de las partes que observes.

Observación

¿Cómo están las células de las mejillas dispuestas entre sí?

Análisis y conclusiones

1. ¿Por qué es conveniente teñir las células?

2. Explica por qué la forma de las células de las mejillas es adecuada para su función.

3. Según tus observaciones, ¿a qué tipo de tejido pertenecen las células de las mejillas?

4. **Por tu cuenta** Examina otro tipo de células humanas, como las musculares, las de la sangre y las nerviosas bajo el microscopio. Dibuja y pon el nombre de cada una de las partes de la célula. ¿Cómo se compara ésta célula con la de la mejilla?

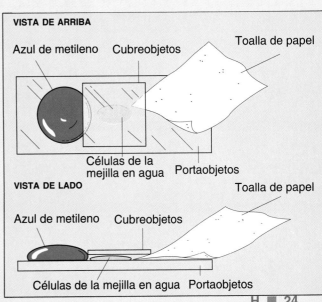

VISTA DE ARRIBA — Azul de metileno, Cubreobjetos, Toalla de papel, Células de la mejilla en agua, Portaobjetos

VISTA DE LADO — Azul de metileno, Cubreobjetos, Toalla de papel, Células de la mejilla en agua, Portaobjetos

Summarizing Key Concepts

1–1 The Body as a Whole

▲ The process by which the body's internal environment is kept stable in spite of changes in the external environment is called homeostasis.

▲ Humans, like all living things, need energy to do work.

1–2 Levels of Organization

▲ The levels of organization in a multicellular living thing include cells, tissues, organs, and organ systems.

▲ Cells come in all shapes and sizes. Regardless of its job or shape, a cell works in harmony with other cells to keep the body alive.

▲ Cells are the building blocks of living things.

▲ A tissue is a group of similar cells that perform the same function.

▲ There are four types of tissues in the human body: muscle, connective, nerve, and epithelial.

▲ Muscle tissue has the ability to contract, or shorten. By contracting and thus pulling on bones, one type of muscle tissue makes the body move. Another type of muscle tissue lines the walls of structures inside the body. A third type of muscle tissue enables the heart to contract and pump blood to all parts of the body.

▲ Connective tissue provides support for the body and connects all its parts.

▲ Nerve tissue carries messages back and forth between the brain and the spinal cord and every other part of the body.

▲ Epithelial tissue forms a protective surface on the outside of the body and lines its internal cavities.

▲ An organ is a group of different tissues with a specific function.

▲ An organ system is a group of organs that work together to perform a specific job.

Reviewing Key Terms

Define each term in a complete sentence.

1–1 The Body as a Whole
    homeostasis

1–2 Levels of Organization
    cell
    tissue
    organ
    organ system

Resumen de conceptos claves

1–1 El cuerpo como un todo

▲ El proceso mediante el cual el cuerpo mantiene su estabilidad interna a pesar de los cambios que ocurren en el exterior se llama homeostasis.

▲ Los seres humanos, como todos los seres vivos, necesitan energía para funcionar.

1–2 Niveles de organización

▲ Los niveles de organización en los seres multicelulares incluyen células, tejidos, órganos y sistemas de órganos.

▲ Las células tienen todo tipo de formas y tamaños. Independientemente de su función o de su forma las células trabajan en armonía con otras para mantener vivo al cuerpo.

▲ Las células son los bloques básicos de los seres vivos.

▲ Un tejido es un grupo de células semejantes que realizan la misma función.

▲ Hay cuatro tipos de tejidos principales en el cuerpo humano: muscular, conectivo, nervioso y epitelial.

▲ El tejido muscular es el único capaz de contraerse, y al hacerlo, tira de los huesos haciendo que el cuerpo se mueva. Otro tipo de tejido muscular tapiza las paredes de estructuras dentro de tu cuerpo. Un tercer tipo de tejido muscular se halla sólo en el corazón donde, al contraerse, bombea la sangre a todo el cuerpo.

▲ El tejido conectivo soporta tu cuerpo y conecta todas sus partes.

▲ El tejido nervioso trasmite mensajes de ida y vuelta entre el cerebro, la espina dorsal y el resto de tu cuerpo.

▲ El tejido epitelial forma una cubierta protectora en la parte exterior de tu cuerpo y tapiza sus cavidades internas.

▲ Un órgano es un grupo de tejidos diferentes que realizan una tarea específica.

▲ Un sistema de órganos es un grupo de órganos que trabajan para realizar una tarea específica.

Repaso de palabras claves

Define cada palabra o palabras con una oración completa.

1–1 El cuerpo como un todo
homeostasis

1–2 Niveles de organización
célula
tejido
órgano
sistema de órganos

Chapter Review

Content Review

Multiple Choice

Choose the letter of the answer that best completes each statement.

1. The term most closely associated with homeostasis is
   a. growth.   c. regulation.
   b. stability.   d. energy.
2. To do work, living things must have
   a. growth.   c. energy.
   b. green plants.   d. oxygen.
3. A group of similar cells that perform a similar function is called a(an)
   a. tissue.   c. organ system.
   b. organ.   d. living thing.
4. A tissue that has the ability to contract is
   a. muscle tissue.
   b. connective tissue.
   c. nerve tissue.
   d. epithelial tissue.
5. Which type of tissue is blood?
   a. muscle tissue
   b. connective tissue
   c. nerve tissue
   d. epithelial tissue
6. An organ made up of all four kinds of tissues is the
   a. brain.   c. heart.
   b. blood.   d. spinal cord.

7. A tissue that protects the surface of the body is
   a. muscle tissue.
   b. connective tissue.
   c. nerve tissue.
   d. epithelial tissue.
8. From smallest to largest, the levels of organization in a multicellular living thing are
   a. tissues, cells, organs, organ systems.
   b. cells, organs, tissues, organ systems.
   c. organ systems, organs, tissues, cells.
   d. cells, tissues, organs, organ systems.
9. Which is an example of a unicellular living thing?
   a. ameba   c. human
   b. tree   d. turtle
10. Which system removes wastes from the body?
   a. skeletal   c. digestive
   b. nervous   d. excretory

True or False

If the statement is true, write "true." If it is false, change the underlined word or words to make the statement true.

1. <u>Homeostasis</u> is the process by which the body's internal environment is kept stable in spite of changes in the external environment.
2. All living things need <u>energy</u> to do work.
3. A group of different tissues that have a specific function is called a (an) <u>organ</u>.
4. <u>Muscle</u> tissue provides support for the body and connects its parts.
5. Fat is an example of <u>connective</u> tissue.

Concept Mapping

Complete the following concept map for Section 1–1. Refer to pages H8–H9 to construct a concept map for the entire chapter.

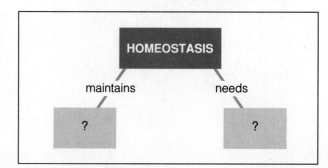

Repaso del capítulo

Repaso del contenido

Selección múltiple

Selecciona la letra de la respuesta que mejor complete cada frase.

1. La palabra que se relaciona más con homeostasis es
   - a. desarrollo.
   - b. estabilidad.
   - c. regulación.
   - d. energía.

2. Para funcionar los seres vivos necesitan
   - a. crecer.
   - b. plantas verdes.
   - c. energía.
   - d. oxígeno.

3. Un grupo de células semejantes que realizan una misma función se llaman
   - a. tejido.
   - b. órgano.
   - c. sistema de órganos.
   - d. ser vivo.

4. Un tejido que es capaz de contraerse es
   - a. tejido muscular.
   - b. tejido conectivo.
   - c. tejido nervioso.
   - d. tejido epitelial.

5. ¿Qué tipo de tejido es la sangre?
   - a. tejido muscular
   - b. tejido conectivo
   - c. tejido nervioso
   - d. tejido epitelial

6. ¿Qué órgano está formado por cuatro tipos de tejidos?
   - a. cerebro
   - b. sangre
   - c. corazón
   - d. espina dorsal

7. El tejido que protege la cubierta del cuerpo es
   - a. tejido muscular.
   - b. tejido conectivo.
   - c. tejido nervioso.
   - d. tejido epitelial.

8. De menor a mayor, los niveles de organización en un ser vivo multicelular son
   - a. tejidos, células, órganos, sistemas de órganos.
   - b. células, órganos, tejidos, sistemas de órganos.
   - c. sistemas de órganos, órganos, tejidos, células.
   - d. células, tejidos, órganos, sistemas de órganos.

9. ¿Cuál es un ejemplo de un ser vivo unicelular?
   - a. ameba
   - b. árbol
   - c. ser humano
   - d. tortuga

10. ¿Cuál es sistema encargado de recoger los deshechos del cuerpo?
    - a. esquelético
    - b. nervioso
    - c. digestivo
    - d. excretor

Verdadero o falso

Si la afirmación es verdadera, escribe "verdad." Si es falsa, cambia las palabras subrayadas para que sea verdadera.

1. Homeostasis es el proceso mediante el cual el cuerpo mantiene su estabilidad interna a pesar de los cambios que ocurren en el exterior.

2. Todos los seres vivos necesitan energía para funcionar.

3. A un grupo de tejidos diferentes que realizan una función específica se lo llama órgano.

4. El tejido muscular es el que soporta al cuerpo y conecta todas sus partes.

5. La grasa es un ejemplo de tejido conectivo.

Mapa de conceptos

Completa el siguiente mapa de conceptos para la sección 1–1. Para hacer un mapa de conceptos de todo el capítulo, consulta las páginas H8–H9.

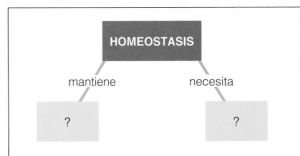

Concept Mastery

Discuss each of the following in a brief paragraph.

1. List and describe the four types of tissues in the body.
2. Explain the relationship between cells, tissues, organs, and organ systems.
3. Name three systems of the body and give the function of each.
4. Why is homeostasis important to the survival of a living thing?
5. Explain why the human body needs energy.

Critical Thinking and Problem Solving

Use the skills you have developed in this chapter to answer each of the following.

1. **Making inferences** What role does homeostasis play in the existence of a living thing?
2. **Applying concepts** How does wearing a heavy coat in winter help to maintain homeostasis?
3. **Relating concepts** When exercising on a hot day, you begin to sweat a lot and you become thirsty. How do sweating and becoming thirsty illustrate homeostasis?

4. **Relating facts** Although the structures of the body are grouped into separate organ systems, they are not independent of one another. Explain how a bad cold, which affects the respiratory system, can keep you from playing a good game of softball.
5. **Developing a model** Design a new organ for the human body. The function of this organ will be storage of air for long periods during swimming and space travel. Which tissues might be needed? What will the function of each tissue be? What cells will make up each tissue? What will the cells look like? Include a sketch of this organ.
6. **Relating facts** Provide two examples of body activities in which two or more organ systems work together.
7. **Using the writing process** Develop an advertising campaign for the use of antacids. An antacid is a substance that helps to calm an upset stomach. In your campaign, show how an upset stomach affects not only the digestive system, of which the stomach is a part, but other organ systems as well.

Dominio de conceptos

Comenta cada uno de los puntos siguientes en un párrafo breve.

1. Enumera y describe los cuatro tipos de tejidos en el cuerpo.
2. Explica la relación entre las células, tejidos órganos, y sistema de órganos.
3. Nombra tres sistemas del cuerpo y explica la función de cada uno.
4. ¿Por qué es importante la homeostasis para la supervivencia de un ser vivo?
5. Explica por qué el cuerpo humano necesita energía.

Pensamiento crítico y solución de problemas

Usa las destrezas que has desarrollado en este capítulo para resolver lo siguiente.

1. **Hacer deducciones** ¿Qué papel juega la homeostasis en la existencia de un ser vivo?
2. **Aplicar conceptos** ¿Cómo contribuye un abrigo de invierno a mantener la homeostasis?
3. **Relacionar conceptos** Cuando haces ejercicios en un día caluroso, comienzas a sudar mucho y te da mucha sed. ¿De qué manera sudar y estar sediento demuestran la homeostasis?

4. **Relacionar hechos** Si bien las estructuras del cuerpo se agrupan en sistemas de órganos separados, no son independientes. Explica cómo un fuerte resfrío, que afecta el sistema respiratorio, puede impedir que juegues bien al béisbol.
5. **Desarrollar un modelo** Diseña un nuevo órgano para el cuerpo humano. La función de éste órgano será la de almacenar aire por largos períodos de tiempo para la natación y viajes espaciales. ¿Qué tejidos serán necesarios? ¿Cuál será su función? ¿Qué células formarán cada tejido? ¿A qué se parecerán las células? Incluye un dibujo ilustrativo.
6. **Relacionar hechos** Menciona dos ejemplos de actividades del cuerpo en las que dos o más sistemas de órganos funcionen juntos.
7. **Usar el proceso de la escritura** Desarrolla una campaña publicitaria para el consumo de antiácidos. Un antiácido es una substancia que calma la acidez estomacal. En tu campaña, demuestra cómo la acidez estomacal no sólo afecta el sistema digestivo, del cual el estómago forma parte, sino también otros sistemas de órganos.

Skeletal and Muscular Systems

Guide for Reading

After you read the following sections, you will be able to

2–1 The Skeletal System

- List the functions of each part of the skeletal system.
- Describe the characteristics and structure of bone.
- Describe three types of movable joints.

2–2 The Muscular System

- Classify the three types of muscle tissues.
- Explain how muscles cause movement.

2–3 Injuries to the Skeletal and Muscular Systems

- List the three most common injuries to the skeletal and muscular systems.

Slowly, the young man climbs up the ladder toward the top of the circus tent. The crowd grows quiet. You feel your heart beginning to beat faster. You tilt your head back. Your eyes follow the man in the glistening costume. As he grabs the trapeze, the muscles in his arms bulge. Suddenly, he leaps and is flying through space. Then he lets go of the trapeze and does a somersault in midair . . . once, twice, three times. You gasp and then gaze in disbelief as, incredibly, the man does another somersault—a quadruple! It has never been done before!

How, you wonder, has the trapeze artist been able to perform such a daring feat? Part of the answer lies in the hundreds of hours he has spent training and practicing. And part of the answer lies in the dedication he has brought to his work. But certainly he could never have performed this spectacular act if it were not for his finely coordinated body. Working together with many of his other organs, the trapeze artist's bones and muscles have made the "impossible" happen. In the pages that follow, you will discover how your skeletal and muscular systems work for you—making the ordinary to the almost impossible possible.

Journal *Activity*

You and Your World Perform one type of movement with each of the following parts of your body: finger, wrist, arm, and neck. In your journal, describe the motion of each body part. What allows you to move these body parts? How is each motion different?

◀ *A trapeze artist performs a daring feat—a quadruple somersault!*

El esqueleto y el sistema muscular

Guía para la lectura

El muchacho sube lentamente las escaleras hasta la parte más alta del circo. Los espectadores observan en silencio. Tu corazón comienza a latir rápidamente. Inclinas la cabeza hacia atrás y sigues con la mirada al trapecista en su traje brillante. Los músculos de sus brazos se agrandan a medida que se agarra del trapecio. De pronto, salta y vuela por el espacio. Entonces, suelta el trapecio y realiza un salto mortal por el aire . . . una, dos, tres veces. Sin poder creer lo que ves, casi sin aliento, observas cómo el trapecista salta nuevamente — ¡un cuádruple! ¡Es el primero en realizar esta hazaña!

Te preguntas, ¿cómo ha sido capaz de hacerlo? Parte de la respuesta está en la cantidad de horas que se ha estado entrenando y practicando. Y parte está en la dedicación que ha puesto en su trabajo. Pero, sin lugar a dudas, nunca habría podido realizar esta espectacular hazaña sino hubiera sido por la precisa coordinación de su cuerpo. Los músculos y los huesos del trapecista, al trabajar junto con los otros órganos, han logrado hacer algo "imposible." En las páginas siguientes descubrirás cómo tu esqueleto y tu sistema muscular trabajan para tí, haciendo que lo ordinario, y lo casi imposible, algo posible.

Diario *Actividad*

Tú y tu mundo Realiza un movimiento con cada una de estas partes de tu cuerpo: los dedos, la muñeca, el hombro, y el cuello. Describe en tu diario el movimiento de cada una. ¿Qué permite el movimiento de esas partes del cuerpo? ¿Cómo se diferencia cada uno de esos movimientos?

◄ *Este trapecista realiza una increible hazaña: ¡un salto mortal cuádruple!*

2–1 The Skeletal System

The skeletal system is the body's living framework. This complicated structure contains more than 200 **bones**—actually, about 206. The bones are held together by groups of stringy connective tissues called **ligaments.** Another group of connective tissues called **tendons** attach bones to muscles. Together, the bones, ligaments, and tendons make up most of the skeletal system.

Functions of the Skeletal System

The skeletal system has five important functions: It provides shape and support, allows movement, protects tissues and organs, stores certain materials, and produces blood cells. The first of these important functions—giving shape and support to the body—should be pretty clear to you. Imagine that you did not have a skeletal system. What would you look like? A formless mass? A blob of jelly? The answer is yes to both descriptions! In fact, if the skeletal system did not perform this vital role, it would be meaningless to consider any of its other functions.

The skeletal system helps the body move. Almost all your bones are attached to muscles. As the muscles contract (shorten), they pull on the bones,

ACTIVITY

DOING

Bones as Levers

Using books in the library, find out about the three classes of levers. How do bones act as levers? On posterboard, draw one class of levers. Next to the drawing, draw an example of the bones that act like that lever. In the drawing, label the effort, load, and fulcrum. At the bottom of the posterboard, define effort, load, and fulcrum.

What are the two other classes of levers? Give an example for each of these levers in the body.

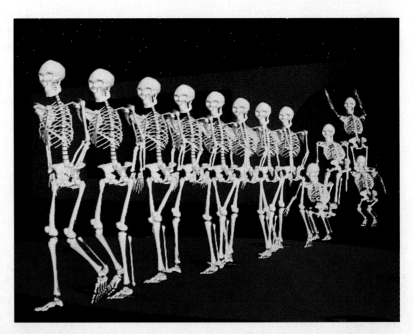

Figure 2–1 *As a result of computer graphics, the jumping and walking movements of a human skeleton take on a ghostly appearance. What type of connective tissue holds the bones of the skeleton together?*

*Piensa en estas preguntas
mientras lees.*

▶ *¿Cuáles son las cinco funciones del esqueleto?*

▶ *¿Cómo es la estructura de
un hueso?*

2–1 El esqueleto

El esqueleto es la estructura viva del cuerpo. Esta compleja estructura contiene más de 200 **huesos** —en realidad, unos 206. Los huesos se mantienen unidos por grupos de tejidos conectivos fibrosos llamados **ligamentos**. Los **tendones** — otro tipo de tejido conectivo —conectan los huesos a los músculos. Los huesos, los ligamentos y los tendones forman la mayor parte del esqueleto.

Funciones del esqueleto

El esqueleto cumple cinco funciones importantes: provee forma y soporte, permite el movimiento, protege tejidos y órganos, almacena ciertos tipos de substancias y produce células sanguíneas. La primera de estas funciones —proveer de forma y soporte al cuerpo —debe serte fácil de entender. Imagínate que no tienes esqueleto. ¿A qué te parecerías? ¿A una masa sin forma? ¿A un globo de gelatina? ¡La respuesta es sí en ambos casos! En realidad, si el esqueleto no cumpliera este papel vital, no tendría sentido considerar sus otras funciones.

El esqueleto facilita el movimiento del cuerpo. Casi todos tus huesos están conectados a músculos. A medida que los músculos se contraen (se acortan), tiran de los huesos y hacen posible el movimiento. Mediante

Actividad

ACTIVIDAD

PARA HACER

Los huesos como palancas

Averigua en los libros de la biblioteca cuáles son los tres tipos de palancas. ¿Cómo funcionan los huesos como palancas? Dibuja en una lámina un tipo de palanca. Al lado, dibuja un tipo de huesos que funcionen como palancas. En el dibujo califica el esfuerzo, carga y fulcro. Abajo, define los términos esfuerzo, carga y fulcro.

¿Cuáles son los otros dos tipos de palancas? Da un ejemplo de cada una de ellas en el cuerpo.

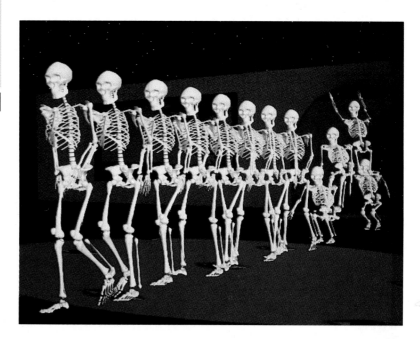

Figura 2–1 *Los movimientos de un esqueleto humano al caminar y saltar adquieren un aspecto fantasmagórico en estos gráficos de computadora. ¿Qué tipo de tejido conectivo mantiene unidos los huesos del esqueleto?*

causing the bones to move. By working together, the actions of the bones and muscles enable you to walk, sit, stand, and do a somersault.

Bones protect the tissues and organs of your body. If you move your fingers along the center of your back, you will feel your backbone, or vertebral column. Your backbone protects your spinal cord, which is the message "cable" between the brain and other body parts. As you may recall from Chapter 1, the spinal cord is made up of nerve tissue. Nerve tissue is extremely soft and delicate and, therefore, easily damaged. So you can see why it is important that the spinal cord is protected from injury.

Bones are storage areas for certain substances. Some of these substances give bones their stiffness. Others play a role in blood clotting, nerve function, and muscle activity. If the levels of these substances in the blood should fall below their normal ranges, the body will begin to remove them from where they are stored in the bones.

The long bones in your body (such as those in the arms and legs) produce many blood cells. One type of blood cell carries oxygen. Another type destroys harmful bacteria.

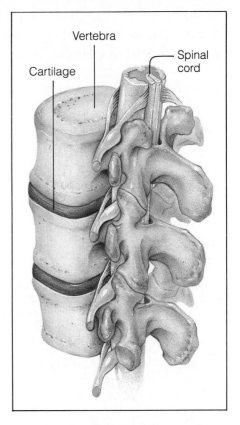

Figure 2–2 *The vertebral column consists of a series of small bones stacked one on top of the other. Together, these bones protect the delicate spinal cord and also form a strong support for the body. What are the individual bones of the vertebral column called?*

Parts of the Skeleton

Suppose you were asked to make a life-size model of the human skeleton. Where would you start? You might begin by thinking of the human skeleton as consisting of two parts. The first part covers the area that runs from the top of your head and down your body in a straight line to your hips. This part includes the skull, the ribs, the breastbone, and the vertebral column. The vertebral column contains 26 bones, which are called vertebrae (VER-tuh-bray; singular: vertebra, VER-tuh-bruh).

The second part of the skeletal system includes the bones of the arms, legs, hands, feet, hips, and shoulders. There is a total of 126 bones in this part of the skeletal system.

Figure 2–3 *Unlike humans, the king crab has a hard external skeleton. What are some advantages of having an internal skeleton?*

su trabajo en conjunto, las acciones de los huesos y de los músculos te permiten caminar, sentarte, ponerte de pie y hasta dar un salto mortal.

Los huesos protegen a los tejidos y órganos de tu cuerpo. Si mueves los dedos a lo largo del centro de tu espalda, sentirás tu columna vertebral. Tu columna vertebral protege la médula espinal, que es el cable que lleva los mensajes entre el cerebro y las otras partes del cuerpo. Como has visto en el capítulo 1, la médula espinal está formada por tejido nervioso. El tejido nervioso es muy blando y delicado, en consecuencia puede dañarse fácilmente. Puedes ver que es muy importante que la médula espinal esté protegida contra lesiones.

Los huesos actúan como centros de almacenamiento de ciertas sustancias. Algunas de estas sustancias le dan rigidez al hueso. Otras participan en la coagulación de la sangre, funcionamiento nervioso y la actividad muscular. Si el nivel de estas sustancias en la sangre desciende por debajo de lo normal, el cuerpo comienza a sacarlas de los huesos donde están almacenadas.

Los huesos largos de tu cuerpo (como los de los brazos y las piernas) producen muchas células sanguíneas como las que transportan oxígeno o las que se encargan de destruir bacterias perjudiciales para el cuerpo.

Partes del esqueleto

Supón que te encargan que hagas un esqueleto de tamaño natural. ¿Dónde comenzarías? Podrías comenzar pensando que el esqueleto humano consiste de dos partes. La primera parte abarca la zona que va desde la parte superior de tu cabeza, en línea recta, hacia abajo hasta las caderas. Esta parte incluye el cráneo, las costillas, el esternón y la columna vertebral. La columna vertebral consta de 26 huesos que se llaman vértebras.

La segunda parte del esqueleto incluye los huesos de los brazos, piernas, manos, pies, caderas y hombros. Esta parte del esqueleto consta de 126 huesos.

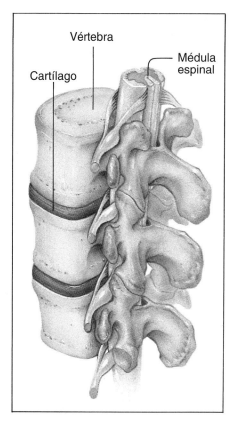

Figura 2–2 *La columna vertebral consiste de una serie de pequeños huesos apilados uno encima del otro. En conjunto, todos estos huesos protegen la médula espinal y también forman un poderoso soporte para el cuerpo. ¿Cómo se llaman cada uno de los huesos de la columna vertebral?*

Figura 2–3 *Al contrario de los humanos, el cangrejo rey tiene un esqueleto exterior duro. ¿Cuáles son algunas de las ventajas de tener un esqueleto interior?*

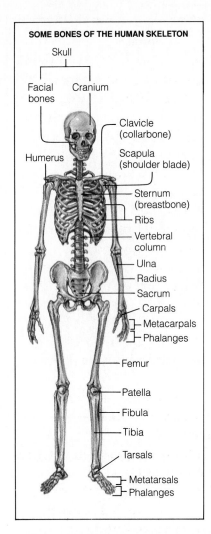

SOME BONES OF THE HUMAN SKELETON

Skull
Facial bones
Cranium
Humerus
Clavicle (collarbone)
Scapula (shoulder blade)
Sternum (breastbone)
Ribs
Vertebral column
Ulna
Radius
Sacrum
Carpals
Metacarpals
Phalanges
Femur
Patella
Fibula
Tibia
Tarsals
Metatarsals
Phalanges

Figure 2–4 *There are approximately 206 bones in the human skeletal system. What is another name for the collarbone?*

Development of Bones

Many bones are formed from a type of connective tissue called **cartilage** (KAHRT-'l-ihj). Cartilage is a very hard, stiff jellylike material. Although cartilage is strong enough to support weight, it is also flexible enough to be bent and twisted. You can prove this to yourself by moving your nose back and forth and by flapping your ears. The tip of your nose and your ear are made of cartilage.

Many bones in the skeleton of a newborn baby are composed almost entirely of cartilage. The process of replacing cartilage with bone starts about seven months before birth and is not completed until a person reaches the age of about 25 years. At this time, a person "stops growing." However, some forming and reforming of bone still occurs even in adulthood, primarily where bone is under a great deal of stress.

Although most of your body's cartilage will eventually be replaced by bone, there are a few areas where the cartilage will remain unchanged, such as in the knee, ankle, and elbow. These areas are usually found where bone meets bone. Here the cartilage has two jobs. One job is to cushion the bones against sudden jolts, such as those that occur when you jump or run. The other job is to provide a slippery surface for the bones so that they can move without rubbing against one another. Because cartilage is three times more slippery than ice, it is the ideal material for this task.

Figure 2–5 *X-rays of the hands of a 2-year-old (top left) and a 3-year-old (bottom left) show that the cartilage in the wrist has not yet been replaced by bone. In the X-ray of a 14-year-old's hand (center), the replacement of cartilage by bone is almost complete, as it is in the hand of a 60-year-old (right). What type of tissue is cartilage?*

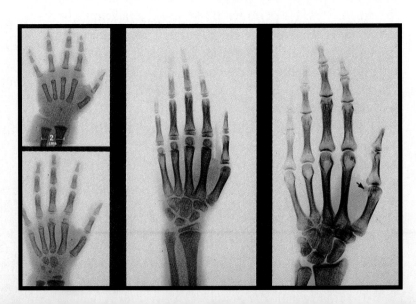

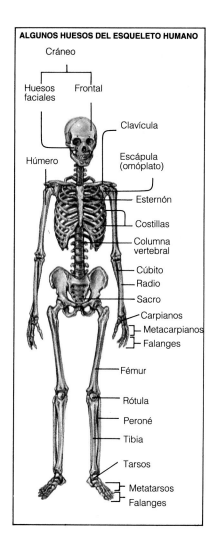

ALGUNOS HUESOS DEL ESQUELETO HUMANO

Cráneo
- Huesos faciales
- Frontal

Clavícula

Escápula (omóplato)

Húmero

Esternón

Costillas

Columna vertebral

Cúbito

Radio

Sacro

Carpianos

Metacarpianos

Falanges

Fémur

Rótula

Peroné

Tibia

Tarsos

Metatarsos

Falanges

Figura 2–4 *En el esqueleto humano hay aproximadamente 206 huesos. ¿Cuál es otro nombre del omóplato?*

Desarrollo de los huesos

Muchos huesos están formados por un tipo de tejido conectivo llamado **cartílago**. El cartílago es on material muy duro, denso y gelatinoso. El cartílago, que es lo suficientemente fuerte para soportar peso es, al mismo tiempo, suficientemente flexible para doblarse y torcerse. Tú puedes comprobarlo si te tuerces la nariz y los oídos hacia uno y otro lado. La punta de tu nariz y tus orejas están formadas de cartílago.

Muchos huesos del esqueleto de un bebé recién nacido están formados casi totalmente por cartílagos. El proceso por medio del cual los cartílagos son reemplazados por huesos, comienza aproximadamente siete meses antes del nacimiento y termina cuando una persona cumple 25 años. En ese momento el "crecimiento se detiene." Sin embargo, siempre hay algún tipo de formación y reformación en los huesos, aún en los adultos, sobre todo cuando los huesos se encuentran bajo gran tensión.

Si bien la mayoría de los cartílagos de tu cuerpo serán eventualmente reemplazados por huesos, hay algunas zonas, como las rodillas, tobillos y codos que permanecerán sin cambiar. Estas zonas generalmente se encuentran en las uniones de los huesos. Aquí los cartílagos cumplen dos funciones. Una es acolchar los huesos contra golpes imprevistos. La otra es proveer una superficie resbaladiza para que los huesos se puedan mover sin que haya fricción entre ellos. Debido a que los cartílagos son tres veces más resbaladizos que el hielo, son la substancia ideal para esta función.

Figura 2–5 *La radiografía de las manos de estos niños de 2 (arriba izquierda) y 3 años (abajo izquierda) muestran el cartílago en la muñeca que no ha sido reemplazado aún por huesos. La radiografía de la mano de un niño de 14 años (centro) y de una persona de 60 años (derecha) muestra que el cartílago ha sido reemplazado casi completamente por huesos. ¿Qué tipo de tejido son los cartílagos?*

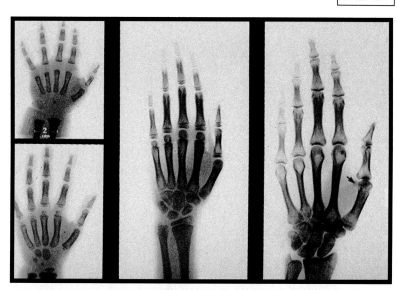

Structure of Bones

Bone is not only one of the toughest materials in the body, it is also one of the lightest. You may be surprised to learn that the 206 bones of your skeletal system make up barely 14 percent of your body's mass! Because of bone's strength, you may have thought of bone as nonliving. On the contrary, bones are alive. They contain living tissue—nerves, bone-forming cells, and blood vessels.

Bones, however, are similar in some ways to such nonliving things as rocks. Can you think of a few reasons why? Two obvious similarities are hardness and strength. Both bones and rocks owe their hardness and strength to chemical substances called minerals. Rocks contain a wide variety of minerals; bones are made up mainly of mineral compounds that contain the elements calcium and phosphorus. As you may already know, dairy products, such as milk and cheese, are good sources of calcium and phosphorus. So next time someone suggests that you drink lots of milk "to keep your bones strong and healthy," you will know why this suggestion makes sense.

Let's take a close look at the longest bone in the body to see what it (and other bones) is made of. This bone, called the femur (FEE-mer), links your hip to your knee. Probably the most obvious part of this bone is its long shaft, or column. The shaft, which is shaped something like a hollow cylinder, contains compact bone. Compact bone is dense and similar in texture to ivory. Within the shaft of a long bone are hollow cavities, or spaces. Inside these

ACTIVITY

DISCOVERING

Examining a Bone

1. Obtain a turkey or chicken leg bone.

2. Clean all the meat off the bone. Using a knife, cut off one end of the leg bone. **CAUTION:** *Be careful when using a knife.* Examine the bone carefully.

What is the name of this bone? Describe what the bone looks like inside and out. Identify as many parts of the bone as you can. What is this bone called in the human skeleton?

■ The bones of birds are very light. Why do you think this is so?

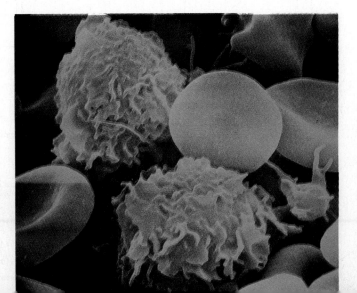

Figure 2–6 *The red marrow of bones such as the skull and ribs produces the body's red blood cells and white blood cells. As seen through an electron microscope, red blood cells are beret-shaped structures and white bloods cells are furry-looking structures. What does yellow marrow contain?*

La estructura de los huesos

Los huesos no sólo son uno de los materiales más duros del cuerpo, sino también uno de los más livianos. Quizás te sorprenda saber que los 206 huesos del esqueleto, sólo constituyen el 14 por ciento de tu cuerpo. Debido a la gran resistencia de los huesos, puedes haber pensado que los huesos no tienen vida. Pero los huesos están vivos y contienen tejidos vivos—nervios, células productoras de huesos y vasos sanguíneos.

Los huesos, sin embargo, se parecen de alguna manera a seres sin vida como las rocas. ¿Puedes pensar en algunas de las razones de este parecido? Los huesos y las rocas deben su resistencia y fortaleza a substancias químicas que se llaman minerales. Las rocas contienen una amplia variedad de minerales; los huesos están principalmente formados de compuestos de minerales que contienen calcio y fósforo. Como probablemente lo sepas, los productos lácteos, como la leche y el queso, son buenas fuentes de calcio y fósforo. Por lo tanto, la próxima vez que te sugieran que tomes leche para mantener tus huesos "fuertes y saludables" sabrás que esta sugerencia tiene sentido.

Vamos a observar de cerca al hueso más largo del cuerpo para ver de qué están hechos los huesos. Este hueso se llama fémur y une tu cadera a tu rodilla. Probablemente la parte más obvia de este hueso es su larga columna. Esta última, qué se parece a un cilindro hueco, contiene hueso compacto. El hueso compacto es denso y de textura semejante al marfil. Dentro de la columna de un hueso largo hay cavidades vacías o espacios. Dentro de estas cavidades hay un material

ACTIVIDAD
PARA AVERIGUAR

Examen de un hueso

1. Consigue un hueso de la pata de un pavo o pollo.

2. Quita toda la carne del hueso. Con un cuchillo corta un extremo del hueso. **CUIDADO** *al usar el cuchillo.* Examina el hueso cuidadosamente.

¿Cuál es el nombre de este hueso? Describe cómo es el hueso por dentro y por fuera. Identifica tantas partes como puedas. ¿Cómo se llama este hueso en el esqueleto humano?

■ Los huesos de los pájaros son muy livianos. ¿Por qué crees que son así?

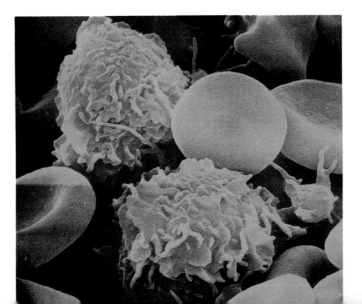

Figura 2–6 *La médula roja de huesos como el cráneo y las costillas produce glóbulos rojos y glóbulos blancos. Bajo un microscopio electrónico, se ve a los glóbulos rojos como si fueran boinas, y a los glóbulos blancos como si fueran peludos. ¿Qué contiene la médula amarilla?*

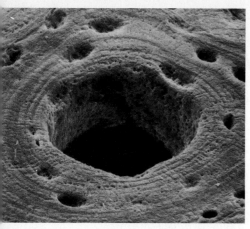

From *Tissues and Organs: A Text-Atlas of Scanning Electron Microscopy.*
By Richard G. Kessel and Randy H. Kardon. Copyright © 1979 by W.H.
Freeman and Company. Reprinted by permission.

Figure 2–7 *As the diagram
illustrates, the most obvious
feature of a long bone is its long
shaft, or center, which contains
dense, compact bone. Running
through compact bone is a system
of canals that bring materials to the
living bone cells. One such canal is
seen in the center of the
photograph. What materials are
carried through the canals?*

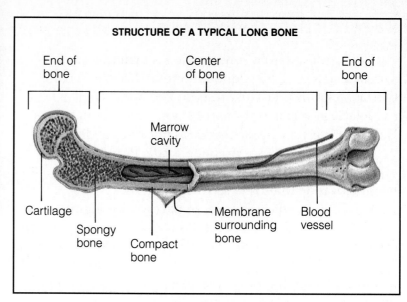

STRUCTURE OF A TYPICAL LONG BONE

End of bone | Center of bone | End of bone

Marrow cavity

Cartilage

Spongy bone

Compact bone

Membrane surrounding bone

Blood vessel

ACTIVITY

DISCOVERING

Are Joints Necessary?

1. With masking tape, tape
the thumb and fingers of the
hand that you write with together. Make sure that you
cannot move or bend the
fingers.

2. Now try these activities
with the taped-up hand: button
a shirt, tie a shoelace, turn the
pages of a book, pick up a
pencil, open a door, turn on a
radio, and pick up a coin.

How would you describe
the ease with which you did
these tasks? Why do you think
this is the case?

■ Explain why it is important
to have joints in your fingers.

cavities is a soft material called yellow **marrow.** Yellow marrow contains fat and blood vessels. Another
type of marrow called red marrow produces the
body's blood cells. Red marrow is found in the cavities
of such places as the skull, ribs, breastbone, and
vertebral column.

Surrounding the shaft of the femur is a tough
membrane that contains bone-forming cells and
blood vessels. This membrane aids in repairing injuries to the bone and also supplies food and oxygen
to the bone's living tissue. Muscles are attached to
this membrane's surface. At each end of the shaft is
an enlarged knob. The knobs are made of a type of
bone called spongy bone. Spongy bone is not soft
and spongy, as its name implies, but is actually quite
strong. Because spongy bone resembles the support-
ing girders of a bridge, its presence at the ends of
long bones adds strength to bone without adding
mass. Figure 2–7 shows these basic parts of a bone.

Running through the bone is a system of pipelike
canals that bring food and oxygen to the living bone cells.
These canals also contain nerves. The nerves send messages through the canals to living parts of the bone.

Skeletal Joints

Imagine that you are pitching your first baseball
game of the season. The catcher signals you to
throw a fast ball. You know that the batter is a powerful hitter, so you shake your head no. The catcher

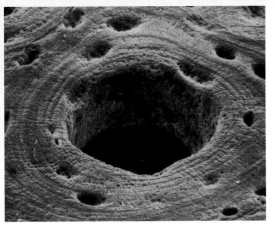

From *Tissues and Organs: A Text-Atlas of Scanning Electron Microscopy.* By Richard G. Kessel and Randy H. Kardon. Copyright © 1979 by W.H. Freeman and Company. Reprinted by permission.

Figura 2–7 *Como se ve en la ilustración, la característica más notable de un hueso largo es su larga columna o centro, con hueso denso llamado compacto. Este sistema de canales atraviesa el hueso compacto y lleva nutrientes a las células óseas vivas. Observa este tipo de canal en el centro de la fotografía. ¿Qué materiales transportan los canales?*

ACTIVIDAD

PARA AVERIGUAR

¿Son necesarias las articulaciones?

1. Pégate el pulgar y los dedos de la mano con que escribes con cinta adhesiva. Asegúrate de no poder mover ni doblar los dedos.

2. Ahora con la mano cuyos dedos están pegados, trata de: abrochar una camisa, atar un cordón de zapatos, pasar las páginas de un libro, levantar un lápiz, abrir una puerta, encender una radio y recoger una moneda.

¿Te resultó fácil hacer esas tareas? ¿Por qué piensas que fue así?

■ Explica por qué es importante tener articulaciones en los dedos.

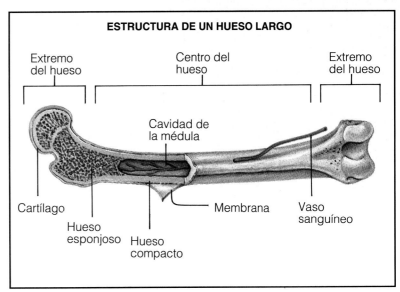

ESTRUCTURA DE UN HUESO LARGO

blando, llamado **médula** amarilla. La médula amarilla contiene grasa y vasos sanguíneos. Otro tipo de médula, llamada médula roja, produce las células sanguíneas del cuerpo. La médula roja se encuentra en las cavidades de lugares como el cráneo, las costillas, el esternón y la columna vertebral.

Alrededor de la columna del fémur hay una membrana que tiene células que forman huesos y vasos sanguíneos. Esta membrana ayuda a reparar las lesiones del hueso y también provee de oxígeno al tejido vivo del hueso. Los músculos están adheridos a la superficie de esta membrana. Ambos extremos del hueso terminan en una prominencia formada por tejido esponjoso. El hueso esponjoso, contrariamente a lo que indica su nombre, es muy resistente. Debido a que el hueso esponjoso se parece a las vigas de un puente, su presencia en los extremos de los huesos largos le da fortaleza al hueso sin añadirle masa. La figura 2–7 muestra estas partes básicas de un hueso.

Dentro del hueso hay un sistema de conductos que transporta oxígeno y nutrientes a sus células vivas. Éstos también contienen nervios. A través de ellos los nervios envían mensajes a las partes vivas del hueso.

Articulaciones del esqueleto

Imagínate que estás lanzando la pelota del primer partido de béisbol de la temporada. El receptor te indica que lances una pelota rápida. Tú sabes que el bateador le pega fuerte a la pelota y le indicas que no con la

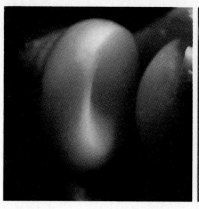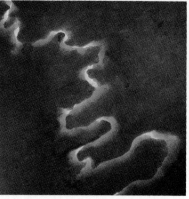

Figure 2–8 *Joints, or places where two bones meet, allow bones to move without damaging each other. The ball-and-socket joint in the shoulder (left) permits the greatest range of movement, whereas the joints in the skull (right) do not move at all. What type of joint is found at the elbow?*

changes the signal to a curve ball. You agree and nod. And then you wind up and send your curve ball sailing over the plate. "Strike one!" the umpire shouts.

You could not make any of these simple movements—shaking and nodding your head or winding up and pitching the ball—if it were not for structures in your skeletal system called **joints.** A joint is any place where two bones come close together. Generally, a joint is responsible for keeping the bones far enough apart so that they do not rub against each other as they move. At the same time, a joint holds the bones in place.

There are several different kinds of joints. Some joints allow the bones they connect to move. Other joints permit little or no movement. Examples of joints that permit no movement are the joints found in the skull. Although these joints permit no movement, they enable the bones in the skull to fuse (join) as you grow. In the pitching example you just read about, the pivot joint, which is located between the first two vertebrae in your neck, enabled you to shake and nod your head in response to the catcher's signals. A pivot joint allows for rotation of one bone around another.

When you wound up to pitch your curve ball, the ball-and-socket joint of your shoulder allowed you to swing your arm in a circle. Ball-and-socket joints, which provide for the circular motion of bones, consist of a bone with a rounded head that fits into the cuplike pocket of another bone. Can you think of

CAREERS

Athletic Trainer

It's the summer of the Olympic Games. You are enjoying the diving competition on television. The divers twist and turn their bodies as they glide through the air to the delight of their audience.

The people who help to prepare athletes for the Olympics or for other competitions are called **athletic trainers**. Athletic trainers instruct athletes on how to strengthen muscles by doing special exercises. They also suggest special diets to keep athletes healthy. Trainers must also know when an injury or a problem requires a doctor's examination.

If you are interested in sports and would enjoy helping athletes do well, you might consider a career as an athletic trainer. To receive more information, write to the National Association for Sport and Physical Education, 1900 Association Drive, Reston, VA 22091.

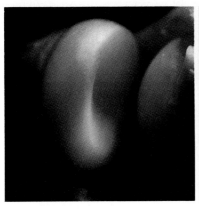
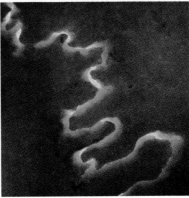

Figura 2–8 *Las articulaciones, o lugares donde los huesos se unen, permiten que los huesos se muevan sin dañarse entre sí. La articulación de rótula en el hombro (izquierda) permite una amplia variedad de movimientos, mientras que las del cráneo no permiten movimiento alguno. ¿Qué tipo de articulación se encuentra en el codo?*

cabeza. El receptor te señala que lances una curva. Le dices que sí con la cabeza. Después, te preparas y lanzas tu pelota sobre el plato. "¡Una buena!" grita el árbitro.

No podrías realizar ninguno de estos simples movimientos — sacudir y menear la cabeza o prepararte para lanzar la pelota, si no fuera por las estructuras de tu esqueleto llamadas **articulaciones**. Una articulación es un lugar donde los huesos se juntan. Las articulaciones, por lo general, mantienen a los huesos lo suficientemente separados como para que no haya fricción entre ellos cuando se mueven. Al mismo tiempo, mantienen a los huesos en su lugar.

Hay varios tipos diferentes de articulaciones. Algunas permiten el movimiento de los huesos que unen; otras tienen muy poco movimiento o ninguno, las del cráneo, por ejemplo, no tienen movimiento. Pero aunque no son móviles, permiten que los huesos del cráneo se unan a medida que crecen. En el ejemplo de lanzamiento que acabas de leer, la articulación de pivote, ubicada entre las primeras dos vértebras cervicales, te permite sacudir y menear la cabeza en respuesta a las señales del receptor. La articulación de pivote permite la rotación de un hueso alrededor del otro.

Cuando te preparaste para lanzar la pelota, la articulación de rótula de tu hombro te permitió el movimiento circular del brazo. Las articulaciones de rótula, que permiten el movimiento circular, consisten de un hueso con cabeza redonda que encaja en el extremo de otro hueso cóncavo. ¿Puedes pensar en otra parte de

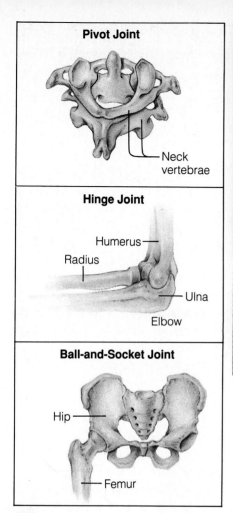

Pivot Joint

Neck vertebrae

Hinge Joint

Humerus

Radius

Ulna

Elbow

Ball-and-Socket Joint

Hip

Femur

Figure 2–9 *The actions involved in pitching a ball require the use of many types of joints. What movement does the ball-and-socket joint allow for?*

another location in your body where you would find a ball-and-socket joint?

As you moved your arm forward, the bend at your elbow straightened out and you whipped the ball toward the batter. The elbow is a hinge joint. A hinge joint, which is also found at the knee, allows for movement in a forward and backward direction. However, it allows for little movement from side to side. Figure 2–9 shows where the hinge joint and the other joints you just read about are located in the body.

2–1 Section Review

1. What are the five functions of the skeletal system?
2. What is a ligament? A tendon?
3. List three places in the body where cartilage is found.
4. What is marrow?
5. Compare the movements of three types of movable joints.

Critical Thinking—*Relating Facts*

6. Suggest an advantage of having the ribs attached to the breastbone by cartilage.

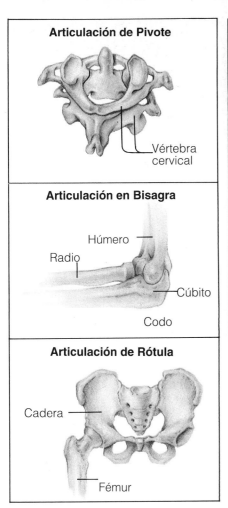

Articulación de Pivote

Vértebra
cervical

Articulación en Bisagra

Húmero

Radio

Cúbito

Codo

Articulación de Rótula

Cadera

Fémur

Figura 2–9 *Las acciones que se realizan al lanzar la pelota, requieren muchos tipos de articulaciones. ¿Qué movimiento permite la articulación de rótula?*

tu cuerpo donde haya una articulación de rótula?

Cuando moviste el brazo hacia adelante, la articulación del codo se enderezó y le lanzaste la pelota al bateador. El codo es una articulación de bisagra como la rodilla y facilita el movimiento hacia atrás y hacia adelante. Sin embargo, permite muy poco movimiento hacia los lados. La figura 2–9 muestra dónde se encuentran las articulaciones de bisagra y los otros tipos de articulación en el cuerpo.

2–1 Repaso de la sección

1. ¿Cuáles son las cinco funciones del esqueleto?
2. ¿Qué es un ligamento? ¿Y un tendón?
3. Enumera tres lugares del cuerpo donde se puede encontrar cartílago.
4. ¿Qué es la médula?
5. Compara el movimiento de tres tipos de articulaciones móviles.

Pensamiento crítico—*Relacionar datos*
6. Sugiere una ventaja de tener las costillas adheridas con cartílago al esternón.

PROBLEM Solving

What Kind of Joint Is This?

The pivot, ball-and-socket, and hinge joints that you have read about in the chapter are not the only types of movable joints in the body. There are several other movable joints.

The accompanying drawings illustrate six types of movable joints. Notice the motion that each joint is capable of producing. On a separate sheet of paper, copy the following list of activities.

- Pushing a door open
- Lifting a book from a desk
- Kneeling
- Giving the "thumbs up" signal
- Waving the hand
- Shrugging the shoulders
- Shaking the head from side to side

Applying Concepts

Now compare the motion of each joint with each activity. Determine which type of joint or joints is needed to perform each activity and write the name of the joint next to its appropriate activity.

SIX TYPES OF MOVABLE JOINTS

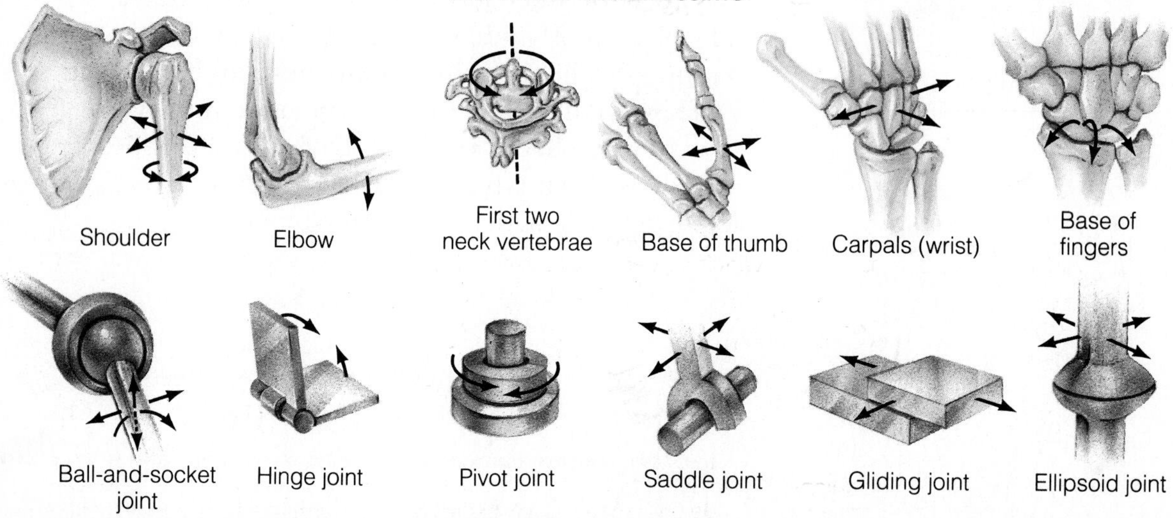

Shoulder
Elbow
First two neck vertebrae
Base of thumb
Carpals (wrist)
Base of fingers
Ball-and-socket joint
Hinge joint
Pivot joint
Saddle joint
Gliding joint
Ellipsoid joint

2–2 The Muscular System

Guide for Reading

Focus on this question as you read.

▶ *What are the three types of muscles?*

It is three o'clock in the morning, and you have been asleep for several hours. All day you walked, ran, and played, using your muscles in a variety of ways. Now that you are asleep, all the muscles in your body are also at rest. Or are they?

PROBLEMA

a resolver

¿De qué articulación se trata?

Las articulaciones de pivote, de rótula y de bisagra sobre las cuales has leído en este capítulo, no son los únicos tipos de articulaciones móviles en el cuerpo. Hay varios tipos más.

Los dibujos siguientes ilustran seis tipos de articulaciones móviles. Observa el movimiento que es capaz de producir cada una de ellas. En una hoja de papel aparte copia la siguiente lista de actividades.

- Abrir una puerta
- Levantar un libro del escritorio

- Arrodillarse
- Hacer la señal de buena suerte con el pulgar
- Mover la mano
- Encoger los hombros
- Sacudir la cabeza de un lado a otro

Aplicar conceptos

Compara el movimiento de cada articulación con cada actividad. Determina qué tipo de articulación se necesita en cada actividad y escribe el nombre de la articulación al lado de la actividad correspondiente.

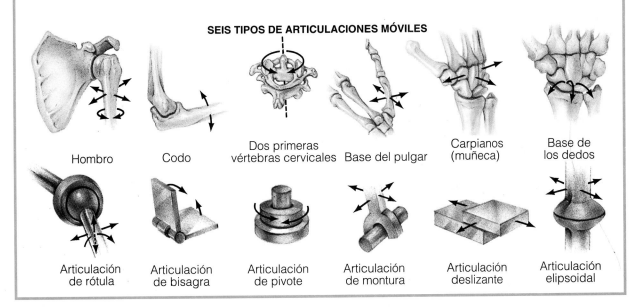

SEIS TIPOS DE ARTICULACIONES MÓVILES

Hombro · Codo · Dos primeras vértebras cervicales · Base del pulgar · Carpianos (muñeca) · Base de los dedos

Articulación de rótula · Articulación de bisagra · Articulación de pivote · Articulación de montura · Articulación deslizante · Articulación elipsoidal

2–2 El sistema muscular

Son las tres de la madrugada y has estado durmiendo varias horas. Durante todo el día caminaste, corriste, jugaste y utilizaste tus músculos de muchas maneras. Ahora que estás dormido, los músculos de tu cuerpo también están descansando. ¿No es así?

Without waking you, many of the more than 600 muscles in your body are still working to keep you alive. The muscles in your heart are contracting to pump blood throughout your body. Your chest muscles are working to help move air in and out of your lungs. Perhaps last night's dinner is still being moved through your digestive system by muscles.

Most muscles, or muscle tissue, are composed of muscle fibers that run beside, or parallel to, one another and are held together in bundles of connective tissue. Each muscle fiber is actually a single cylinder-shaped cell. Recall from Chapter 1 that a tissue is a group of similar cells that work together to perform a specific function. In the case of muscle tissue, that function is to contract, or shorten.

Types of Muscles

In the human body, there are three types of muscle tissue: skeletal muscle, smooth muscle, and cardiac muscle. Each type of muscle tissue has a characteristic structure and function. The muscle tissue that attaches to and moves bones is called **skeletal muscle.** This is an appropriate name for this type of muscle tissue because it is associated with the bones of the body, or the skeletal system. By contracting, skeletal muscle causes your arms, legs, head, and other body parts to move.

Figure 2–10 *Like an American toad and an impala, a human can perform many types of movements as a result of the actions of muscles pulling on bones.*

Aún cuando duermes, muchos de los más de 600 músculos de tu cuerpo están trabajando para mantenerte vivo. Los músculos de tu corazón se contraen para bombear sangre a través de tu cuerpo. Los músculos de tu pecho te ayudan a inhalar y exhalar el aire de los pulmones. Quizás, los músculos de tu sistema digestivo, aún estén procesando la cena de anoche.

La mayoría de los músculos, o tejido muscular, están compuestos de fibras musculares paralelas entre sí que se mantienen unidas por envolturas de tejido conectivo. Cada fibra muscular es en realidad una sóla célula en forma de cilindro. Como se menciona en el capítulo 1, un tejido es un grupo de células semejantes que funcionan juntas para realizar una función específica. En el caso del tejido muscular esa función es contraerse, o acortarse.

Tipos de músculos

En el cuerpo humano hay tres tipos de tejido muscular: músculos estriados, músculos lisos, y músculos cardíacos. Cada tipo de tejido muscular tiene una estructura y una función característica. El tejido muscular que está adherido a los huesos y los mueve se llama **músculo estriado**, un nombre apropiado para este tipo de tejido porque tiene aspecto estriado o con bandas. Al contraerse los músculos estriados producen el movimiento de los brazos, piernas, cabeza y otras partes de tu cuerpo.

Figura 2–10 *Los seres humanos, así como el sapo americano y el impala, pueden realizar muchos tipos de movimientos debido a las acciones de los músculos sobre los huesos.*

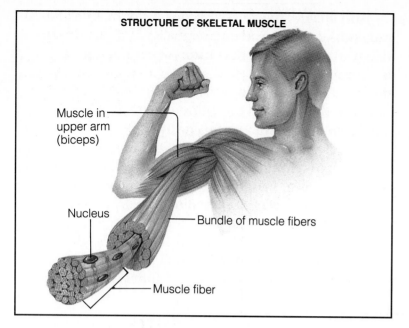

STRUCTURE OF SKELETAL MUSCLE

Muscle in upper arm (biceps)

Nucleus

Bundle of muscle fibers

Muscle fiber

Figure 2–11 *Muscle tissue is composed of muscle fibers that run parallel to one another and are held together in bundles of connective tissue. The biceps muscle, which is located in the upper arm, is an example of skeletal muscle tissue. Why is the biceps classified as a skeletal muscle?*

If you were to look at skeletal muscle under a microscope, you would see that it is striated (STRIGH-ayt-ehd), or banded. For this reason, skeletal muscles are called striated muscles. Figure 2–12 on page 40 shows the bands associated with skeletal muscle. And because skeletal muscles move only when you want them to, they are also called voluntary muscles.

To appreciate how some of the voluntary (skeletal) muscles in your body work, think of the movements you make in order to write your name on a sheet of paper. The instant you want it to, your arm stretches out to pick up the paper and pencil. You grasp the pencil and lift it. Then you press the pencil down on the paper and move your hand to form the letters in your name. Your eyes move across the page as you write. To do all of this, you have to use more than 100 muscles. Now suppose you did this little task 100 times. Do you think the muscles in your hand would ache? Probably so. For although skeletal muscles react quickly when you want them to, they also tire quickly. Perhaps you might want to actually try this.

A second type of muscle tissue is called **smooth muscle.** Unlike skeletal muscle, smooth muscle does not have bands. Hence, its name is smooth. In general, smooth muscles can contract without your actively causing them to. Thus, smooth muscles are also called involuntary muscles. The involuntary

ACTIVITY

DISCOVERING

Voluntary or Involuntary?

1. Blink your eyes three times.

2. Then try not to blink. Time how long you are able to keep yourself from blinking. Record your data.

3. Repeat step 2. Determine the average time you can keep from blinking.

How does your average time compare with that of your classmates? Are the eye muscles involved with blinking voluntary or involuntary muscles? Explain.

■ Using a mirror, observe what happens to your pupils in bright light and in dim light. Are the muscles that are involved in these actions voluntary or involuntary? How does the action of these muscles differ from those involved in blinking?

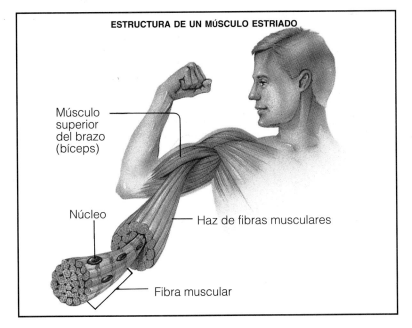

ESTRUCTURA DE UN MÚSCULO ESTRIADO

Músculo superior del brazo (bíceps)

Núcleo

Haz de fibras musculares

Fibra muscular

Figura 2–11 *El tejido muscular está compuesto de fibras musculares paralelas entre sí, que se mantienen unidas por medio de tejido conectivo. Los bíceps, que están ubicados en la parte superior del brazo, son un ejemplo de músculos de tejido estriado. ¿Por qué los bíceps se clasifican como músculos estriados?*

Si observaras los músculos estriados bajo un microscopio, verías que son estriados o con bandas. La figura 2–12 de la página 40 ilustra las bandas asociadas con el tejido estriado. Debido a que los músculos estriados se mueven sólo cuando tú se lo ordenas, también se llaman músculos voluntarios.

Para apreciar como funcionan algunos de los músculos voluntarios (estriados) en tu cuerpo, piensa en los movimientos que haces para escribir tu nombre en una hoja de papel. En el instante que lo decides, tu brazo se estira para levantar el papel y el lápiz. Tomas el lápiz y lo levantas. Después, lo apoyas en la hoja de papel y mueves la mano para formar las letras de tu nombre. Mientras escribes tus ojos se mueven a lo ancho de la página. Para hacer todo esto, tienes que usar más de 100 músculos. Ahora supónte que has hecho esta tarea más de 100 veces. ¿Crees que los músculos de tu mano te dolerán? Es probable que sí. Porque si bien los músculos voluntarios reaccionan rápidamente cuando tú les ordenas, también se cansan rápidamente. Quizás quieras comprobarlo tú mismo.

Un segundo tipo de tejido muscular está formado de **músculos lisos**. Al contrario de los músculos estriados, los músculos lisos no tienen bandas. En general, se pueden contraer sin que tú les ordenes. Es por eso que los músculos lisos también se llaman músculos involuntarios. Los músculos involuntarios ayudan a

ACTIVIDAD

PARA AVERIGUAR

¿Voluntario o involuntario?

1. Parpadea tres veces.

2. Trata de no parpadear. Mide el tiempo que te mantienes sin parpadear. Anota esos datos.

3. Repite el paso número 2. Determina el promedio de tiempo que puedes permanecer sin parpadear.

¿Cómo se compara con el de tus compañeros? ¿Los músculos de los ojos que mueven los párpados son voluntarios o involuntarios? Explícalo.

■ Utiliza un espejo para observar lo que les pasa a tus pupilas a plena luz y a media luz. ¿Los músculos involucrados en estas actividades son voluntarios o involuntarios? ¿Cómo se diferencia la acción de estos músculos de la de los involucrados en parpadear?

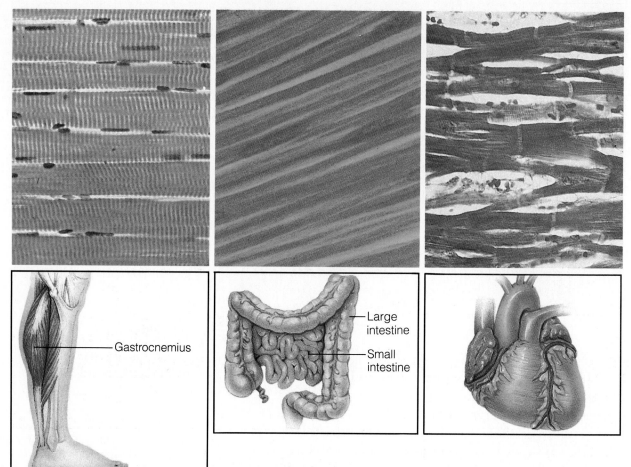

Gastrocnemius

Large intestine

Small intestine

Figure 2–12 *There are three types of muscle tissue: skeletal muscle tissue (left), smooth muscle tissue (center), and cardiac muscle tissue (right). Where in the body are these muscle tissues found?*

Under Tension, p. 248

muscles of the body help to control breathing, blood pressure, and the movements of the digestive system. Unlike skeletal muscles, smooth muscles react slowly and tire slowly. How might this be an advantage for smooth muscles?

A third type of muscle tissue, **cardiac muscle,** is found only in the heart. Branching out in many directions, cardiac muscle fibers weave a complex mesh. The contractions of these muscle fibers make the heart beat. Like smooth muscles, cardiac muscles are involuntary. Heart muscle, as you may have guessed, does not tire.

Action of Skeletal Muscles

As you have learned, muscles do work only by contracting, or shortening. In order for skeletal muscles to bring about any kind of movement, the action of two muscles or two groups of muscles is needed. Put another way, muscles always work in pairs.

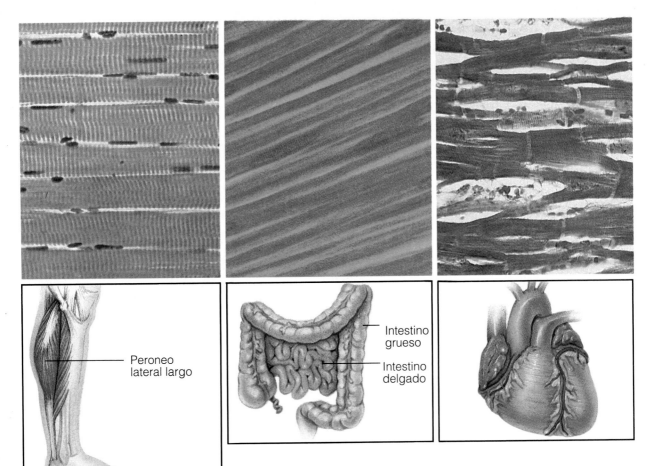

Peroneo
lateral largo

Intestino
grueso

Intestino
delgado

Figura 2–12 *Hay tres tipos de tejido muscular: tejido muscular estriado (izquierda), tejido muscular liso (centro) y tejido muscular cardíaco (derecha). ¿En que partes del cuerpo se encuentran estos tejidos?*

Pozo de actividades

Bajo tensión, p. 248

controlar la respiración, la presión sanguínea y los movimientos del sistema digestivo. Los músculos lisos, al contrario de los músculos estriados, son lentos para reaccionar y lentos para cansarse. ¿Por qué puede ser esto una ventaja para los músculos lisos?

El tercer tipo de tejido muscular, el **músculo cardíaco**, se encuentra sólo en el corazón. Las fibras del músculo cardíaco se ramifican en muchas direcciones y tejen una compleja red. Las contracciones de estas fibras musculares son las que hacen latir al corazón. Los músculos cardíacos, como los músculos lisos, son involuntarios. Los músculos de corazón, como habrás adivinado no se cansan.

Acción de los músculos estriados

Los músculos, como has aprendido, sólo funcionan al contraerse, o acortarse. Para que los músculos estriados puedan realizar cualquier tipo de movimiento se necesita la acción de dos músculos o dos grupos de músculos. En otras palabras, los músculos siempre funcionan en pares.

For example, if you were to raise your lower arm at the elbow, you would notice that a bulge appears in the front of your upper arm. This bulge is caused by the contraction of a muscle called the biceps. At the same time the biceps contracts, a muscle called the triceps, which is located at the back of your upper arm, relaxes. Now suppose you wanted to straighten your arm. To perform this simple feat, your triceps would have to contract and your biceps would have to relax at the same time. Figure 2–13 shows how these two muscles (the biceps and the triceps) work together to help you bend and straighten your arm.

The mechanism by which muscles contract is actually a bit more complex than what you have just read. For it is not only muscles that are involved in this action. Nerve tissue is also involved. Skeletal

Figure 2–13 *When you "make a muscle," the biceps muscle and the triceps muscle work together. According to the diagram, which muscle relaxes when the arm is bent? When the arm is straightened?*

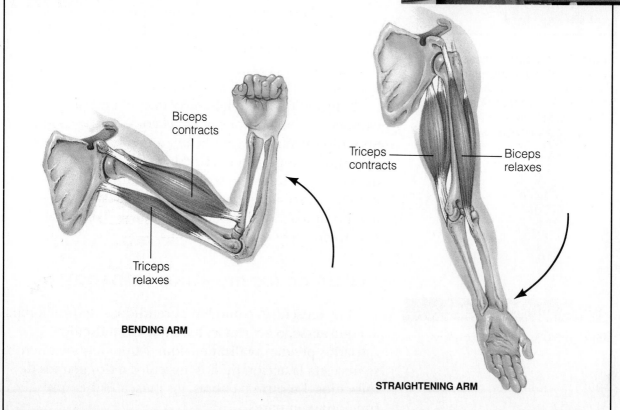

Biceps
contracts

Triceps
relaxes

BENDING ARM

Triceps
contracts

Biceps
relaxes

STRAIGHTENING ARM

Por ejemplo, si levantas el antebrazo hasta la altura del codo, observarás que la parte superior y anterior de tu brazo se ensancha. Este ensanchamiento es provocado por la contracción de un músculo llamado bíceps. Al mismo tiempo que el bíceps se contrae, otro músculo llamado tríceps, ubicado en la parte posterior superior de tu brazo, se relaja. Ahora supón que quieras estirar tu brazo. Para realizar este simple movimiento, tu tríceps se tendría que contraer y tu bíceps se tendría que relajar al mismo tiempo. La figura 2–13 muestra cómo estos dos músculos (el bíceps y el tríceps) funcionan juntos para que pueda doblar y enderezar el brazo.

El mecanismo por el cual los músculos se contraen es en realidad un poco más complicado de lo que acabas de leer. La razón es que no sólo hay músculos involucrados en esta acción, sino también tejido nervioso. Los músculos estriados sólo se contraen

Figura 2–13 *Cuando "haces músculos," el músculo bíceps y el tríceps trabajan juntos. De acuerdo al diagrama, ¿qué músculo se relaja cuando se dobla el brazo? ¿Y cuándo está estirado?*

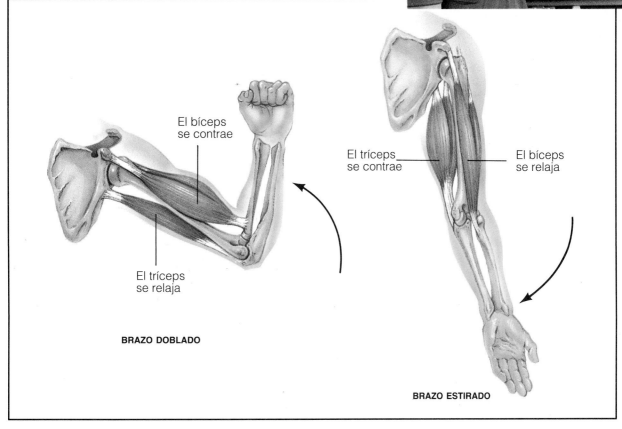

El bíceps se contrae

El tríceps se relaja

BRAZO DOBLADO

El tríceps se contrae

El bíceps se relaja

BRAZO ESTIRADO

Muscle Action

1. Obtain a spring-type clothespin.

2. Count how many times you can click the clothespin in two minutes using your right hand. Record the information.

3. Rest for one minute and repeat step 2. Then rest for another minute and repeat step 2 again. Determine the average number of clicks for the right hand.

4. Using your left hand, repeat steps 2 and 3.

Was there a difference in the number of clicks per minute between the right and the left hand? Explain.

■ Why do you think you were able to click the clothespin faster at the beginning of the investigation than you were near the end?

muscles, you see, contract only when they receive a message from a nerve to do so. The nerves carry messages from the brain and spinal cord to the muscles, signaling them to contract.

You may be surprised to learn that there is no such thing as a weak or strong contraction of a muscle fiber. When a fiber receives a message to contract, it contracts completely or not at all. The strength of a muscle contraction is determined by the number of fibers that receive the message to contract at the same time. Strong muscle contractions, such as those that are involved in hitting a ball with a bat, require the contractions of more muscle fibers than would be needed to open a textbook.

2–2 Section Review

1. List the three types of muscle tissue.
2. Compare the structure of a voluntary muscle and an involuntary muscle.
3. Describe how muscles work in pairs.

Critical Thinking—*You and Your World*
4. If your biceps were paralyzed, what movement would you be unable to make?

2–3 Injuries to the Skeletal and Muscular Systems

Supported by bone and activated by muscle, your body can perform a wide range of movement—from hammering a nail to blinking an eye. The same foot that can stand on tiptoe can kick a soccer ball. The same hand that can pat a puppy's head can pound a desk. Based on these activities, you may be inclined to think that the bones and muscles—components of the skeletal and muscular systems—are invincible. But are they?

Músculos en acción

1. Consigue un broche de ropa con resorte.

2. Cuenta cuántas veces puedes abrir y cerrar el broche en dos minutos con tu mano derecha. Anota la información.

3. Descansa un minuto y repite el paso número 2. Después descansa otro minuto y repítelo nuevamente. Determina el número de veces que has apretado el broche con tu mano derecha.

4. Con tu mano izquierda repite los pasos 2 y 3.

¿Hubo alguna diferencia entre el número de veces que apretaste el broche con tu mano derecha y con tu mano izquierda? Explícalo.

■ ¿Por qué crees que pudiste abrir y cerrar el broche más rápidamente al comienzo de la investigación que al final?

Guía para la lectura

Piensa en esta pregunta mientras lees.

▶ *¿Cuáles son los tres tipos de lesiones al esqueleto y al sistema muscular más comunes?*

cuando reciben la orden de hacerlo desde un nervio. Los nervios llevan mensajes desde el cerebro y la médula espinal hasta los músculos ordenándoles que se contraigan.

Puede que te sorprendas al saber que no hay tal cosa como una contracción débil o fuerte de una fibra muscular. Cuando una fibra recibe el mensaje de contraerse, se contrae totalmente o no se contrae para nada. La fuerza con la que un músculo se contrae está determinada por la cantidad de fibras que reciben el mensaje de contraerse al mismo tiempo. Una contracción muscular fuerte, como las que se realizan al batear una pelota, requiere las contracciones de más fibras musculares de las que se necesitan para abrir un libro de texto.

2–2 Repaso de la sección

1. Enumera los tres tipos de tejido muscular.
2. Compara la estructura de un músculo voluntario con la de un músculo involuntario.
3. Describe cómo los músculos funcionan en pares.

Pensamiento crítico—*Tú y tu mundo*
4. Si tus bíceps se paralizaran, ¿qué movimiento no podrías hacer?

2–3 Lesiones al esqueleto y al sistema muscular

Al estar soportado por el esqueleto y activado por los músculos, tu cuerpo puede realizar una amplia variedad de movimientos—desde martillar un clavo hasta parpadear. Con el mismo pie que te paras de puntillas puedes patear una pelota de fútbol. Con la misma mano que acaricias la cabeza de un cachorro puedes dar golpes sobre el escritorio. Basándote en estas actividades, puedes llegar a pensar que los huesos y los músculos—componentes del esqueleto y del sistema muscular—son invencibles. ¿Pero lo son?

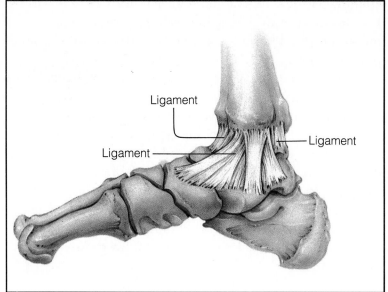

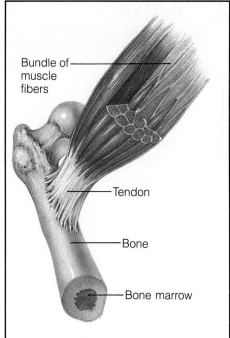

Although bones and muscles are able to withstand quite a bit of wear and tear, they are vulnerable to injuries. **Some injuries that affect the skeletal and muscular systems are sprains, fractures, and dislocations.** In a **sprain,** the ligaments or tendons, such as those in the ankle, get torn or pulled beyond their normal stretching range. Although a sprained ankle may be painful, you can move your ankle because the injured ligaments and tendons are still able to function.

The most common type of injury to the skeletal system is a **fracture.** A fracture is a break in a bone. Fortunately, because a bone is made up of living tissue, it begins to heal almost as soon as the fracture occurs. A bone's self-healing process takes place in an orderly sequence of events. First the broken blood vessels at the fracture area form a blood clot. In a few days, minerals from the sharp ends of the broken bone are absorbed into the bloodstream. At the same time, fibers of connective tissue grow out of the bone to hold the fractured ends together with a type of bone-making "glue." In as short a time as a few weeks, some bones have healed so well that even X-rays cannot show where the fracture occurred.

Sometimes a blow to the skeleton causes a bone to be forced out of its joint. This type of injury is called a **dislocation.** Dislocations can be serious, but fortunately they can be corrected easily in most cases.

Figure 2–14 *In a sprain, tendons or ligaments get torn or pulled beyond their normal reaching range. What structures are joined by tendons? Ligaments?*

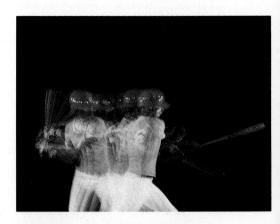

Figure 2–15 *Although the skeletal and muscular systems are able to withstand a lot of wear and tear, they are vulnerable to injuries. What injuries might this baseball player develop from swinging at the ball too hard?*

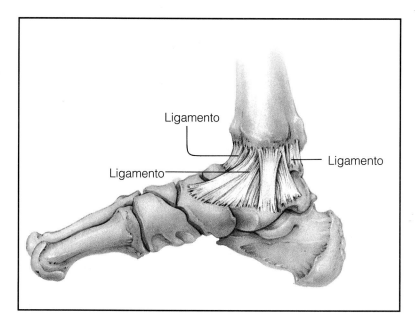

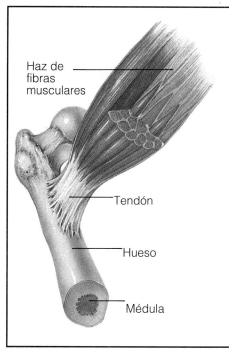

Si bien los músculos pueden soportar bastante uso y degaste, son vulnerables a las lesiones. **Algunas lesiones que afectan al esqueleto y al sistema muscular son las torceduras, las fracturas y las dislocaciones.** En una **torcedura**, los ligamentos o tendones, como los del tobillo, se desgarran cuando se esfuerzan más allá de su alcance normal. Aunque un tobillo torcido puede ser muy doloroso, puedes aún moverlo porque los ligamentos y los tendones siguen funcionando.

El tipo de lesión más común que sufre el esqueleto es una **fractura**, que es la rotura de un hueso. Afortunadamente, debido a que el hueso está formado de tejido vivo comienza a curarse casi al mismo tiempo que ocurre la fractura. La autocuración del hueso es un proceso que ocurre en una secuencia de etapas ordenadas. Primero, los vasos sanguíneos rotos forman un coágulo de sangre en la zona de la fractura. A los pocos días, la corriente sanguínea absorbe los minerales de las puntas del hueso fracturado. Al mismo tiempo, fibras de tejido conectivo comienzan a crecer para soldar los extremos fracturados con una sustancia productora de hueso. En unas pocas semanas, los huesos se soldaron tan bien, que ni aún con Rayos X se puede ver donde ocurrió la fractura.

A veces, un golpe al esqueleto puede sacar a un hueso fuera de su articulación. Este tipo de lesión se llama **dislocación**. Las dislocaciones pueden ser lesiones graves, pero afortunadamente se pueden corregir fácilmente en la mayoría de los casos. Un hueso

Figura 2–14 *En una torcedura, los ligamentos o tendones se desgarran cuando se los fuerza más allá de su alcance normal. ¿Qué estructuras están unidas por los tendones? ¿Y por los ligamentos?*

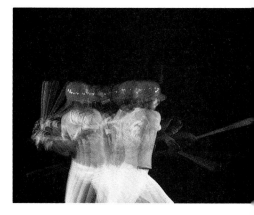

Figura 2–15 *Si bien el esqueleto y el sistema muscular pueden tolerar mucho uso y desgaste, son vulnerables a las lesiones. ¿Qué lesiones puede sufrir este jugador de béisbol por batear la pelota tan fuerte?*

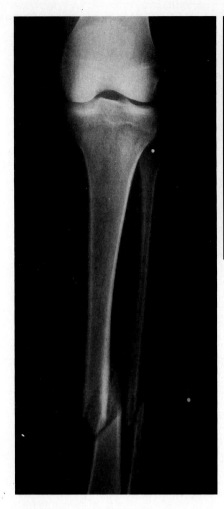

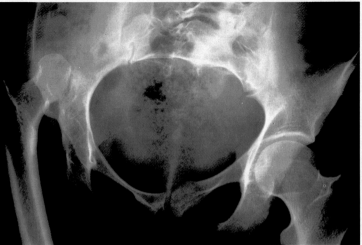

Figure 2–16 *In the X-ray of a lower leg (left), you can see breaks in the tibia and fibula. The X-ray of a hip (right) shows how a bone can be forced out of its joint in a dislocation. What is another name for a break in a bone?*

The dislocated bone can be pushed back into position by a doctor.

As scientists learn more about the skeletal and muscular systems, they continue to develop new techniques for repairing or replacing damaged parts. One technique for healing fractures involves applying weak electrical currents to broken bones. In most cases, electricity causes the bones to heal more quickly. Sometimes badly damaged joints, such as the hip or the knee, can be replaced with artificial joints made of plastics or metal.

2–3 Section Review

1. List the three most common injuries to the skeletal and muscular systems.
2. Compare a sprain and a fracture.
3. Describe the repair of a broken bone.
4. Why do you think a sprained ankle is so painful?

Connection—*Chemistry*
5. Artificial hips are generally made of plastics and alloys (substances that are mixtures of metals or metals and other elements), which are lightweight and do not react with other materials. Explain why these characteristics make plastics and alloys useful in the replacement of human body parts.

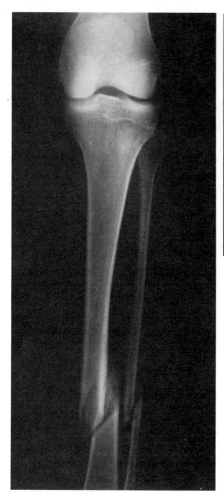

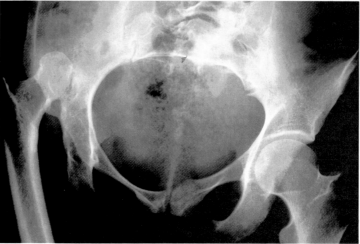

Figura 2–16 *En esta radiografía de la pantorrilla (izquierda), puedes ver roturas en la tibia y la fíbula. La radiografía de la cadera (derecha) muestra un hueso fuera de su articulación en una dislocación. ¿Que otro nombre se da a la rotura de un hueso?*

dislocado puede ser puesto otra vez en su lugar por un médico.

A medida que los científicos continuan investigando sobre el esqueleto y el sistema muscular, van desarrollando nuevas técnicas para reparar las partes dañadas. Una de estas técnicas para curar fracturas, aplica corrientes eléctricas leves a los huesos fracturados. En la mayoría de los casos, lá electricidad hace que los huesos cicatricen más rápidamente. En algunos casos, se pueden reemplazar articulaciones seriamente dañadas por articulaciones artificiales, hechas de metal o plástico.

2–3 Repaso de la sección

1. Enumera tres de las lesiones más comunes al esqueleto y al sistema muscular.
2. Compara una torcedura a una fractura.
3. Describe la reparación de un hueso roto.
4. ¿Por qué crees que un tobillo torcido duele tanto?

Conexión—*Química*
5. Las caderas artificiales están generalmente hechas de aleaciones (substancias que son una mezcla de metales o de metales y otros elementos) livianas y no reaccionan con otros materiales. Explica por qué dichas características hacen que los plásticos y las aleaciones sean útiles para reemplazar partes artificiales del cuerpo humano.

Turning on Bone Growth

What has *electricity* got to do with the growth of bone? According to researchers Clinton Rubin and Kenneth McLeod at the State University of New York at Stony Brook, low, painless doses of electricity can prevent or treat osteoporosis. Osteoporosis is a disorder that causes a loss and a weakening of bone tissue. Affecting up to half of all women over the age of 45, osteoporosis can lead to spinal deformities and broken hips.

In one study, Rubin and McLeod experimented on turkeys because, like humans, turkeys lose bone tissue as they age. Rubin and McLeod sped up the loss of bone by immobilizing (preventing the movement of) one wing in each of about 40 turkeys. The immobilized bones in these turkeys wasted away significantly within a period of two months. Another group of turkeys wore small electric coils that set up electromagnetic (having to do with electricity and magnetism) fields that produced an electric current that traveled through the wing. The wing bones of these birds showed no wasting away. In fact, they actually showed an increase in

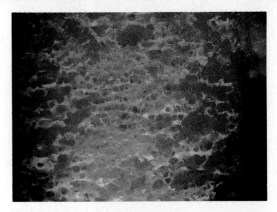

bone mass! In other studies, researchers have shown that cells zapped with electricity absorb greater amounts of calcium, which, as you may recall, is necessary for bone growth.

Although it may seem to you that scientists can turn on bone growth with the flip of a switch, it is not quite as simple as that. To begin with, scientists will have to prove that they are not causing one health problem while fixing another. At present, there is concern about the relationship between electromagnetic fields (which are produced by almost everything from high-power wires to household appliances) and the risk of cancer.

Scientists are now trying to find out just what the relationship and possible dangers are. Meanwhile, the bone researchers point out that they use electromagnetic waves that are different from those generated by power lines and electrical appliances. They also have proof that for the past 20 years, doctors have used currents of electricity to repair bone fractures.

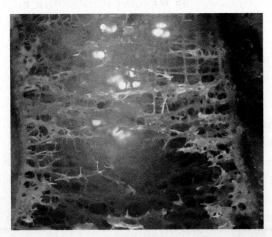

Notice that the bone tissue from an 80-year-old man with osteoporosis (bottom) has larger empty spaces than the bone tissue from a healthy 31-year-old man (top).

Induciendo el crecimiento del hueso

¿Qué tiene que ver la *electricidad* con el crecimiento del hueso? De acuerdo a los investigadores Clinton Rubin y Kenneth McLeod de la Universidad del estado de New York en Stony Brook, dosis bajas e indoloras de electricidad pueden prevenir o tratar la osteoporosis. Ésta es una enfermedad que provoca la pérdida y el debilitamiento del tejido óseo. La osteoporosis afecta a la mitad de las mujeres de más de 45 años y puede provocar lesiones a la columna y fracturas de cadera.

Rubin y McLeod experimentaron con pavos porque los pavos, como los seres humanos, pierden tejido óseo cuando envejecen. Rubin y McLeod aceleraron la pérdida hueso inmovilizando (impidiendo movimiento de) una de las alas de unos 40 pavos. Los huesos inmovilizados se desgastaron rápidamente en unos dos meses. A otro grupo de pavos se les colocó un espiral eléctrico que creaba un campo electromagnético (relacionado con los campos de electricidad y el magnetismo) que producía una corriente eléctrica que se desplazaba por el ala. Los huesos del ala de estas aves no mostraron ningún tipo de desgaste. ¡En re-

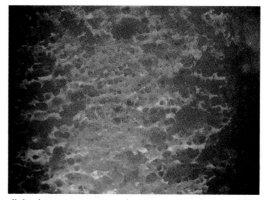

alidad, mostraron un incremento de la masa ósea! En otros estudios, se demostro que las células tratadas con electricidad absorben mayores cantidades de calcio, que es necesario para el crecimiento de los huesos.

Aunque piensas que los científicos pueden llegar a hacer crecer los huesos con sólo apretar un botón, no es así de simple. Para comenzar, los científicos tienen que probar que no están causando un problema a la salud mientras tratan de solucionar otro. En la actualidad, hay cierta preocupación acerca de la relación que existe entre los campos electromagnéticos (que son producidos por muchas cosas desde cables de alta tensión hasta artículos electrodomésticos) y el riesgo de contraer cáncer.

Los científicos ahora están tratando de averiguar más sobre esta relación y sus posibles peligros. Mientras tanto, los investigadores de los huesos afirman que ellos usan ondas electromagnéticas diferentes de las que producen las líneas de alta tensión y los electrodomésticos. También sostienen que durante estos últimos 20 años, se ha usado corriente eléctrica para reparar fracturas de los huesos.

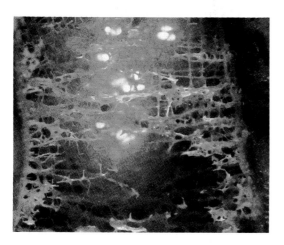

Observa que el tejido óseo de un anciano de 80 años con osteoporosis (abajo) tiene espacios vacios más grandes que el tejido óseo de un hombre saludable de 31 años de edad (arriba).

Laboratory Investigation

Observing Bones and Muscles

Problem

What are the characteristics of bones and muscles?

Materials *(per group)*

2 chicken leg bones	vinegar
tiny piece of raw, lean beef	medicine dropper
	water
2 dissecting needles	2 glass slides
	coverslip
methylene blue	microscope
2 jars with lids	paper towel
knife	

Procedure 🧪 📷 👁 ⊟

Part A

1. Clean all meat off the bones. Place one bone in each of the two jars.

2. Fill one jar with vinegar and the other with water. Cover both jars. Place in refrigerator.

3. After five days, remove the bones from the jars. Rinse each bone with water.

4. With the knife, carefully cut each of the bones in half. **CAUTION:** *Be careful when using a knife.* Examine the inside of each bone.

Part B

1. Place the tiny piece of raw beef on one of the glass slides. With a medicine dropper, place a drop of water on top of the beef.

2. With the dissecting needles, carefully separate, or tease apart, the fibers of the beef. **CAUTION:** *Be careful when using dissecting needles.*

3. Transfer a few fibers to the second slide. Add a drop of methylene blue. **CAUTION:** *Be careful when using methylene blue because it may stain the skin and clothing.* Cover with a coverslip. Use the paper towel to absorb any excess stain.

4. Examine the slide under the microscope.

Observations

1. How do the two bones differ in texture and flexibility? Describe the appearance of the inside of each bone.

2. Describe the appearance of the beef under a microscope.

Analysis and Conclusions

1. What has happened to the minerals and the marrow within the bone that was put in vinegar? How do you know this?

2. Why was one bone put in a jar with water?

3. What type of muscle tissue did you observe under the microscope?

4. How does the structure of the muscle tissue aid in its function?

5. **On Your Own** Repeat this investigation using substances other than vinegar.

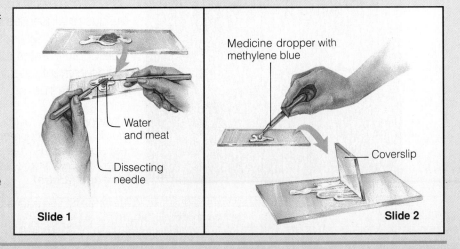

Slide 1 — Dissecting needle, Water and meat

Slide 2 — Medicine dropper with methylene blue, Coverslip

Investigación de laboratorio

Observación de músculos y huesos

Problema

¿Cuáles son las características de los músculos y de los huesos?

Materiales *(para cada grupo)*

2 huesos de pierna de pollo	vinagre
pedacito de carne de vaca sin grasa	gotero
	agua
2 agujas de disección	2 portaobjetos
azul de metileno	cubreobjetos
2 frascos con tapa	microscopio
cuchillo	toalla de papel

Procedimiento

Parte A

1. Pon un hueso, después de remover la carne, en cada uno de los dos frascos.

2. Llena un frasco con vinagre y otro con agua. Tápalos y refrigéralos.

3. Después de cinco días, saca los huesos de los frascos. Enjuágalos con agua.

4. Con el cuchillo, corta cuidadosamente los huesos por la mitad. **CUIDADO** *al usar el cuchillo.* Examina la parte interna de cada hueso.

Parte B

1. Pon el trocito de carne cruda en uno de los portaobjetos. Con el gotero coloca una gota de agua sobre la carne.

2. Separa cuidadosamente las fibras de la carne con las agujas de disección. **CUIDADO** *al usar las agujas de disección.*

3. Transfiere unas pocas fibras al segundo portaobjetos. Agrega una gota de azul de metileno. **CUIDADO** *al usar azul de metileno, puede manchar la piel y la ropa.* Cúbrelo con el cubreobjetos. Usa una toalla de papel para absorber el exceso de tintura.

4. Examina el portaobjetos bajo el microscopio.

Observaciones

1. ¿Cómo difieren los dos huesos en textura y flexibilidad? Describe el aspecto interior de cada hueso.

2. Describe el aspecto de la carne de vaca bajo el microscopio.

Análisis y conclusiones

1. ¿Qué le ocurrió a los minerales y a la médula dentro del hueso que estaba en vinagre? ¿Cómo lo sabes?

2. ¿Por qué se puso un hueso en un frasco vacío con agua?

3. ¿Qué tipo de tejido muscular observaste bajo el microscopio?

4. ¿De qué manera la estructura del tejido muscular lo ayuda a cumplir su función?

5. **Por tu cuenta** Repite la investigación usando otras substancias en vez de vinagre.

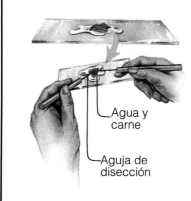

Agua y carne

Aguja de disección

Portaobjetos 1

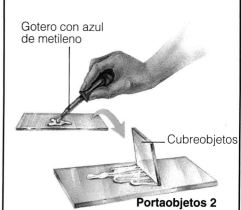

Gotero con azul de metileno

Cubreobjetos

Portaobjetos 2

Study Guide

Summarizing Key Concepts

2–1 The Skeletal System

▲ Bones are fastened together by connective tissues called ligaments. Tendons are connective tissues that connect muscles to bones.

▲ The skeletal system has five important functions: It provides shape and support, allows movement, protects tissues and organs, produces blood cells, and stores certain materials.

▲ The human skeleton is divided into two parts. One part consists of the skull, the ribs, the breastbone, and the vertebral column. The other part is made up of the bones of the arms, legs, hands, feet, shoulders, and hips.

▲ Cartilage is a flexible connective tissue that supports, acts as a shock absorber, and cushions other skeletal parts.

▲ A joint is a place where two bones come close together.

2–2 The Muscular System

▲ Muscle tissue is made of fibers bundled together by connective tissue. Muscle tissue moves only by contracting, or shortening.

▲ There are three types of muscle tissue: skeletal, smooth, and cardiac. Skeletal muscles permit voluntary movement and are connected to bone. Smooth muscles help control breathing, blood pressure, and movements of the digestive system. Cardiac muscles make the heart beat.

▲ All skeletal muscles work in pairs. When one contracts, the other relaxes.

2–3 Injuries to the Skeletal and Muscular Systems

▲ The most common injuries to the skeletal and muscular systems are sprains, fractures, and dislocations.

▲ A tearing or pulling of a ligament or a tendon beyond its normal stretching range is called a sprain.

▲ A fracture is a break in a bone.

▲ When a bone is forced out of its joint, the injury is called a dislocation.

Reviewing Key Terms

Define each term in a complete sentence.

2–1 The Skeletal System
bone
ligament
tendon
cartilage
marrow
joint

2–2 The Muscular System
skeletal muscle
smooth muscle
cardiac muscle

2–3 Injuries to the Skeletal and Muscular Systems
sprain
fracture
dislocation

Resumen de conceptos claves

2–1 El esqueleto

▲ Los huesos están unidos por un tipo de tejido conectivo llamado ligamentos. Los tendones son tejido conectivo que conecta los músculos a los huesos.

▲ El esqueleto cumple cinco funciones principales: provee forma y soporte al cuerpo, permite el movimiento, protege tejidos y órganos, produce células sanguíneas y almacena algunas substancias químicas.

▲ El esqueleto humano está dividido en dos partes. Una parte consiste del cráneo, las costillas, el esternón y la columna vertebral. La segunda parte está formada por los huesos de los brazos, las piernas, las manos, los pies, los hombros y las caderas.

▲ El cartílago es un tejido conectivo flexible que soporta, absorbe golpes y amortigua otras partes del esqueleto.

▲ Una articulación es un lugar donde dos huesos están muy cerca el uno del otro.

2–2 El sistema muscular

▲ El tejido muscular está compuesto de fibras unidas por envolturas de tejido conectivo. El tejido muscular sólo se mueve contrayéndose o acortándose.

▲ Hay tres tipos de tejido muscular: estriado, liso y cardíaco. Los músculos estriados permiten el movimiento voluntario y están conectados al hueso. Los músculos lisos ayudan a controlar la respiración, la presión sanguínea y los movimientos del sistema digestivo. Los músculos cardíacos producen los latidos del corazón.

▲ Todos los músculos estriados trabajan en pares. Cuando un músculo se contrae, el otro se relaja.

2–3 Lesiones al esqueleto y al sistema muscular

▲ Las tres lesiones más comunes al esqueleto y al sistema muscular son las torceduras, las fracturas y las dislocaciones.

▲ Un estiramiento de un ligamento o un tendón más allá de su alcance normal se llama torcedura.

▲ Una fractura es una rotura en un hueso.

▲ La dislocación es el forzamiento de un hueso fuera de su articulación.

Repaso de palabras claves

Define cada palabra o palabras con una oración completa.

2–1 El esqueleto
hueso
ligamento
tendón
cartílago
médula
articulación

2–2 El sistema muscular
músculo estriado
músculo liso
músculo cardíaco

2–3 Lesiones al esqueleto y al sistema muscular
torcedura
fractura
dislocación

Chapter Review

Content Review

Multiple Choice

On a separate sheet of paper, write the letter of the answer that best completes each statement.

1. Approximately how many bones are there in the skeletal system?
   a. 126   b. 26   c. 206   d. 96
2. Bones are held together by stringy connective tissue called
   a. cartilage.   c. ligaments.
   b. joints.   d. tendons.
3. The nose and ears contain a flexible connective tissue called
   a. marrow.   c. muscle.
   b. bone.   d. cartilage.
4. Two minerals that make up the nonliving part of bones are
   a. sodium and chlorine.
   b. calcium and iron.
   c. magnesium and phosphorus.
   d. calcium and phosphorus.
5. A place where two bones come close together is called a
   a. dislocation.   c. tendon.
   b. joint.   d. ligament.

6. The longest bone in the body is the
   a. vertebra.   c. femur.
   b. collarbone.   d. breastbone.
7. An example of a ball-and-socket joint is the
   a. shoulder.   b. neck.   c. elbow.   d. knee.
8. The elbow is an example of a
   a. ball-and-socket joint.
   b. hinge joint.
   c. pivot joint.
   d. bone.
9. Skeletal muscles are also known as
   a. involuntary muscles.
   b. smooth muscles.
   c. cardiac muscles.
   d. voluntary muscles.
10. Which of the following occurs when a bone is forced out of its joint?
    a. dislocation   c. fracture
    b. contraction   d. sprain

True or False

If the statement is true, write "true." If it is false, change the underlined word or words to make the statement true.

1. <u>Tendons</u> join muscles to bones.
2. Bone is an example of <u>nerve</u> tissue.
3. Cartilage is a flexible <u>muscle</u> tissue.
4. Bones contain the minerals calcium and <u>iron</u>.
5. A <u>joint</u> is a place where two bones come close together.
6. The elbow is an example of a <u>ball-and-socket</u> joint.
7. Skeletal muscle is also called <u>involuntary</u> muscle.
8. <u>Smooth</u> muscle tissue is found only in the heart.

Concept Mapping

Complete the following concept map for Section 2–1. Refer to pages H8–H9 to construct a concept map for the entire chapter.

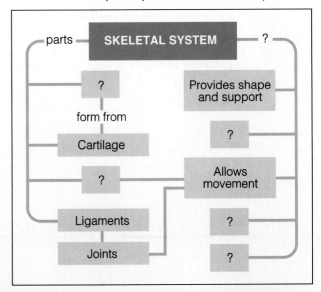

Repaso del capítulo

Repaso del contenido

Selección múltiple

En una hoja de papel aparte, escribe la letra de la respuesta que complete mejor cada frase.

1. ¿Cuántos huesos hay aproximadamente en el esqueleto?
   a. 126   b. 26   c. 206   d. 96
2. Los huesos están unidos por tejido conectivo fibroso llamado
   a. cartílago.   c. ligamentos.
   b. articulaciones.   d. tendones.
3. La nariz y las orejas contienen tejido conectivo flexible llamado
   a. médula.   c. músculo.
   b. hueso.   d. cartílago.
4. Los dos minerales que forman la parte sin vida del hueso son
   a. sodio y cloro.   c. magnesio y fósforo.
   b. calcio y hierro. d. calcio y fósforo.
5. Un lugar donde dos huesos están muy cerca el uno del otro se llama
   a. dislocación.   c. tendón.
   b. articulación.   d. ligamento.

6. El hueso más largo del cuerpo es
   a. la vértebra.   c. el fémur.
   b. la clavícula.   d. el esternón.
7. Un ejemplo de una articulación de rótula es
   a. el hombro.   c. el codo.
   b. el cuello.   d. la rodilla.
8. El codo es un ejemplo de un(a)
   a. articulación de rótula.
   b. articulación de bisagra.
   c. articulación de pivote.
   d. hueso.
9. Los músculos estriados también se conocen como
   a. músculos involuntarios.
   b. músculos lisos.
   c. músculos cardíacos.
   d. músculos voluntarios.
10. El forzamiento de un hueso fuera de su lugar se llama
   a. dislocación.   c. fractura.
   b. contracción.   d. torcedura.

Verdadero o falso

Si la afirmación es verdadera, escribe "verdad." Si es falsa, cambia las palabras subrayadas para que sea verdadera.

1. Los <u>tendones</u> unen los músculos a los huesos.
2. Los huesos son un ejemplo de tejido <u>nervioso</u>.
3. El cartílago es tejido <u>múscular</u> flexible.
4. Los huesos contienen minerales de calcio y de <u>hierro</u>.
5. Una <u>articulación</u> es el lugar donde dos huesos están muy cerca uno del otro.
6. El codo es un ejemplo de una articulación <u>de rótula</u>.
7. Los músculos estriados también se llaman músculos <u>involuntarios</u>.
8. El tejido muscular <u>liso</u> se encuentra solamente en el corazón.

Mapa de conceptos

Completa el siguiente mapa de conceptos para la sección 2–1. Para hacer un mapa de conceptos de todo el capítulo, consulta las páginas H8–H9.

Concept Mastery

Discuss each of the following in a brief paragraph.

1. What are the two major parts of the human skeletal system? Which bones belong to each part?
2. Use Figure 2–4 on page 32 to identify the following bones with their scientific names.
   a. thigh
   b. finger
   c. toe
   d. kneecaps
   e. breastbone
   f. shoulder blade
3. Explain the differences among ligaments, tendons, and cartilage.
4. Name the three types of muscle tissue. Discuss their functions.
5. Describe the structure of the femur.
6. List three movable joints. Describe the actions of each joint.
7. Explain how the biceps and triceps enable you to bend and straighten your arm.
8. Compare a voluntary muscle and an involuntary muscle. Give an example of each type of muscle.

Critical Thinking and Problem Solving

Use the skills you have developed in this chapter to answer each of the following.

1. **Relating concepts** What is the advantage of having some joints, such as the knee and elbow, covered by a fluid-filled sac?
2. **Applying concepts** Bones heal faster in children than they do in adults. Why do you think this is so?
3. **Interpreting photographs** Because cartilage does not appear on X-ray film, it is seen as a clear area between the shaft and the knobs of individual bones. Examine the photographs showing the X-rays of two hands. Which hand belongs to the older person? Explain.

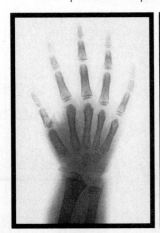 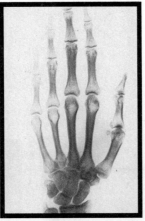

4. **Applying concepts** Suggest a reason why there are more joints in the feet and hands than in most other parts of the body.
5. **Relating concepts** What role does good posture play in maintaining healthy muscles and tendons?
6. **Relating facts** Explain why you feel pain when you fracture, or break, a bone.
7. **Relating cause and effect** Osteoporosis is a disease that usually occurs in older people. It involves a loss and a weakening of bone tissue. Doctors recommend that people over the age of 45 eat more foods that contain calcium. How is this helpful in preventing osteoporosis?
8. **Using the writing process** Choose a five-minute segment out of your day. In a journal, record all the activities that you performed during this time. Then try to identify all the muscles, bones, and joints you used. Use the figures in this chapter to help you, and don't forget those involuntary muscles, too!

Dominio de conceptos

Comenta cada uno de los puntos siguientes en un párrafo breve.

1. ¿Cuáles son las dos partes más importantes del esqueleto humano? ¿Qué huesos pertenecen a cada una de ellas?
2. Usa la figura 2–4 de la página 32 para identificar los huesos siguientes con sus nombres científicos.
   a. muslo
   b. dedo
   c. dedo gordo del pie
   d. rótula
   e. esternón
   f. omóplato
3. Explica las diferencias entre los ligamentos, los tendones y los cartílagos.
4. Nombra los tres tipos de tejido muscular. Explica sus funciones.
5. Describe la estructura del fémur.
6. Enumera tres articulaciones móviles. Describe las acciones de cada articulación.
7. Explica cómo el bíceps y el tríceps te permiten estirar y doblar el brazo.
8. Compara un músculo voluntario a uno involuntario. Menciona un ejemplo de cada tipo de músculo.

Pensamiento crítico y solución de problemas

Usa las destrezas que has desarrollado en este capítulo para resolver lo siguiente.

1. **Relacionar conceptos** ¿Cuál es la ventaja de tener algunas articulaciones, tales como las de la rodilla y del codo cubiertas por una bolsa llena de líquido?
2. **Aplicar conceptos** Los huesos del esqueleto de los niños se sanan más fácilmente que los huesos de adultos. ¿Por qué crees que esto es así?
3. **Interpretar radiografías** Como el cartílago no aparece en las radiografías, se ve como una zona clara entre la columna y los extremos de cada hueso. Examina estas fotografías que muestran las radiografías de dos manos. ¿Cuál de las dos manos pertenece a una persona mayor? Explica.
4. **Aplicar conceptos** Di por qué hay más articulaciones en los pies y las manos que en la mayoría de las otras partes del cuerpo.
5. **Relacionar conceptos** ¿Qué relación existe entre una buena postura y mantener los músculos y los tendones saludables?
6. **Relacionar hechos** Explica por qué sientes dolor cuando te fracturas o rompes un hueso.
7. **Relacionar causa y efecto** La osteoporosis es una enfermedad que usualmente afecta a las personas adultas. Implica la pérdida y el debilitamiento de tejido óseo. Los médicos recomiendan a las personas de más de 45 años que consuman alimentos ricos en calcio. ¿De qué manera puede contribuir esto para prevenir la osteoporosis?
8. **Usar el proceso de escritura** Escoge 5 minutos cualquiera de uno de tus días. Anota en un diario todas las actividades que realizaste durante ese tiempo. Luego trata de identificar los músculos, huesos y articulaciones que usaste. Usa las figuras de este capítulo como ayuda ¡y no te olvides de tus músculos involuntarios!

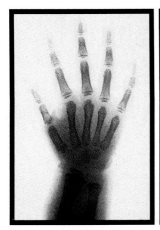
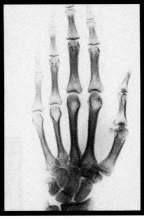

Digestive System

Guide for Reading

After you read the following sections, you will be able to

3–1 The Importance of Food
- Define nutrients.

3–2 Digestion of Food
- Describe how food is digested in the mouth, stomach, and small intestine.
- Compare mechanical digestion and chemical digestion.

3–3 Absorption of Food
- Describe how nutrients are absorbed in the digestive system.

3–4 Maintaining Good Health
- Describe the roles weight control and proper exercise habits play in maintaining good health.

Eating a meal in space is no ordinary event! Mistakes can produce strange and funny scenes. A dropped fork may fall up instead of down. Spilled milk is just as likely to end up on the ceiling as on the floor. And a banana left unattended may float away from an open mouth—or toward one. These "tricks" produced by weightlessness are conditions of space travel to which all astronauts must adjust.

Would you like to live in space? Before you answer, take a moment to consider this: What must it be like to live in a place where every spoonful of pudding is in danger of escaping and lettuce leaves in a salad fly away like butterflies? Perhaps you have never thought seriously about the experience of eating and swallowing food in space. What happens to the food after it is swallowed? Without gravity, will it move up instead of down? And what about food that is already in the stomach? In the pages that follow, you will learn how your body digests and absorbs food—right here on Earth! Then you will be better able to answer the questions about eating in space.

Journal *Activity*

You and Your World What did you have for dinner last night? What did you eat for lunch today? Who was with you, and where did you eat these meals? In your journal, explore the thoughts and feelings you had during these mealtimes.

◀ *Astronauts eating a meal in space*

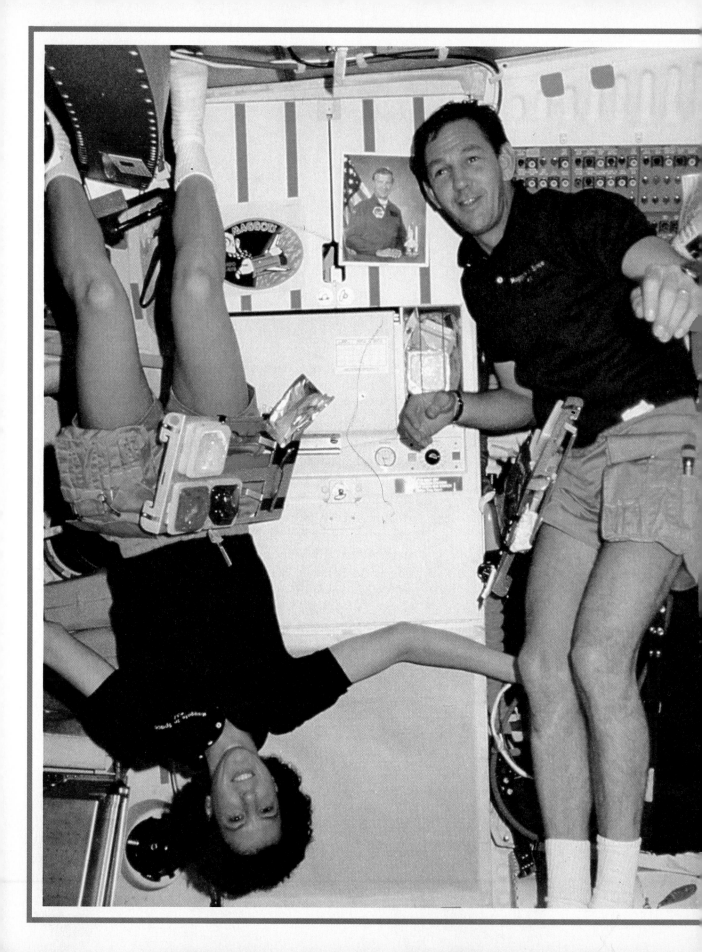

Sistema digestivo

Guía para la lectura

Después de leer las secciones siguientes, vas a poder

¡Almorzar o cenar en el espacio no es fácil! Ciertos errores pueden provocar escenas extrañas y cómicas. Un tenedor que se cae puede ir hacia arriba en vez de ir hacia abajo. La leche derramada puede terminar tanto en el techo como en el piso. Una banana abandonada puede flotar a la deriva desde o hacia una boca abierta. Estos "trucos" que produce la falta de peso son condiciones de los viajes espaciales a las cuales todos los astronautas deben adaptarse.

¿Te gustaría vivir en el espacio? Antes de contestar esta pregunta considera lo siguiente: ¿Cómo será vivir en un lugar donde cada cucharada de budín puede escaparse y las hojas de lechuga en la ensalada vuelan como mariposas? Quizás nunca hayas pensado seriamente sobre la experiencia de comer y tragar en el espacio. ¿Qué le ocurre a la comida después que se la traga? Sin la gravedad, ¿se moverá hacia abajo o hacia arriba? ¿Y qué occurre con la comida que ya está en el estómago? En las páginas siguientes aprenderás cómo tu cuerpo digiere y absorbe alimentos—aquí mismo en la Tierra. De esta manera serás más capaz de responder preguntas sobre comidas en el espacio.

Diario *Actividad*

Tú y tu mundo ¿Qué cenaste anoche? ¿Qué almorzaste hoy? ¿Con quién y dónde comiste? En tu diario, explora qué pensaste y sentiste durante estas comidas.

◄ *Los astronautas comen el el espacio*

3–1 The Importance of Food

Throughout the world, more than 5 billion very special chemical factories are in operation both day and night. From basic raw materials, these factories produce a great variety of chemicals. What goes on in these factories could not occur anywhere else. These factories can discover and correct their own faulty work. They can reproduce and repair some of their parts. And they can also control their own growth. Have you already guessed what these factories are? If not, you can find out by simply looking in a mirror. Yes, you and all humans are, in a way, chemical factories.

Like any factory, you need raw materials to build new products, repair old parts, and produce the energy that keeps the factory going. Where do you get

Figure 3–1 *A balanced diet consists of nutrients from each of the four basic food groups. These groups are the milk group (top left), the vegetable and fruit group (top right), the meat and protein group (bottom left), and the grain and grain products group (bottom right). What foods other than meat are found in the meat and proteins group?*

Figura 3–1 *Una dieta equilibrada está compuesta por nutrientes de cada uno de los cuatro grupos básicos de alimentos. Estos grupos son: el grupo de los lácteos (arriba izquierda), el grupo de los vegetales y frutas (arriba derecha), el grupo de las carnes y proteínas (abajo izquierda) y el grupo de los cereales y sus derivados (abajo derecha). ¿Qué otros alimentos aparte de la carne se encuentran en el grupo de carnes y proteínas?*

3–1 La importancia de los alimentos

En todo el mundo, hay más de 5 mil millones de fábricas de productos químicos especiales funcionando día y noche. Estas fábricas producen una gran variedad de substancias químicas a partir de materias primas. Lo que ocurre en estas fábricas no ocurriría en ningún otro lugar. Estas fábricas pueden detectar sus propios errores y también controlar su propio crecimiento. ¿Has adivinado qué tipo de fábricas son éstas? Si no, puedes averiguarlo simplemente mirándote al espejo. Pues sí, tú y todos los seres humanos son de alguna manera fábricas de substancias químicas.

Como en toda fábrica, tú necesitas materia prima para fabricar nuevos productos, reparar las partes gastadas y producir la energía necesaria para mantener

these raw materials? The raw materials are provided by the **nutrients** (NOO-tree-ehnts) that are in the foods you eat. **Nutrients are the usable portions of food. Nutrients include proteins, carbohydrates, fats, vitamins, minerals, and water.**

You can get all the nutrients your body needs for proper functioning by drinking water and by eating the right amounts of foods from the four basic food groups. You are probably familiar with these groups. They are the milk group, the meat and proteins group, the fruits and vegetables group, and the grain and grain products group. Figure 3–1 contains some examples of the foods in each of the four basic food groups.

As you have just read, nutrients are the body's source of energy. The amount of energy that can be obtained from nutrients is measured in units known as **Calories.** A Calorie is the amount of energy needed to raise the temperature of 1 kilogram of water by 1 degree Celsius. Some foods are high in Calories, whereas others are quite low. For example,

Figure 3–2 *Nutrients provide the body with energy for studying, sledding, playing basketball, and raking leaves—to name just a few activities. In what unit is the amount of energy obtained from nutrients measured?*

la fábrica funcionando. ¿Dónde obtienes esta materia prima? La materia prima proviene de los **nutrientes** que se encuentran en los alimentos que tú comes. **Los nutrientes son la parte aprovechable de los alimentos. Los nutrientes incluyen las proteínas, carbohidratos, grasas, vitaminas, minerales y agua.**

Puedes obtener todos los nutrientes que necesita tu cuerpo para funcionar adecuadamente, bebiendo agua y comiendo la cantidad apropiada de alimentos de cada uno de los cuatro grupos básicos. Probablemente, conozcas estos grupos. Son el grupo de los lácteos, el grupo de las carnes y proteínas, el grupo de las frutas y los vegetales y el grupo de los cereales y sus derivados. En la figura 3–1 hay ejemplos de alimentos de cada uno de los cuatro grupos básicos.

Como acabas de leer, los nutrientes son la fuente de energía del cuerpo. La cantidad de energía que se obtiene de los nutrientes se mide en **calorías**. Una caloría es la cantidad de energía necesaria para elevar en un grado Celsius la temperatura de un kilogramo de agua. Algunos alimentos contienen muchas calorías mientras otros contienen muy pocas. Por ejemplo, 100

Figura 3–2 *Los nutrientes proveen al cuerpo de energía para estudiar, andar en trineo, jugar al básquetbol y rastrillar hojas—entre otras cosas. ¿Qué unidad se usa para medir la cantidad de energía que se obtiene de los nutrientes?*

Determining Your Metabolic Rate

Basal metabolic rate, or BMR, is the energy needed (in Calories) to keep your awake but restful body functioning.

To determine your BMR, multiply 1 Calorie by your weight in kilograms (2.2 lbs = 1 kg). Then multiply this number by 24 hours. You now have your basal metabolic rate in Cal/day. What is your BMR? Would you need more or fewer Calories when you are doing some type of activity? Explain your answer.

100 grams (4 ounces) of lettuce contain about 20 Calories. The same quantity of peanuts contains about 650 Calories. Notice that the amount of food is the same (100 grams), but the number of Calories is not. The number of Calories a person needs daily depends on the person's size, body build, occupation, and age.

Proteins

The nutrients that are used to build and repair body parts are called **proteins.** Proteins are made of chains of **amino** (uh-MEE-noh) **acids.** In fact, amino acids are sometimes called the building blocks of proteins. In order for your body to use proteins, they must first be broken down into their amino acid parts. Then they can enter the cells of your body, where they are reassembled into the proteins that make up your muscles, skin, and other organs inside your body.

Amazingly enough, the thousands of different proteins in your body are built from only 20 or so different amino acids. Your body can make 12 of these amino acids; the other 8 must be obtained from your diet (the foods you eat every day). These 8 amino acids are called essential amino acids because it is essential (necessary) that they are included in the foods you eat.

Foods that contain all 8 essential amino acids are red meat, fish, poultry, dairy products, and eggs. Because these foods contain all the essential amino acids, they are called complete proteins. Most plant proteins (rice, cereals, and vegetables), on the other hand, are missing one or more of the essential amino acids. Thus, these proteins are called incomplete proteins. If any essential amino acids are missing from the diet, the manufacture of important proteins stops completely. For this reason, people who are vegetarians must be sure that their diet includes different plant foods so that they obtain all the essential amino acids.

Figure 3–3 *The photograph shows a hair penetrating the outer layer of skin. Both hair and skin are made mainly of proteins. What are the building blocks of proteins called?*

ACTIVIDAD

PARA CALCULAR

Determina tu índice metabólico

El indice metabólico basal (IMB), es la energía necesaria (en calorías) para mantener tu cuerpo funcionado, despierto pero en reposo.

Para determinar tu IMB multiplica 1 caloría por tu peso en kilogramos (2.2 libras = 1 Kg). Después multiplica ese número por 24 horas. Ahora tienes tu índice metabólico basal en cal/día. ¿Cuál es tu IMB? ¿Necesitarás más o menos calorías para hacer distintas actividades? Explica tu respuesta.

gramos (4 onzas) de lechuga contienen unas 20 calorías. La misma cantidad de cacahuetes contienen aproximadamente 650 calorías. Observa que si bien la cantidad es la misma (100 gramos), varía la cantidad de calorías. La cantidad de calorías diarias que necesita una persona, depende de su tamaño, tipo de físico, actividad, ocupación y edad.

Proteínas

Los nutrientes que se necesitan para reparar las partes desgastadas del cuerpo se llaman **proteínas**. Las proteínas están formadas por cadenas de **aminoácidos**. Los aminoácidos también son a veces llamados unidades básicas de las proteínas. Para que tu cuerpo pueda usar proteínas, éstas deben ser desintegradas en los distintos aminoácidos. Así pueden penetrar en las células de tu cuerpo, donde son nuevamente integrados en las proteínas que forman tus músculos, piel y otros órganos de tu cuerpo.

Lo sorprendente es que miles de proteínas diferentes de tu cuerpo están constituidas por sólo unos 20 aminoácidos. Tu cuerpo puede producir 12 de estos aminoácidos, los otros 8 deben provenir de tu dieta (los alimentos que comes cada día). Estos 8 aminoácidos se llaman esenciales porque es indispensable que estén incluidos en los alimentos que comes.

Los alimentos que contienen los 8 aminoácios fundamentales son: carne roja, pescado, carne de aves, productos lácteos y huevos. Estos alimentos se llaman proteínas completas debido a que contienen todos los aminoácidos esenciales. La mayoría de las proteínas de orígen vegetal (arroz, cereales y vegetales) carecen de uno o más de los aminoácidos esenciales. Por esta razón, a estas proteínas se las llama proteínas incompletas. Si falta alguno de estos aminoácidos esenciales de tu dieta, la producción de ciertas proteínas importantes se detiene completamente. Por eso, las personas que son vegetarianas deben asegurarse de que su dieta incluya diferentes alimentos vegetales para obtener todos los aminoácidos esenciales.

Figura 3–3 *La fotografía muestra un pelo penetrando la capa exterior de la piel. Ambos, el pelo y la piel, están principalmente formados de proteínas. ¿Cómo se llaman las unidades básicas de las proteínas?*

THE SIX BASIC NUTRIENTS

Substances	Sources	Needed For
Proteins	Soybeans, milk, eggs, lean meats, fish, beans, peas, cheese	Growth, maintenance, and repair of tissues Manufacture of enzymes, hormones, and antibodies
Carbohydrates	Cereals, breads, fruits, vegetables	Energy source Fiber or bulk in diet
Fats	Nuts, butter, vegetable oils, fatty meats, bacon, cheese	Energy source
Vitamins	Milk, butter, lean meats, leafy vegetables, fruits	Prevention of deficiency diseases Regulation of body processes Growth Efficient biochemical reactions
Mineral salts Calcium and phosphorus compounds	Whole-grain cereals, meats, milk, green leafy vegetables, vegetables, table salt	Strong bones and teeth Blood and other tissues
Iron compounds	Meats, liver, nuts, cereals	Hemoglobin formation
Iodine	Iodized salt, seafoods	Secretion by thyroid gland
Water	All foods	Dissolving substances Blood Tissue fluid Biochemical reactions

Figure 3–4 *Nutrients are grouped into six categories in this chart. Which nutrient prevents vitamin-deficiency diseases?*

Carbohydrates

It is three o'clock in the afternoon, and you are beginning to feel tired and somewhat lazy. You really need to eat some type of food that will bring your body up to its working level again. Suddenly you remember the orange tucked neatly away in your knapsack. Like all fruits, oranges contain energy-rich substances called **carbohydrates.** Carbohydrates are also found in vegetables and grain products.

There are two types of carbohydrates: starches and sugars. A starch is made of a long chain of sugars. In order to digest a starch, the body must first break the connections between each of the sugars in the chain. Once this is done, the sugars can be used to provide much-needed fuel for the body. Sugars,

LOS SEIS NUTRIENTES BÁSICOS

Sustancias	Fuentes	Necesario para
Proteínas	Semillas de soja, huevos, carne magra, pescado, habichuelas, arvejas, queso	Crecimiento, mantenimiento y reparación de los tejidos. Producción de enzimas, hormonas y anticuerpos
Carbohidratos	Cereales, pan, frutas y vegetales	Fuente de energía Fibras en la dieta
Grasas	Nueces, mantequilla, aceites vegetales, carnes grasas, tocino, queso	Fuente de energía
Vitaminas	Leche, mantequilla, carne magra, vegetales de hoja, frutas	Prevención de enfermedades deficitarias Regulación del funcionamiento del cuerpo Crecimiento Reacciones bioquímicas eficientes
Sales minerales Compuestos de calcio y fósforo	Cereales integrales, carnes, leche, verduras de hoja, vegetales, sal de mesa	Dientes y huesos fuertes La sangre y otros tejidos
Compuestos de hierro	Carnes, hígado, nueces, cereales	Formación de hemoglobina
Yodo	Sales yodizadas, mariscos	Secreción de la glándula tiroide
Agua	Todos los alimentos	Disolver sustancias Sangre Líquido en los tejidos Reacciones bioquímicas

Figura 3–4 *Los nutrientes de esta gráfica están clasificados en seis categorías. ¿Qué nutrientes previenen las enfermedades deficitarias?*

Carbohidratos

Son las tres de la tarde, comienzas a sentirte cansado y un tanto perezoso. Lo que en realidad necesitas es cierto tipo de alimento que le devuelva a tu cuerpo su nivel normal de funcionamiento. De pronto te acuerdas de la naranja que está en tu mochila. Como todas las frutas, las naranjas contienen **carbohidratos**. Estos también se encuentran en las verduras y los cereales.

Hay dos tipos de carbohidratos: almidones y azúcares. Un almidón está formado por una larga cadena de azúcares. Para digerir el almidón, el cuerpo debe romper las conexiones de la cadena de azúcares. Una vez logrado esto, los azúcares se usan para proveer el combustible tan necesario para el cuerpo. Los

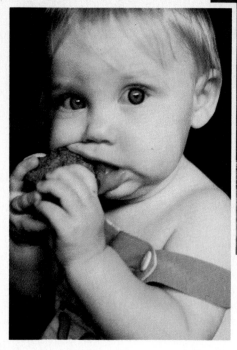

Figure 3–5 *Carbohydrates are substances that supply the body with its main source of energy. If you are a human, a muffin may be a good source of carbohydrates. If you are an iguana, however, a cactus leaf may be more to your liking as a source of carbohydrates.*

on the other hand, can be used for fuel almost immediately.

What happens if you eat more carbohydrates than your body can use for fuel? The excess carbohydrates are stored in your muscles and liver in the form of starch. Unfortunately, these stored carbohydrates add mass to the body. So a diet containing too many carbohydrates can cause a person to gain weight.

Fats

Figure 3–6 *Like carbohydrates, fats supply the body with energy. Any fat that is a liquid at room temperature is called an oil. Whether a fat is a solid or a liquid at room temperature, however, it is still a fat—and 100 percent fat! Which has more Calories: a gram of carbohydrates or a gram of fat?*

Like carbohydrates, **fats** supply the body with energy. In fact, fats supply the body with twice as much energy (and twice as many Calories!) as do equal amounts of proteins and carbohydrates. In addition to providing energy for the body, fats help to support and cushion vital organs, protecting them from injury. Fats also insulate the body against heat loss.

Foods that are rich in fats come from both plants and animals. You may be surprised to learn that any plant or animal fat that is liquid at room temperature is called an oil. That is why the liquid fat in which you cook your French fries is called an oil and not a fat, even though it is 100 percent fat. The word fat, on the other hand, is used to describe any oil that is solid at room temperature. Some sources of fats are nuts, butter, and cheeses.

56 ■ H

Figura 3–5 *Los carbohidratos son sustancias que proveen al cuerpo de su principal fuente de energía. Si eres un ser humano un panecillo puede ser una buena fuente de carbohidratos. Si fueras una iguana, obtendrías tus carbohidratos de una hoja de cactus.*

azúcares por otra parte, se pueden usar como combustible casi immediatamente.

¿Qué ocurre si comes más carbohidratos de los que tu cuerpo puede usar como combustible? El exceso de carbohidratos se almacena en tus músculos y en el hígado en forma de almidón. Desafortunadamente, estos carbohidratos almacenados le agregan masa a tu cuerpo. En consecuencia, una dieta excesiva en carbohidratos puede causar aumento de peso.

Grasas

Como los carbohidratos, las **grasas** proveen de energía al cuerpo. En realidad las grasas proveen al cuerpo con el doble de energía (¡y dos veces más calorías!) que la misma cantidad de proteínas y carbohidratos. Además de proveer energía al cuerpo, las grasas ayudan a amortiguar, soportar y proteger de lesiones a ciertos órganos vitales. Las grasas aíslan al cuerpo y evitan la pérdida calor.

Los alimentos ricos en grasas provienen tanto de vegetales como de animales. Quizás te sorprenda saber que todas las grasas animales o vegetales que se encuentran en estado líquido a temperatura ambiente se llaman aceites. Es por esto que la grasa líquida en la que cocinas tus papas fritas se llama aceite y no grasa, si bien es grasa ciento por ciento. La palabra grasa por otra parte, se usa para describir cualquier aceite que sea sólido a temperatura ambiente. Las nueces, la mantequilla y los quesos son algunas fuentes de grasa.

Figura 3–6 *Tanto los carbohidratos como las grasas proveen energía. Cualquier tipo de grasa que se encuentra en estado líquido a temperatura ambiente se llama aceite. Aunque la grasa esté líquida o sólida, es siempre grasa— ¡ciento por ciento! ¿Qué contiene más calorías: un gramo de carbohidratos o uno de grasa?*

Vitamins and Minerals

In addition to proteins, carbohydrates, and fats, your body also needs **vitamins** and **minerals.** Because they are required in only small amounts, vitamins and minerals are sometimes called micronutrients.

What role do vitamins and minerals have in the body? Vitamins help to regulate the growth and normal functioning of your body. There are two groups of vitamins—fat-soluble vitamins and water-soluble vitamins. The fat-soluble vitamins are so named because they can be stored in fat tissue. Vitamins A, D, E, and K are fat-soluble vitamins. The water-soluble

Activity Bank

Getting the Iron Out, p. 249

Figure 3–7 *According to this chart, which vitamin is important for proper vision? For blood clotting?*

VITAMINS

Vitamin	Source	Use
A (carotene)	Yellow and green vegetables, fish-liver oil, liver, butter, egg yolks	Important for growth of skin cells; important for vision
D (calciferol)	Fish oils, liver, made by body when exposed to sunlight, added to milk	Important for the formation of bones and teeth
E (tocopherol)	Green leafy vegetables, grains, liver	Proper red blood cell structure
K	Green leafy vegetables, made by bacteria that live in human intestine	Needed for normal blood clotting
B_1 (thiamine)	Whole grains, liver, kidney, heart	Normal metabolism of carbohydrates
B_2 (riboflavin)	Milk products, eggs, liver, whole grain cereal	Normal growth
Niacin	Yeast, liver, milk, whole grains	Important in energy metabolism
B_6 (pyridoxine)	Whole grains, meats, poultry, fish, seeds	Important for amino acid metabolism
Pantothenic acid	Many foods, yeast, liver, wheat germ, bran	Needed for energy release
Folic acid	Meats, leafy vegetables	Proper formation of red blood cells
B_{12} (cyanocobalamin)	Liver, meats, fish, made by bacteria in human intestine	Proper formation of red blood cells
C (ascorbic acid)	Citrus fruits, tomatoes, green leafy vegetables	Strength of blood vessels; important in the formation of connective tissue; important for healthy gums

Vitaminas y minerales

Además de las proteínas, los carbohidratos y las grasas, tu cuerpo también necesita **vitaminas** y **minerales**. Debido a que éstos sólo se necesitan en pequeñas cantidades, también se los llama micronutrientes.

¿Qué función cumplen las vitaminas y los minerales en el cuerpo? Las vitaminas ayudan a regular el crecimiento y el funcionamiento normal de tu cuerpo. Hay dos grupos de vitaminas—vitaminas solubles en grasa y vitaminas solubles en agua. A las vitaminas solubles en grasa se las denomina así porque se pueden almacenar en el tejido adiposo. Vitaminas A, D, E y K son vitaminas solubles en grasa. Las vitaminas solubles

Sacando el hierro, p. 249

Figura 3–7 *De acuerdo a esta gráfica, ¿Qué vitamina es importante para la vista? ¿Para la coagulación de la sangre?*

VITAMINAS		
Vitamina	**Fuente**	**Uso**
A (caroteno)	Vegetales verdes y amarillos, aceite de hígado de pescado, hígado, mantequilla, yema de huevos	Importante para el crecimiento de las células de la piel; importante para la vista
D (calciferol)	Aceites de pescado, hígado, fabricada por el cuerpo expuesto a la luz solar, agregada a la leche	Importante para la formación de huesos y dientes
E (tocoferol)	Vegetales de hojas verdes, cereales, hígado	Estructura adecuada de las células
K	Vegetales de hojas verdes, fabricada por bacterias que viven en el intestino de seres humanos	Necesaria para la coagulación de la sangre
B_1 (tiamina)	Cereales integrales, hígado, riñones, corazón	Metabolismo normal de carbohidratos
B_2 (riboflavina)	Productos lácteos, huevos, hígado, cereales integrales	Crecimiento normal
Niacina	Levadura, hígado, leche, cereales integrales	Importante de energía para el metabolismo
B_6 (piridoxina)	Cereales integrales, carnes, aves, pescado, semillas	Importante para el metabolismo de amimoácidos
Ácido pantoténico	Muchos alimentos, levadura, hígado, germen de trigo, salvado	Necesario para liberar energía
Ácido fólico	Carnes, vegetales de hoja	Formación apropiada de glóbulos rojos
B_{12} (cianocobalamina)	Hígado, carnes, pescado, fabricada por bacterias en el intestino de seres humanos	Formación apropiada de glóbulos rojos
C (ácido ascórbico)	Frutas cítricas, tomates, vegetales de hojas verdes	Fortalecimiento de los vasos sanguíneos; importante para la formación de tejido conectivo; importante para encías saludables

MINERALS

Mineral	Source	Use
Calcium	Milk products, green leafy vegetables	Important component of bones and teeth; needed for normal blood clotting and for normal cell functioning
Chlorine	Table salt, many foods	Important for fluid balance
Magnesium	Milk products, meat, many foods	Needed for normal muscle and nerve functioning; metabolism of proteins and carbohydrates
Potassium	Grains, fruits, many foods	Normal muscle and nerve functioning
Phosphorus	Meats, nuts, whole grains, many foods	Component of DNA, RNA, ATP, and many proteins; part of bone tissue
Sodium	Many foods, table salt	Nerve and muscle functioning; water balance in body
Iron	Liver, red meats, grains, raisins, nuts	Important part of hemoglobin molecule
Fluorine	Water (natural and added)	Part of bones and teeth
Iodine	Seafood, iodized table salt	Part of hormones that regulate rate of metabolism

Figure 3–8 *Minerals help to keep the body functioning normally. Which minerals provide for normal nerve and muscle functioning?*

ACTIVITY

WRITING

Vitamin-Deficiency Diseases

Use reference materials in the library to find out about a vitamin-deficiency disease, such as scurvy, pellagra, or rickets. Write a brief report on your findings. In your report, make sure that you answer the following questions: What causes the disease? What are the symptoms of the disease? How can the disease be prevented?

vitamins include vitamin C and vitamins B_1, B_2, B_6, and B_{12} (which are also known as the B complex). Water-soluble vitamins cannot be stored in fat tissue and are thus constantly washed out of the body. Therefore, water-soluble vitamins should be included in a balanced diet every day. The chart in Figure 3–7 on page 57 gives the sources and uses of some important vitamins.

Like vitamins, minerals help to keep your body functioning normally. Hemoglobin, the protein in red blood cells that carries oxygen, contains the mineral iron. Calcium, another important mineral, makes up a major part of teeth and bones. The sources and uses of some important minerals are listed in Figure 3–8.

MINERALES

Minerales	Fuente	Usos
Calcio	Productos lácteos, vegetales de hojas verdes	Componente importante de los huesos y los dientes; necesario para la coagulación normal de la sangre y para el normal funcionamiento de las células
Cloruro	Sal de mesa, otros alimentos	Importante para el equilibrio de los líquidos
Magnesio	Productos lácteos, carnes, muchos otros alimentos	Necesario para el normal funcionamiento de los músculos y los nervios; metabolismo de las proteínas y los carbohidratos
Potasio	Cereales, frutas, muchos alimentos	Funcionamiento normal de los músculos y los nervios
Fósforo	Carnes, nueces, cereales, muchos alimentos	Componente de ADN, ARN, ATP y muchas proteínas; forma parte del tejido óseo
Sodio	Muchos alimentos, sal de mesa	Funcionamiento de los músculos y los nervios; equilibrio del contenido de agua en el cuerpo
Hierro	Hígado, carnes rojas, cereales, uvas pasas, nueces	Parte importante de la molécula de hemoglobina
Flúor	Agua (natural y agregado)	Parte de los huesos y los dientes
Yodo	Mariscos, sal de mesa yodizada	Parte de las hormonas que regulan el índice del metabolismo

Figura 3–8 *Los minerales contribuyen al funcionamiento del cuerpo. ¿Cuáles son los minerales que contribuyen al normal funcionamiento de nervios y músculos?*

ACTIVIDAD

PARA ESCRIBIR

Enfermedades por déficit vitamínico

Usa materiales de referencia en la biblioteca para averiguar sobre la relación entre déficit vitamínico y las enfermedades que provoca, como escorbuto, pelagra o raquitismo. Escribe un breve informe. Contesta las siguientes preguntas: ¿Qué provoca la enfermedad? ¿Cuáles son sus síntomas? ¿Cómo se puede prevenir?

en agua incluyen vitamina C y vitaminas B_1, B_2, B_6 y B_{12} (también se conocen como el complejo B). Las vitaminas solubles en agua no se pueden almacenar en tejido graso (adiposo) y como resultado son constantemente eliminadas del cuerpo. Por esta razón, las vitaminas solubles deben ser parte de una dieta balanceada diaria. La gráfica de la figura 3–7 muestra las fuentes y los usos de algunas vitaminas importantes.

Tanto las vitaminas como los minerales contribuyen al normal funcionamiento de tu cuerpo. La hemoglobina, la proteína de los glóbulos rojos, contiene minerales de hierro. El calcio, es otro mineral importante que forma la mayor parte de los dientes y los huesos. La figura 3–8 muestra las fuentes y las funciones de algunos minerales importantes.

Water

Although you can survive many days without food, several days without water can be fatal. Why is water so important? There are several reasons. Most chemical reactions that take place in the body can do so only in the presence of water. Water carries nutrients and other substances to and from body organs through the bloodstream. Water also helps your body maintain its proper temperature, 37°C.

On the average, the human body is approximately 50 to 60 percent water. Under normal conditions, you need about 2.4 to 2.8 liters of water daily (that is about 10 to 12 8-ounce glasses). By drinking the proper amount of fluids (about 2 liters) and eating a balanced diet, you can provide your body with its much-needed supply of water.

Figure 3–9 *Water is essential for our survival. However, if people do not use existing water resources wisely, fertile land may soon become sandy desert.*

3–1 Section Review

1. What are nutrients? Describe the six types of nutrients.
2. What is a Calorie?
3. How do water-soluble and fat-soluble vitamins differ?
4. Why is water important to the body?

Critical Thinking—*Relating Concepts*
5. Explain how it is possible for a person to be overweight and suffer from improper nutrition at the same time.

Agua

Si bien es cierto que puedes sobrevivir muchos días sin comer, unos días sin beber agua pueden ser mortales. ¿Por qué es tan importante el agua? Existen varias razones. La mayoría de las reacciones químicas que tienen lugar dentro del cuerpo, necesitan agua. El agua acarrea nutrientes y otras substancias desde y hacia los órganos del cuerpo, a través de la corriente sanguínea. El agua también ayuda a mantener la temperatura adecuada de tu cuerpo, 37°C.

El cuerpo humano está formado aproximadamente de un 50 a un 60 por ciento de agua. En condiciones normales, necesitas de 2.4 a 2.8 litros de agua diarios (aproximadamente 10 a 12 vasos de 8 onzas). Bebiendo la cantidad adecuada de líquidos (unos 2 litros) y comiendo una dieta balanceada, puedes dar a tu cuerpo la cantidad de agua necesaria.

Figura 3–9 *El agua es esencial para nuestra supervivencia. Sin embargo, si no usamos los recursos existentes de agua con prudencia, el suelo fértil se puede convertir rápidamente en un desierto de arena.*

3–1 Repaso de la sección

1. ¿Qué son los nutrientes? Describe los seis tipos de nutrientes.
2. ¿Qué es una caloría?
3. ¿En qué se diferencian las vitaminas solubles en grasa de las solubles en agua?
4. ¿Por qué es importante el agua para el cuerpo?

Pensamiento crítico—*Relacionar conceptos*
5. Explica cómo es posible que una persona obesa sufra de desnutrición.

Reading Food Labels

Carmen has been asked by her teacher to determine the most nutritious breakfast cereal in her local market. Upon her arrival at the market, Carmen heads for the aisle containing the breakfast cereals and picks up the first cereal box. As a health-conscious and well-informed consumer, Carmen reads the list of ingredients and the nutrition labeling on the box of cereal. She knows that this information will help her compare similar foods on the basis of their share of nutrients to Calories.

Carmen knows that in order to burn up 1 gram of carbohydrate or protein, her body needs to use 4 Calories. For 1 gram of fat, her body needs to use 9 Calories. She realizes that it takes more than twice the number of Calories to burn up 1 gram of fat than it does to burn up 1 gram of carbohydrate or protein. That is one reason why Carmen tries to limit the amount of fats that she eats.

Carmen also knows that an ideal diet should get no more than 30 percent of its Calories from fats. Of the remaining Calories, 50 to 55 percent should come from carbohydrates and 15 to 20 percent from proteins. The carbohydrates should be in the form of starches rather than sugars.

Thanks to Carmen, you are on your way to becoming a more-informed consumer. Now look at a typical cereal box and determine if the dry cereal is high in nutrition and low in Calories.

1. To determine the percentage of fat Calories, multiply the grams of fat (in this case, 2) by 9 (the number of Calories

NUTRITION INFORMATION PER SERVING

SERVING SIZE . . . . 1 OUNCE (1¼ CUPS)
SERVINGS PER PACKAGE 15

	1 ounce cereal	plus ½ cup vitamin A & D fortified skim milk*
CALORIES	110	150
PROTEIN, g	4	8
CARBOHYDRATE, g	20	26
FAT, g	2	2
CHOLESTEROL, mg	0	0
SODIUM, mg	290	350
POTASSIUM, mg	105	310

PERCENTAGE OF U.S. RECOMMENDED DAILY ALLOWANCES (U.S. RDA)

PROTEIN	6	15
VITAMIN A	25	30
VITAMIN C	25	25
THIAMIN	25	30
RIBOFLAVIN	25	35
NIACIN	25	25
CALCIUM	4	20
IRON	45	45
VITAMIN D	10	25
VITAMIN B_6	25	25
FOLIC ACID	25	25
PHOSPHORUS	10	20
MAGNESIUM	10	15
ZINC	6	8
COPPER	6	6

*PLUS ½ CUP 2% MILK CONTAINS 170 CALORIES, 4 GRAMS FAT AND 10 MILLIGRAMS CHOLESTEROL. ALL OTHER NUTRIENTS REMAIN AS LISTED.

INGREDIENTS: WHOLE OAT FLOUR (INCLUDES THE OAT BRAN), WHEAT STARCH, SUGAR, SALT, CALCIUM CARBONATE, TRISODIUM PHOSPHATE.

VITAMINS AND MINERALS: VITAMIN C (SODIUM ASCORBATE), IRON (A MINERAL NUTRIENT), A B VITAMIN (NIACIN), VITAMIN A (PALMITATE), VITAMIN B_6 (PYRIDOXINE HYDROCHLORIDE), VITAMIN B_2 (RIBOFLAVIN), VITAMIN B_1 (THIAMIN MONONITRATE), A B VITAMIN (FOLIC ACID) AND VITAMIN D.

CARBOHYDRATE INFORMATION

	1 ounce	with ½ cup milk
COMPLEX CARBOHYDRATES, g . . .	19	19
STARCH, g	17	
DIETARY FIBER, g	2*	
SUCROSE AND OTHER SUGARS, g	1	7
TOTAL CARBOHYDRATES, g	20	26

*1g SOLUBLE AND 1g INSOLUBLE FIBER

in 1 gram of fat). Then divide the result (18 Calories) by the total number of Calories (110). The resulting percentage of fat Calories is 16, which is to be expected, because grains, of which cereals are made, are low in fat.

2. To determine the percentage of carbohydrate Calories, multiply the grams of carbohydrate (20) by 4 (the number of Calories in 1 gram of carbohydrate). Then divide the result (80 Calories) by the total number of Calories (110). The resulting percentage of carbohydrate Calories is 73. This is normal for a cereal because it is high in carbohydrates and well above the 50 to 55 percent recommended as the maximum in a healthful diet.

3. To determine the percentage of protein Calories, multiply the grams of protein (4) by 4 (the number of Calories in 1 gram of protein). Then divide the result (16) by the total number of Calories (110). The resulting percentage of protein Calories is 15, which is within the recommended 15 to 20 percent.

Now it is your turn to play consumer. You can use a calculator or computer to help you with your calculations.

1. What is the percentage of fat, carbohydrate, and protein Calories in the cereal to which one-half cup of skim milk has been added? (Refer to information that appears in the column headed Plus 1/2 cup skim milk.)

2. What is the percentage of fat, carbohydrate, and protein Calories in the cereal to which 2% milk has been added? (See information next to *.)

3. Based on your results, is it more healthful to use skim milk or 2% milk?

4. In the dry cereal, how many grams of carbohydrates are in the form of starch? In the form of sugars?

3–2 Digestion of Food

Most foods that you eat cannot be used immediately by your body. They must first be broken down into the usable forms you have just learned about. **Food must be broken down into nutrients by a process called digestion. The breaking down of food into simpler substances for use by the body is the work of the digestive system.** Once food has been digested, or broken down into nutrients, the nutrients are carried to all the cells of the body by the blood. There, in the cells, the nutrients can be used to provide energy and the raw materials for cell growth and repair. In the following sections, you will discover the path that food takes through the digestive system.

Guide for Reading

Focus on these questions as you read.

▶ *What happens to food during the process of digestion?*

▶ *What are the parts of the digestive system?*

Lectura de las etiquetas de alimentos

Su profesora le pidió a Carmen que buscara el cereal más nutritivo del supermercado local. Una vez en el supermercado, Carmen va a la sección de cereales, y toma la primera caja. Como está bien informada y al día en temas de salud, Carmen lee la lista de ingredientes y el valor nutritivo en la etiqueta de la caja. Ella sabe que esa información la ayudará a tomar una decisión comparando la proporción de nutrientes y calorías de alimentos similares.

Carmen es consciente que para quemar 1 gramo de carbohidratos o proteínas, su cuerpo debe usar 4 calorías; y que para quemar un gramo de grasa, su cuerpo debe usar 9. Ella se da cuenta de que se necesita el doble de calorías para quemar 1 gramo de grasa que para quemar 1 gramo de carbohidratos o proteínas. Por eso Carmen trata de limitar la cantidad de grasas que come.

Carmen también sabe que una dieta ideal no debe de tener más de un 30 por ciento de calorías provenientes de grasas. El resto de las calorías se debe obtener de la siguiente manera: 50 a 55 por ciento de carbohidratos y de 15 a 20 por ciento de proteínas. Los carbohidratos deben estar formados por almidones y no por azúcares.

Gracias a Carmen, estás en camino a ser un consumidor más informado. Mira esta caja de un cereal típico y determina si el cereal deshidratado es alto en valor nutritivo y bajo en calorías.

1. Para determinar el porcentaje de calorías provenientes de grasas, multiplica el número de calorías de las grasas (2 en este caso) por 9 (el número de calorías) en un

INFORMACIÓN NUTRITIVA POR PORCIÓN

PORCIÓN ....1 ONZA (1 1/4 TAZA)
PORCIONES POR PAQUETE............................15

	1 onza de cereal	más 1/2 taza de leche descremada fortificada con vitaminas A y D*
CALORÍAS	110	150
PROTEÍNAS, g	4	8
CARBOHIDRATOS, ...	20	26
GRASAS, g	2	2
COLESTEROL, mg	0	0
SODIO, mg.	290	350
POTASIO, mg	105	310

PORCENTAJE DE CONSUMO DIARIO RECOMENDADO (U.S. RDA)

PROTEÍNAS	6	15
VITAMINA A	25	30
VITAMINA C	25	25
TIAMINA	25	30
RIBOFLAVINA	25	35
NIACINA	25	25
CALCIO...........................	4	20
HIERRO	45	45
VITAMINA D	10	25
VITAMINA B6	25	25
ÁCIDO FÓLICO	25	25
FÓSFORO	10	20
MAGNESIO	10	15
ZINC	6	8
COBRE	6	6

*AGREGANDO 1/2 TAZA DE LECHE 2% CONTIENE 170 CALORÍAS, 4 GRAMOS DE GRASA Y 10 MILIGRAMOS DE COLESTEROL. EL RESTO EN LOS NUTRIENTES DE LA LISTA NO VARÍA.

INGREDIENTES: HARINA DE AVENA INTEGRAL (INCLUYE SALVADO), ALMIDÓN DE TRIGO, AZÚCAR, SAL, CARBONATO DE CALCIO, FOSFATO TRISÓDICO.

VITAMINAS Y MINERALES: VITAMINA C (ÁCIDO ASCÓRBICO), HIERRO (MINERAL NUTRITIVO), VITAMINA A B (NIACINA), VITAMINA A (CAROTENO), VITAMINA B_6, (PIRIDOXINA CLORHIDRATO), VITAMINA B_2 (RIBOFLAVINA), VITAMINA B_1 (TIAMINA MONONITRATO), VITAMINA A B (ÁCIDO FÓLICO) Y VITAMINA D.

INFORMACIÓN DE CARBOHIDRATOS

	1 onza	con 1/2 taza de leche
CARBOHIDRATOS COMPLEJOS,g	19	19
ALMIDONES, g 17		
RACIÓN DE FIBRAS, g 2*		
SUCROSA Y OTROS AZÚCARES, g........................	1	7
	20	20

TOTAL DE CARBOHIDRATOS, g

*1g DE FIBRA SOLUBLE Y 1g DE FIBRA INSOLUBLE

gramo de grasa). Después divide el resultado (18 calorías) por el número total de calorías (110). El resultado del porcentaje de calorías de las grasas es 16, que es de esperar ya que los cereales tiene bajo contenido en grasas.

2. Para determinar el porcentaje de calorías de carbohidratos, multiplica el número de gramos de carbohidratos (20) por 4 (el número de calorías en un gramo de carbohidratos). Divide el resultado (80 calorías) por el número total de calorías (110). El resultado del porcentaje de calorías de carbohidratos es 73. Esto es normal en un cereal porque los cereales tienen un alto contenido de carbohidratos y más del 50 a 55 por ciento que es el máximo recomendado en una dieta saludable.

3. Para determinar el porcentaje de calorías en las proteínas, multiplica los gramos de proteínas (4) por 4 (el número de calorías en 1 gramo de proteína). Después, divide el resultado (16) por el número total de calorías

(110). El resultado del porcentaje de calorías proteínicas es 15, que está dentro del 15 al 20 porciento recomendado.

Ahora te toca a ti jugar al consumidor. Puedes usar una calculadora o una computadora para calcular.

1. ¿Cuál es el porcentaje de calorías de grasas, carbohidratos y proteínas en un cereal al que se le agregó media taza de leche descremada? (Consulta a la información en la columna bajo el encabezamiento con "1/2 taza.")

2. En un cereal al que se le ha agregado leche con 2% de grasas, ¿cuál es el porcentaje en calorías de grasas, de carbohidratos y de proteínas? (Ver información al lado de *)

3. Basándote en tus resultados, ¿es más saludable usar leche descremada o con un 2% de grasas?

4. En el cereal deshidratado, ¿cuántos gramos de carbohidratos hay en forma de almidón? ¿Y en forma de azúcares?

3–2 Digestión de los alimentos

La mayoría de los alimentos que comes no pueden ser usados immediatamente por tu cuerpo. Deben ser desintegrados antes en sustancias simples sobre las cuales acabas de aprender. **El proceso por medio del cual los alimentos son desintegrados en nutrientes se llama digestión. El sistema digestivo es el encargado de desintegrar los alimentos en sustancias que el cuerpo pueda utilizar.** Una vez que los alimentos han sido desintegrados en nutrientes, éstos son acarreados por la corriente sanguínea hasta todas las células del cuerpo. Allí, en las células, los nutrientes proveen energía y se usan en la reparación y el crecimiento celular. En las siguientes secciones, descubrirás la ruta que siguen los alimentos a través del sistema digestivo.

Guía para la lectura

Piensa en estas preguntas mientras lees.

▶ *¿Qué les pasa a los alimentos durante el proceso de la digestión?*

▶ *¿Cuáles son las partes del sistema digestivo?*

Figure 3–10 *The breaking down of food into simpler substances that can be used by the body is the work of the digestive system. The digestive system consists of a number of different organs. Through which organ does food enter the digestive system?*

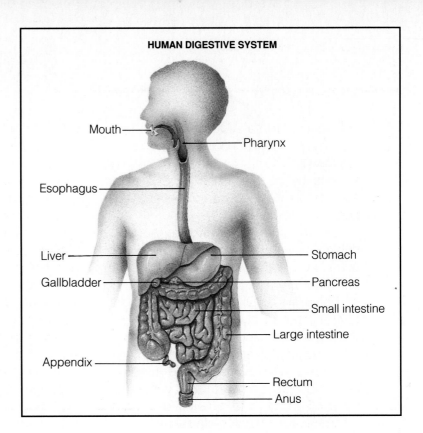

HUMAN DIGESTIVE SYSTEM

Mouth

Pharynx

Esophagus

Liver

Gallbladder

Stomach

Pancreas

Small intestine

Large intestine

Appendix

Rectum

Anus

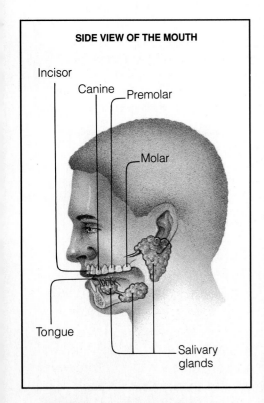

SIDE VIEW OF THE MOUTH

Incisor

Canine

Premolar

Molar

Tongue

Salivary glands

Figure 3–11 *Salivary glands, which are found in the mouth, produce saliva. Saliva contains the enzyme ptyalin. Which nutrient does ptyalin break down?*

The Mouth

Close your eyes and imagine your favorite food. Did your mouth water as you pictured something really delicious? Probably so. This response occurs because the mouth contains salivary (SAL-uh-vair-ee) glands. Salivary glands produce and release a liquid known as saliva (suh-LIGH-vuh). Seeing, smelling, or even thinking about food can increase the flow of saliva.

As you know from experience, saliva helps to moisten your food. But saliva has another important function. Saliva contains a chemical substance called **ptyalin** (TIGH-uh-lihn). Ptyalin breaks down some of the starches in food into sugars. You can actually detect this process by trying the following activity. Put a small piece of bread into your mouth and chew it for a few minutes. What happens? The bread begins to taste sweeter. Why? Bread is made mainly of starches, and starches are made of long chains of sugars. When ptyalin comes into contact with a starch, it begins to digest the starch, or break it down into sugars. The presence of these sugars makes the bread taste sweeter.

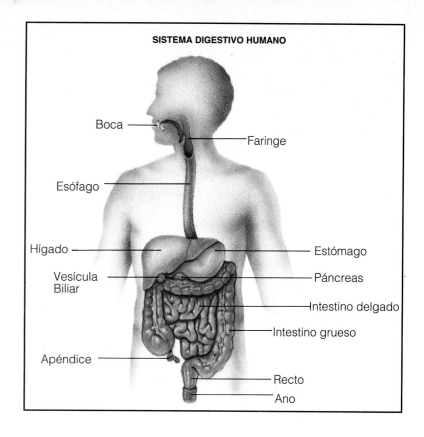

Figura 3–10 *El sistema digestivo es el encargado de desintegrar los alimentos en sustancias más simples para que sean utilizadas por el cuerpo. El sistema digestivo está compuesto por un grupo de órganos diferentes. ¿A través de que órgano entra la comida al sistema digestivo?*

SISTEMA DIGESTIVO HUMANO

- Boca
- Faringe
- Esófago
- Hígado
- Estómago
- Vesícula Biliar
- Páncreas
- Intestino delgado
- Intestino grueso
- Apéndice
- Recto
- Ano

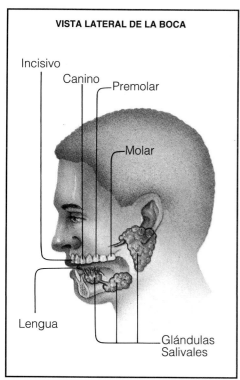

VISTA LATERAL DE LA BOCA

- Incisivo
- Canino
- Premolar
- Molar
- Lengua
- Glándulas Salivales

Figura 3–11 *Las glándulas salivales, que se encuentran en la boca producen saliva. La saliva contiene la enzima ptialina. ¿Qué nutriente degrada la ptialina?*

La boca

Cierra los ojos e imagina tu comida favorita. ¿Se te hizo agua la boca mientras veías mentalmente algo delicioso? Es probable que sí. Esta respuesta ocurre porque la boca contiene glándulas salivales. Las gándulas salivales producen y segregan un líquido llamado saliva. Ver, oler o aun pensar en una comida, puede incrementar el flujo de saliva.

Como sabes por experiencia, la saliva ayuda a humedecer la comida. Pero la saliva también cumple otra importante función. La saliva contiene una substancia química llamada **ptialina** que desintegra algunos almidones de los alimentos en azúcares. Puedes comprobar este proceso realizando la actividad siguiente: pónte un pedazo de pan en la boca y mastícalo unos minutos. ¿Qué ocurre? El pan comienza a saber dulce. ¿Por qué? El pan está hecho principalmente de almidones, que están formados por largas cadenas de azúcares. Cuando la ptialina entra en contacto con el almidón, comienza a digerirlo, o desintegrarlo en forma de azúcares. Es la presencia de estos azúcares en el pan lo que le da su sabor dulce.

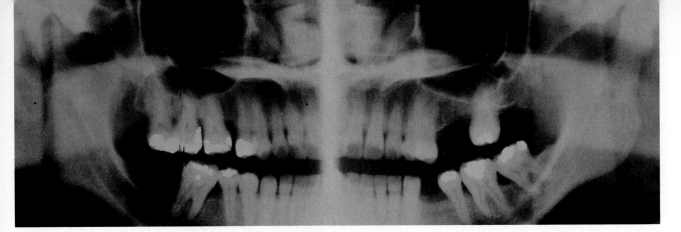

Figure 3–12 *The X-ray of the mouth shows the location of the four types of teeth: incisors, canines, premolars, and molars. The brighter areas in the teeth are the fillings. Where are the incisors located?*

Ptyalin belongs to a group of chemicals in your body known as **enzymes.** An enzyme helps to control a wide variety of chemical reactions, including the breaking down of foods into simpler substances. The digestion of foods by enzymes, such as ptyalin, is called chemical digestion. So although you may not have realized it, chemical digestion actually begins in your mouth!

Chemical digestion is not the only type of digestion that occurs in the mouth. Mechanical digestion, which is the physical action of breaking down food into smaller parts, also begins in the mouth. When you bite into your food, your incisors (ihn-SIGH-zerz), or front teeth, cut off a piece of the food. You then pull the food into your mouth with your lips and use your tongue to push it farther along into your mouth. Here the canines (KAY-nighnz), or eyeteeth, tear and shred the food while the flat-headed premolars and molars, or back teeth, grind and crush the food into small pieces.

Now that you have imagined your favorite food, think of the one you dislike most. The moment this food is in your mouth, something happens that makes you want to spit it out. If someone asked you why, you would probably say that the food tastes bad. Food tastes good or bad to you because there are taste buds on your tongue. Without taste buds, you would not be able to tell the difference between the food you dislike and the food you like.

Covering the surface of your tongue are small projections that give parts of the tongue a velvety

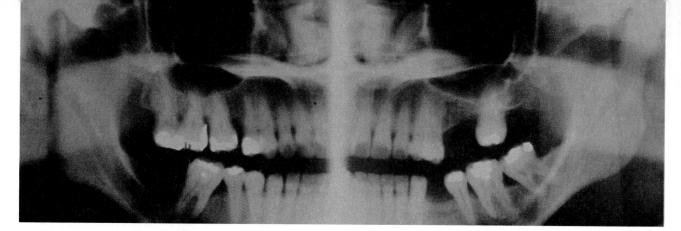

Figura 3–12 *La radiografía muestra la ubicación de cuatro tipos de dientes en la boca: incisivos, caninos, premolares y molares. Las zonas más claras son empastes en los dientes. ¿Dónde están ubicados los incisivos?*

La ptialina pertenece a un grupo de substancias químicas que se llaman **enzimas**. Las enzimas ayudan a controlar una serie de reacciones químicas, tales como la desintegración de los alimentos en sustancias más simples. La digestión de alimentos por enzimas, como la ptialina, se llama digestión química. Puede ser que no lo sepas, pero la digestión química comienza en la boca.

La digestión química no es el único tipo de digestión que ocurre en la boca. La digestión mecánica, que es la acción física de desmenuzar los alimentos en partes más pequeñas, también comienza allí. Cuando muerdes un alimento, tus incisivos, o dientes delanteros, cortan un pedazo del alimento. Entonces empujas los alimentos dentro de tu boca con los labios y los empujas aún más adentro con la lengua. En ese momento los caninos desgarran y desmenuzan los alimentos mientras los molares y premolares, o dientes de atrás, muelen y aplastan los alimentos aun más.

Ahora que ya te has imaginado tu comida favorita, piensa en la que te gusta menos. Cuando esa comida está en tu boca, ocurre algo que hace que la quieras escupir. Y si alguien te preguntara por qué, probablemente dirías que la comida sabía muy mal. La comida te sabe bien o mal porque tienes papilas gustativas en la lengua. Si no tuvieras papilas gustativas no podrías notar la diferencia entre una comida que te gusta y otra que no te gusta.

La superficie de tu lengua está cubierta de pequeñas proyecciones que le dan a ciertas partes de la misma un

ACTIVIDAD

PARA AVERIGUAR

Es muy dulce

1. Consigue dos frascos de comida de bebé con sus tapas. Rotula un frasco A y el otro B.

2. Llena los dos frascos con la misma cantidad de agua.

3. Coloca un terrón de azúcar en el frasco A y otro terrón aplastado en el frasco B.

4. Tapa los dos los frascos y agita cada frasco cinco veces con cuidado.

5. Coloca los frascos en una superficie plana y déjalos reposar. Observa el grado de solución, o el tiempo que tarda el azúcar en disolverse completamente en cada frasco.

¿Cuál de los frascos tuvo el índice de solución más rápido? ¿Puedes pensar en otros factores que afecten el grado de solución? ¿Cómo comprobarías estos factores?

■ Relaciona los resultados obtenidos de tu investigación con la importancia de la digestión mecánica.

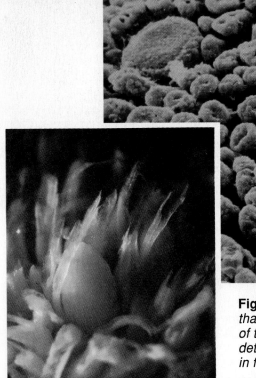

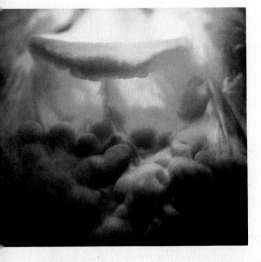

Figure 3–13 *Covering the tongue's surface are tiny projections that give it a velvety appearance (top). Located along the sides of these projections are the taste buds (left). The taste buds can detect four different kinds of tastes produced by the chemicals in food. What are these four tastes?*

appearance. See Figure 3–13. Your taste buds are found along the sides of these projections. There are four types of taste buds, each of which reacts to a different group of chemicals in food. The reactions between taste buds and food chemicals produce four kinds of tastes: sweet, sour, bitter, and salty. The flavor of food, however, does not come from taste alone. Flavor is a mixture of taste, texture, and odor. Anyone who has ever had a stuffed nose caused by a cold knows how important the sense of smell is to the flavor of food.

What happens once you have finished chewing your food? You swallow it, of course! When you swallow, smooth muscles near the back of your throat begin to force the food downward. As you may recall from Chapter 2, smooth muscles are involuntary muscles. This means that they can contract without your actively causing them to. As you swallow, a small flap of tissue called the epiglottis (ehp-uh-GLAHT-ihs) automatically closes over your windpipe. The windpipe is the tube through which the air you breathe reaches your lungs. When the epiglottis closes over the windpipe, it prevents food or water from moving into the windpipe—or "down the wrong pipe," as we say. After swallowing, the epiglottis moves back into place to allow air into the windpipe.

Figure 3–14 *The epiglottis, which is a flap of tissue, folds over the windpipe to keep food or water from going "down the wrong pipe."*

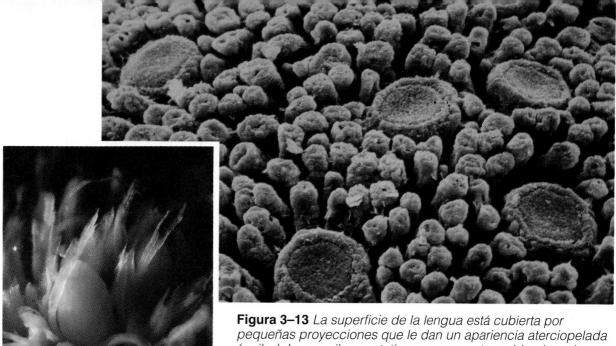

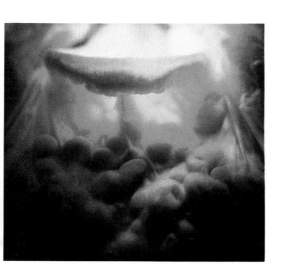

Figura 3–13 *La superficie de la lengua está cubierta por pequeñas proyecciones que le dan un apariencia aterciopelada (arriba). Las papilas gustativas se encuentran ubicadas a los lados y a lo largo de estas proyecciones (izquierda), y pueden detectar cuatro tipos de sabores producidos por substancias químicas en los alimentos. ¿Cuáles son estos cuatro sabores?*

aspecto aterciopelado. Mira la figura 3–13. Las papilas gustativas se encuentran a lo largo de los lados de estas proyecciones. Hay cuatro tipos de papilas gustativas y cada una reacciona de diferente manera frente a las substancias químicas de los alimentos. Las reacciones entre las papilas gustativas y los alimentos producen cuatro tipos de gustos: dulce, agrio, amargo y salado. Sin embargo, el gusto de los alimentos no provien sólo del sabor. El gusto es una mezcla del sabor, textura y aroma. Cualquiera que haya estado resfriado con la nariz tapada sabe qué importante es el sentido del olfato para gustar los alimentos.

¿Qué ocurre cuando terminas de masticar los alimentos? ¡Los tragas, por supuesto! Cuando tragas, los músculos lisos de atrás de tu garganta comienzan a empujar los alimentos hacia el estómago. Como recordarás del capítulo 2, los músculos lisos son músculos involuntarios; se pueden contraer sin que tú lo ordenes. Cuando tragas, una pequeña aleta de tejido llamada epiglotis se cierra automáticamente sobre la tráquea. La tráquea es un tubo a través del cual el aire que respiras llega a tus pulmones. Cuando la epiglotis se cierra impide que el agua y los alimentos entren en la tráquea. Después de tragar, la epiglotis vuelve a su lugar y permite el paso del aire.

Figura 3–14 *La epiglotis es una aleta de tejido que se pliega sobre la tráquea e impide que el agua y la comida entren en el "tubo equivocado."*

The Esophagus

After you swallow, smooth muscles force the food into a tube called the **esophagus** (ih-SAHF-uh-guhs). The word esophagus comes from a Greek word that means to carry what is eaten. And that is exactly what this 25-centimeter-long tube does as it transports food down into the next organ of the digestive system.

The esophagus, like most of the organs in your digestive system, is lined with slippery mucus. The mucus helps food travel through the digestive system easily. The movement of food through your esophagus takes about 12 seconds. However, mucus alone is not responsible for the speed of this trip. Waves of rhythmic muscular contractions, which begin as soon as food enters the esophagus, push food downward. These waves of contractions are called **peristalsis** (per-uh-STAHL-sihs). Peristalsis is so strong that it can force food through parts of your digestive system even if you are lying down. Because of peristalsis, a person can digest food even while floating upside down in the weightlessness of space.

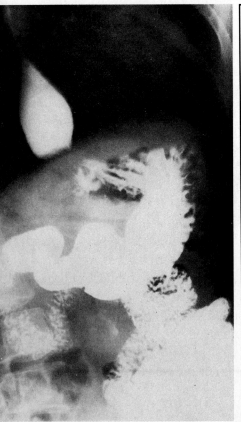

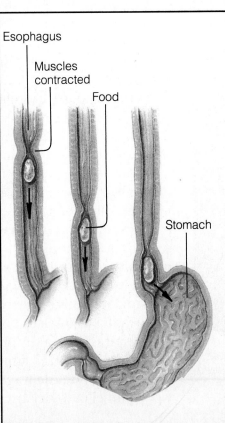

Esophagus

Muscles contracted

Food

Stomach

Figure 3–15 *Peristalsis is the waves of contractions that push food through parts of the digestive system. Use the diagram to identify the parts of the digestive system shown in the X-ray. Notice the vertebral column in the background.*

El esófago

Después que ingieres alimentos los músculos lisos los empujan hacia un tubo llamado **esófago**. La palabra esófago deriva del griego y significa acarrear lo que se come. Y esto es lo que hace este tubo de 25 centímetros de largo cuando transporta los alimentos hacia el órgano siguiente del sistema digestivo.

El esófago como la mayoría de los órganos de tu sistema digestivo tiene las paredes cubiertas con una substancia deslizante llamada mucosa. Éste ayuda a los alimentos a deslizarse a lo largo del sistema digestivo fácilmente. Los alimentos tardan aproximadamente 12 segundos en viajar a través del esófago. Sin embargo, la mucosa no es la única responsable de la velocidad de este viaje. Una serie de contracciones musculares rítmicas, que comienzan tan pronto como los alimentos entran en el esófago, empujan a los alimentos hacia abajo. Esta serie de contracciones rítmicas se llama **peristalsis,** y es tan poderosa que puede empujar a los alimentos a través del sistema digestivo aun cuando estás acostado. Por eso se puede digerir incluso flotando cabeza abajo en el espacio.

ACTIVIDAD
PARA AVERIGUAR

Simulación de la peristalsis

1. Consigue un trozo de tubo de plástico transparente de 40 cm.

2. Sostén el tubo verticalmente e inserta una pequeña canica por su apertura superior, que quede bien ajustada.

3. Aprieta el tubo sobre la canica para que se deslice hacia abajo.

¿Cómo se compara ésta acción con la peristalsis?

■ ¿Qué acción estarías imitando si apretaras el tubo por debajo de la canica?

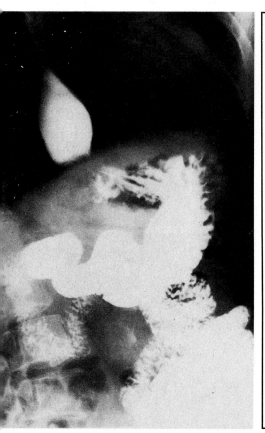

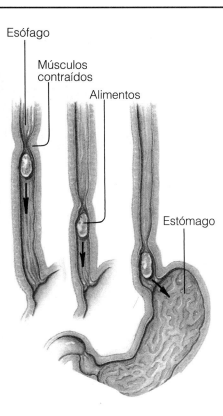

Esófago

Músculos contraídos

Alimentos

Estómago

Figura 3–15 *La peristalsis consiste en ondas de contracciones musculares, que empujan a los alimentos por el tubo digestivo. Usa el diagrama para identificar las partes del sistema digestivo que se ven en la radiografía. La columna vertebral se ve en el fondo de la radiografía.*

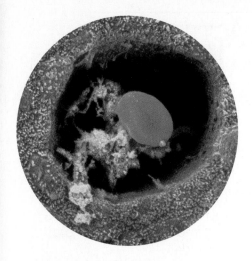

Figure 3–16 *To protect the stomach from the effects of hydrochloric acid, tiny pits secrete a layer of mucus, which appears yellow in the photograph. The single red blood cell floating out of the pit is thought to be a sign that the stomach has been irritated by a substance such as alcohol.*

The Stomach

After leaving the esophagus, the food enters a J-shaped organ called the **stomach.** Cells in the stomach wall release a fluid called gastric juice. Gastric juice contains the enzyme **pepsin,** hydrochloric acid, and thick, slippery mucus. If you were studying chemistry, you would learn that hydrochloric acid is a strong acid. This means that it is very reactive. In fact, the hydrochloric acid in your stomach is so reactive that if you could remove a drop of it and place it on a rug, it would burn a hole in the rug! The mucus, on the other hand, coats and protects the stomach wall. Can you see why such protection is necessary?

While food is in the stomach, it undergoes both mechanical digestion and chemical digestion. The contractions of the stomach muscles provide a kind of mechanical digestion as they churn the food and mix it with gastric juice. With the help of hydrochloric acid, pepsin breaks down some of the complex proteins in the food into simpler proteins. The action of pepsin on the proteins is a form of chemical digestion. Both of these types of digestion occur as peristalsis pushes the food toward the stomach's exit.

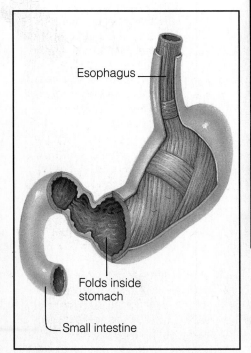

Esophagus

Folds inside stomach

Small intestine

Figure 3–17 *The stomach wall consists of several layers of smooth muscles (left). When these muscles contract, food and gastric juice within the stomach are mixed together. Notice that the stomach's inner lining contains many folds (right). These folds will smooth out as the organ fills with food. What enzyme does gastric juice contain?*

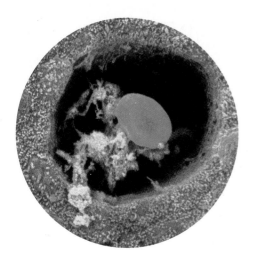

Figura 3–16 *Para proteger al estómago de los efectos del ácido clorhídrico, pequeñas fosas segregan una capa de moco, de color amarillo en la fotografía. El glóbulo rojo flotando hacia afuera de la fosa puede ser un signo de que el estómago ha sido irritado por una sustancia como el alcohol.*

El estómago

Después de dejar el esófago, los alimentos pasan a un órgano en forma de J llamado **estómago**. Las células de las paredes del estómago segregan un liquido llamado jugo gástrico. El jugo gástrico contiene la enzima **pepsina**, ácido clorhídrico y moco, una substancia espesa y deslizante. Si estudiaras química, aprenderías que el ácido clorhídrico es muy fuerte. Esto significa que es muy reactivo. Es tan reactivo que si pudieras sacar una gota y ponerla en una alfombra, ¡haría un agujero! El moco cubre y protege las paredes del estómago. ¿Entiendes por qué esa protección es necesaria?

Cuando los alimentos están en el estómago, éste es afectado por la digestión mecánica y la digestión química. Las contracciones de los músculos del estómago proveen un tipo de digestión mecánica al revolver y mezclar los alimentos con jugo gástrico. La pepsina y el ácido clorhídrico se complementan para desintegrar algunas proteínas compuestas en proteínas simples. La acción de la pepsina en las proteínas es una forma de digestión química. Ambos tipos de digestión ocurren cuando las contracciones peristálticas empujan a los alimentos hacia la salida del estómago.

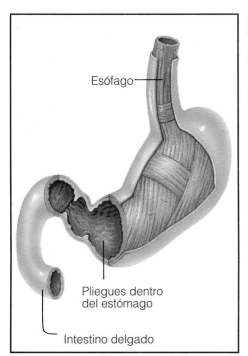

Esófago

Pliegues dentro del estómago

Intestino delgado

Figura 3–17 *Las paredes del estómago están formadas por varias capas de músculos lisos (izquierda). Cuando estos músculos se contraen, los alimentos y el jugo gástrico se mezclan. Observa que las paredes internas del estómago están cubiertas por muchos pliegues (derecha). Estos pliegues se estirarán a medida que los alimentos llenen el estómago. ¿Qué enzima contiene el jugo gástrico?*

The Small Intestine

The food moving out of your stomach is quite a bit different from the food that you placed in your mouth. After three to six hours in your stomach, muscle contractions and enzymes have changed the food into a soft, watery substance. In this form, the food is ready to move slowly into another organ of the digestive system—the **small intestine.** Although this organ is only 2.5 centimeters in diameter, it is more than 6 meters long. As in the esophagus and the stomach, food moves through the small intestine by peristalsis.

Although some chemical and mechanical digestion has already taken place in the mouth and the stomach, most digestion takes place in the small intestine. The cells lining the walls of the small intestine release an intestinal juice that contains several types of digestive enzymes.

Most chemical digestion that occurs in the small intestine takes place within the first 0.3 meter of this organ. Here, intestinal juice helps to break down food arriving from the stomach. This juice, however, does not work alone. It is helped by juices that are produced by two organs located near the small intestine. These organs are the **liver** and the **pancreas** (PAN-kree-uhs). Because food never actually passes

SOME DIGESTIVE ENZYMES			
Digestive Juice	**Digestive Enzyme**	**Works on**	**Changes It to**
Saliva	Ptyalin	Starch	Complex sugars
Gastric	Pepsin	Protein	Simpler proteins
Pancreatic	Amylase Trypsin Lipase	Starch Proteins Fats	Complex sugars Simpler proteins Fatty acids and glycerol
Intestinal	Lactase, maltase, sucrase Peptidase Lipase	Complex sugars Simpler proteins Fats	Simple sugars Amino acids Fatty acids and glycerol

Figure 3–18 *According to this chart, which enzymes work on proteins? Which work on fats?*

El intestino delgado

Los alimentos que salen de tu estómago son bastante diferentes de los que pusiste en tu boca. Después de permanecer de tres a seis horas en tu estómago, las contracciones musculares y las enzimas han hecho de los alimentos una sustancia suave y acuosa. De esta manera, los alimentos están listos para pasar lentamente a otro órgano del sistema digestivo—el **intestino delgado**. Si bien este órgano tiene sólo 2.5 centímetros de diámetro, tiene más de 6 metros de largo. Como pasa con el esófago y el estómago, los alimentos pasan por el intestino delgado por peristalsis.

Si bien parte de la digestión mecánica y química tiene lugar en la boca y en el estómago, la mayor parte de la digestión se hace en el intestino delgado. Las células que cubren las paredes del intestino delgado segregan un jugo intestinal que contiene varios tipos de enzimas digestivas.

La mayor parte de la digestión que tiene lugar en el intestino delgado ocurre en los primeros 0.3 metros de este órgano. Una vez allí, el jugo intestinal ayuda a desintegrar a los alimentos que vienen del estómago. Sin embargo, este jugo no trabaja solo, lo ayudan dos órganos cercanos: el **hígado** y el **páncreas**. Como los alimentos nunca pasan por el hígado y el páncreas,

ACTIVIDAD
PARA HACER

Las enzimas

Las enzimas aceleran ciertas reacciones del cuerpo que de lo contrario ocurrirían muy lentamente. Durante este proceso las enzimas no cambian ni son consumidas. Usa materiales de referencia en la biblioteca para averiguar el significado de "substrato" y "la hipótesis de la llave y la cerradura." Con una lámina y cartulina de colores haz un diagrama de esta hipótesis. Presenta el diagrama a la clase.

¿Cuál es la relación entre una enzima y un substrato?

ALGUNAS ENZIMAS DIGESTIVAS

Jugos digestivos	Enzimas digestivas	Actúa sobre	Se convierte en
Saliva	Ptialina	Almidones	Azúcares compuestos
Gástrico	Pepsina	Proteínas	Proteínas simples
Pancreático	Amilasa Tripsina Lipasa	Almidones Proteínas Grasa	Azúcares compuestos Proteínas simples Ácidos grasos y glicerol
Intestinal	Lactosa, maltosa, sucrosa Peptidasa Lipasa	Azúcares Compuestos Proteínas simples Grasas	Azúcares simples Aminoácidos Ácidos grasos y glicerol

Figura 3–18 *De acuerdo a esta tabla, ¿qué enzimas actúan en las proteínas? ¿Cuáles actúan en las grasas?*

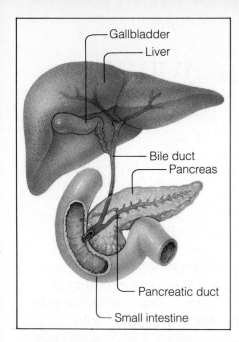

Figure 3–19 *The liver, pancreas, and gallbladder produce and store substances that are released into the small intestine to aid in the digestion of food.*

through the liver and the pancreas, these organs are considered to be digestive helpers.

THE LIVER Located to the right of the stomach is the liver, the body's largest and heaviest organ. One of its many important functions is to aid digestion by producing a substance called bile. Once bile is produced in the liver, it moves into the gallbladder, where it is stored until needed.

As food moves into the small intestine from the stomach, the gallbladder releases bile through a duct (tubelike structure) into the small intestine. Because bile is not an enzyme, it does not chemically digest foods. It does, however, help to break up large fat particles into smaller ones in much the same way a detergent breaks up grease. These smaller fat particles can then be digested easily by enzymes in the small intestine.

THE PANCREAS The pancreas is a soft triangular organ located between the stomach and the small intestine. The pancreas produces a substance called pancreatic juice, which is a mixture of several enzymes. These enzymes move into the small intestine at the same time the bile does and help to break down proteins, starches, and fats.

The pancreas also produces a substance called insulin, which is important in controlling the body's use of sugar. You will read more about the pancreas and insulin in Chapter 6.

3–2 Section Review

1. Describe the process of digestion.
2. Compare mechanical and chemical digestion.
3. What is peristalsis? Why is it important?
4. Where does most of the digestion of food take place?
5. Why are the liver and the pancreas called digestive helpers rather than digestive organs?

Connection—*You and Your World*
6. Why is it important to chew your food thoroughly before swallowing it?

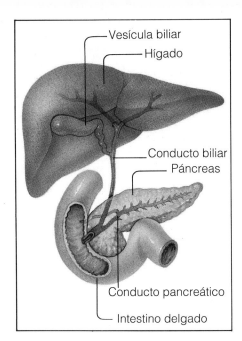

Vesícula biliar
Hígado
Conducto biliar
Páncreas
Conducto pancreático
Intestino delgado

Figura 3–19 *El hígado, el páncreas y la vesícula biliar producen y almacenan sustancias que luego se segregan en el intestino delgado para ayudar a digerir los alimentos.*

ACTIVIDAD

PARA AVERIGUAR

¿Se mezclan el agua y el aceite?

1. Consigue dos frascos de comida de bebé con tapa. Pon 5 mL de aceite vegetal y 5 mL de agua en cada frasco.

2. Cubre ambos frascos y sacúdelos un poco varias veces. Después coloca los frascos en una superficie plana y observa lo que ocurre en cada frasco.

3. Sácale la tapa a uno de los frascos y échale unas gotas de jabón líquido a la mezcla de agua y aceite. Repite el paso número 2.

¿Bajo qué circunstancias se mezclan el agua y el aceite?

■ ¿En qué se parecen la acción del jabón líquido y la acción de la bilis?

estos órganos se consideran ayudantes digestivos.

EL HÍGADO Ubicado a la derecha del estómago, el hígado, es el órgano más grande y más pesado del cuerpo. Una de sus muchas funciones importantes es ayudar la digestión por medio de una sustancia llamada bilis. Del hígado, la bilis pasa a la vesícula biliar donde queda almacenada hasta que se la usa.

Cuando los alimentos pasan del estómago al intestino delgado, la vesícula envía bilis al intestino delgado por un conducto. Como la bilis no es una enzima no digiere los alimentos químicamente. Sin embargo, ayuda a volver más pequeñas las partículas grandes de grasa, de manera similar a lo que hace el detergente cuando separa la grasa. Estas partículas más pequeñas pueden ser digeridas fácilmente por las enzimas del intestino delgado.

EL PÁNCREAS El páncreas es un órgano blando y triangular que se encuentra entre el estómago y el intestino delgado. Produce una sustancia llamada jugo pancreático, que es una mezcla de varias enzimas. Estas enzimas pasan al intestino delgado al mismo tiempo que la bilis, y ayudan a desintegrar las proteínas, almidones y azúcares.

El páncreas también produce una sustancia llamada insulina, que es muy importante para controlar el azúcar en la sangre. Obtendrás más información sobre el páncreas y la insulina en el capítulo 6.

3–2 Repaso de la sección

1. Describe el proceso de la digestión.
2. Compara las digestiones mecánica y química.
3. ¿Qué es la peristalsis? ¿Por qué es importante?
4. ¿Dónde ocurre la mayor parte de la digestión?
5. ¿Por qué se los llama al hígado y al páncreas ayudantes digestivos y no órganos digestivos?

Conexión—*Tú y tu mundo*
6. ¿Por qué es importante que mastiques bien la comida antes de tragarla?

3–3 Absorption of Food

After a period of 3 to 5 hours, most of the food that is in the small intestine is digested. Proteins are broken down into individual amino acids. Carbohydrates (starches and sugars) are broken down into simple sugars. And fats are broken down into substances called fatty acids and glycerol. But before these nutrients can be used for energy, they must first be absorbed (taken in) by the bloodstream through the walls of the small intestine.

Guide for Reading

Focus on this question as you read.

▶ What is the process of absorption?

Absorption in the Small Intestine

The small intestine has an inner lining that looks something like wet velvet. This is because the inner lining of the small intestine is covered with millions of tiny fingerlike structures called **villi** (VIHL-igh; singular: villus, VIHL-uhs).

Digested food is absorbed through the villi into a network of blood vessels that carry the nutrients to all parts of the body. The presence of villi helps to increase the surface area of the small intestine, enabling more digested food to be absorbed faster than would be possible if the small intestine's walls were smooth. The villi contain tiny blood vessels that absorb and carry away the nutrients.

By the time the food is ready to leave the small intestine, it is basically free of nutrients, except for water. All the nutrients have been absorbed. What remains are undigested substances that include water and cellulose, a part of fruits and vegetables.

As the undigested food leaves the small intestine, it passes by a small finger-shaped organ called the appendix (uh-PEHN-diks). The appendix, which leads nowhere, has no known function. However, scientists suspect it may play a role in helping the body resist disease-causing bacteria and viruses. The only time that you may be aware of the appendix is when it becomes irritated, inflamed, or infected, causing appendicitis (uh-pehn-duh-SIGHT-ihs). The only cure for appendicitis is to remove the appendix by surgery as soon as possible.

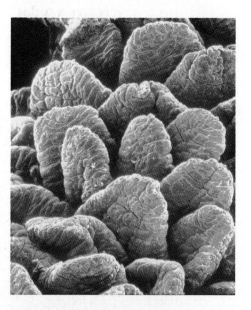

Figure 3–20 These hills and ridges, which resemble part of a mountain range on the Earth's surface, are actually part of the small intestine. The tiny structures, called villi, line the inside of the small intestine. What is the function of the villi?

3-3 Absorción de los alimentos

Guía para la lectura

Piensa en esta pregunta mientras lees.

▶ *¿Qué es el proceso de absorción?*

Después de un período de 3 a 5 horas en el intestino delgado, los alimentos han sido totalmente digeridos. Las proteínas se convierten en aminoácidos. Los carbohidratos (almidones y azúcares), en azúcares simples y las grasas, en sustancias que se llaman ácidos grasos y glicerol. Pero, antes de que estos nutrientes se puedan usar como energía, deben ser absorbidos por la corriente sanguínea a través de las paredes del intestino delgado.

Absorción en el intestino delgado

Las paredes del intestino delgado tienen una cubierta que les da un aspecto aterciopelado. Esto se debe a que contiene millones de estructuras parecidas a dedos llamadas **vellosidades.**

Los alimentos digeridos son absorbidos a través de las vellosidades hacia una red de vasos sanguíneos que llevarán los nutrientes a todas partes del cuerpo. La presencia de esas vellosidades aumenta el área de la superficie del intestino delgado, lo que permite que los alimentos digeridos sean absorbidos más rápidamente que si las paredes del intestino fueran lisas. Las vellosidades contienen pequeños vasos sanguíneos que absorben y acarrean los nutrientes.

Cuando los alimentos están listos para salir del intestino delgado, básicamente no contienen nutrientes, excepto agua. Todos los nutrientes han sido absorbidos. Los restos son sustancias sin digerir que incluyen agua y celulosa, parte de las frutas y vegetales.

Al salir del intestino delgado, las sustancias sin digerir pasan por un órgano en forma de dedo llamado apéndice. Éste no conduce a ninguna otra parte y no tiene una función conocida. Sin embargo, los científicos sospechan que tal vez ayude al cuerpo a resistir bacterias y virus que provocan enfermedades. Quizás el único momento en que estés consciente de tu apéndice sea cuando está irritado, inflamado o infectado, causando apendicítis. La única cura para la apendicitis es remover el apéndice lo antes posible mediante la cirugía.

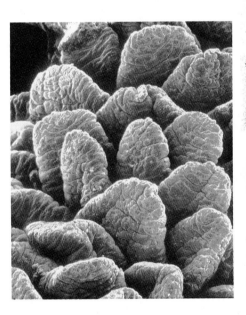

Figura 3–20 *Estas vellosidades que se parecen a una cadena de montañas en la superficie de la Tierra, forman parte del intestino delgado. Los vellosidades cubren el interior del intestino delgado. ¿Qué función cumplen las vellosidades?*

Figure 3–21 *Notice the single layer of cells that cover each fingerlike villus in the photograph. The diagram shows what the inside of a villus looks like.*

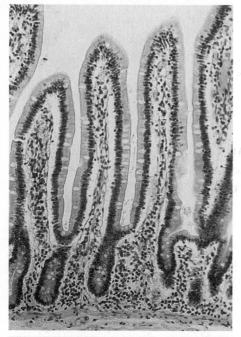

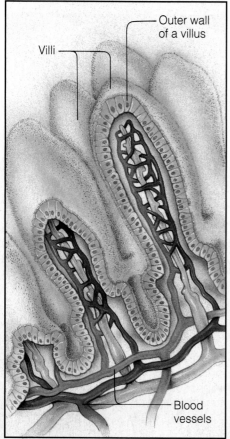

Villi

Outer wall of a villus

Blood vessels

Absorption in the Large Intestine

After leaving the small intestine, the undigested food passes into the **large intestine.** The large intestine is shaped like a horseshoe that fits over the coils of the small intestine. The large intestine is about 6.5 centimeters in diameter but only about 1.5 meters long. How do you think the large intestine got its name?

After spending about 18 to 24 hours in the large intestine, most of the water that is contained in the undigested food is absorbed. At the same time, helpful bacteria living in the large intestine make certain vitamins, such as K and two B vitamins, that are needed by the body.

Materials that are not absorbed in the large intestine form a solid waste. This solid waste is made up of dead bacteria, some fat and protein, undigested food roughage, dried-out parts of digestive juices, mucus, and discarded intestinal cells. A short tube at the end of the large intestine called the **rectum** stores this waste. Solid wastes are eliminated from the body through an opening at the end of the rectum called the **anus.**

Figure 3–22 *The large intestine forms an upside-down horseshoe that fits over the small intestine (left). Lining the inside of the large intestine are many tunnels that contain mucus-making cells (right).*

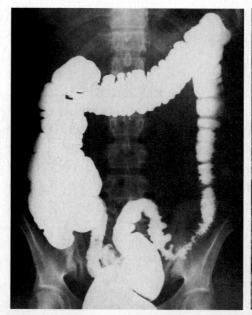

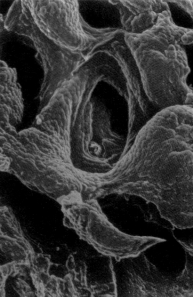

Figura 3–21 *Observa en la fotografía la capa simple de células que cubre cada vellosidad en forma de dedo. La ilustración muestra la parte interior de una vellosidad.*

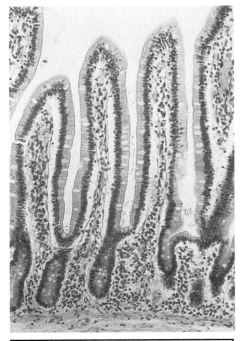

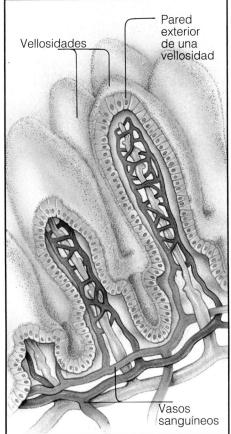

Vellosidades

Pared exterior de una vellosidad

Vasos sanguíneos

Absorción en el intestino grueso

Después de dejar el intestino delgado, las substancias no digeridas pasan al **intestino grueso**. Éste tiene la forma de una herradura de caballo y está ubicado sobre la espiral del intestino delgado. El intestino grueso tiene 6.5 centímetros de diámetro pero sólo 1.5 metros de largo. ¿Por qué crees que el intestino grueso tiene ese nombre?

Después de pasar entre 18 y 24 horas en el intestino grueso, la mayor parte del agua contenida en los alimentos sin digerir, es absorbida. Al mismo tiempo, ciertas bacterias útiles que viven en el intestino grueso, producen vitaminas necesarias para el cuerpo como la K, y dos vitaminas del grupo B.

Las sustancias que no se absorben en el intestino grueso forman un desecho sólido formado por bacterias muertas, ciertas grasas y proteínas, fibras de celulosa sin digerir, partes secas de jugos digestivos, mucosa, y células intestinales desechables. Un tubo corto al final del intestino grueso, llamado **recto,** almacena esos desechos. El desecho sólido es eliminado del cuerpo a través de un abertura llamada **ano**.

Figura 3–22 *El intestino grueso forma una herradura invertida que se acomoda sobre el intestino delgado (izquierda). Cubriendo el interior del intestino grueso hay muchos túneles que contienen células productoras de mucosa (derecha).*

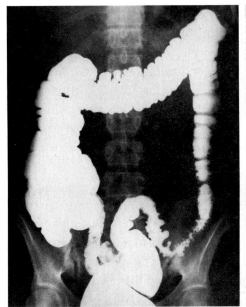

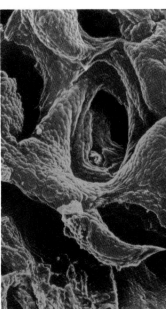

3–3 Section Review

1. Describe the process of absorption in the small intestine.
2. What is the function of the villi?
3. Describe the process of absorption in the large intestine.
4. What is the function of the rectum? The anus?

Critical Thinking—*Relating Facts*
5. Gallstones, which are crystals of minerals and salts that form in bile, sometimes block the entrance to the small intestine. What effect would this blockage have on the digestion of food?

3–4 Maintaining Good Health

As you have already learned, you can supply your body with the materials it needs for growth, repair, and energy by eating a balanced diet. **You can also keep your body healthy and running smoothly by controlling your weight and by getting proper amounts of exercise.**

Exercise

Activities such as swimming, jogging, bicycling, hiking, and walking briskly are good ways to exercise. Regular exercise helps to strengthen the heart. Exercise also results in firmer muscles, better posture, greater strength, increased endurance, and an improved sense of balance.

Weight Control

When a person eats more food than is needed, the body stores the excess energy in the form of fat. This fat is deposited mainly in a layer of tissue under the skin. In order to get rid of this stored fat, the person must use up more energy than is provided in the foods he or she eats. In this way, the body

Figure 3–23 *When a person eats more food than is needed by the body, the body stores the excess food in the form of fat. This fat is deposited mainly in a layer of tissue under the skin. How can a person get rid of this stored fat?*

3-3 Repaso de la sección

1. Describe el proceso de absorción en el intestino delgado.
2. ¿Cuál es la función de las vellosidades?
3. Describe el proceso de absorción en el intestino.
4. ¿Cuál es la función del recto? ¿Y la del ano?

Razonamiento crítico—*Relacionar datos*
5. Los cálculos biliares, que son cristales de minerales y de sales que se forman en la bilis, bloquean algunas veces la entrada del intestino delgado. ¿Qué efecto tendrá este bloqueo en la digestión de los alimentos?

3-4 Manteniendo una buena salud

Como acabas de aprender, puedes proveer a tu cuerpo de los materiales que necesita para crecer, repararse y obtener energía por medio de una dieta balanceada. **También puedes mantener a tu cuerpo saludable y en buen funcionamiento controlando tu peso y haciendo ejercicios adecuados.**

Hacer ejercicio

Actividades tales como nadar, correr, montar en bicicleta y caminar son buenas formas de ejercicio. El ejercicio regular fortalece al corazón. El ejercicio también da firmeza a los músculos, mejora la postura, da mayor fortaleza, resistencia y un mejor sentido del equilibrio.

Control de peso

Cuando una persona ingiere más alimentos de los que necesita, el cuerpo almacena energía en forma de grasas. Estas últimas se depositan principalmente en una capa de tejido debajo de la piel. Para deshacerse de grasa, una persona debe usar más energía de la que contienen los

Figura 3–23 *Cuando una persona ingiere más alimentos de los que necesita, su cuerpo almacena el exceso en grasas. Éstas se depositan en una de las capas de tejido debajo de la piel. ¿Cómo se puede deshacer una persona del exceso de grasa?*

Figure 3–24 *In order to maintain good health, most people — including older people—need moderate exercise. What are some of the benefits of exercise?*

will break down the stored fat to release the needed energy.

When a person is overweight, all the organs of the body, especially the heart, must work harder to bring materials to and remove wastes from the excess fat tissue. Some people who are overweight may choose to go on a weight-loss diet. It is important that the diet chosen is a balanced one—one that contains the proper amounts of nutrients needed by the body. Before starting any weight-loss diet, a person should go to a doctor. The doctor will give the person a complete checkup and discuss a sensible diet. Once a person loses the excess weight, he or she can maintain a steady weight by taking in only as many Calories in food as are used up.

3–4 Section Review

1. Explain how exercise and weight control contribute to good health.
2. List four activities that are good forms of exercise.
3. What must be included in any balanced diet?
4. How can you maintain a steady weight?

Connection—*You and Your World*
5. Imagine that you have put on a little weight. Design a balanced diet that will help you get rid of the weight.

Figura 3–24 *La mayoría de las personas, incluso los ancianos—necesitan practicar ejercicio moderadamente. ¿Cuáles son algunos de los beneficios de hacer ejercicios?*

alimentos. De esta manera el cuerpo deshace la grasa acumulada para liberar la energía que necesita.

Cuando una persona es obesa, todos los órganos, especialmente el corazón, deben trabajar más para llevar sustancias al tejido graso y remover productos de desecho. Algunas personas obesas pueden hacer una dieta para perder peso. Pero es importante que cuando lo hagan escojan una dieta balanceada—una que contenga la cantidad de nutrientes adecuados y necesarios para el cuerpo. Antes de comenzar una dieta para perder peso una persona debe consultar a un médico. Después de realizar un examen completo, el médico le sugerirá una dieta adecuada. Cuando una persona pierde el exceso de peso, puede mantener un peso estable consumiendo sólo las calorías que va a utilizar.

3–4 Repaso de la sección

1. Explica cómo el ejercicio y el control de peso contribuyen a una buena salud.
2. Enumera cuatro actividades que sean buenas formas de ejercicios.
3. ¿Qué debe incluirse en un dieta balanceada?
4. ¿Cómo puedes mantener un peso estable?

Conexión—*Tú y tu mundo*
5. Imagina que has aumentado un poco de peso. Para bajar de peso, diseña una dieta que incluya todos los nutrientes.

What's Cooking?

Recall the last time you cooked an egg or boiled some water. Did you use a gas stove or an electric stove? Or did you use a microwave oven? Whichever appliance you used, they had one thing in common: They are all sources of heat. Heat, which is a form of energy, cannot be seen. However, you can see the work that heat does by observing what happens to food when you cook it. In a way, cooking can be defined as the transfer of heat from its source to food. The various cooking methods, such as boiling, frying, and baking, bring about their effects by using different materials—water, oil, air—and different methods of *heat transfer.*

Heat is transferred by three methods: conduction, convection, and radiation. In conduction, heat is transferred through a material without carrying any of the material with it. For example, heat from a gas or an electric burner passes through a pan to the food inside it. In convection, heat is transferred as a liquid or a gas moves from a warm area to a cooler one. In a pan of cold water that has been placed on a hot burner, for example, the water nearer the burner will heat up and move to the top. This will cause the cooler water nearer the top of the pan to

sink. This process will continue until all the water reaches the same temperature.

Unlike the processes of conduction and convection, the process of radiation can occur through a vacuum. In radiation, waves of energy are used to heat materials. This energy is absorbed by the particles in the material, causing them to vibrate. In microwave ovens, for example, the microwaves produced by powerful electromagnetic (electric and magnetic) fields cause the water in food to vibrate. This action releases heat into the food. Because all of the energy is absorbed by the food and not wasted on heating the surrounding air or the oven itself, microwave cooking is quicker and more economical than other types of cooking methods.

¿Qué se está cocinando?

Recuerda la última vez que cocinaste un huevo o herviste un poco de agua. ¿Usaste una estufa a gas o eléctrica? ¿O usaste un horno de microondas? Todos estos artefactos tienen algo en común: son fuentes de calor. El calor, que es una fuente de energía, no se puede ver. Pero, puedes ver su efecto al observar que le pasa a la comida cuando la cocinas. Cocinar se puede definir como la transferencia de calor a la comida. Cada método de cocinar, hervir, freír u hornear produce sus efectos por medio de diferentes materiales—agua, aceite, aire—y diferentes métodos de *transferir calor*.

El calor se transmite de tres maneras: conducción, convección y radiación. Cuando el calor se transmite por conducción, pasa por el material sin acarrearlo. Por ejemplo, el calor del gas o un quemador eléctrico pasa a través de la olla a la comida. En el proceso de convección, el calor se transfiere cuando un líquido o un gas se mueve de una zona caliente a una fría. En una olla de agua fría colocada sobre un quemador prendido, el agua cercana al quemador se calienta y se mueve hacia arriba. Esto hace que el agua más fría de la parte de arriba se

hunda. Esto continuará hasta que toda el agua tenga la misma temperatura.

Al contrario que los procesos de conducción y convección, el proceso de radiación ocurre a través del vacío. En la radiación se utilizan ondas de energía para calentar materiales. Las partículas del material absorben la energía y vibran. En los hornos de microondas, por ejemplo, la electricidad producida por campos electromagnéticos (eléctrico y magnético) hace vibrar el agua de los alimentos y libera el calor que contienen. Cocinar con microondas es más rápido y económico que otros métodos porque la energía es absorbida por los alimentos en vez de calentar el aire del horno.

Laboratory Investigation

Measuring Calories Used

Problem

How many Calories do you use in 24 hours?

Materials *(per student)*

pencil and paper	scale

Procedure

1. Look over the chart of Calorie rates. It shows how various activities are related to the rates at which you burn Calories. The Calorie rate shown for each activity is actually the number of Calories used per hour for each kilogram of your body mass.

2. Using a scale, note your weight in pounds. Convert your weight into kilograms (2.2 lb = 1 kg). Record this number.

3. Classify all your activities for a given 24-hour period. Record the kind of activity, the Calorie rate, and the number of hours you were involved in that activity.

Activity	Average Calorie Rate
Sleeping	1.1
Awake but at rest (sitting, reading, or eating)	1.5
Very slight exercise (bathing, dressing)	3.1
Slight exercise (walking quickly)	4.4
Strenuous exercise (dancing)	7.5
Very strenuous exercise (running, swimming rapidly)	10.5

4. For each of your activities, multiply your weight by the Calorie rate shown in the chart. Then multiply the resulting number by the number of hours or fractions of hours you were involved in that activity. The result is the number of Calories you burned during that period of time. For example, if your weight is 50 kilograms and you exercised strenuously, perhaps by running, for half an hour, the Calories you burned during that activity would be equal to 50 x 10.5 X 0.5 = 262.5 Calories.

5. Add together all the Calories you burned in the entire 24-hour period.

Observations

How many Calories did you use in the 24-hour period?

Analysis and Conclusions

1. Explain why the values for the Calorie rates of various activities are approximate rather than exact.

2. What factors could affect the number of Calories a person used during exercise?

3. Why do young people need to consume more Calories than adults?

4. **On Your Own** Determine the number of Calories you use in a week. In a month.

Average Caloric Needs Chart		
	Age	Calories
Males	9–12 12–15	2400 3000
Females	9–12 12–15	2200 2500

Investigación de laboratorio

Medición de calorías consumidas

Problema

¿Cuántas calorías consumes en 24 horas?

Materiales *(para cada estudiante)*

lápiz y papel	balanza

Procedimiento

1. Mira la tabla del índice de calorías. Muestra cómo algunas actividades están relacionadas con el ritmo al que quemas calorías. El nivel indicado para cada actividad es el número de calorías consumidas por hora por cada kilogramo de masa del cuerpo.

2. Usa una balanza y anota tu peso en libras. Convierte tu peso en kilogramos (2.2 lb = 1 kg). Anota este número.

3. Clasifica tus actividades durante un período de 24 horas. Anota el tipo de actividad, el nivel de calorías y el número de horas que practicas esa actividad.

4. Para cada una de tus actividades, multiplica tu peso por el índice de calorías que muestra la tabla. Después multiplica el número resultante por el número de horas o fracciones de horas que realizaste esa actividad. El resultado es el número de calorías que quemaste durante ese período de tiempo. Por ejemplo, si tu peso es 50 kilogramos e hiciste ejercicio fuerte como correr durante media hora, las calorías que quemaste durante esa actividad serán iguales a 50 x 10.5 x 0.5 = 262.5 calorías.

5. Suma todas las calorías que quemaste durante esas 24 horas.

Observaciones

¿Cuántas calorías usaste durante 24 horas?

Análisis y conclusiones

1. Explica por qué los valores para el índice de calorías de algunas actividades es más bien aproximado que exacto.

2. ¿Qué factores pueden afectar la cantidad de calorías que usa una persona al hacer ejercicio?

3. ¿Por que las personas jóvenes necesitan consumir más calorías que los adultos?

4. **Por tu cuenta** Determina la cantidad de calorías que quemas en una semana, en un mes.

Actividad	Índice promedio de calorías
Dormir	1.1
Despierto pero en reposo (sentado, leyendo o comiendo)	1.5
Ejercicio muy liviano (bañarse, vestirse)	3.1
Ejercicio liviano (caminar rápidamente)	4.4
Ejercicio fuerte (bailar)	7.5
Ejercicio muy fuerte (correr, nadar muy rápidamente)	10.5

Tabla Promedio de Necesidad de Calorías

	Edad	Calorías
Varones	9–12 12–15	2400 3000
Mujeres	9–12 12–15	2200 2500

Summarizing Key Concepts

3–1 The Importance of Food

▲ The six groups of nutrients are proteins, carbohydrates, fats, vitamins, minerals, and water.

3–2 Digestion of Food

▲ Digestion is the process of breaking down food into simple substances.

▲ The salivary glands release saliva, which contains the enzyme ptyalin. Ptyalin breaks down some starches into simple sugars.

▲ The changing of food into simple substances by the action of enzymes is called chemical digestion.

▲ Mechanical digestion occurs when food is broken down by chewing and by the churning movements of the digestive tract.

▲ After leaving the mouth, food enters the esophagus and is pushed downward into the stomach by peristalsis.

▲ The stomach releases gastric juice, which contains hydrochloric acid, mucus, and pepsin. Pepsin is an enzyme that breaks down proteins into amino acids.

▲ In the stomach, food undergoes both mechanical and chemical digestion.

▲ After leaving the stomach, food enters the small intestine, where it is acted upon by intestinal juice that digests proteins, starches, and fats.

▲ In the small intestine, bile, which is produced by the liver and stored in the gallbladder, aids in the digestion of fats .

▲ Pancreatic juice travels to the small intestine and digests proteins, starches, and fats.

3–3 Absorption of Food

▲ Nutrients are absorbed into the bloodstream through fingerlike structures called villi located on the inner lining of the small intestine.

▲ The large intestine absorbs most of the water from the undigested food.

▲ Undigested food substances are stored in the rectum and then eliminated from the body through the anus.

3–4 Maintaining Good Health

▲ A regular exercise program helps to strengthen the heart, develop better posture, firm up muscles, build a stronger body, and increase endurance.

Reviewing Key Terms

Define each term in a complete sentence.

3–1 The Importance of Food

nutrient
Calorie
protein
amino acid
carbohydrate
fat
vitamin
mineral

3–2 Digestion of Food

ptyalin
enzyme
esophagus
peristalsis
stomach
pepsin
small intestine
liver
pancreas

3–3 Absorption of Food

villus
large intestine
rectum
anus

Guía para el estudio

Resumen de conceptos claves

3–1 La importancia de los alimentos

▲ Los seis grupos de nutrientes son las proteínas, los carbohidratos, las grasas, las vitaminas, los minerales y el agua.

3–2 Digestión de los alimentos

▲ La digestión es el proceso de desintegración de los alimentos en substancias más simples.

▲ Las glándulas salivales segregan saliva, que contiene la enzima ptialina. La ptialina convierte algunos almidones en azúcares simples.

▲ El proceso por el cual las enzimas cambian los alimentos en sustancias simples se llama la digestión química.

▲ La digestión mecánica ocurre cuando los alimentos son desmenuzados en partículas más pequeñas por los dientes y por los movimientos del tracto digestivo.

▲ Después de dejar la boca, los alimentos pasan al esófago y son empujados hacia el estómago por los movimientos peristálticos.

▲ El estómago segrega jugo gástrico que contiene ácido clorhídrico, mucosa y pepsina. La pepsina es una enzima que convierte a las proteínas en aminoácidos.

▲ En el estómago, los alimentos experimentan la digestión mecánica y química.

▲ Después de dejar el estómago, los alimentos pasan al intestino delgado, donde los jugos gástricos digieren las proteínas, almidones y grasas.

▲ En el intestino delgado, la bilis, producida por el hígado y almacenada en la vesícula biliar, ayuda a digerir las grasas.

▲ El jugo pancreático pasa al intestino delgado y digiere proteínas, almidones y grasas.

3–3 Absorción de los alimentos

▲ Los nutrientes pasan a la corriente sanguínea a través de unas estructuras en forma de dedos llamadas vellosidades localizadas en la cubierta interior del intestino delgado.

▲ El intestino grueso absorbe la mayor parte del agua en los alimentos no digeridos.

▲ Las substancias alimenticias sin digerir se almacenan en el recto desde donde son eliminadas del cuerpo a través del ano.

3–4 Mantención de una buena salud

▲ Un programa regular de ejercicios ayuda a fortalecer el corazón, mejorar la postura, tonificar los músculos, desarrollar un cuerpo más fuerte e incrementar la resistencia.

Repaso de palabras claves

Define cada palabra o palabras con una oración completa.

3–1 La importancia de los alimentos

nutriente
caloría
proteína
aminoácido
carbohidrato
grasa
vitamina
mineral

3–2 Digestión de los alimentos

ptialina
enzima
esófago
peristalsis
estómago
pepsina
intestino delgado
hígado
páncreas

3–3 Absorción de los alimentos

vellosidad
intestino grueso
recto
ano

Chapter Review

Content Review

Multiple Choice

Choose the letter of the answer that best completes each statement.

1. The nutrients that are used to build and repair body parts are
   a. proteins.   c. carbohydrates.
   b. minerals.   d. vitamins.
2. Which is not found in the mouth?
   a. pepsin   c. ptyalin
   b. saliva   d. taste buds.
3. The tube that connects the mouth and the stomach is the
   a. small intestine. c. esophagus.
   b. pancreas.   d. epiglottis.
4. Gastric juice contains the enzyme
   a. bile.   c. ptyalin.
   b. pepsin.   d. mucus.
5. The digestion of proteins begins in the
   a. mouth.   c. small intestine.
   b. liver.   d. stomach.

6. In the digestive system, proteins are broken down into
   a. fatty acids.   c. simple sugars.
   b. glycerol.   d. amino acids.
7. The liver produces
   a. pepsin.   c. hydrochloric acid.
   b. bile.   d. ptyalin.
8. The fingerlike structures that form the inner lining of the small intestine are called
   a. cilia.   c. enzymes.
   b. villi.   d. nutrients.
9. Water is absorbed in the
   a. small intestine. c. large intestine.
   b. pancreas.   d. liver.
10. Regular exercise helps a person have
    a. good posture.   c. a stronger heart.
    b. firm muscles.   d. all of these.

True or False

If the statement is true, write "true." If it is false, change the underlined word or words to make the statement true.

1. The nutrients that supply the greatest amount of energy are the <u>fats</u>.
2. A chemical that breaks down food into simple substances is called an <u>enzyme</u>.
3. Starches and sugars are examples of <u>proteins</u>.
4. Vitamin K is an example of a <u>water-soluble</u> vitamin.
5. <u>Pepsin</u> is the enzyme in saliva.
6. Undigested food substances are stored in the <u>epiglottis</u>.
7. The enzyme pepsin digests <u>proteins</u>.
8. The small, finger-shaped organ located where the small intestine and large intestine meet is the <u>appendix</u>.

Concept Mapping

Complete the following concept map for Section 3–1. Refer to pages H8–H9 to construct a concept map for the entire chapter.

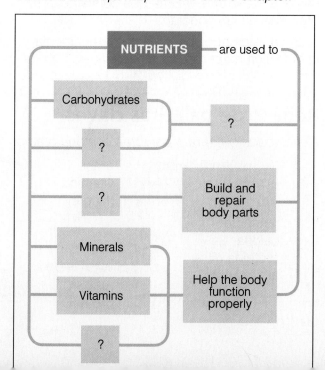

Repaso del capítulo

Repaso del contenido

Selección múltiple

Selecciona la letra de la respuesta que mejor complete cada frase.

1. Los nutrientes que se usan para construir y reparar el cuerpo son
   a. proteínas.
   b. minerales.
   c. carbohidratos.
   d. vitaminas.

2. ¿Cuál no se encuentra en la boca?
   a. pepsina
   b. saliva
   c. ptialina
   d. papilas gustativas

3. El tubo que conecta la boca y el estómago es
   a. el intestino delgado.
   b. el páncreas.
   c. el esófago.
   d. la epiglotis

4. El jugo gástrico contiene la enzima
   a. bilis.
   b. pepsina.
   c. ptialina.
   d. moco.

5. La digestión de las proteínas comienza en
   a. la boca.
   b. el hígado.
   c. el intestino delgado.
   d. el estómago.

6. En el sistema digestivo las proteínas son convertidas en
   a. ácidos grasas.
   b. glicerol.
   c. azúcares simples.
   d. aminoácidos.

7. El hígado produce
   a. pepsina.
   b. bilis.
   c. acido clorhídrico.
   d. ptialina.

8. Las estructuras internas que cubren las paredes del intestino delgado se llaman
   a. cilias.
   b. vellosidades.
   c. enzimas.
   d. nutrientes.

9. El agua se absorbe en el
   a. intestino delgado.
   b. páncreas.
   c. intestino grueso.
   d. hígado.

10. El ejercicio regular nos ayuda a tener
    a. buena postura.
    b. músculos firmes.
    c. un corazón mas fuerte.
    d. todo lo anterior.

Verdadero o falso

Si la afirmación es verdadera, escribe "verdad." Si es falsa, cambia las palabras subrayadas para que sea verdadera.

1. Los nutrientes que proveen la mayor parte de energía son las grasas.
2. Una substancia química que degrada los alimentos en sustancias simples se llama enzima.
3. Los almidones y los azúcares son ejemplos de proteínas.
4. La vitamina K es un ejemplo de vitamina soluble en agua.
5. La pepsina se encuentra en la saliva.
6. Las sustancias de los alimentos sin digerir son almacenadas en la epiglotis.
7. La enzima pepsina digiere las proteínas.
8. La pequeña estructura en forma de dedo ubicada en la unión del intestino delgado y del intestino grueso se llama apéndice.

Mapa de conceptos

Completa el siguiente mapa de conceptos para la sección 3–1. Para hacer un mapa de conceptos de todo el capítulo, consulta las páginas H6–H7.

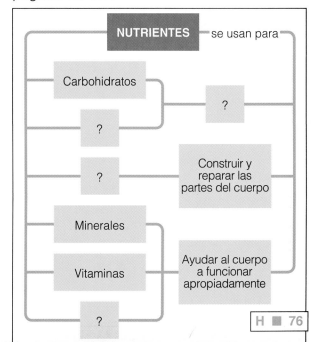

Concept Mastery

Discuss each of the following in a brief paragraph.

1. If you were to eat a slice of bread (starch) with butter (fat) and drink a glass of milk (protein), what would happen to each of these foods during digestion?
2. Food does not really enter your body until it is absorbed into the blood. Explain why. *Hint:* Think of the digestive system as a tube passing through your body.
3. Appendicitis is usually treated by removing the appendix. Explain why this treatment does not interfere with the functioning of a person's digestive system.
4. Describe the structure of villi and their role in absorption.
5. Describe the location and function of the epiglottis.
6. Where does mechanical digestion occur? Chemical digestion?
7. Compare absorption in the small intestine with absorption in the large intestine.
8. Why can talking with food in your mouth be a dangerous thing to do?
9. Explain why vomiting can be considered reverse peristalsis.

Critical Thinking and Problem Solving

Use the skills you have developed in this chapter to answer each of the following.

1. **Making inferences** Suppose your doctor prescribed an antibiotic that killed all the bacteria in your body. What effect would this have on your digestive system?
2. **Making comparisons** Compare the human digestive system to an "assembly line in reverse."
3. **Making diagrams** Draw a diagram of the human digestive system and label all the organs. Use a red pencil to color the organs through which food passes. Use a blue pencil to color the organs through which food does not pass.
4. **Applying concepts** Fad diets have become popular in the United States. Some of these diets involve eating only a limited variety of food. Explain why some fad diets may be an unhealthy way to lose weight.
5. **Making comparisons** Compare the process of digestion to the process of absorption.
6. **Relating concepts** Following surgery, most patients are fed a glucose, or simple sugar, solution intravenously. Intravenously means into a vein. Why do you think this is done?
7. **Sequencing events** Trace the path of a piece of hamburger on a bun through the digestive system. Name each digestive organ and describe what happens in each organ.
8. **Using the writing process** Carbohydrate loading is a technique used by athletes to help them reach their peak of efficiency. To find out the benefits and potential problems of this practice, prepare a list of questions that you might ask a doctor and a coach during an interview on this subject.

Dominio de conceptos

Comenta cada uno de los puntos siguientes en un párrafo breve.

1. Si comieras una rebanada de pan (almidón) con mantequilla (grasas) y bebieras un vaso de leche (proteínas), ¿qué le pasaría a cada alimento durante la digestión?

2. Los alimentos no entran realmente en tu cuerpo hasta que son absorbidos por la sangre. Explica por qué. *Pista:* piensa en el sistema digestivo como un tubo que pasa por tu cuerpo.

3. La apendicitis se cura sacando el apéndice. Explica por qué este tratamiento no afecta el funcionamiento del sistema digestivo de una persona.

4. Describe la estructura de las vellosidades y la función que cumplen en la absorción.

5. Describe la función y la localización de la epiglotis.

6. ¿Dónde ocurre la digestión mecánica? ¿Y la digestión química?

7. Compara la absorción en el intestino delgado con la absorción en el intestino grueso.

8. ¿Por qué puede ser peligroso hablar con comida en la boca?

9. Explica por qué vomitar se puede considerar como una peristalsis al revés?

Pensamiento crítico y solución de problemas

Usa las destrezas que has desarrollado en este capítulo para resolver lo siguiente.

1. **Hacer inferencias** Imagina que el médico te prescribió un antibiótico que mató todas las bacterias de tu cuerpo. ¿Qué efecto tendría esto en tu sistema digestivo?

2. **Hacer comparaciones** Compara el sistema digestivo a una "línea de montaje que funciona en sentido inverso."

3. **Hacer diagramas** Dibuja un diagrama del sistema digestivo y pónle nombre a todos los órganos. Colorea con lápiz rojo los órganos por donde pasa comida y con un lápiz azul los órganos por donde no pasa.

4. **Aplicar conceptos** Las dietas de moda son populares en los Estados Unidos. Algunas de estas dietas implican una comida muy poco variada. Explica por qué este tipo de dieta puede ser un método poco saludable para perder peso.

5. **Hacer comparaciones** Compara el proceso de digestión con el de absorción.

6. **Relacionar conceptos** Después de una operación, a muchos pacientes se los alimenta con una solución intravenosa de glucosa o de azúcar. Intravenosa significa por la vena. ¿Por qué crees que se hace eso?

7. **Hacer secuencias** Traza la ruta de un trozo de pan con hamburguesa por el sistema digestivo. Menciona los órganos del sistema digestivo y qué pasa en cada uno de ellos.

8. **Usar el proceso de la escritura**
Sobrecargarse de carbohidratos es una técnica que utilizan muchos atletas para alcanzar el máximo de eficiencia. Para averiguar los beneficios y problemas potenciales de esta técnica, prepara una lista de preguntas que le harías a un(a) médico o a un(a) entrenador(a) en una entrevista sobre este tema.

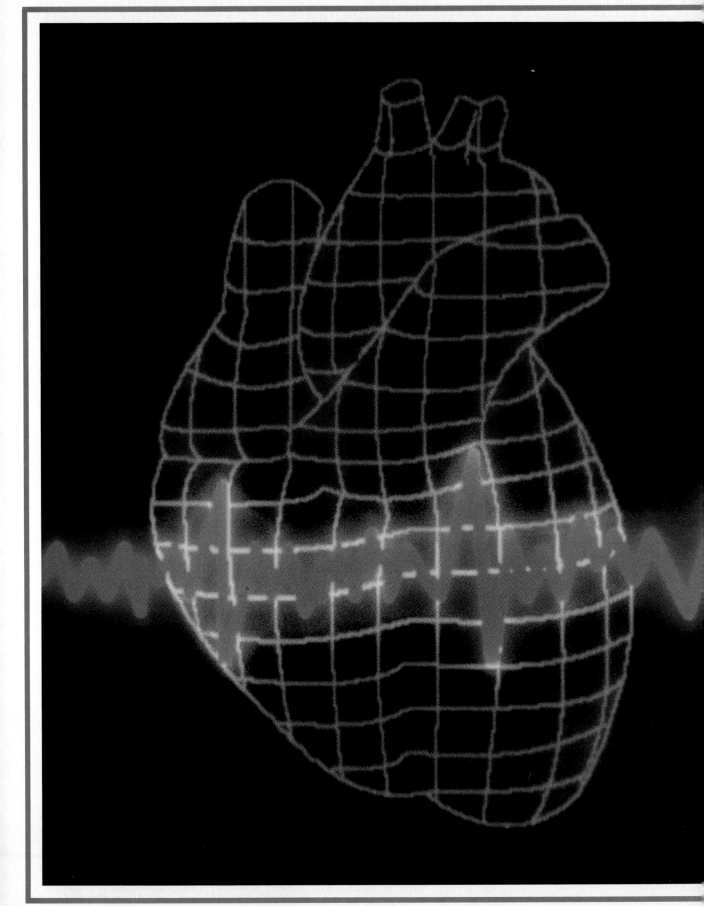

Circulatory System

Guide for Reading

After you read the following sections, you will be able to

4–1 The Body's Transportation System
- Identify the main function of the circulatory system.

4–2 Circulation in the Body
- Trace the path of blood through the body.
- Relate the structures of the heart and blood vessels to their functions.

4–3 Blood—The River of Life
- Compare the four main components of blood.
- Identify the two main human blood groups.

4–4 Cardiovascular Diseases
- Relate cardiovascular diseases to the circulatory system.

At 6:24 AM, the first call of the day came in. A 73-year-old man who lived 120 kilometers away was having severe chest pains. "Strap yourself in, we're taking off!" shouted the pilot to the chief flight nurse over the roar of the helicopter. The chief flight nurse is one of several highly trained members of Survival Flight, a special medical unit that comes to the aid of people who are having heart attacks.

By 8:12 AM, the nurse had given the patient an injection of a drug that dissolves blockages in the blood vessels near the heart. Such blockages can prevent the heart from receiving an adequate supply of blood. By 8:23 AM, the Survival Flight team was loading the patient onto the helicopter and preparing to rush him to a hospital.

The Survival Flight team's helicopter is equipped with a stretcher, medical instruments, and medicine. But the team's greatest strength is the knowledge possessed by its members. They all know how the heart works and what to do when something goes wrong. By reading the pages that follow, you too will discover some of this special knowledge.

Journal *Activity*

You and Your World   In your journal, list all the activities that you do that affect your circulatory system. Then on a new page in your journal, make two columns with the headings Helpful and Harmful. Place the activities from your list in the appropriate column.

◀ *Superimposed on this computer graphic of the heart is a part of an electrocardiogram, or record of the electrical activities of the heart.*

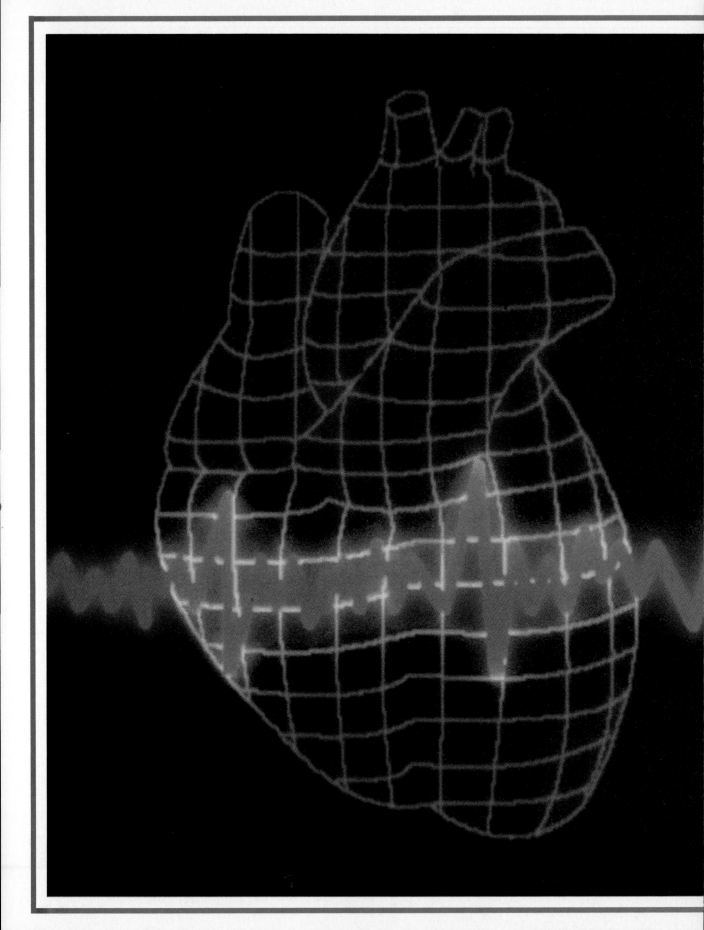

El sistema circulatorio

Guía para la lectura

Después de leer las secciones siguientes, vas a poder

4–1 El sistema de transporte del cuerpo

■ Identificar la función del sistema circulatorio.

4–2 La circulación en el cuerpo

■ Trazar la ruta de la sangre a través del cuerpo.

■ Relacionar las estructuras del corazón y de los vasos sanguíneos con sus funciones.

4–3 La sangre—Un río de vida

■ Comparar los cuatro componentes principales de la sangre.

■ Identificar los dos grupos sanguíneos principales del ser humano.

4–4 Las enfermedades cardiovasculares

■ Relacionar las enfermedades cardiovasculares con el sistema circulatorio.

A las 6:24 de la mañana se recibió la primera llamada del día. Un anciano de 73 años que vivía a 120 kilómetros fuera de la ciudad, tenía dolores agudos en el pecho. —¡Ajústate el cinturón, estamos por despegar!— le gritó el piloto de vuelo al enfermero jefe, desafiando el bramido del motor del helicóptero. El enfermero jefe es uno de los miembros sumamente entrenados de Vuelos de Rescate, una unidad médica especial que auxilia a las personas que sufren ataques al corazón.

A las 8:12 a.m., el enfermero le dio al paciente una inyección de una droga que disuelve obstrucciones en los vasos sanguíneos cercanos al corazón. Las obstrucciones impiden que el corazón reciba la cantidad de sangre adecuada. Alrededor de las 8:23 a.m., el equipo subía al paciente en el helicóptero, para trasladarlo urgentemente al hospital más cercano.

El helicóptero de Vuelos de Rescate tiene camillas, instrumentos médicos y medicinas. Pero, lo mejor del equipo es el conocimiento que poseen todos sus miembros. Todos saben cómo funciona el corazón y cómo actuar en un caso de emergencia. En las páginas siguientes, vas a descubrir algunos de estos conocimientos especiales.

Diario *Actividad*

Tú y tu mundo En tu diario, enumera todas las actividades que haces que afectan al sistema circulatorio. En otra página, haz dos columnas con los títulos Beneficioso y Dañino. Escribe cada una de las actividades enumeradas en tu lista en la columna apropiada.

◀ *Superimpuesta en esta gráfica computarizada del corazón, se ve parte de un electrocardiograma o registro de las actividades eléctricas del corazón.*

4–1 The Body's Transportation System

The main task of the circulatory system in all organisms is transportation. **The circulatory system delivers food and oxygen to body cells and carries carbon dioxide and other waste products away from body cells.** The power behind this pickup-and-delivery system is the heart. The heart pumps blood to all parts of the body through a network of blood vessels. This network is so large that if it could be unraveled, it would wrap around the Earth more than twice!

As you may already know, oxygen combines with food inside your body cells to produce usable energy. Without energy, body cells would soon die. Thus, one of the most important jobs of the circulatory system is delivering oxygen to the cells. The cells

Figure 4–1 *The disk-shaped red objects in this photograph are red blood cells. Notice how densely packed the red blood cells are as they squeeze through the tiniest of blood vessels—the capillaries.*

Guía para la lectura

Piensa en esta pregunta mientras lees.

▶ *¿Cuáles son las funciones del sistema circulatorio?*

4–1 El sistema de transporte del cuerpo

La tarea principal del sistema circulatorio en todos los organismos es la de transportar. **El sistema circulatorio les lleva alimento y oxígeno a las células del cuerpo y retira de ellas bióxido de carbono y otros productos de desecho.** El verdadero poder de este sistema de distribución y acarreo, radica en el corazón. El corazón bombea la sangre a todas las partes del cuerpo a través de una red de vasos sanguíneos. Esta red es tan grande que si se la pudiera extender, ¡daría vuelta a la Tierra dos veces!

Como ya debes saber, el oxígeno se combina con el alimento de las células de tu cuerpo para producir energía útil. Sin energía, las células del cuerpo morirían. Por eso, una de las tareas más importantes del sistema circulatorio es llevar oxígeno a las células. Las células que

Figura 4–1 *Los objetos rojos en forma de disco que se ven aquí son los glóbulos rojos. Observa lo amontonados que están cuando se aprietan para pasar a través de los minúsculos vasos sanguíneos—los capilares.*

that use the most oxygen—and the first to die with-out oxygen—are brain cells.

When cells combine oxygen and food to produce energy, they also produce a waste product called carbon dioxide. Removing carbon dioxide from cells is another important job of the circulatory system.

Still another important job of the circulatory system is to transport food to all body cells. At the same time, wastes produced by the cells are carried away by the blood. If the blood did not remove such wastes, the body would poison itself with its own waste products!

Sometimes the body comes under attack from microscopic organisms such as bacteria and viruses. At such times, another transporting function of the circulatory system comes into play: supplying the body with defenses against invaders. The defenses take the form of disease-fighting cells and chemicals. When invading organisms attack areas of the body, the circulatory system rushes the disease-fighting cells and chemicals to the area under attack.

Disease-fighting chemicals are not the only types of chemicals transported by the circulatory system. The circulatory system carries chemical messengers as well. Chemical messengers bring instructions from one part of the body to another. For example, a chemical messenger produced in the pancreas is carried by the blood to the liver. Its message is "Too much sugar in the blood. Remove some and store it."

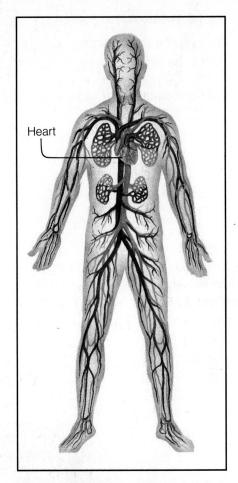

Heart

Figure 4–2 *The function of the circulatory system is to deliver food and oxygen to body cells and carry carbon dioxide and other waste products away from body cells. What organ pumps blood throughout the body?*

4–1 Section Review

1. What are the functions of the circulatory system?
2. Why is it important that wastes produced by the cells are carried away by the blood?

Critical Thinking—*Making Calculations*
3. The heart of an average person pumps about 5 liters of blood per minute. How much blood is pumped out of the heart per hour? Per day? Per week?

usan la mayor parte del oxígeno—y las primeras en morir si falta—son las células del cerebro.

Cuando las células combinan oxígeno y alimento para producir energía, generan un producto de desecho llamado bióxido de carbono. Una función importante del sistema circulatorio es remover el bióxido de carbono de las células.

Otra tarea importante del sistema circulatorio, es transportar alimento a todas las células del cuerpo. Al mismo tiempo, los desechos que producen las células son arrastrados por la sangre. Si la sangre no los eliminara, ¡envenenarían el cuerpo!

A veces, atacan el cuerpo organismos microscópicos como bacterias y virus. En esas ocasiones, otra de las funciones de transporte del sistema circulatorio entra en escena: proveer al cuerpo de defensas contra los invasores. Las defensas toman la forma de células y sustancias químicas que combaten las enfermedades. Cuando los organismos invasores atacan una zona del cuerpo, el sistema circulatorio envía células y sustancias químicas a la zona atacada.

Las sustancias químicas que combaten enfermedades no son los únicos tipos de sustancias que transporta el sistema circulatorio. El sistema circulatorio también transporta mensajeros químicos que llevan instrucciones de una parte del cuerpo a la otra. Por ejemplo, un mensaje químico producido en el páncreas es transportado por la sangre al hígado. Su mensaje es: "Mucha azúcar en la sangre. Saca un poco y guárdala."

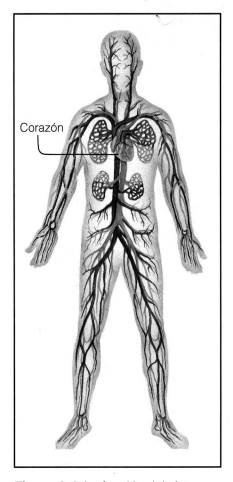

Corazón

Figura 4–2 *La función del sistema circulatorio es llevar alimento y oxígeno a todas las células del cuerpo y retirar el bióxido de carbono y otros productos de desecho. ¿Qué órgano bombea la sangre a todo el cuerpo?*

4–1 Repaso de la sección

1. ¿Cuáles son las funciones del sistema circulatorio?
2. ¿Por qué es importante que los desechos de las células sean removidos por la sangre?

Pensamiento crítico—*Aplicar conceptos*
3. El corazón de una persona normal bombea unos 5 litros de sangre por minuto. ¿Cuánta sangre se bombea por hora? ¿Por día? ¿Por semana?

4–2 Circulation in the Body

In a way, the entire circulatory system is like a vast maze that starts at the heart. Unlike most mazes, however, this one always leads back to the place where it began. **In the circulatory system, blood moves from the heart to the lungs and back to the heart. Blood then travels to all the cells of the body and returns again to the heart.** In the next few pages, you will follow the blood on its journey through the circulatory maze. You will begin, of course, at the heart.

You may be surprised to learn that the heart is a muscle that rests only between beats. Even when you are asleep, about 5 liters of blood is pumped through your body every minute. During an average lifetime, the heart beats more than 2 billion times and pumps several hundred million liters of blood through the many thousands of kilometers of blood vessels in the body.

Not much larger than a fist, the heart is located slightly to the left of the center of your chest. If you place your fingers there and gently press down, you probably will be able to feel your heart beating. The heartbeat, or the heart's rhythm, is controlled by an area of nerve tissue within the heart. Because this

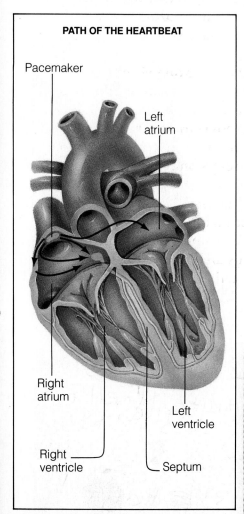

PATH OF THE HEARTBEAT

Pacemaker

Left atrium

Right atrium

Left ventricle

Right ventricle

Septum

Figure 4–3 *The heartbeat is controlled by an area of nerve tissue within the heart called the pacemaker. In the illustration, you can see the path a message from the pacemaker takes as it spreads through the heart. The photograph shows a network of nerves lining a section of a ventricle.*

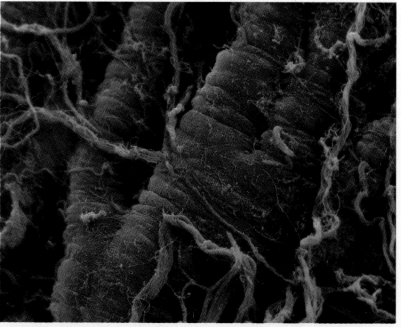

4–2 La circulación en el cuerpo

Se puede decir que todo el sistema circulatorio es un gran laberinto que comienza en el corazón. A diferencia de muchos laberintos, éste siempre vuelve al punto de partida. **En el sistema circulatorio, la sangre se mueve del corazón a los pulmones y de vuelta al corazón. Después, la sangre viaja a todas las células del cuerpo y regresa nuevamente al corazón.** En las próximas páginas vas a seguir a la sangre en ese viaje que comienza en el corazón.

Puede que te sorprenda saber que el corazón es un músculo que sólo descansa entre latido y latido. Aun cuando duermes, bombea unos 5 litros de sangre por minuto a través de tu cuerpo. Durante el promedio normal de vida de un ser humano, el corazón late más de dos mil millones de veces y bombea varios cientos de millones de litros de sangre a través de miles de kilómetros de vasos sanguíneos.

El corazón, que no es más grande que un puño, está ubicado un poco a la izquierda del centro de tu pecho. Si pones los dedos allí y presionas un poco hacia abajo, sentirás sus latidos. Los latidos, o el ritmo del corazón, están controlados por un zona de tejido nervioso dentro del corazón. Como esta zona

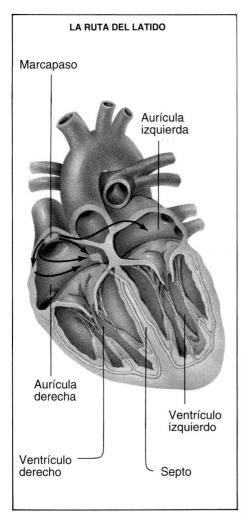

LA RUTA DEL LATIDO

Marcapaso

Aurícula izquierda

Aurícula derecha

Ventrículo izquierdo

Ventrículo derecho

Septo

Figura 4–3 *Los latidos están controlados por una zona de tejido nervioso del corazón llamada marcapaso. En esta ilustración, puedes apreciar la ruta que sigue uno de sus mensajes al difundirse por el corazón. La fotografía muestra una red de nervios sobre una parte de un ventrículo.*

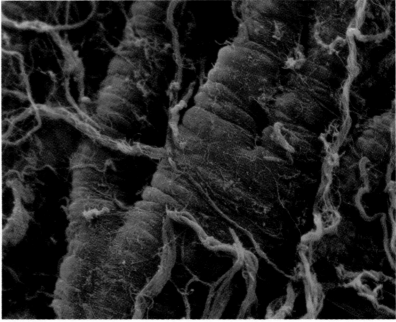

area regulates the heart's pace, or rate of beating, it is called the pacemaker. Located in the upper-right side of the heart, the pacemaker sends out signals to heart muscle, causing it to contract. For a variety of reasons, the body's pacemaker may fail to operate properly. If this happens, an artificial pacemaker, complete with a battery, can be inserted into the body or worn outside the body.

The Right Side of the Heart

Most people think of the heart as a single pump, but it is actually two pumps. One pump is located on the right side of the heart. The second pump is located on the left side of the heart. A thick wall of tissue called the septum separates the heart into a right side and a left side. Each side has two chambers. Your journey through the circulatory maze begins in the right upper chamber, called the right **atrium** (AY-tree-uhm; plural: atria). Figure 4–4 shows the location of the right atrium.

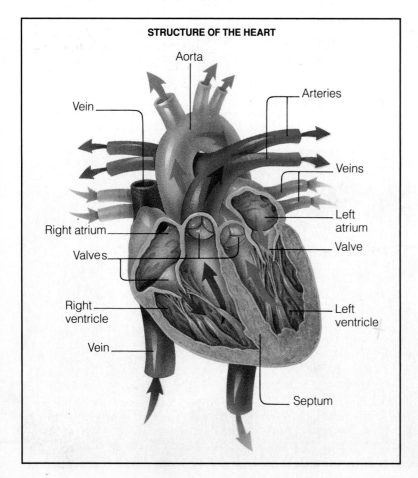

STRUCTURE OF THE HEART

Aorta

Arteries

Vein

Veins

Left atrium

Valve

Right atrium

Valves

Right ventricle

Left ventricle

Vein

Septum

Figure 4–4 *The heart is divided into a right side and a left side by a septum, or wall. Each side of the septum contains two chambers: an upper chamber and a lower chamber. The upper chambers are called atria, and the lower chambers are called ventricles. What is the function of the atria?*

regula el ritmo del corazón, se llama marcapaso. Localizado en la parte derecha superior del corazón, el marcapaso envía señales al músculo del corazón y éste se contrae. Si el funcionamiento del marcapaso falla, se puede insertar un marcapaso artificial, que funciona con una batería y se usa dentro o fuera del cuerpo.

El lado derecho del corazón

La mayoría de las personas piensa que el corazón es una bomba, pero en realidad son dos. La primera está localizada en el lado derecho del corazón; la segunda, al lado izquierdo del corazón. Una gruesa pared de tejidos llamada septo separa el corazón en lado derecho e izquierdo. Cada lado tiene dos cámaras. Tu viaje a través del laberinto circulatorio comienza en la cámara superior derecha, la **aurícula** derecha. La figura 4–4 muestra dónde está la aurícula derecha.

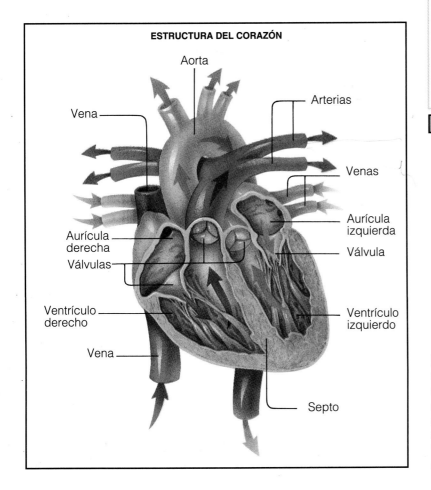

ESTRUCTURA DEL CORAZÓN

Aorta

Vena

Arterias

Venas

Aurícula izquierda

Aurícula derecha

Válvula

Válvulas

Ventrículo derecho

Ventrículo izquierdo

Vena

Septo

Figura 4–4 *El septo divide al corazón en dos lados, el derecho y el izquierdo. Cada lado contiene dos cámaras, la superior y la inferior. Las cámaras superiores se llaman aurículas y las inferiores, ventrículos. ¿Cuál es la función de la aurícula?*

Inside the right atrium, you find yourself swirling in a dark sea of blood. A great many red blood cells surround you. Red blood cells carry oxygen throughout the body. When the hemoglobin in the red blood cells joins up with oxygen molecules, the blood turns bright red. Such blood is said to be oxygen-rich. The blood in which you are swimming in the right atrium, however, is dark red, not bright red at all. This can only mean that these red blood cells are not carrying much oxygen. Rather, they are carrying mostly the waste gas carbon dioxide. This blood, then, is oxygen-poor. And that makes sense. For the right atrium is a collecting chamber for blood returning from its trip through the body. Along the way, the red blood cells have dropped off most of their oxygen and picked up carbon dioxide.

Suddenly the blood begins to churn, and you feel yourself falling downward. You are about to enter the heart's right lower chamber, called the right **ventricle.** But before you do, you must pass through a small flap of tissue called a valve. The valve opens to allow blood to go from the upper chamber to the lower chamber. Then it closes immediately to prevent blood from backing up into the upper chamber.

You now find yourself in the right ventricle. Your stay here will be quite short. The ventricles, unlike the atria, are pumping chambers. Before you know it, you feel the power of a heartbeat as the ventricle contracts and blood is forced out of the heart through a large blood vessel.

To the Lungs and Back

Now your journey has really begun. Because you are surrounded by oxygen-poor blood, your first stop should be obvious. Do you know what it is? The right ventricle is pumping you toward the lungs. The trip to the lungs is a short one. In the lungs, the red blood cells drop off the waste gas carbon dioxide. As the carbon dioxide enters the lungs, it is immediately

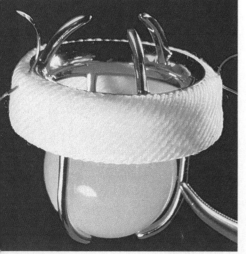

Figure 4–5 *Heart valves control the flow of blood through the heart. A heart valve called the bicuspid valve (top) is found between the left atrium and the left ventricle. Sometimes when a natural heart valve does not work properly, it must be replaced by an artificial heart valve (bottom).*

Pozo de actividades

Tienes que tener corazón,
p. 251

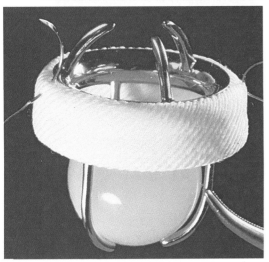

Ahora te encuentras en la aurícula derecha, en medio de un mar de sangre oscuro. Una gran cantidad de glóbulos rojos te rodea. Los glóbulos rojos llevan oxígeno a través de todo el cuerpo. Cuando la hemoglobina en los glóbulos rojos se une con las moléculas de oxígeno, la sangre se vuelve roja brillante; es un tipo de sangre rica en oxígeno. La sangre de la aurícula derecha, en la cual estás nadando, es roja oscura y no es nada brillante, lo que indica que estos glóbulos rojos no llevan mucho oxígeno. Más bien, lo que acarrean es un gas de desecho: el bióxido de carbono. Por eso, esta sangre es pobre en oxígeno. Y tiene sentido, porque la aurícula derecha es una cámara donde se junta la sangre al volver de su viaje por el cuerpo. En ese viaje, los glóbulos rojos descargan la mayor parte de su oxígeno y recogen bióxido de carbono.

De pronto, la sangre comienza a agitarse, y sientes que te caes. Estás a punto de entrar en la cámara inferior derecha del corazón, llamada **ventrículo** derecho. Pero antes de eso, debes pasar a través de un pequeño pliegue de tejido llamado válvula. Esta válvula se abre y permite que la sangre pase de la cámara superior a la inferior, y se cierra inmediatamente para impedir que la sangre regrese a la cámara superior.

Ahora estás en el ventrículo derecho. Tu permanencia aquí será corta. Los ventrículos, a diferencia de las aurículas, son cámaras de bombeo. Inesperadamente, sientes la fuerza de un latido, el ventrículo se contrae y hace que la sangre salga del corazón a través de un enorme vaso sanguíneo.

A los pulmones y de regreso

Tu viaje comienza, en realidad, ahora. Como estás rodeado de sangre pobre en oxígeno, tu primera parada es obvia. ¿Sabes cuál es? El ventrículo derecho te bombea hacia los pulmones. Es un viaje corto. En los pulmones, los glóbulos rojos descargan el bióxido de carbono, que es inmediatamente exhalado (espirado).

Figura 4–5 *Las válvulas del corazón controlan el flujo de sangre a través del corazón. La válvula bícuspide (arriba) está ubicada entre la aurícula izquierda y el ventrículo izquierdo. Si la válvula natural del corazón no funciona bien, se la reemplaza a veces por una válvula artificial (abajo).*

exhaled (breathed out). At the same time, the red blood cells are busy picking up oxygen, which has been brought into the lungs as a result of inhaling (breathing in). What is the color of the blood now?

As you leave the lungs, you might be expecting to travel with the oxygen-rich blood to all parts of the body. But to your surprise, you discover this is not the case. The oxygen-rich blood you are traveling in must first return to the heart so that it can be pumped throughout the body. Your next stop is the hollow chamber known as the left atrium.

The Left Side of the Heart

The left atrium, like the right atrium, is a collecting chamber for blood returning to the heart. The left atrium, however, collects oxygen-rich blood as it returns from the lungs. Once again, the blood quickly flows downward through a valve and enters the left ventricle.

The left ventricle has a lot more work to do than the right ventricle does. The right ventricle has to pump blood only a short distance to the lungs. But the left ventricle has to pump blood to every part of the body. In fact, the left side of the heart works about six times harder than the right side. That is why you feel your heartbeat on the left side of your chest.

Arteries: Pipelines From the Heart

As the left ventricle pumps the oxygen-rich blood out of the heart, the blood passes through the largest blood vessel in the body. This blood vessel is called the aorta (ay-OR-tuh). The aorta is an **artery,** or a blood vessel that carries blood away from the heart.

Soon after leaving the heart, the aorta branches into smaller arteries. Some of these smaller arteries return immediately to the heart, supplying the heart muscle with food and oxygen. Others branch again and again, like the branches of a tree. These branching arteries form a network that connects all parts of the body.

As you pass through the aorta and enter a smaller artery, you notice that the inner wall of the artery is

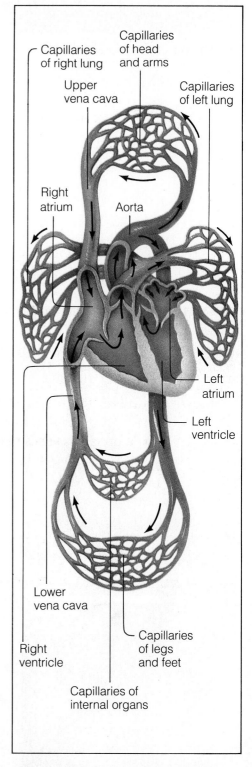

Figure 4–6 *Blood travels through the body in a continuous path. The path of oxygen-rich blood is shown in red, and the path of oxygen-poor blood is shown in blue.*

Al mismo tiempo, los glóbulos rojos recogen el oxígeno que llega a los pulmones al inhalar (aspirar). ¿Cúal es el color de la sangre ahora?

Aunque creas que al dejar los pulmones, podrás viajar con la sangre rica en oxígeno a todas partes del cuerpo, éste no es el caso. Esa sangre debe regresar primero al corazón para luego ser bombeada a todo el cuerpo. Tu próxima parada es la cámara hueca llamada aurícula izquierda.

El lado izquierdo del corazón

Tanto la aurícula izquierda como la derecha forman una cámara donde se junta la sangre que regresa al corazón. La aurícula izquierda junta la sangre rica en oxígeno que regresa de los pulmones. Una vez más, la sangre fluye rápidamente hacia abajo a través de una válvula y entra en el ventrículo izquierdo.

El ventrículo izquierdo tiene mucho más trabajo que el derecho. El ventrículo derecho sólo bombea la sangre un corto trecho hasta los pulmones. Pero el ventrículo izquierdo tiene que bombearla a todas las partes del cuerpo. En realidad, la parte izquierda del corazón trabaja unas seis veces más que la parte derecha. Por eso tú sientes los latidos del corazón en la parte izquierda de tu pecho.

Arterias: conductos del corazón

Después de ser bombeada por el ventrículo izquierdo, la sangre pasa a través del vaso sanguíneo más grande del cuerpo. Este vaso sanguíneo se llama aorta. La aorta es una **arteria**, o un vaso sanguíneo que saca la sangre del corazón.

En cuanto deja el corazón, la aorta se ramifica en arterias más pequeñas. Algunas de estas arterias pequeñas regresan inmediatamente al corazón, y lo proveen de alimentos y oxígeno. Otras se ramifican varias veces y se extienden una y otra vez como las ramas de los árboles. Estas ramificaciones de arterias forman una red que conecta todas las partes del cuerpo.

Al pasar a través de la aorta y entrar en una arteria más pequeña, notas que la pared interna de la arteria es

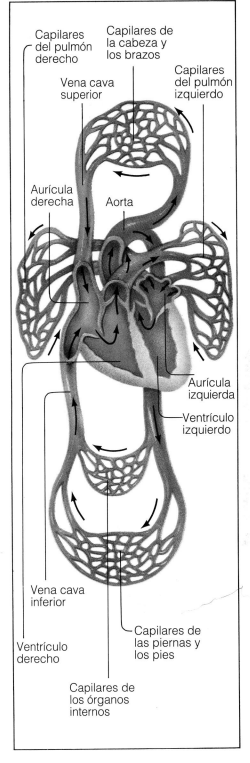

Figura 4–6 *La sangre viaja a través del cuerpo en una ruta continua. El color rojo indica la ruta de la sangre rica en oxígeno y el azul, la ruta de la sangre pobre en oxígeno.*

ACTIVITY
DOING

Circulation

Human circulation is divided into two types of circulation: pulmonary circulation and systemic circulation.

Use reference books to find out the structures that are involved in each type of circulation. Draw a labeled diagram of the human circulatory system, using two different-colored pencils to illustrate the structures that make up each type of circulation.

Why do you think these two types of circulation are so named?

ctivity Bank

The Squeeze Is On, p. 252

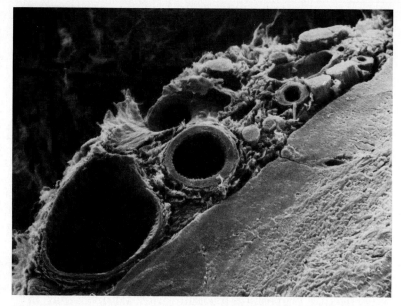

Figure 4–7 *This photograph shows that the wall of a small artery (right) is thicker than the wall of a medium-sized vein (left).*

quite smooth. The smooth inner wall allows blood to flow freely. Around the smooth inner wall is an elastic middle layer that is made mainly of smooth muscle tissue. Much of the flexibility of arteries comes from this elastic middle layer. The flow of blood in an artery is controlled by the contraction and relaxation of the smooth muscle tissue. As the artery contracts, large amounts of blood are sent to an area. When the artery relaxes, the amount of blood flowing to the area is lessened. The outer wall of the artery contains flexible connective tissue. Connective tissue allows arteries to stretch and return to normal size with each heartbeat.

Your trip continues as you travel to smaller branching arteries. Where you go from here depends on many factors. For example, if a meal has recently been eaten, much of the blood will be directed toward the intestines to pick up food. If the body is exercising, the blood supply to the muscles will probably be increased. If there are a great many wastes in the blood, you may be sent to the liver, where certain wastes are changed into substances that are not poisonous to the body. Or you may travel to one of the kidneys, where other wastes are removed from the blood. No matter where you are sent, however, one thing is sure. You will find the

ACTIVIDAD

PARA HACER

Circulación

La circulación humana está dividida en dos tipos: pulmonar y sistémica.

Busca en libros de referencia cuáles son las estructuras que participan en cada tipo de circulación. Dibuja un diagrama del sistema circulatorio humano, y utiliza dos lápices de colores diferentes para ilustrar y señalar las estructuras que componen cada tipo de circulación. Escribe sus nombres.

¿Por qué crees que estos dos tipos de circulación se llaman así?

Pozo de actividades

En un aprieto, p. 252

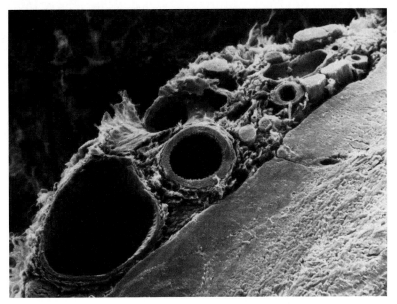

Figura 4–7 *Esta fotografía muestra que la pared de una arteria pequeña (derecha) es más gruesa que la pared de una vena de tamaño mediano (izquierda).*

más lisa. Esto permite que la sangre fluya fácilmente. Alrededor de las paredes, hay una capa elástica intermedia compuesta en su mayor parte de tejido muscular liso, de donde proviene gran parte de la flexibilidad de las arterias. El flujo de sangre en una arteria está controlado por la contracción y la relajación del tejido muscular liso. La arteria envía, al contraerse, grandes cantidades de sangre a una zona específica. Cuando la arteria se relaja, la cantidad de sangre que fluye hacia esa zona disminuye. La pared exterior de la arteria contiene tejido conectivo flexible. Este tejido permite a las arterias extenderse y regresar a su tamaño normal con cada latido.

Tu viaje continúa a través de ramificaciones menores de las arterias. De aquí en adelante, donde tú vayas depende de muchos factores. Por ejemplo, si un alimento ha sido recientemente ingerido, la mayor parte de la sangre será dirigida hacia los intestinos para recoger alimento. Al hacer ejercicio físico, el suministro de sangre a los músculos se incrementará. Si hay una gran cantidad de desechos en la sangre, puede que te envíen al hígado, donde algunos desechos se convierten en sustancias que no son nocivas para el cuerpo. O viajarás a uno de los riñones donde otros desechos son removidos de la sangre. Pero no importa dónde te manden, hay algo seguro. El cerebro va a ser uno de tus

brain one of your primary destinations. For whether it is thinking very hard or not, the brain always gets priority over any other part of the body.

Capillaries: The Unseen Pipelines

The artery network carries blood all over the body. But arteries cannot drop off or pick up any materials from body cells. Can you think of a reason why not? *Hint:* Recall the description of the structure of an artery. The walls of arteries are too thick for oxygen and food to pass through. In order for the blood to do its main task—delivering and picking up materials—it must pass from the thick-walled arteries into very thin-walled blood vessels. Extremely thin-walled blood vessels are called **capillaries.**

You will probably have a hard time squeezing through the capillary in which you now find yourself. Don't feel bad. In most capillaries, there is only enough room for the red blood cells to pass through in single file. It is here in the capillaries that the basic work of the blood—giving up oxygen and taking on wastes—is carried out. Food and oxygen leak through the thin walls of the capillaries and enter the body cells. Wastes pass out of the body cells and enter the blood in the capillaries. Other materials transported by the blood can also leave and enter body cells at this time.

Figure 4–8 *The three types of blood vessels that make up the circulatory system are the arteries, capillaries, and veins. What is the function of each type of blood vessel?*

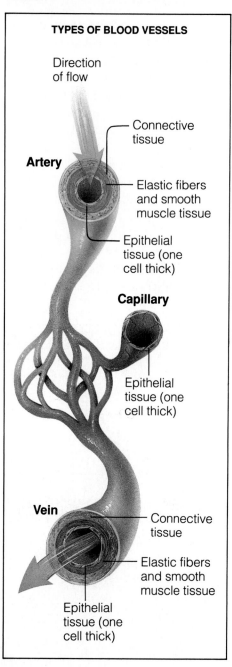

TYPES OF BLOOD VESSELS

Direction of flow

Artery
— Connective tissue
— Elastic fibers and smooth muscle tissue
— Epithelial tissue (one cell thick)

Capillary
Epithelial tissue (one cell thick)

Vein
— Connective tissue
— Elastic fibers and smooth muscle tissue
Epithelial tissue (one cell thick)

Figure 4–9 *Capillaries are so tiny that they permit only one red blood cell to squeeze through at a time. What is the function of a red blood cell?*

destinos principales. Por poco que piense, el cerebro siempre tiene prioridad sobre cualquiera de las otras partes del cuerpo.

Capilares: Los conductos microscópicos

La red de ramificaciones de las arterias lleva sangre a todo el cuerpo. Pero las arterias no pueden botar ni recoger ninguna clase de materiales de las células del cuerpo. ¿Por qué? *Pista:* recuerda la descripción de la estructura de una arteria. Las paredes de las arterias son muy gruesas para que el oxígeno y el alimento pasen por ellas. Para que la sangre realice su tarea principal— llevar y recoger materiales—debe pasar desde las arterias a los vasos sanguíneos que tienen paredes más delgadas. Los vasos sanguíneos que tienen paredes extremadamente finas se llaman **capilares**.

Si te es difícil deslizarte a través del capilar en el que ahora te encuentras, no te sientas mal. En la mayoría de los capilares, hay solamente espacio para que pase un glóbulo rojo a la vez. Aquí es donde se realizan las tareas básicas de la sangre—entregar oxígeno y acarrear desechos. El alimento y el oxígeno pasan por las paredes finas de los capilares a las células del cuerpo. Los desechos pasan de las células del cuerpo a la sangre en los capilares. Es entonces cuando otras sustancias transportadas por la sangre pueden salir y entrar en las células del cuerpo.

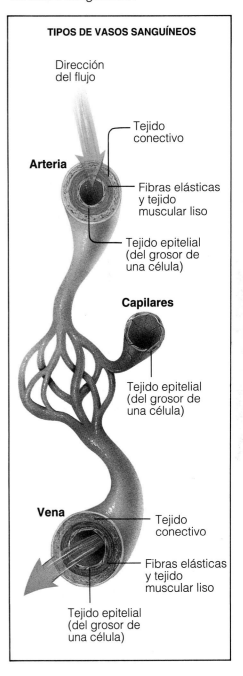

Figura 4–8 *Los tres tipos de vasos sanguíneos que forman el sistema circulatorio son las arterias, los capilares y las venas. ¿Cuál es la función de cada uno de esos tipos de vasos sanguíneos?*

TIPOS DE VASOS SANGUÍNEOS

Dirección del flujo

Arteria

Tejido conectivo

Fibras elásticas y tejido muscular liso

Tejido epitelial (del grosor de una célula)

Capilares

Tejido epitelial (del grosor de una célula)

Vena

Tejido conectivo

Fibras elásticas y tejido muscular liso

Tejido epitelial (del grosor de una célula)

Figura 4–9 *Los capilares son tan pequeños que sólo permiten que pase un glóbulo rojo a la vez. ¿Cuál es la función de un glóbulo rojo?*

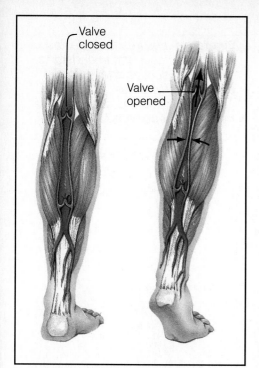

Valve closed

Valve opened

Figure 4–10 *Valves in the walls of veins prevent the backflow of blood and keep it moving in one direction—back to the heart. The contraction of nearby skeletal muscles such as those in the leg help the valves in performing this function.*

Veins: Pipelines to the Heart

Once the work of giving up oxygen and taking on wastes is completed in the capillaries, your trip through the circulatory maze is just about over. Because the blood has given up its oxygen, it is dark red again. The blood now starts back to the heart, trickling from the capillaries into blood vessels called **veins.** Veins carry blood back to the heart.

As you might expect, veins are much larger than capillaries. And unlike arteries, veins have thinner walls as well as tiny one-way valves. These valves help to keep the blood from flowing backward.

4–2 Section Review

1. Trace the path of blood through the circulatory system.
2. List the four chambers of the heart.
3. Describe the three types of blood vessels.
4. Explain why the walls of the ventricles are much thicker than the walls of the atria.

Critical Thinking—*Relating Facts*
5. Why is it important that veins contain valves?

Guide for Reading

Focus on this question as you read.

▶ What are the four main components of blood?

4–3 Blood—The River of Life

If you were to look at blood under a microscope, you would see that it is made up of tiny particles floating in a fluid. This makes blood a fluid tissue—one of the body's two fluid tissues. Lymph (LIHMF) is the other. Recall from Chapter 1 that a tissue is a group of cells that work together for a specific function.

The fluid portion of the blood is called **plasma.** And the tiny particles floating in the plasma are different types of blood cells and cell fragments—three different types, to be exact. **The three different types of floating particles—red blood cells, white blood cells, and platelets—and the plasma in which they float, are the four main components of blood.**

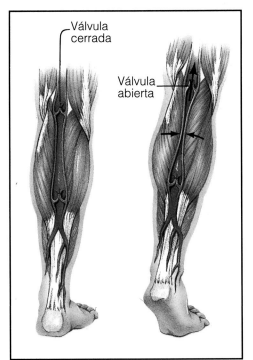

Figura 4–10 *Las válvulas de las paredes de las venas impiden que la sangre retroceda y la hacen circular en una sola dirección— hacia el corazón. La contracción de los músculos estriados, como los de la pierna, ayudan a las válvulas a cumplir esta función.*

Venas: conductos al corazón

Cuando la tarea de entregar oxígeno y recoger desechos se ha realizado, tu viaje a través del laberinto del sistema circulatorio está casi por terminar. Una vez que la sangre se ha desprendido del oxígeno se torna nuevamente roja oscura. Ahora la sangre comienza a regresar al corazón, goteando desde los capilares a los vasos sanguíneos llamados **venas**. Las venas acarrean la sangre de vuelta al corazón.

Como te imaginarás, las venas son mucho más grandes que los capilares. Y, a diferencia de las arterias, tienen paredes más delgadas, así como minúsculas válvulas que se abren en un solo sentido. Estas válvulas previenen el retroceso del flujo de la sangre.

4–2 Repaso de la sección

1. Traza la ruta de la sangre a través del sistema circulatorio.
2. Enumera las cuatro cámaras del corazón.
3. Describe los tres tipos de vasos sanguíneos.
4. Explica por qué las paredes de los ventrículos son más gruesas que las paredes de las aurículas.

Pensamiento crítico—*Aplicar conceptos*
5. ¿Por qué es importante que las venas tengan válvulas?

Guía para la lectura

Piensa en esta pregunta mientras lees.

▶ *¿Cuáles son los cuatro componentes principales de la sangre?*

4–3 La sangre—Un río de vida

Si pudieras ver la sangre bajo un microscopio, observarías que está formada de partículas minúsculas que flotan en un líquido. Esto convierte a la sangre en un tejido líquido—uno de los dos tejidos líquidos del cuerpo. La linfa es el otro tejido líquido. Recuerda que en el capítulo 1, se mencionó que un tejido es un grupo de células que trabajan juntas para cumplir una función específica.

La porción líquida de la sangre se llama **plasma**. Las pequeñas partículas que flotan en el plasma son diferentes tipos de células sanguíneas y fragmentos de células—tres tipos diferentes para ser exactos. **Los tres tipos diferentes de partículas flotantes—glóbulos rojos, glóbulos blancos, y plaquetas—y el plasma en el cual flotan, son los cuatro principales componentes de la sangre.**

Plasma

Plasma is a yellowish fluid that is about 90 percent water. The remaining 10 or so percent is made up of sugars, fats, salts, gases, and plasma proteins. The plasma proteins, which have a number of vital functions, are divided into three groups. One group of plasma proteins helps to regulate the amount of water entering and leaving the blood. The second group includes antibodies, which are special proteins

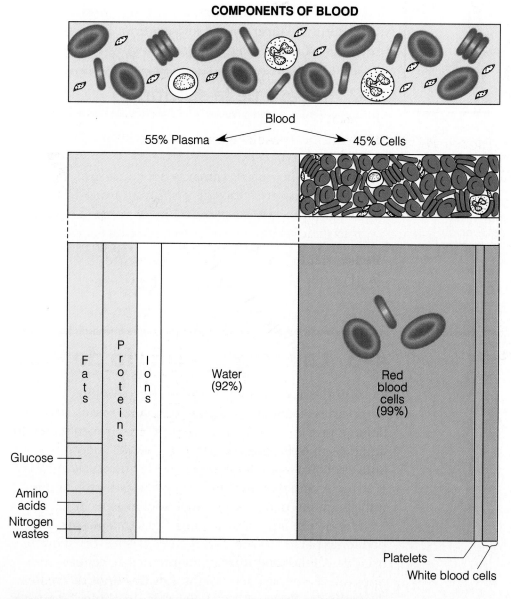

COMPONENTS OF BLOOD

Blood

55% Plasma   45% Cells

Fats

Proteins

Ions

Water (92%)

Red blood cells (99%)

Glucose

Amino acids

Nitrogen wastes

Platelets

White blood cells

Figure 4–11 *Blood is composed of a fluid portion called plasma and three different types of blood particles. Of what substance is plasma mainly composed?*

Plasma

El plasma es un líquido amarillento que está compuesto de casi un 90% de agua. El otro 10% está compuesto de azúcares, grasas, sales, gases y proteínas del plasma. Las proteínas del plasma que cumplen varias funciones vitales se dividen en tres grupos. El primero ayuda a regular la cantidad de agua que entra y sale de la sangre. El segundo grupo incluye anticuerpos, que son proteínas especiales que ayudan a combatir

COMPONENTES DE LA SANGRE

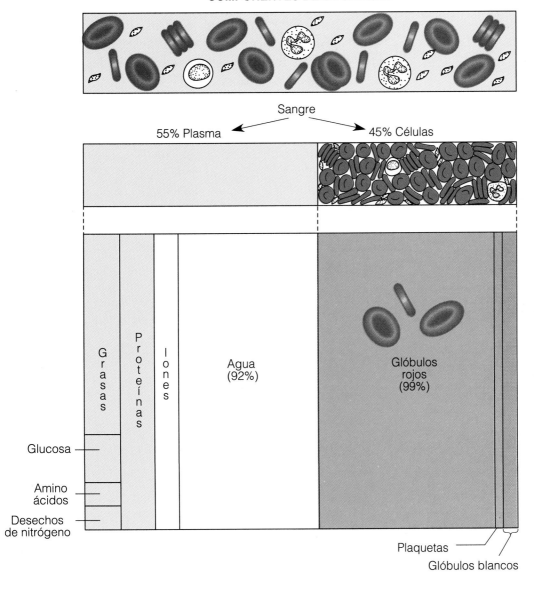

Figura 4–11 *La sangre está compuesta de una porción líquida llamada plasma y tres tipos diferentes de partículas. ¿Cuál es la sustancia principal que compone el plasma?*

Figure 4-12 *This photograph shows the three types of particles that make up blood. The red beret-shaped object is a red blood cell, the white fuzzy object is a white blood cell, and the yellow flattened object is a platelet. How do you think platelets got their name?*

that help to fight off tiny invaders such as bacteria, viruses, and foreign substances. And the third group is responsible for blood clotting. The plasma also carries digested food, hormones (chemical messengers), and waste products.

Red Blood Cells

The most numerous cells in the blood are the **red blood cells.** Under a microscope, red blood cells look like round, flattened hats with thickened rims and flat centers—almost like tiny berets. The centers of these flexible red disks are so thin that they seem clear. This characteristic thinness enables red blood cells to bend at the center, a useful trick when trying to squeeze through a narrow capillary.

Red blood cells are produced in the bone marrow. A young red blood cell, like all living body cells, contains a nucleus. However, as the red blood cell matures, this nucleus grows smaller and smaller until it vanishes. Red blood cells pay a price for life

Figure 4-13 *In the bone marrow, a young red blood cell begins its life by filling up with hemoglobin and then getting rid of its nucleus (left). As the red blood cell moves into the bloodstream, it takes on its familiar disk shape (right).*

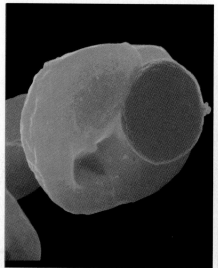

Figura 4–12 *Esta fotografía muestra los tres tipos de partículas que componen la sangre. El objeto rojo en forma de boina es un glóbulo rojo, el objeto blanco y peloso es un glóbulo blanco, y el objeto amarillo de forma plana, es una plaqueta. ¿Por qué crees que las plaquetas llevan ese nombre?*

diminutos invasores, tales como las bacterias, virus y sustancias extrañas. El tercer grupo es responsable de la coagulación de la sangre. El plasma también transporta alimentos digeridos, hormonas (mensajeros químicos) y productos de desechos.

Glóbulos rojos

Las células más numerosas de la sangre son los **glóbulos rojos**. Bajo un microscopio, los glóbulos rojos se ven como sombreros de forma redonda y plana, de bordes gruesos y centros planos—casi como pequeñas boinas. Los centros de estos discos rojos flexibles son tan delgados que parecen transparentes. Esto les permite doblarse en el centro, un truco muy útil cuando tratan de deslizarse a través de un capilar estrecho.

Los glóbulos rojos se forman en la médula ósea. Un glóbulo rojo joven, como toda célula viva del cuerpo, tiene un núcleo. Pero, a medida que el glóbulo rojo madura, su núcleo se hace cada vez más pequeño hasta

Figura 4–13 *En la médula ósea, un joven glóbulo rojo comienza su vida llenándose de hemoglobina y luego elimina su núcleo (izquierda). A medida que va entrando en la corriente sanguínea, toma su conocida forma de disco (derecha).*

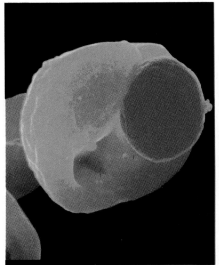

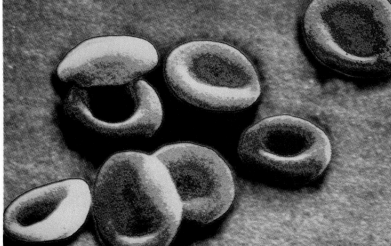

without a nucleus. They are very delicate and have a life span of only 120 days. Red blood cells in your body are at this moment dying at a rate of about 2 million per second. Fortunately, new red blood cells are being formed in the bone marrow at the same rate. When a red blood cell wears out or is damaged, it is broken down in the liver and the spleen, an organ just to the left of the stomach. So many red blood cells are destroyed in the spleen each day that this organ has been called the "cemetery" of red blood cells.

Have you ever heard people complain that they have "iron-poor" blood? That phrase refers to a shortage of an iron-containing protein called **hemoglobin** (HEE-muh-gloh-bihn), which is found in red blood cells. In fact, it is the buildup of hemoglobin in the red blood cells that forces out the nucleus. As blood flows through the lungs, oxygen in the lungs binds to hemoglobin in the red blood cells. As blood is transported throughout the body, oxygen is delivered to all body cells. Hemoglobin also helps to carry some carbon dioxide wastes back to the lungs.

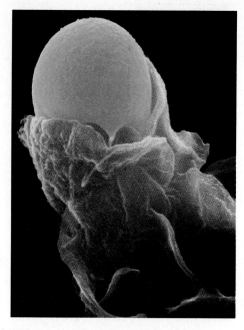

Figure 4–14 *A red blood cell will remain in the bloodstream for about 120 days, at which time the red blood cell will be digested by a white blood cell.*

White Blood Cells

Outnumbered almost 500 to 1 by red blood cells, **white blood cells** make up in their size and life span what they lack in their numbers. White blood cells are larger than red blood cells—some are even twice the size of red blood cells. And although certain kinds of white blood cells live for only a few hours, most can last for months or even years!

Figure 4–15 *White blood cells are larger than red blood cells (left). The main function of white blood cells is to protect the body against attack by invaders such as bacteria, which are the two small rod-shaped structures in this photograph (right).*

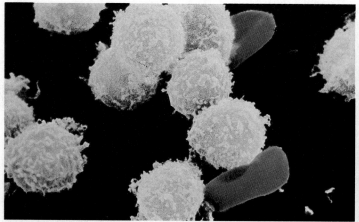

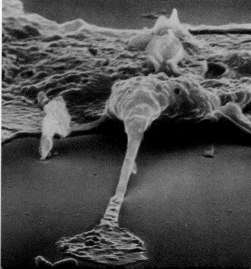

que desaparece. A los glóbulos rojos les resulta caro no tener núcleo: son muy frágiles y sólo viven 120 días. Tus glóbulos rojos se mueren a un promedio de unos dos millones por segundo. Por suerte, nuevos glóbulos rojos se forman, en la médula ósea al mismo ritmo. Cuando un glóbulo rojo se gasta o se daña, éste se desintegra en el hígado y en el bazo, un órgano ubicado un poco a la izquierda del estómago. Diariamente se destruyen tantos glóbulos en el bazo, que se ha dicho que es el "cementerio" de glóbulos rojos.

¿Has escuchado a alguien decir que su sangre está "baja en hierro"? Esta frase se refiere a la escasez de una proteína que contiene hierro, llamada **hemoglobina**, que se encuentra en los glóbulos rojos. En realidad, es la acumulación de hemoglobina en los glóbulos rojos lo que desplaza al núcleo. Cuando la sangre circula a través de los pulmones, el oxígeno de éstos se une a la hemoglobina de los glóbulos rojos. Cuando la sangre circula por el cuerpo, lleva oxígeno a todas las células. La hemoglobina también ayuda a llevar desechos de bióxido de carbono de vuelta a los pulmones.

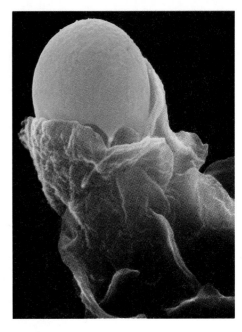

Figura 4–14 *Un glóbulo rojo permanece en la corriente sanguínea unos 120 días, al cabo de los cuales será digerido por un glóbulo blanco.*

Glóbulos blancos

Los glóbulos rojos superan a los **glóbulos blancos,** en una proporción de 500 a 1. Los glóbulos blancos compensan este hecho con su tamaño y su tiempo de vida. Son más grandes que los glóbulos rojos—algunos dos veces más. Si bien es cierto que algunos glóbulos blancos sólo viven unas pocas horas, la mayoría viven meses, ¡e incluso años!

Figura 4–15 *Los glóbulos blancos son de mayor tamaño que los glóbulos rojos (izquierda). La función principal de un glóbulo blanco es proteger al cuerpo contra el ataque de invasores, tales como las bacterias— las dos pequeñas estructuras en forma de bastones en esta fotografía (derecha).*

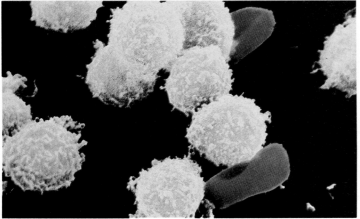

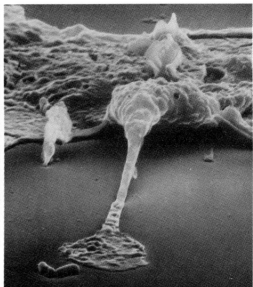

Like red blood cells, most white blood cells develop in the bone marrow. However, unlike red blood cells, white blood cells do not lose their nuclei when they mature. The main function of white blood cells is to protect the body against attack by tiny invaders such as bacteria, viruses, or other foreign substances. Quickly carried by blood to areas under seige, white blood cells can attack invaders in a variety of ways. Some white blood cells surround and digest the invaders. Others make antibodies. Still others produce special chemicals that help the body fight off disease. You will learn more about white blood cells and their role in protecting the body against invaders in Chapter 8.

Platelets

Have you ever wondered what happens inside a blood vessel when you cut yourself? Why doesn't all your blood ooze out of your body? The answer has to do with the third kind of blood particle, **platelets.** As soon as a blood vessel is cut, platelets begin to collect around the cut. When they touch the rough surface of the torn blood vessel, they burst apart, releasing chemicals that set off a series of reactions. One of these reactions produces a chemical called

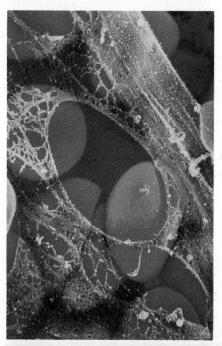

Figure 4–16 *When a blood vessel is punctured (bottom right), blood particles called platelets (bottom left) release chemicals that set off a series of reactions to help stop the flow of blood from the body. One of these reactions produces a threadlike chemical called fibrin that forms a net over the cut to trap blood particles and plasma (top).*

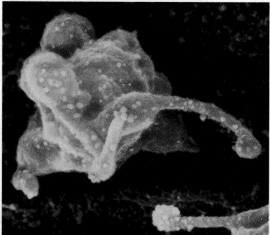

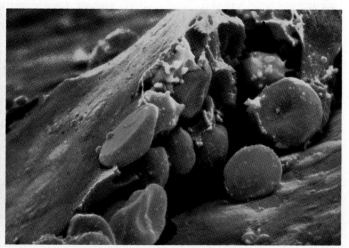

Al igual que los glóbulos rojos, la mayoría de los glóbulos blancos se desarrollan en la médula ósea. Pero, al contrario de los glóbulos rojos, los blancos no pierden sus núcleos cuando maduran. La función principal de los glóbulos blancos es proteger al cuerpo contra el ataque de diminutos invasores como las bacterias, virus u otras sustancias extrañas. Transportados rápidamente por la sangre a las zonas en peligro, los glóbulos blancos pueden atacar a los invasores de varias maneras: algunos rodean y digieren a los invasores; otros producen anticuerpos; algunos producen sustancias químicas especiales que ayudan al cuerpo a combatir las enfermedades. En el capítulo 8, aprenderás más sobre los glóbulos blancos y su papel defensor.

Plaquetas

¿Te has preguntado alguna vez qué sucede dentro de un vaso sanguíneo cuando te cortas? ¿Por qué no se te sale toda la sangre del cuerpo? La respuesta se relaciona con el tercer tipo de partícula de la sangre: las **plaquetas**. Tan pronto como un vaso sanguíneo se corta, las plaquetas rodean la herida. Cuando tocan la superficie áspera de un vaso sanguíneo desgarrado, las plaquetas estallan y liberan sustancias químicas que provocan una serie de reacciones. Una de estas reacciones produce una

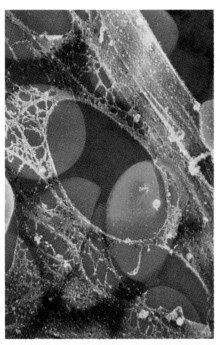

Figura 4–16 *Cuando un vaso sanguíneo es perforado (abajo derecha), las partículas de sangre llamadas plaquetas (abajo izquierda) liberan sustancias químicas que provocan una serie de reacciones para detener el flujo de sangre. Entre estas reacciones está la producción de fibrina, que forma una red sobre la herida para atrapar las partículas y el plasma (arriba).*

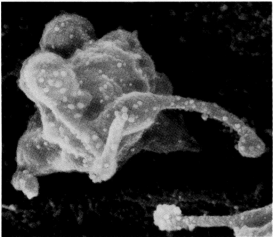

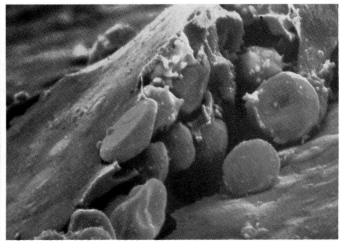

fibrin (FIGH-brihn). Fibrin gets its name from the fact that it weaves tiny fibers across the cut in the blood vessel. These fibers act as a net to trap blood cells and plasma. See Figure 4–16.

Eventually, the plasma hardens and forms a clot. Although you may not realize it, you are probably quite familiar with blood clots and the clotting process. Anytime your body forms a scab in response to a cut or a scrape, you are experiencing the clotting process. A scab, you see, is a clot that forms on the surface of your skin.

Platelets are so named because they resemble tiny plates. Actually, platelets are not cells but rather fragments of cells. They have no nucleus or color. These fragments break away from large cells, which are produced in bone marrow, and enter the bloodstream. There they remain for no more than ten days. But in that short time, these cell fragments may save a life by helping to form leak-sealing clots!

Blood Groups

In the seventeenth century, the French scientist Jean-Baptiste Denis tried to transfer blood from lambs to humans. This process of transferring blood from one body to another is called a transfusion.

Were Denis's transfusions successful? No, they were not. But it was not until 300 years later that the American scientist Karl Landsteiner learned why Denis's transfusions failed. By mixing the plasma of one person with the red blood cells of another, Landsteiner discovered that in some cases the two blended smoothly. However, in other cases, the cells did not mix but instead clumped (stuck together). As you might expect, such clumping inside the body clogs the capillaries—a dangerous and sometimes deadly situation. Landsteiner found that the clue to the behavior was the way human red blood cells containing certain proteins on their outer coats reacted to plasma containing different proteins. These proteins in the plasma are called clumping chemicals. Lansteiner identified the proteins in the red blood cells as A and B, and those in the plasma as anti A and anti B. Anti A and anti B were so named because of their reactions against the presence of protein A and/or protein B.

ACTIVITY

DOING

Simulating a Blood Clot

1. Use a rubber band to hold a 20-cm square of cheesecloth in place over a small beaker.

2. Place some coins and paper clips in another beaker containing water.

3. Carefully pour the contents of the beaker into the middle of the cheesecloth.

What is the relationship between fibrin and the cheesecloth used in this activity? What do the coins and paper clips represent? The water?

sustancia que se llama **fibrina.** A la fibrina se le da ese nombre porque teje minúsculas fibras sobre la herida del vaso sanguíneo. Las fibras actúan como una red que atrapa glóbulos rojos y plasma. Mira la figura 4–16.

Eventualmente, el plasma se endurece y forma un coágulo. Probablemente estés familiarizado con los coágulos de sangre y el proceso de coagulación. Cada vez que se te forma una costra en el cuerpo como reacción a un corte o a una raspadura, experimentas el proceso de coagulación. Una costra es un coágulo que se forma en la superficie de la piel.

Las plaquetas se llaman así porque parecen minúsculas placas. En realidad, las plaquetas no son células sino fragmentos de células. No tienen ni núcleo ni color. Estos fragmentos se desprenden de células grandes, formadas en la médula ósea, y entran en la corriente sanguínea. Permanecen allí no más de diez días. En ese corto tiempo pueden ¡salvar una vida al formar coágulos que cierran las heridas!

Grupos sanguíneos

En el siglo diecisiete, el científico francés Jean–Baptiste Denis trató de transferir sangre de corderos a seres humanos. Este proceso de transferencia de sangre se llama transfusión sanguínea.

¿Tuvieron éxito las transfusiones sanguíneas de Denis? No, pero la razón de su fracaso no se descubrió hasta 300 años después. El científico estadounidense Karl Landsteiner hizo este descubrimiento al mezclar el plasma de una persona con los glóbulos rojos de otra. En algunos casos los dos elementos se mezclaban sin problemas; pero en otros, las células no se mezclaban sino que se agrupaban. Esta agrupación bloquea los capilares—creando una situación peligrosa y a veces fatal. Landsteiner, descubrió que la clave estaba en la manera en que los glóbulos rojos humanos, que contienen ciertas proteínas en sus capas externas, reaccionaban con el plasma que contiene proteínas diferentes. Estas proteínas del plasma se llaman masas de agrupaciones químicas. Landsteiner identificó las proteínas de los glóbulos rojos como A y B, y las del plasma como anti A y anti B. Las llamó así por sus reacciones en contra de la proteína A y/o contra la proteína B.

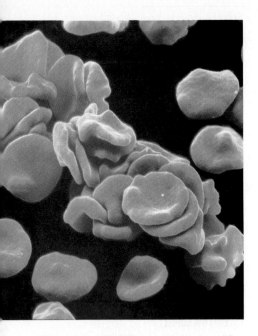

Figure 4–17 *When a person with group B blood receives a transfusion of, for example, group A blood, anti-A chemicals in the group B plasma recognize the group A red cells as foreign. As a result, the red blood cells from the group A blood will clump, or stick together, and possibly clog some of the body's important blood vessels.*

ACTIVITY

Blood Donating Center

Visit a local blood donating center. Interview a nurse or doctor to find out what techniques are used to screen potential donors. In a written report, include this information as well as what happens to the blood after it is donated.

The presence or absence of protein A and/or protein B on the outer coat of every red blood cell in a person's blood determines the person's blood group. People with group A blood have red blood cells that contain protein A. People with group B blood have red blood cells that contain protein B. People with group AB blood have red blood cells that contain both proteins. And, as you might expect, people with group O blood have red blood cells that contain neither protein. On the basis of whether one or both of these proteins were present or absent in the blood, Landsteiner classified human blood into four basic groups, or types: A, B, AB, and O. He named this the ABO blood group.

Why are blood groups so important? Sometimes as a result of injury or illness a person loses quite a bit of blood and is too weak to produce more. In such instances, a blood transfusion is needed. But before a blood transfusion can be performed, blood from the donor (person giving blood) and the recipient (person receiving blood) must be tested to determine if the blood groups are compatible (similar to each other).

If blood groups that are not compatible are mixed, the red blood cells of the dissimilar blood group will clump together. Such clumps can cause fatal blockages in blood vessels. This is where the clumping chemicals (anti A and anti B) in the plasma come in. Refer to Figure 4–18 as you read about each blood group.

The plasma of people with group O blood, for example, contains both the anti-A and the anti-B chemical. The anti-A chemical causes red blood cells containing protein A to clump together, whereas the anti-B chemical causes red blood cells containing protein B to clump together. Thus people with group O blood can safely receive only group O blood. People with group A blood produce the anti-B chemical. The anti-B chemical causes red blood cells containing protein B to clump together. So people with group A blood can safely receive group A blood. The plasma of people with group AB blood does not contain either the anti-A or the anti-B chemical. Therefore, people with group AB blood can safely receive groups A, B, and O blood, as well as group AB blood.

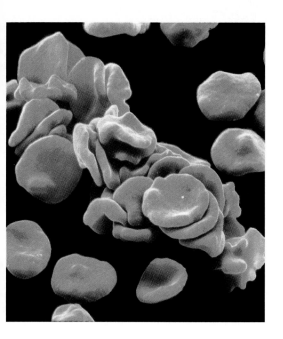

Figura 4–17 *Cuando una persona del grupo sanguíneo B recibe una transfusión sanguínea del grupo A, las sustancias anti–A del plasma del grupo B reconocen los glóbulos rojos del grupo A como cuerpos extraños. Como resultado, los glóbulos rojos del grupo A se amontonarán, llegando posiblemente a obstruir algunos de los vasos sanguíneos más importantes del cuerpo.*

ACTIVIDAD

PARA ESCRIBIR

Centro de donación de sangre

Visita un centro de donación de sangre. Entrevista a un(a) enfermero(a) o a un(a) médico(a) para averiguar qué técnicas usan en la selección de posibles donantes. Escribe un reporte con esta información y di también qué es lo que sucede con la sangre después de ser donada.

La presencia o ausencia de las proteínas A y/o proteína B en la capa externa de cada glóbulo rojo de la sangre determina el grupo sanguíneo de una persona. Las personas del grupo sanguíneo A tienen glóbulos rojos que contienen proteína A, y las del grupo B tienen glóbulos rojos que contienen proteína B. Los glóbulos rojos del grupo AB contienen ambas proteínas. Y, como te puedes imaginar, los glóbulos rojos del grupo O no contienen ninguna de las dos. Según la presencia o ausencia de una o las dos, Landsteiner clasificó la sangre humana en cuatro grupos o tipos básicos: A, B, AB, y O. A este grupo lo llamó ABO.

¿Por qué son tan importantes los grupos sanguíneos? Si una persona pierde mucha sangre como resultado de una lesión o una enfermedad, y está muy débil para producir más, necesita una transfusión sanguínea. Pero antes de efectuarse la transfusión, la sangre del donante (persona que dona la sangre) y la sangre del receptor (persona que recibe la sangre) se examinan para determinar si los grupos sanguíneos son compatibles (similares entre sí).

Si los grupos sanguíneos no compatibles se mezclan, los glóbulos rojos incompatibles se agrupan juntos. Tales agrupaciones pueden causar obstrucciones fatales en los vasos sanguíneos. Entonces aparecen las agrupaciones de los componentes químicos (anti A y anti B) en el plasma. Consulta la figura 4–18 al leer sobre cada grupo sanguíneo.

Por ejemplo, el plasma de las personas cuyo grupo sanguíneo es O, tiene los dos componentes químicos, anti A y anti B. La sustancia anti A hace que los glóbulos rojos con proteína A se agrupen, y el componente químico anti B hace que se agrupen los glóbulos rojos con proteína B. Así, las personas del grupo O sólo pueden recibir, sin peligro, sangre del mismo grupo. Las personas del grupo A producen los componentes químicos anti B. Los componentes anti B hacen que los glóbulos rojos con proteínas B se agrupen. De tal manera, las personas del grupo A pueden recibir sangre del mismo grupo sin peligro. El plasma de las personas del grupo AB no tiene los componentes anti A ni anti B. Por lo tanto las personas de ese grupo pueden recibir sin riesgos sangre de los grupos sanguíneos AB y O, así como también sangre del grupo sanguíneo AB.

ABO BLOOD SYSTEM

Blood Group	Proteins on Red Blood Cells	Clumping Chemicals in Plasma	Can Accept Transfusions from Group(s)
A	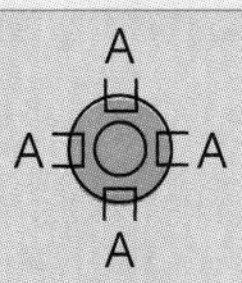 A	Anti B	A, O
B	B	Anti A	B, O
AB	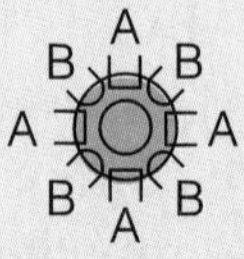 A B	None	A, B, AB, O
O		Anti A Anti B	O

Figure 4–18 *Each blood group is characterized by the protein on the red blood cells and the clumping chemical in the plasma. What protein does group AB blood have?*

Several years after the discovery of the ABO blood group, Landsteiner and the American scientist Alexander Wiener discovered another group of about 18 proteins on the surface of human red blood cells. Because Landsteiner and Wiener first found this group of proteins in the rhesus monkey, they named the proteins the Rh blood group. You may be surprised to know that if a person has any one of the 18 Rh proteins, they are said to be Rh positive, or Rh^+. Those who do not have any of the Rh proteins in their blood are Rh negative, or Rh^-.

4–3 Section Review

1. List the four main components of whole blood.
2. What is plasma?
3. What is hemoglobin? What is its function?
4. Name, describe, and give the function of each of the three types of blood particles.

Critical Thinking—*Relating Facts*

5. Why do you think group O blood was once called the universal donor?

SISTEMA DEL GRUPO SANGUINEO ABO

Grupo sanguíneo	Proteínas en los glóbulos rojos	Agrupaciones químicas en el plasma	Acepta transfusiones del (los) grupo(s)
A	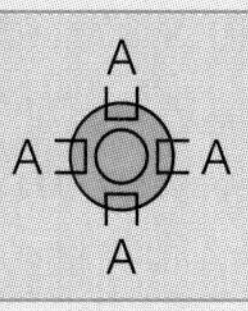 A ⊓○⊔ A / A / A	Anti B	A, O
B	 B B / B B	Anti A	B, O
AB	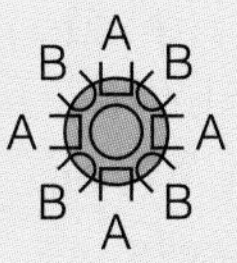 B A B / A ⊓○⊔ A / B A B / A	Ninguno	A, B, AB, O
O	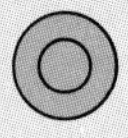 ○	Anti A Anti B	O

Figura 4–18 *Cada grupo sanguíneo se caracteriza por la proteína de sus glóbulos rojos y el agrupamiento de componentes químicos del plasma. ¿Qué proteína tiene el grupo sanguíneo AB?*

Varios años después del descubrimiento del grupo sanguíneo ABO, Landsteiner y el científico estadounidense Alexander Wiener descubrieron otro grupo de 18 proteínas en los glóbulos rojos humanos. Como Landsteiner y Wiener encontraron este grupo de proteínas en el mono rhesus, las llamaron las proteínas del grupo sanguíneo Rh. Si una persona tiene cualquiera de las 18 proteínas Rh, pertenece al grupo Rh positivo, o Rh+. Si no tiene ninguna de las proteínas del grupo Rh en la sangre, pertenece al grupo Rh negativo, o Rh–.

4–3 Repaso de la sección

1. Enumera los cuatro componentes principales de la sangre.
2. ¿Qué es el plasma?
3. ¿Qué es la hemoglobina? ¿Cuál es su función?
4. Nombra, describe, e indica la función de cada uno de los tres tipos de partículas de la sangre.

Pensamiento crítico—*Aplicar conceptos*
5. ¿Por qué piensas que al grupo sanguíneo O se le llamó una vez donante universal?

4–4 Cardiovascular Diseases

Today, people are living longer than they have at any time in the past. But as people's life expectancies have increased, so have the numbers of people who suffer from chronic disorders. Chronic disorders, which are lingering (lasting) illnesses, are a major health problem in the United States. Usually developing over a long time, chronic disorders also last a long time. In terms of numbers of people affected, **cardiovascular** (kahr-dee-oh-VAS-kyoo-ler) **diseases** are the most serious chronic disorders. **Cardiovascular diseases, such as atherosclerosis** (ath-er-oh-skluh-ROH-sihs) **and high blood pressure, affect the heart and the blood vessels.**

Atherosclerosis

One of the most common cardiovascular diseases in the United States today is **atherosclerosis.** Atherosclerosis is the thickening of the inner wall of an artery. For this reason, atherosclerosis is sometimes known as hardening of the arteries. This thickening occurs as certain fatlike substances in the blood, such as cholesterol, slowly collect on the artery wall. Gradually, the inside of the artery becomes narrower and narrower. As a result, the normal movement of the blood through the artery is reduced or, in some cases, totally blocked.

Figure 4–19 *A high-fat diet has caused fat droplets, which are the large yellow objects in this photograph, to become deposited on the inside wall of an artery. As more of these fat droplets accumulate inside the artery, it becomes narrower, causing the cardiovascular disease known as atherosclerosis.*

Guía para la lectura

*Piensa en esta pregunta
mientras lees.*

▶ *¿Cuáles son los efectos
de la arterioesclerosis y
la hipertensión en el
sistema circulatorio?*

4–4 Las enfermedades cardiovasculares

Hoy en día, gozamos de una vida más larga que la de nuestros antepasados. Pero así como ha aumentado la longevidad, también ha aumentado el número de personas con enfermedades crónicas. Las enfermedades crónicas, son un problema grave en los Estados Unidos. Estas enfermedades evolucionan generalmente durante largo tiempo y también persisten por mucho tiempo. Debido a la cantidad de personas afectadas, las **enfermedades cardiovasculares** son uno de los desórdenes crónicos más serios. **Las enfermedades cardiovasculares, como la arterioesclerosis y la hipertensión, afectan el corazón y los vasos sanguíneos.**

Arterioesclerosis

Hoy en día, una de las enfermedades cardiovasculares más comunes en los Estados Unidos es la **arterioesclerosis**. Esta enfermedad es el engrosamiento de la pared interna de una arteria. También se le conoce con el nombre de endurecimiento de las arterias. Esto ocurre cuando ciertas sustancias grasosas de la sangre como el colesterol se acumulan lentamente en la pared de la arteria. Gradualmente, el interior de la arteria se va estrechando. Como resultado, la circulación normal de la sangre a través de la arteria disminuye o, en algunos casos, se obstruye por completo.

H ■ 96

Figura 4–19 *Los redondeles amarillos de la fotografía son gotas de grasa, resultado de una dieta rica en grasas. Las gotas se van depositando en la pared interna de una arteria. Cuando se acumulan, la arteria se vuelve más estrecha, lo que causa la enfermedad cardiovascular conocida como arterioesclerosis.*

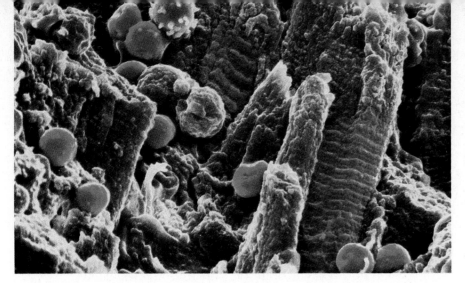

Figure 4–20 *A heart attack occurs when heart cells do not receive enough oxygen. Following a heart attack, dead muscle tissue replaces healthy muscle tissue. In this photograph, the dead muscle tissue appears brown, and the healthy muscle tissue appears red.*

If the flow of blood to a certain part of the body is reduced, the cells served by that blood may die. For example, if blood flow in the arteries of the heart is either partially or totally cut off, the heart cells will begin to die, and a heart attack may occur. If a blockage occurs in the arteries of the brain, a stroke may occur.

Atherosclerosis is often thought of as a chronic disorder affecting only older people. But it actually begins much earlier in life. By the age of 20, most people have some degree of atherosclerosis. For this reason, it is important to develop good eating habits and a proper exercise program to prevent atherosclerosis from becoming severe.

Many doctors suggest avoiding or limiting the intake of foods rich in fats and cholesterol. Such foods include red meats and dairy products. However, these foods are needed by the body in small amounts. So a person who wants to be sure that he or she gets these foods in their proper amounts should eat a sensibly balanced diet.

Even with proper diet and exercise, there is no guarantee that atherosclerosis and the problems associated with it can be avoided totally. Fortunately, more research and progress has occurred in the treatment of cardiovascular diseases than in any other area of medicine. For example, heart bypass operations have become commonplace. In this operation, a healthy blood vessel from the leg is removed and used to bypass damaged arteries serving the heart. In this way, blood flow to heart cells is increased.

ACTIVITY

CALCULATING

Pumping Power

If the heart of an average person pumps about 9000 liters of blood daily, how much blood will be pumped in an hour? In a year?

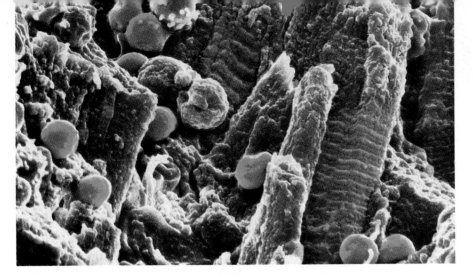

Figura 4–20 *Un ataque al corazón ocurre cuando las células del corazón no reciben suficiente oxígeno. Después de un ataque al corazón, el tejido muscular muerto reemplaza al tejido muscular sano. En esta fotografía, el tejido muscular muerto aparece en color marrón, y el tejido muscular sano en color rojo.*

Al reducirse el flujo de sangre en una parte del cuerpo, las células alimentadas por esa sangre pueden morir. Por ejemplo, si el flujo de sangre en las arterias del corazón se corta parcial o totalmente, las células del corazón comenzarán a morir y se puede producir un ataque al corazón. Si ocurre una obstrucción en las arterias del cerebro, se puede producir una apoplejía.

A menudo, se piensa que la arterioesclerosis es un desorden crónico que sólo afecta a los ancianos. Pero en realidad, comienza mucho antes de la vejez. A los 20 años, la mayoría de las personas ya tienen cierto grado de arterioesclerosis. Por eso, es importante desarrollar buenos hábitos alimenticios y hacer ejercicios para prevenir que la enfermedad sea severa.

Muchos médicos sugieren evitar o limitar el consumo de alimentos ricos en grasas y colesterol, como carnes rojas y productos lácteos. Sin embargo, el cuerpo necesita estos alimentos en pequeñas cantidades. Por eso si se quieren consumir esos alimentos en cantidades adecuadas, se debe seguir una dieta moderada y balanceada.

Aun con una dieta y ejercicios apropiados, no hay garantía de que la arterioesclerosis y los problemas asociados con ella se puedan evitar totalmente. Afortunadamente, se hacen más investigaciones y hay más adelantos en el tratamiento de las enfermedades cardiovasculares que en cualquier otro campo de la medicina. Por ejemplo, la operación de desviación de la coronaria es ahora muy común. Para realizarla, se saca de la pierna un vaso sanguíneo sano que se usa para desviar el curso de las arterias dañadas. De esta manera, aumenta el flujo sanguíneo a las células del corazón.

ACTIVIDAD

PARA CALCULAR

Poder de bombeo

Si el corazón de una persona típica bombea aproximadamente 9000 litros de sangre diariamente, ¿cuánta sangre bombeará en una hora? ¿Y en un año?

PROBLEM Solving

Are Heart Attacks Influenced by the Time of Day?

Whenever blood flow to the arteries of the heart is partially or totally cut off, the heart cells begin to die and a heart attack may occur. Does the time of day have an effect on the frequency of heart attacks? To help answer this question, researchers have interviewed people who have had heart attacks. Some of the data from these interviews are contained in the accompanying graph.

Analyzing Graphs

1. Why do you think the graph was drawn in this particular shape?

2. Approximately how many heart attack patients are represented in this study?

3. At which hour(s) of the day did the greatest number of heart attacks occur? The least number of heart attacks?

4. Did heart attacks tend to occur more often in the morning, afternoon, or evening?

■ Based on the data, do you think there is a relationship between time of day and frequency of heart attacks? Explain your answer.

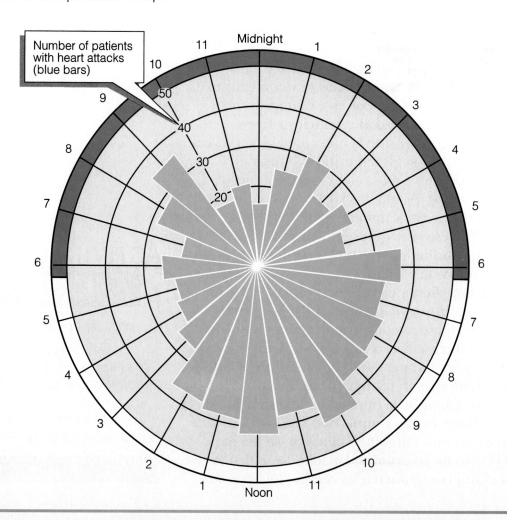

Number of patients with heart attacks (blue bars)

PROBLEMA
a resolver

¿Influye la hora del día en los ataques al corazón?

Cada vez que el flujo de sangre en las arterias del corazón se corta parcial o totalmente, las células del corazón comienzan a morir, y se puede producir un ataque al corazón. ¿Tiene la hora del día algún efecto en la frecuencia de los ataques al corazón? Para poder responder a esta pregunta, se han entrevistado a personas que han sufrido ataques al corazón. Parte de la información obtenida se ve en la gráfica.

Análisis de gráficas

1. ¿Por qué piensas que la gráfica se dibujó de esta forma?

2. Aproximadamente, ¿cuántos pacientes que sufrieron ataques al corazón están representados?

3. ¿A qué hora(s) del día ocurrió el mayor número de ataques al corazón? ¿Y el menor número?

4. ¿Cuándo son más frecuentes los ataques al corazón, en la mañana, en la tarde o en la noche?

■ Según estos datos, ¿piensas que existe alguna relación entre la hora del día y la frecuencia de los ataques? Explica tu respuesta.

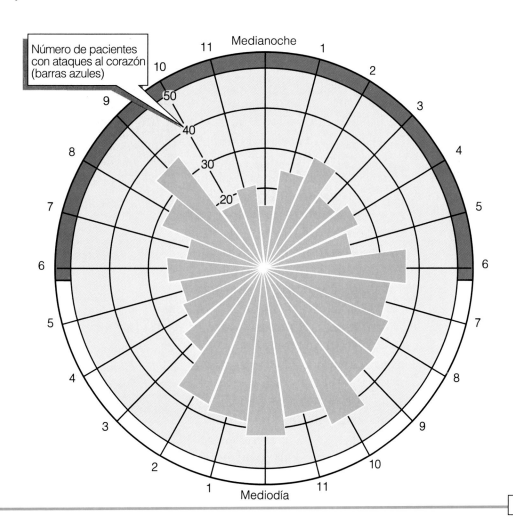

Unfortunately, even after having a bypass operation, some people may still have heart attacks. Until recently, doctors did not completely understand why this happened. Now a group of doctors have proposed an explanation for these mysterious heart attacks. The doctors think that the heart arteries have a memory. That is, the arteries themselves try to recreate the type of blood flow that they were used to when they were clogged. Not all doctors are convinced that this theory is correct. However, they do believe that the arteries-with-a-memory theory may shed some light on what is happening.

Hypertension

If you have ever used a garden hose, you know that you can increase the water pressure inside the hose in two ways. The first way is to turn up the flow of water at the faucet. Because there is more water, the water flows out of the hose with more force. The second way is to decrease the size of the opening of the nozzle. In this case, the water pressure in the hose is a result of both the force of the water rushing through the hose and the resistance of the walls of the hose to the flow of water.

You can compare the flow of water in the garden hose to the flow of blood in the blood vessels. Just as the force of the water through the hose is controlled by how much you turn up the faucet, the force of the blood through the blood vessels is controlled by the pumping action of the heart. And because blood vessel walls are similar to the walls of a hose, any change in the diameter of the blood vessel walls causes a change in blood pressure. As you can see, blood pressure is produced by the force of blood through the blood vessels and the resistance of the blood vessel walls to the flow of blood.

In order to measure a person's blood pressure, an instrument called a sphygmomanometer (sfihg-moh-muh-NAHM-uht-er) is used. This instrument actually records two readings—the first when the heart contracts and the second when the heart relaxes. Using these two measurements, the blood pressure measurement is expressed as a fraction—for example, 120/80, which is read as "120 over 80." The first number (120) is the measurement of the

Aun después de tener una operación de desviación de la coronaria, algunas personas pueden volver a sufrir ataques al corazón. Hasta hace poco, los médicos no entendían completamente porqué ocurrían estos ataques. Recientemente, un grupo de médicos ha propuesto una explicación. Los médicos piensan que las arterias del corazón tienen memoria. Es decir, que las arterias mismas tratan de recrear el tipo de flujo sanguíneo al que estaban acostumbradas antes de producirse la obstrucción. Aunque no todos los médicos apoyan esta teoría, creen que tiene algún valor para explicar lo que sucede.

Hipertensión

Si alguna vez has usado una manguera de jardín, sabrás que puedes aumentar la presión del agua de la manguera de dos maneras. La primera es aumentar el agua que sale del grifo. Debido a que hay más agua, ésta sale con más fuerza. La segunda es disminuir el tamaño de la boquilla de la manguera. En este caso, la presión del agua dentro de la manguera se debe tanto a la presión de agua que pasa rápidamente por la manguera como a la resistencia de las paredes de la misma a la corriente de agua.

Puedes comparar esa corriente con el flujo de sangre de los vasos sanguíneos. Así como la presión del agua en las paredes de la manguera se controla por lo mucho o poco que abres el grifo, la fuerza de la sangre que va por los vasos sanguíneos se controla por la acción de bombeo del corazón. Y, como las paredes de los vasos sanguíneos son como las paredes de la manguera, cualquier cambio en el diámetro de las paredes de estos vasos causa un cambio en la presión sanguínea. Observarás que la presión sanguínea se produce por la fuerza de la sangre en los vasos sanguíneos y la resistencia de las paredes de los vasos al flujo de la sangre.

Para tomar la presión sanguínea de una persona, se usa un instrumento llamado esfigmomanómetro. Este instrumento, registra dos resultados: uno, cuando el corazón se contrae, y otro, cuando se relaja. Usando estas dos medidas, el resultado se representa como una fracción, por ejemplo, 120/80, que se lee "120 sobre 80." El primer número (120) es

Figure 4–21 *Hypertension occurs when too much pressure builds up in the arteries. If this condition continues and goes untreated, damage to the walls of the arteries, to the heart, and to other organs may occur. What is another name for hypertension?*

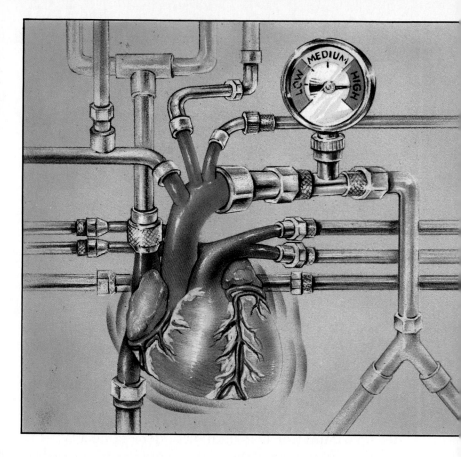

ACTIVITY
WRITING

Blood Pressure

Visit a library and look up information on what the two numbers of a blood pressure reading, such as 110/70, mean. In a written report, explain how a sphygmomanometer works. Explain what is meant by systole and diastole.

blood pressure when the heart muscle contracts. The second number (80) is the measurement of the blood pressure when the heart muscle relaxes between beats. Why do you think the first number is larger than the second number?

Normally, blood pressure rises and falls from day to day and hour to hour. Sometimes, however, blood pressure goes up and remains above the normal level. This condition is called **hypertension,** or high blood pressure. The increased pressure makes the heart work harder and may cause leaks to develop in the blood vessels.

Because people with hypertension often have no obvious symptoms to warn them, hypertension is often called the "silent killer." This is why it is important for a person to have his or her blood pressure checked at least once a year. If a person does have hypertension, a doctor may suggest a few changes in the person's lifestyle. These changes may include watching one's weight, reducing the amount of salt in the diet, eating more sensibly, and exercising regularly. In some cases, medicines may also be taken to lower the blood pressure.

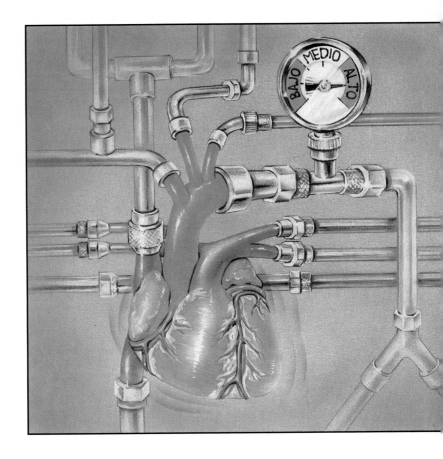

Figura 4–21 *La hipertensión ocurre al acumularse demasiada presión en las arterias. Si esta condición continúa y no se trata las paredes de las arterias, el corazón y otros órganos pueden dañarse. ¿Qué otro nombre se le da a la hipertensión?*

la medida de la presión sanguínea cuando el músculo del corazón se contrae; el segundo (80) es la presión medida cuando el corazón se relaja entre latido y latido. ¿Por qué crees que el primer número es mayor que el segundo?

Normalmente, la presión sanguínea sube y baja día a día y hora a hora. Cuando sube y se mantiene sobre el nivel normal, se produce una condición llamada **hipertensión**, o presión alta. El aumento de la presión hace que el corazón trabaje más y puede causar el desarrollo de filtraciones en los vasos sanguíneos.

Debido a que las personas que sufren de hipertensión no presentan síntomas obvios, a esta enfermedad se le llama el "asesino silencioso." Por eso es importante que una persona haga medir su presión sanguínea por lo menos una vez al año. Si una persona sufre de hipertensión, es posible que un médico le sugiera un cambio de estilo de vida. Esos cambios pueden incluir: controlar el peso, reducir el consumo de sal, comer moderadamente y practicar ejercicios regularmente. También, en algunos casos, se administran medicinas para bajar la presión sanguínea.

ACTIVIDAD

PARA ESCRIBIR

Presión sanguínea

En una biblioteca, busca información sobre el significado de los dos números en los que se lee la presión sanguínea, como 110/70. En un informe, explica cómo funciona un esfigmomanómetro. Explica qué se entiende por sístole y diástole.

CONNECTIONS

It's All in a Heartbeat

When you think of *electric currents* (flows of electric charges), electrical appliances and wall outlets probably come to mind. So it may surprise you to learn that your body produces electric currents as well.

The heart, for example, produces electric currents in order to function properly. These electric currents are so powerful that they can be picked up by an instrument called an electrocardiograph. An electrocardiograph is one of a doctor's most important tools in helping to diagnose heart disorders. It translates the electric currents produced by the beating of the heart muscle into wavy lines on paper or a TV-type screen. This record of wavy lines is called an electrocardiogram, and it is often abbreviated as ECG or EKG.

An ECG is made by attaching electrodes (strips of metal that conduct electric currents) to the skin of a patient's chest, arms, and legs. The electrodes pick up the electric currents produced by the heartbeat and send them to an amplifier inside the electrocardiograph. An amplifier is a device that increases the strength of the electric currents. The amplified currents then flow through a fine wire that is suspended in a magnetic field. As the electric currents react with the magnetic field, they move the wire.

The wire's motion is eventually recorded on a moving paper chart in the form of an ECG. A normal heartbeat produces an ECG with a specific pattern of waves; heart disorders change the pattern. By examining the change in pattern, a doctor can identify the type of heart disorder.

4–4 Section Review

1. What is a cardiovascular disease?
2. How do atherosclerosis and hypertension affect the circulatory system?

Connection—*Physical Education*
3. Predict two ways in which a regular exercise program could help a person with cardiovascular disease.

CONEXIONES

Todo depende de los latidos del corazón

Cuando piensas en *corrientes eléctricas* (flujos de cargas eléctricas), piensas probablemente en aparatos eléctricos y enchufes. Te sorprenderá saber que tu cuerpo también produce corriente eléctrica.

El corazón, por ejemplo, produce corrientes eléctricas para funcionar bien. Estas corrientes son tan poderosas que pueden ser detectadas por un instrumento llamado electrocardiógrafo. Éste es uno de los instrumentos más importantes para diagnosticar alteraciones del corazón. Lo que hace es traducir las corrientes eléctricas producidas por los latidos del corazón en líneas onduladas en un papel o una pantalla. Este registro se llama electrocardiograma, y a menudo se abrevia ECG o EKG.

Un ECG se hace conectando electrodos (tiras de metal conductoras de corrientes eléctricas) al pecho, brazos y piernas del paciente. Los electrodos recogen la corriente eléctrica producida por los latidos y la envía a un amplificador en el electrocardiógrafo. Un amplificador es un aparato que aumenta la fuerza de las corrientes eléctricas. Las corrientes amplificadas entonces pasan por un alambre delgado suspendido en un campo magnético. Al reaccionar las corrientes eléctricas con el campo magnético, el alambre se mueve.

Ese movimiento se registra en una tabla de papel en movimiento, creando el ECG. Un latido de corazón normal produce un ECG con un patrón determinado de ondas; las alteraciones del corazón cambian el patrón. Al examinar los cambios en el patrón, los médicos pueden identificar el tipo de desorden que sufre el corazón.

4–4 Repaso de la sección

1. ¿Qué es una enfermedad cardiovascular?
2. ¿Cómo afecta al sistema circulatorio la arterioesclerosis y la hipertensión?

Conexión—*Educación física*
3. Di dos maneras en que el ejercicio regular puede ayudar a una persona que tenga una enfermedad cardiovascular.

Laboratory Investigation

Measuring Your Pulse Rate

Problem

What are the effects of activity on pulse rate?

Materials *(per group)*

> clock or watch with a sweep second
> hand
> graph paper

Procedure

1. On a separate sheet of paper, construct a data table similar to the one shown here.

2. To locate your pulse, place the index and middle finger of one hand on your other wrist where it joins the base of your thumb. Move the two fingers slightly until you locate your pulse.

3. To determine your pulse rate, have one member of your group time you for 1 minute. During the 1 minute, count the number of beats in your pulse. Record this number in the data table.

4. Walk in place for 1 minute. Then take your pulse. Record the result.

5. Run in place for 1 minute. Again take your pulse. Record the result.

6. Sit down and rest for 1 minute. Take your pulse. Then take your pulse again after 3 minutes. Record the results in the data table.

7. Use the data to construct a bar graph that compares each activity and the pulse rate you determined.

Observations

1. What pulse rate did you record in step 3 of the Procedure? This is called your pulse rate at rest. How does your pulse rate at rest compare with those of the other members of your group? (Do not be alarmed if your pulse rate is somewhat different from those of other students. Individual pulse rates vary.)

2. What effect did walking have on your pulse rate? Running?

3. What effect did resting after running have on your pulse rate?

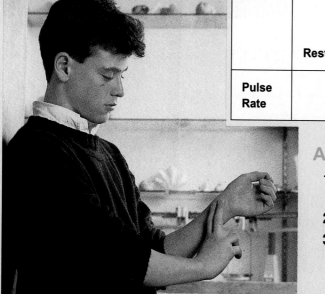

		Resting	Walking	Running	Resting After Exercise (1 min)	Resting After Exercise (3 min)
Pulse Rate						

Analysis and Conclusions

1. What conclusions can you draw from your data?

2. How is pulse rate related to heartbeat?

3. What happens to the blood supply to the muscles during exercise? How is this related to the change in pulse rate?

Investigación de laboratorio

Medir el ritmo de tu pulso

Problema

¿Cuáles son los efectos de una actividad en el ritmo del pulso?

Materiales *(para cada grupo)*

reloj de pulsera o de pared
  con segundero
papel de gráficas

Procedimiento

1. En una hoja de papel, construye una tabla de datos como la que se ve en esta página.

2. Para encontrar tu pulso, pon los dedos índice y medio de una mano en la base del dedo pulgar de la otra. Mueve los dedos ligera-mente hasta localizar el pulso.

3. Para determinar el ritmo de tu pulso, pídele a un(a) compañero(a) que te avise al cabo de un minuto. Durante ese minuto, cuenta el número de pulsaciones. Anota el resultado en tu tabla de datos.

4. Camina sin desplazarte durante un minuto. Tómate el pulso otra vez. Anota tu resultado.

5. Corre en el mismo lugar por un minuto. Tómate el pulso. Anota tu resultado.

6. Siéntate y descansa un minuto. Tómate el pulso. Tómatelo otra vez después de 3 minutos. Anota tus resultados en la tabla de datos.

7. Usa la información de la tabla para construir una gráfica de barras que compare cada actividad con el ritmo del pulso determinado.

Observaciones

1. ¿Cuál fue el ritmo del pulso que anotaste en el paso 3? Su nombre es pulso en reposo. ¿Cómo se compara tu pulso en reposo con el de tus otros compañeros? (No te alarmes si tu pulso es diferente al de tus compañeros. Los pulsos individuales varían.)

2. ¿Cómo fue afectado tu pulso al caminar? ¿Y al correr?

3. ¿Qué efecto tuvo en tu pulso descansar después de correr?

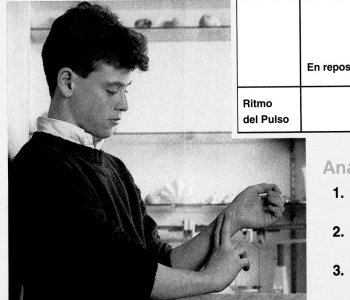

	En reposo	Caminando	Corriendo	Descansando después del ejercicio (1 minuto)	Descansando después del ejercicio (3 minutos)
Ritmo del Pulso					

Análisis y conclusiones

1. ¿Qué conclusiones puedes sacar de tus datos?

2. ¿Cómo están relacionadas las pulsa-ciones con los latidos del corazón?

3. ¿Qué le pasa al suministro de sangre a los músculos durante el ejercicio? ¿Cómo se relaciona esto con el cambio en el pulso?

Summarizing Key Concepts

4–1 The Body's Transportation System

▲ The main task of the circulatory system is to transport materials through the body.

▲ Among the materials carried by the circulatory system are oxygen, carbon dioxide, food, wastes, disease-fighting cells, and chemical messengers.

4–2 Circulation in the Body

▲ Blood moves from the heart to the lungs and back to the heart. Then the blood travels to all parts of the body and returns again to the heart.

▲ A wall of tissue called the septum divides the heart into a right and a left side.

▲ The two upper collecting chambers of the heart are called atria. The two lower pumping chambers of the heart are called ventricles. Valves between the atria and ventricles keep blood from flowing backward.

▲ Arteries carry blood away from the heart. Veins carry blood back to the heart. Capillaries connect the arteries and veins. Materials leave and enter the blood through the walls of the capillaries.

4–3 Blood—The River of Life

▲ The four main components of blood are plasma, red blood cells, white blood cells, and platelets.

▲ Plasma, which is mainly water, is the yellowish fluid portion of blood. Red blood cells, white blood cells, and platelets make up the solid portion of blood.

▲ Red blood cells contain hemoglobin, which binds to oxygen in the lungs and carries oxygen to body cells.

▲ White blood cells are part of the body's defense against invading bacteria, viruses, and other microscopic organisms.

▲ Platelets help form blood clots to stop the flow of blood when a blood vessel is cut.

▲ The two main blood group systems are the ABO blood group and the Rh blood group.

4–4 Cardiovascular Diseases

▲ The thickening of the inner lining of an artery is called atherosclerosis.

▲ Hypertension, or high blood pressure, makes the heart work harder and can cause damage to the blood vessels.

Reviewing Key Terms

Define each term in a complete sentence.

4–2 Circulation in the Body
atrium
ventricle
artery
capillary
vein

4–3 Blood—The River of Life
plasma
red blood cell
hemoglobin
white blood cell
platelet
fibrin

4–4 Cardiovascular Diseases
cardiovascular disease
atherosclerosis
hypertension

Resumen de conceptos claves

4–1 El sistema de transporte del cuerpo

▲ La función principal del sistema circulatorio es transportar sustancias a través del cuerpo.

▲ Entre las sustancias transportadas por el sistema circulatorio se encuentran oxígeno, bióxido de carbono, nutrientes, desechos, células que combaten enfermedades y mensajeros químicos.

4–2 La circulación en el cuerpo

▲ La sangre circula desde el corazón a los pulmones y vuelve al corazón. Después llega a todas las partes del cuerpo y regresa nuevamente al corazón.

▲ Una pared de tejido llamada septo divide al corazón en un lado derecho y un lado izquierdo.

▲ Las dos cámaras recolectoras superiores del corazón se llaman aurículas. Las dos cámaras inferiores de bombeo del corazón se llaman ventrículos. Las válvulas que se encuentran entre las aurículas y los ventrículos impiden que la sangre retroceda.

▲ Las arterias llevan la sangre del corazón. Las venas devuelven la sangre al corazón. Los capilares conectan las arterias y las venas. Las sustancias salen y entran en la sangre a través de las paredes de los capilares.

4–3 La sangre—Un río de vida

▲ Los cuatro componentes principales de la sangre son el plasma, los glóbulos rojos, los glóbulos blancos y las plaquetas.

▲ El plasma, que es principalmente agua, es el fluido amarillento de la sangre. Los glóbulos rojos, los glóbulos blancos, y las plaquetas forman la parte sólida de la sangre.

▲ Los glóbulos rojos contienen hemoglobina, que se mezcla con oxígeno en los pulmones y lleva oxígeno a las células del cuerpo.

▲ Los glóbulos blancos forman parte del mecanismo de defensa del cuerpo contra las bacterias invasoras, virus y otros organismos microscópicos.

▲ Las plaquetas ayudan a que se formen coágulos de sangre para detener el flujo de sangre cuando se corta un vaso sanguíneo.

▲ Los dos sistemas principales de grupos sanguíneos son el grupo ABO y el grupo Rh.

4–4 Las enfermedades cardiovasculares

▲ El engrosamiento de la pared interior de una arteria se llama arterioesclerosis.

▲ La hipertensión o presión sanguínea alta hace que el corazón trabaje más intensamente y puede dañar los vasos sanguíneos.

Repaso de palabras claves

Define cada palabra o palabras con una oración completa.

4–2 La circulación en el cuerpo
aurícula
ventrículo
arteria
capilar
vena

4–3 La sangre—Un río de vida
plasma
glóbulos rojos
hemoglobina
glóbulos blancos
plaqueta
fibrina

4–4 Las enfermedades cardiovasculares
enfermedades cardiovasculares
arterioesclerosis
hipertensión

Chapter Review

Content Review

Multiple Choice

Choose the letter of the answer that best completes each statement.

1. The two upper heart chambers are called
   a. ventricles.
   b. atria.
   c. septa.
   d. valves.
2. Oxygen-rich blood from the lungs enters the heart through the
   a. left atrium.
   b. right atrium.
   c. left ventricle.
   d. right ventricle.
3. From the right atrium, blood is pumped to the
   a. brain.
   b. lungs.
   c. right ventricle.
   d. capillary network.
4. The heart chamber that works hardest is the
   a. right atrium.
   b. right ventricle.
   c. left atrium.
   d. left ventricle.
5. The blood vessels that carry blood back to the heart are the
   a. arteries.
   b. veins.
   c. capillaries.
   d. ventricles.
6. The cells that contain hemoglobin are the
   a. plasma.
   b. platelets.
   c. white blood cells.
   d. red blood cells.
7. Red blood cells are produced in the
   a. heart.
   b. liver
   c. spleen.
   d. bone marrow.
8. Platelets help the body to
   a. control bleeding.
   b. fight infection.
   c. carry oxygen.
   d. do all of these.
9. People with group AB blood have
   a. both A and B proteins.
   b. neither A nor B proteins.
   c. both anti-A and anti-B clumping chemicals.
   d. none of these.
10. Cholesterol is a fatlike substance associated with
   a. hemoglobin.
   b. fibrin.
   c. atherosclerosis.
   d. salt.

True or False

If the statement is true, write "true." If it is false, change the underlined word or words to make the statement true.

1. The two lower heart chambers are called <u>ventricles</u>.
2. Oxygen-poor blood enters the heart through the <u>left</u> atrium.
3. The <u>capillaries</u> are the thinnest blood vessels.
4. <u>Veins</u> are blood vessels that contain valves.
5. An iron-containing protein in red blood cells is <u>hemoglobin</u>.
6. The type of blood cell that fights infection is the <u>white blood cell</u>.
7. When you cut yourself, a net of <u>hemoglobin</u> threads forms over the area to stop the blood flow.

Concept Mapping

Complete the following concept map for Section 4–1. Refer to pages H8–H9 to construct a concept map for the entire chapter.

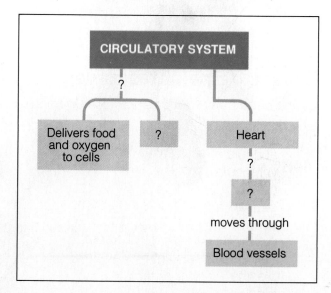

Repaso del capítulo

Repaso del contenido

Selección múltiple *Selecciona la letra de la respuesta que mejor complete cada frase.*

1. Las dos cámaras superiores del corazón se llaman
   a. ventrículos.   c. septo.
   b. aurículas.   d. válvulas.

2. La sangre rica en oxígeno va desde los pulmones al corazón a través (del, la)
   a. aurícula izquierda.
   b. aurícula derecha.
   c. ventrículo izquierdo.
   d. ventrículo derecho.

3. Desde la aurícula derecha, la sangre es bombeada a (el, los, la)
   a. cerebro.
   b. pulmones.
   c. ventrículo derecho.
   d. red de capilares.

4. La cámara del corazón que trabaja más intensamente es (la, el)
   a. aurícula derecha.
   b. ventrículo derecho.
   c. aurícula izquierda.
   d. ventrículo izquierdo.

5. Los vasos sanguíneos que llevan la sangre de vuelta al corazón son
   a. arterias.   c. capilares.
   b. venas.   d. ventrículos.

6. Las células que contienen hemoglobina son
   a. plasma.   c. glóbulos blancos.
   b. plaquetas   d. glóbulos rojos.

7. Los glóbulos rojos se producen en (el, la)
   a. corazón.   c. bazo.
   b. hígado.   d. médula ósea.

8. Las plaquetas ayudan al cuerpo a
   a. controlar hemorragias.
   b. combatir infecciones.
   c. llevar oxígeno.
   d. todos los anteriores.

9. Las personas con grupos sanguíneos AB tienen/no tienen
   a. las dos proteínas: A y B.
   b. ni la proteína A ni la B.
   c. ambos componentes: anti A y anti B.
   d. nada de lo anterior.

10 El colesterol es una sustancia "grasa" asociada con la
   a. hemoglobina.   c. arterioesclerosis.
   b. fibrina.   d. sal.

Verdadero o falso

Si la afirmación es verdadera, escribe "verdad." Si es falsa, cambia las palabras subrayadas para que sea verdadera.

1. Las dos cámaras inferiores del corazón se llaman <u>ventrículos</u>.
2. La sangre pobre en oxígeno entra en el corazón por la aurícula <u>izquierda</u>.
3. Los <u>capilares</u> son los vasos sanguíneos más delgados.
4. Las <u>venas</u> contienen válvulas.
5. Una proteína que contiene hierro en los glóbulos rojos es la <u>hemoglobina</u>.
6. La célula sanguínea que combate la infección es el <u>glóbulo blanco</u>.
7. Al cortarte, una red de hilos de <u>hemoglobina</u> se forma sobre la herida para detener el flujo de sangre.

Mapa de conceptos

Completa el siguiente mapa de conceptos para la sección 4–1. Para hacer un mapa de conceptos de todo el capítulo, consulta las páginas H8–H9.

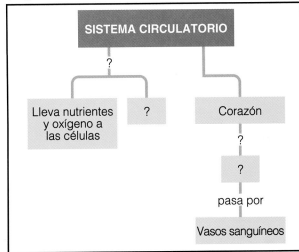

Concept Mastery

Discuss each of the following in a brief paragraph.

1. List and describe the four components of blood.
2. Explain why blood must be matched before a blood transfusion.
3. Explain why red blood cells are the most numerous of the blood cells.
4. What role do platelets have in the body?
5. Describe the path a single red blood cell would take through the heart.
6. Explain why oxygen-rich and oxygen-poor blood never mix in human beings.
7. Do all arteries carry oxygen-rich blood? Do all veins carry oxygen-poor blood? Explain your answer.

Critical Thinking and Problem Solving

Use the skills you have developed in the chapter to answer each of the following.

1. **Sequencing events** Starting at the right atrium, trace the path of the blood through the body.
2. **Relating facts** On a separate sheet of paper, add another column to Figure 4–18. Call it Can Donate Blood to Group(s). Fill in this column.
3. **Making predictions** Explain why chronic disorders are more of a problem today than they were 200 years ago. Predict how great a problem they will be in the future.
4. **Applying concepts** To determine whether a person has an infection, doctors often do blood tests in which they count white blood cells. Explain why such a count is useful.
5. **Making generalizations** To determine whether a person has abnormally high blood pressure, at least three blood-pressure measurements should be taken on three separate days at three different times. Explain why this is so.
6. **Relating cause and effect** How are the structures of an artery, a vein, and a capillary adapted to their functions?
7. **Making inferences** An artificial heart actually replaces only the ventricles of a human heart. Suggest a reason why replacing the atria is not necessary.
8. **Analyzing data** Suppose you are a doctor and have two patients who are in need of a transfusion. Patient 1 has group A blood and Patient 2 has group O blood. Which ABO blood group would you determine safe to give to each of your patients?
9. **Using the writing process** Develop an advertising campaign in favor of the reduction of animal fat in the diet. Make it a full media blitz!

Dominio de conceptos

Comenta cada uno de los puntos siguientes en un párrafo breve.

1. Enumera y describe los cuatro componentes de la sangre.
2. Explica por qué la sangre debe ser clasificada antes de una transfusión sanguínea.
3. Explica por qué los glóbulos rojos son los más numerosos de las células de sangre.
4. ¿Qué función tienen las plaquetas en el cuerpo?
5. Describe la ruta que seguiría un sólo glóbulo rojo a través del corazón.
6. Explica por qué la sangre rica en oxígeno y la sangre pobremente oxigenada nunca se mezclan en los seres humanos.
7. ¿Llevan todas las arterias sangre rica en oxígeno? ¿Llevan todas las venas sangre pobre en oxígeno? Explica tu respuesta.

Pensamiento crítico y solución de problemas

Usa las destrezas que has desarrollado en este capítulo para resolver lo siguiente.

1. **Secuencia de eventos** Comenzando en la aurícula derecha, traza la ruta de la sangre a través del cuerpo.
2. **Relacionar hechos** En una hoja de papel, agrega otra columna a la figura 4–18. Llámala: "Puede donar sangre al(los) grupo(s)". Llena esta columna.
3. **Hacer predicciones** Explica por qué las enfermedades crónicas son más problemáticas hoy en día que hace 200 años. Predice si serán muy problemáticas en el futuro.
4. **Aplicar conceptos** Para determinar si una persona tiene una infección, los médicos a menudo hacen un análisis de sangre y cuentan los glóbulos blancos. Explica por qué es útil este procedimiento.
5. **Hacer generalizaciones** Para determinar si una persona tiene la presión anormalmente alta, se necesita tomar la presión por lo menos en tres días diferentes y a tres horas distintas. Explica la rázon.
6. **Relacionar causa y efecto** ¿Cómo están adaptadas las estructuras de una arteria, una vena, y un capilar a sus funciones?
7. **Hacer comparaciones** Un corazón artificial reemplaza sólo los ventrículos de un corazón humano. Sugiere una razón por la que el reemplazo de las aurículas no es necesario.
8. **Analizar datos** Imagina que eres un médico y que tienes dos pacientes que necesitan una transfusión sanguínea. El paciente 1 pertenece al grupo sanguíneo A, y el paciente 2, al grupo sanguíneo O. ¿Qué grupo sanguíneo del sistema ABO sería el indicado para cada uno de los pacientes?
9. **Usar el proceso de escribir** Desarrolla una campaña comercial a favor de la reducción de grasas animales en la dieta. Debe ser una campaña sensacional en todos los medios.

Respiratory and Excretory Systems

Guide for Reading

After you read the following sections, you will be able to

5–1 The Respiratory System

- ■ Describe the structures of the respiratory system and give their functions.

- ■ Explain how the lungs work.

5–2 The Excretory System

- ■ Describe the structures of the excretory system and give their functions.

Watch a bicycle race on an autumn day and what do you see? You see cyclists pedaling hard and fast so that they can be the first to cross the finish line and win the race. What else do you notice about the cyclists? You probably see thin streams of sweat trickling down their faces and bodies. If you are close enough, you may see the quick, deep breaths that some cyclists take as they pedal. You may even see some cyclists drinking water from plastic bottles that are attached to their bicycles.

Why are the cyclists breathing so quickly and deeply? Where do the streams of sweat come from? What is the purpose of the water? In order to supply the cyclists with the energy they need to pedal their bicycles, the cells of their bodies must be provided with an enormous amount of oxygen. The oxygen must enter the cyclists' bodies, and an almost equal amount of wastes must be removed.

These vital functions are the tasks of two body systems: the respiratory system and the excretory system. Turn the page and begin to discover how these two systems perform their remarkable feats.

Journal *Activity*

You and Your World Have you ever had a sore throat or laryngitis? What did you do to make yourself feel better? Draw a sketch of yourself showing how you felt while you had either of these conditions.

◀ *In order to pedal their bicycles hard and fast, these cyclists need an enormous amount of oxygen.*

Sistemas respiratorio y excretor

Guía para la lectura

Después de leer las secciones siguientes, vas a poder

5–1 El sistema respiratorio

■ Describir las estructuras del sistema respiratorio e indicar sus funciones.

■ Explicar cómo funcionan los pulmones.

5–2 El sistema excretor

■ Describir las estructuras del sistema excretor e indicar sus funciones.

Si miras una carrera de bicicletas en un día de otoño, ¿qué ves? Ves a los ciclistas que pedalean duro y rápido para ser los primeros en cruzar la meta y ganar. ¿Qué más puedes observar acerca de los ciclistas? Posiblemente notes que el sudor les corre por la cara y el cuerpo. Si los ves de cerca notarás también que respiran rápida y profundamente al pedalear y que algunos toman agua de las botellas de plástico sujetadas a sus bicicletas.

¿Por qué respiran los ciclistas tan rápida y profundamente? ¿De dónde sale el sudor? ¿Por qué toman agua? Las células de sus cuerpos deben recibir una enorme cantidad de oxígeno para darles la energía que necesitan para pedalear. El oxígeno debe entrar en sus cuerpos, y una cantidad casi igual de desechos debe ser eliminado.

Estas funciones vitales están a cargo de dos sistemas del cuerpo: el sistema respiratorio y el sistema excretor. Da vuelta a la página para descubrir cómo estos dos sistemas realizan esas hazañas.

Diario *Actividad*

Tú y tu mundo ¿Alguna vez has tenido dolor de garganta o laringitis? ¿Qué hiciste para sentirte mejor? Dibújate y muestra cómo te sentías en cualquiera de esas condiciones.

Para poder pedalear sus bicicletas duro y rápido, estos ciclistas necesitan una cantidad enorme de oxígeno.

Guide for Reading

*Focus on these questions as
you read.*

▶ *What is the function of the
respiratory system?*

▶ *What path does air take
through the respiratory
system?*

5–1 The Respiratory System

You cannot see, smell, or taste it. Yet it is as real as land or water. When it moves, you can feel it against your face. You can also see its effect in drifting clouds, quivering leaves, and pounding waves. It can turn windmills and blow sailboats across the sea. What is it?

If your answer is air, you are correct. Air is the mixture of gases that surrounds the Earth. The main gases that make up the air, or atmosphere, are nitrogen and oxygen. In fact, the atmosphere of the Earth is approximately 78 percent nitrogen and 21 percent oxygen. The remaining 1 percent is made of argon, carbon dioxide, water vapor (water in the form of an invisible gas), and trace gases—gases that are present in only very small amounts.

Humans, like all animals, need air to stay alive. You are breathing air right now. Every minute of the day you breathe in about 6 liters of air. Without this frequent intake of air, the cells in your body would soon die. Why? As you have just read, air contains the gas oxygen. It is oxygen that supports the energy-producing process that takes place in your cells. As a result of this process, your cells are able to perform all the various tasks that keep you alive. Try thinking of it this way. You know that a fire burns only if there is enough air—more specifically, enough oxygen in the air. Well, each body cell burns up the food it gets from the blood and releases the energy locked within the food only if it gets enough

Figure 5–1 *Like humans, plants, such as a heliconia, and animals, such as a barred leaf frog on the heliconia plant and a mountain gorilla, use the gases in the Earth's atmosphere to stay alive. What gases make up the Earth's atmosphere?*

Guía para la lectura

Piensa en estas preguntas mientras lees.

▶ *¿Cuál es la función del sistema respiratorio?*

▶ *¿Cuáles son las vías por las que pasa el aire por el sistema respiratorio?*

5–1 El sistema respiratorio

No puedes ni verlo, ni olerlo, ni probarlo. Sin embargo es tan real como la tierra o el agua. Cuando se mueve lo puedes sentir en la cara. También puedes ver su efecto en las nubes y las hojas que se mueven y en las olas que azotan la playa. Puede hacer girar molinos de viento y propulsar barcos de vela en el mar. ¿Qué es?

Si tu respuesta es aire, tienes razón. El aire es una mezcla de gases que envuelve la Tierra. Los gases principales que componen el aire, o atmósfera, son nitrógeno y oxígeno. La atmósfera de la Tierra está compuesta de aproximadamente un 78 por ciento de nitrógeno y un 21 por ciento de oxígeno. El 1 por ciento restante está compuesto de argón, bióxido de carbono, vapor (agua en la forma de un gas invisible), y otros gases más que se encuentran en muy pequeñas cantidades.

Los seres humanos, como todos los animales, necesitan aire para vivir. Tú estás respirándolo ahora mismo. Cada minuto del día respiras más o menos 6 litros de aire. Sin esta aspiración frecuente de aire, las células de tu cuerpo pronto morirían. ¿Por qué? Como acabas de leer, el aire contiene el gas oxígeno. El oxígeno es lo que sostiene el proceso de producir energía, que ocurre en tus células. Como resultado de este proceso, tus células son capaces de realizar todas las tareas que te mantienen con vida. Por ejemplo, sabes que un fuego se enciende sólo si hay suficiente aire— más específicamente, si hay suficiente oxígeno en el aire. Cada célula del cuerpo consume los nutrientes que le da la sangre y libera la energía que contiene sólo si

Figura 5–1 *Así como los seres humanos, las plantas como la heliconia y los animales como la rana terrestre y el gorila, usan los gases de la atmósfera para vivir. ¿Qué gases componen la atmósfera de la Tierra?*

oxygen. The energy-releasing process that is fueled by oxygen is called **respiration.** In addition to energy, carbon dioxide and water are produced during respiration.

As you may recall from Chapter 3, the digestive system breaks down food into small particles so that the food can get inside body cells. And as you learned in Chapter 4, the circulatory system transports oxygen and food to body cells via the blood. Now you will discover how oxygen combines with food in the cells to produce the body's much-needed energy and the waste products carbon dioxide and water vapor. **The body system that is responsible for performing the task of getting oxygen into the body and removing carbon dioxide and water from the body is the respiratory system.** Figure 5–2 is a diagram of the respiratory system. You may wish to refer to it as you follow the passage of air from the time it enters the respiratory system to the time it leaves.

The Nose and Throat

Even the purest country air contains dust particles and bacteria; city air contains these materials as well as soot and exhaust fumes. But whether you breathe city air or country air, the air must travel through the nose, trachea (TRAY-kee-uh), and bronchi (BRAHNG-kee) in the few short seconds in which it moves from the environment to your lungs.

ACTIVITY
DISCOVERING

What Is in Exhaled Air?

In the presence of carbon dioxide, a chemical called bromthymol blue solution turns green or yellow.

1. Fill two test tubes with 10 mL of water and a few drops of bromthymol blue solution.

2. Label the tubes A and B.

3. Using a straw, gently blow air into the liquid in test tube A.

4. Compare the test tubes. What happened in test tube A? In test tube B? Explain. What was the purpose of test tube B?

■ What characteristic of respiration is illustrated by this activity?

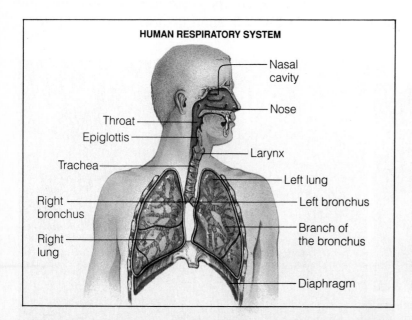

HUMAN RESPIRATORY SYSTEM

Nasal cavity

Nose

Throat

Epiglottis

Larynx

Trachea

Left lung

Right bronchus

Left bronchus

Right lung

Branch of the bronchus

Diaphragm

Figure 5–2 *The human respiratory system is composed of organs that work together to permit the exchange of oxygen and carbon dioxide with the environment. What is the name for the energy-releasing process that is fueled by oxygen?*

recibe suficiente oxígeno. Este proceso de liberación de energía impulsado por el oxígeno se llama **respiración**. Durante la respiración, además de energía, se producen bióxido de carbono y agua.

Como recordarás del capítulo 3, el sistema digestivo desintegra los alimentos en pequeñas partículas para que puedan penetrar en las células del cuerpo. Y como aprendiste en el capítulo 4, el sistema circulatorio lleva oxígeno y nutrientes a las células del cuerpo a través de la sangre. Ahora descubrirás cómo el oxígeno se combina con los nutrientes para producir la energía que el cuerpo tanto necesita y los productos de desecho bióxido de carbono y vapor de agua. **El sistema respiratorio es el sistema del cuerpo que se encarga de introducir oxígeno dentro del cuerpo y de eliminar bióxido de carbono y agua.** La figura 5–2 es un diagrama del sistema respiratorio. Puedes consultarla para seguir la ruta del aire desde que entra en el sistema respiratorio hasta que sale.

La nariz y la garganta

Aún el aire más puro del campo contiene partículas de polvo y bacterias; el aire de la ciudad contiene además hollín y humos de los tubos de escape. Pero, cualquiera sea el aire que respires, ese aire debe pasar a través de tu nariz, tu tráquea, y tus bronquios en los pocos segundos que tarda en llegar hasta tus pulmones. Estas

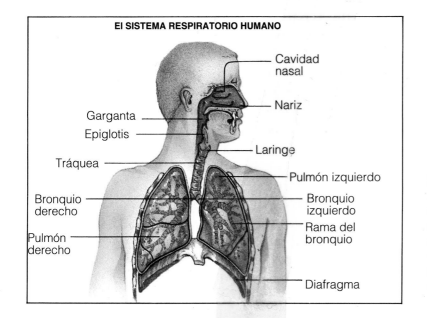

El SISTEMA RESPIRATORIO HUMANO

Cavidad nasal
Nariz
Garganta
Epiglotis
Laringe
Tráquea
Pulmón izquierdo
Bronquio izquierdo
Bronquio derecho
Rama del bronquio
Pulmón derecho
Diafragma

Figura 5–2 *El sistema respiratorio humano está compuesto de órganos que funcionan juntos para permitir el intercambio del oxígeno y del bióxido de carbono con el medio ambiente. ¿Cuál es el nombre del proceso de liberación de energía impulsado por el oxígeno?*

Figure 5–3 *When the spongy lungs are removed, the remaining parts of the respiratory system through which air passes resemble an upside-down tree.*

Figure 5–4 *A small piece of dirt that has invaded the body becomes trapped in the mucus and entangled in the cilia that line the bronchus.*

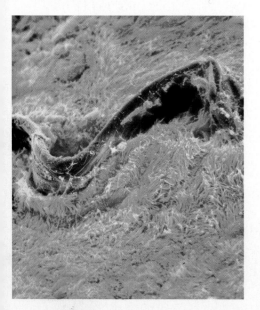

These structures are the channels through which air passes on its way to the lungs.

The air that you breathe usually enters the respiratory system through two openings in the **nose** called the nostrils. From there, the air flows into the nasal (pertaining to the nose) cavities, or two spaces in the nose. The cavities are separated by a wall of cartilage (flexible connective tissue) and bone. If the air is cold, as it may be in winter in certain locations, it is quickly heated by warm blood flowing through blood vessels in the lining of the nasal cavities. At the same time, slippery mucus in the nose moistens the air. This action keeps the delicate tissues of the respiratory system from drying out. In addition to moistening the air, the mucus traps unwanted dust particles and microscopic organisms such as bacteria and thereby cleanses the air.

It may surprise you to learn that the nose produces a fresh batch of mucus every 20 minutes or so. This amounts to about 0.9 liter of mucus per day. In order to get rid of the old mucus, billions of cilia (SIHL-ee-uh; singular: cilium), or tiny hairlike structures lining the nasal cavities, sweep the old mucus toward the esophagus and then into the stomach. The stomach, as you may recall from Chapter 3, gives off a digestive juice that contains hydrochloric acid. The hydrochloric acid destroys many of the bacteria that may have had the misfortune of becoming trapped in the mucus. Fortunately for you, some of the trapped particles never even make it past the nose. For one reason or another, they may begin to irritate the nasal cavities. Your body responds to this irritation by producing a little "explosion" to force the particles out. As you may already have guessed, this "explosion" is called a sneeze!

Because the nose warms, moistens, and filters the air coming into the body, it is healthier to take in air through the nose than through the mouth. However, if your nose is clogged because you have a cold, you have no other choice but to breathe through your mouth.

From the nose, the warmed, moistened, and filtered air moves into your throat, where it soon comes to a kind of fork in the road. One path leads to the digestive system. The other path leads deeper into the respiratory system. The structure that

Figura 5–3 *Cuando se quitan los pulmones esponjosos, las partes del sistema respiratorio que quedan, por donde pasa el aire, parecen un árbol cabeza abajo.*

Figura 5–4 *Una basurita minúscula que ha entrado en el cuerpo queda atrapada en la mucosidad y enredada en los cilios que recubren el bronquio.*

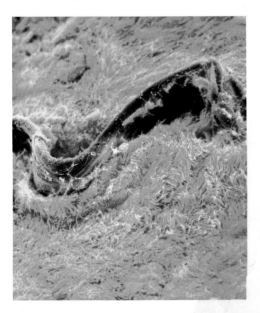

estructuras son los conductos por los que pasa el aire en su camino a los pulmones.

El aire que respiras generalmente entra al sistema respiratorio por dos aperturas en la **nariz** que se llaman ventanas de la nariz. De ahí, el aire sube por las fosas nasales, dos espacios de la nariz, que están separadas por una pared de cartílago (tejido conectivo flexible) y hueso. Si el aire es frío, como lo es en ciertos lugares en el invierno, la sangre caliente que fluye por los vasos sanguíneos de las fosas nasales lo calienta rápidamente. Al mismo tiempo, la mucosidad de la nariz humedece el aire, lo que impide que los tejidos delicados del sistema respiratorio se sequen. La mucosidad también atrapa partículas de suciedad indeseables y organismos microscópicos, tales como las bacterias, y así purifica el aire.

A lo mejor te sorprenderá aprender que la nariz produce mucosidad más o menos cada 20 minutos. Esto significa una cantidad de casi 0.9 litros al día. Para desecharla, miles de millones de cilios, pequeñas estructuras pilosas que recubren las cavidades nasales, la barren hacia el esófago y luego hacia el estómago. El estómago, como recordarás del capítulo 3, produce un jugo digestivo que contiene ácido clorhídrico. El ácido clorhídrico destruye muchas de las bacterias que hayan sido atrapadas en la mucosidad. Afortunadamente para ti, algunas de esas partículas nunca pasan más allá de la nariz. En cualquier momento que esas partículas comienzan a irritar las cavidades nasales, tu cuerpo reacciona con una pequeña "explosión" para expulsarlas. Como ya te habrás imaginado, ¡esa "explosión" es un estornudo!

Como la nariz calienta, humedece y filtra el aire que entra en el cuerpo, es más saludable respirar por la nariz que por la boca. Sin embargo, si tienes la nariz tapada porque tienes un resfriado, tendrás que respirar por la boca.

El aire caliente, húmedo y filtrado pasa de la nariz a la garganta, donde pronto se encuentra que el camino se bifurca en dos pasajes específicos. Un pasaje lleva al sistema digestivo, el otro lo lleva a una destinación más profunda del sistema respiratorio. La estructura que guía el aire hacia el conducto

directs air down the respiratory path and food and water down the digestive path is the **epiglottis** (ehp-uh-GLAHT-ihs). As you may recall from Chapter 3, the epiglottis is a small flap of tissue that closes over the entrance to the rest of the respiratory system when you swallow. As a result, food and water are routed to the digestive system. When you breathe, the epiglottis opens, permitting air to enter the respiratory system.

The Trachea

Take a moment to gently run your finger up and down the front of your neck. Do you feel a bumpy tubelike structure? This tubelike structure is called the **trachea,** or windpipe. The bumps on the trachea are actually rings, or bands, of cartilage. The rings of cartilage make the trachea flexible enough so that you can bend your neck, yet rigid enough so that it keeps an open passageway for air. The rings of cartilage are held together by smooth muscle tissue. The smooth muscle tissue enables the diameter of the trachea to increase, thus allowing large amounts of air to move more easily along its path. Such action is especially helpful when you have to gulp down large amounts of air after doing some particularly strenuous work.

As the air moves down into the trachea, mucus along the inner lining traps dust particles and bacteria that have managed to get past the nose. These particles are swept out of the trachea and up to the mouth or nose by cilia that line the passageway.

Figure 5–5 *The larynx, which is located at the top of the trachea, contains the vocal cords (left). Notice that the vocal cords are made of two small folds of tissue that are stretched across the larynx (right). What is the function of the vocal cords?*

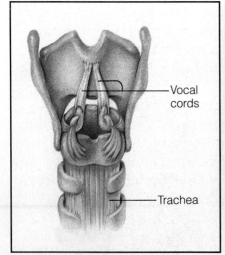

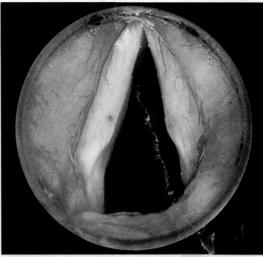

respiratorio, y los alimentos y agua hacia el sistema digestivo es la **epiglotis**. Como recordarás del capítulo 3, la epiglotis es un pequeño pliegue de tejido que cierra la entrada del sistema respiratorio cuando tragas. En consecuencia, los alimentos y el agua pasan al sistema digestivo. Cuando respiras, la epiglotis se abre y permite el paso del aire al sistema repiratorio.

La tráquea

Si deslizas suavemente tus dedos por la parte de adelante de tu cuello, sientes una estructura irregular en forma de tubo. Esta estructura se llama **tráquea**. Las irregularidades o protuberancias son anillos de cartílago que hacen que la tráquea sea flexible para poder doblar el cuello y rígida como para mantener abierto el conducto del aire. Estos anillos de cartílago se mantienen juntos por un tejido muscular liso, el cual permite que el diámetro de la tráquea aumente, para que el aire pueda pasar. Esto es particularmente útil cuando tienes que respirar intensamente después de un trabajo agotador.

Al pasar el aire por la tráquea, la mucosidad que la recubre atrapa las partículas de polvo y bacterias que han entrado por la nariz y han logrado escapar la mucocidad de las fosas nasales. Los cilios, que también recubren el pasaje, impulsan estas partículas para arriba, fuera de la tráquea, hacia la boca o la nariz.

Figura 5–5 *La laringe, ubicada en la parte superior de la tráquea, contiene las cuerdas vocales (izquierda). Observa que las cuerdas vocales están formadas por dos pequeños pliegues de tejido,extendidos a lo ancho de la laringe (derecha). ¿Qué función cumplen las cuerdas vocales?*

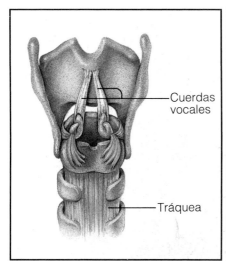

Cuerdas vocales

Tráquea

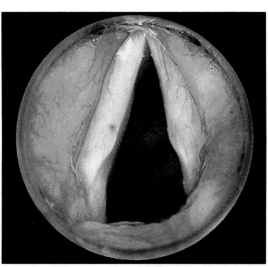

Sometimes, however, some of these particles may collect in the trachea, causing an irritation. This irritation triggers a response similar to a sneeze, or the tiny explosion that occurs in the nose. In the trachea, however, the explosion is called a cough. Air forced out of the trachea during a cough can sometimes reach speeds of up to 160 kilometers per hour!

Located at the top of the trachea is a box-shaped structure called the **larynx** (LAR-ihngks), or voice box. The larynx is made up of pieces of cartilage, one of which juts out from the neck rather noticeably. You know this piece of cartilage by the name Adam's apple. Everyone has an Adam's apple, although it tends to be more noticeable in males than in females. This is because the larynxes of males are generally larger, and also because males have less fat in their necks to hide the Adam's apple from view.

The structures in the larynx that are responsible for producing your voice are the **vocal cords.** The vocal cords are two small folds of tissue that are stretched across the larynx. These folds have a slit-like opening between them. When you talk, muscles in the larynx tighten, narrowing the opening. Then as air from your lungs rushes past the tightened vocal cords, it causes the vocal cords to vibrate. As they vibrate, they cause the air particles in the slit-like opening between them to vibrate. The result of this vibration is a sound: your voice.

The way that your vocal cords, muscles, and lungs work to produce sound is so well organized that you use them in combination without really thinking about it. You can prove this to yourself by trying the following activity. Speak in a high voice. Now speak in a low voice. Do you hear a difference? Do you know what you did to produce that difference? When you spoke in a high voice, you tightened your vocal cords, causing them to vibrate more rapidly and produce a higher sound. The reverse happened when you spoke in a low voice—you relaxed your vocal cords, causing them to vibrate more slowly and produce a lower sound.

The degree of highness or lowness of a sound is known as its pitch. The pitch of the human voice is determined by the size of the larynx and the length

Figure 5–6 *These photographs show the vocal cords at work. When you breathe, the vocal cords move apart, allowing air to pass to and from the lungs (top). When you speak, the vocal cords move closer together (bottom).*

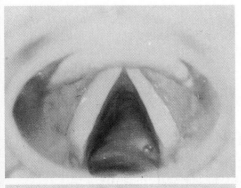

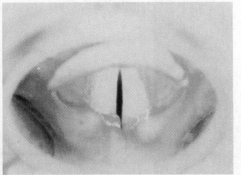

A veces esas partículas se acumulan en la tráquea y causan irritación. La irritación desencadena una respuesta similar al estornudo, o pequeña explosión en la tráquea que se llama tos. El aire expulsado de la tráquea al toser puede alcanzar velocidades ¡de más de 160 kilómetros por hora!

En la parte superior de la tráquea se encuentra una estructura en forma de caja llamada **laringe**, o caja de la voz. La laringe está formada por piezas de cartílagos, uno de los cuales forma una protuberancia bastante notable. La conoces por el nombre de nuez de Adán. Si bien todos tenemos una nuez de Adán, es más visible en los varones que en las mujeres. Esto se debe a que la laringe de los varones es de mayor tamaño y a que ellos tienen menos grasa en el cuello para cubrirla.

Las estructuras de la laringe que producen tu voz son las **cuerdas vocales**. Éstas son dos pequeños pliegues de tejido que se extienden a lo ancho de la laringe. Entre estos pliegues hay una hendidura. Al hablar, los músculos de tu laringe se ponen tensos y estrechan la abertura. Entonces, al pasar el aire de tus pulmones por las cuerdas vocales tensas, las hace vibrar. Cuando vibran, también hacen vibrar a las partículas de aire que se encuentran en la abertura. El resultado de esta vibración es un sonido: tu voz.

La manera en que tus cuerdas vocales, músculos y pulmones trabajan juntos está tan bien coordinada que los usas sin siquiera pensar en ellos. Esto lo puedes comprobar por medio de la siguiente actividad. Habla en un tono alto primero, y luego en un tono bajo. ¿Escuchas alguna diferencia? ¿Sabes lo que hiciste para producir esa diferencia? Cuando hablaste en voz alta, pusiste tensas las cuerdas vocales, haciéndolas vibrar rápidamente para producir un sonido agudo. En cambio, cuando hablaste en voz grave, relajaste tus cuerdas vocales, haciéndolas vibrar lentamente.

Los niveles altos o bajos de un sonido se conocen como tonos. El tono de la voz humana está determinado por el tamaño de la laringe y el largo

Figura 5–6 *Estas fotografías muestran las cuerdas vocales en funcionamiento. Cuando respiras, las cuerdas vocales se separan y dejan pasar el aire a los pulmones (arriba). Cuando hablas las cuerdas vocales se juntan (abajo).*

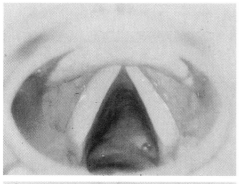

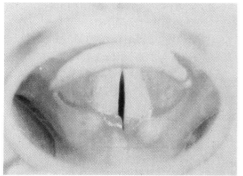

of the vocal cords. Female voices are usually of a higher pitch than male voices because female vocal cords are shorter than male vocal cords. (The shorter the vocal cords, the more rapidly they vibrate and the higher the pitch of the sound they produce.) Actually, the vocal cords of males and females are about the same size until the teenage years. During that time, the larynxes of males begin to grow larger, causing their voices to become lower in pitch.

The vocal cords, muscles, and lungs are not alone in producing the sounds of your voice. They are helped by your lips, teeth, and tongue. In addition, vibrations of the walls in the nasal cavities give your voice its special quality. You may be more aware of the quality of your voice—or a change in the quality—when you have a cold and your nasal cavities are clogged. At such a time, your voice tends to sound different—a difference often described as nasal.

The Lungs

Having moved through the nose and the trachea, the incoming air is as clean, moist, and warm as it is going to get. Now the air reaches a place where the trachea branches into two tubes—the left and right **bronchi** (BRAHNG-kee; singular: bronchus). The left bronchus enters the left lung, and the right bronchus enters the right lung.

Once inside the **lungs,** which are the main organs of the respiratory system, the bronchi divide. They continue to divide again and again, becoming narrower each time, until they are tiny tubes the size of twigs. At the ends of these tiny tubes are hundreds of round sacs that resemble clusters of

Figura 5–7 *Para poder cantar sin esfuerzo, los cantantes de ópera inhalan profundamente expandiendo las costillas inferiores y bajando el diafragma. Cuando los bebés lloran, usan el diafragma igual que los cantantes de ópera. ¿Qué es el diafragma?*

de las cuerdas vocales. Por eso, las voces femeninas son de tono más alto que las masculinas. (Cuanto más cortas son las cuerdas vocales, más rápidamente vibran y más agudo es el sonido que emiten.) Las cuerdas vocales masculinas y femeninas son más o menos del mismo tamaño hasta la adolescencia. En esa época, la laringe de los varones adquiere mayor tamaño y el tono de sus voces se torna más bajo.

Las cuerdas vocales, los músculos y los pulmones no son los únicos que intervienen para producir tu voz. Los ayudan los labios, los dientes y la lengua. Además, las vibraciones de las paredes de las fosas nasales le dan a tu voz una cualidad especial. Puede que seas más consciente de esa cualidad cuando tienes las fosas nasales tapadas debido a un resfriado. Entonces tu voz tiende a sonar diferente—una diferencia que a menudo se conoce como sonido nasal.

Los pulmones

Después de haber pasado a través de la nariz y la tráquea, el aire está limpio, húmedo y tibio. Ahora llega a un lugar donde la tráquea se bifurca y forma dos tubos: el **bronquio** derecho y el izquierdo. El primero va al pulmón derecho y el otro al izquierdo.

Una vez dentro de los **pulmones**, que son los órganos principales del sistema respiratorio, los bronquios se dividen. Los bronquios continúan dividiéndose y estrechándose más y más hasta que se convierten en minúsculos tubos como ramitas. Al final de ellos hay cientos de pequeños sacos que parecen

ACTIVIDAD

PARA HACER

Inhalar y exhalar

1. Después de colocar una cinta métrica alrededor de tu pecho y debajo de las axilas, inhala. Observa la medida de tu pecho cuando inhalas. Anota ese número.

2. Después exhala y observa la medida de tu pecho. Anota ese número.

¿Cómo se diferencian las medidas? ¿Qué las hace variar en tamaño?

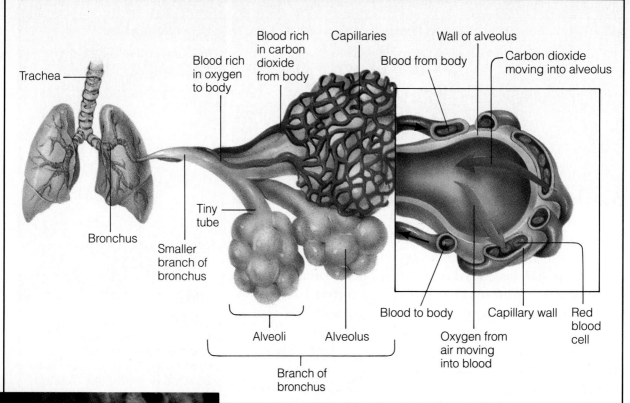

Blood rich in oxygen to body

Blood rich in carbon dioxide from body

Capillaries

Blood from body

Wall of alveolus

Carbon dioxide moving into alveolus

Trachea

Bronchus

Smaller branch of bronchus

Tiny tube

Alveoli

Alveolus

Branch of bronchus

Blood to body

Oxygen from air moving into blood

Capillary wall

Red blood cell

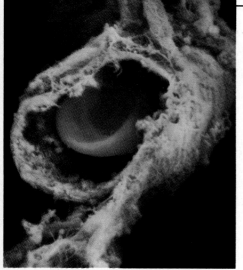

Figure 5–8 *Oxygen and carbon dioxide are exchanged between the blood in the capillaries and the air in the alveoli, or tiny air sacs. In the photograph, a single red blood cell squeezes through a capillary surrounding an alveolus that is less than 0.001 centimeter away.*

grapes. These round sacs are called **alveoli** (al-VEE-uh-ligh; singular: alveolus, al-VEE-uh-luhs). Alveoli are the gateways for oxygen into the body.

As you can see from Figure 5–8, each alveolus is surrounded by a network of tiny blood vessels called capillaries. It is here in the body's 600 million alveoli that the lungs perform their function—the exchange of oxygen and carbon dioxide in the blood. Let's take a closer look at this process.

When air enters the alveoli, oxygen in the air seeps through the thin walls of the tiny sacs into the surrounding capillaries. As blood slowly moves through the capillaries, it picks up the oxygen and carries it to cells throughout the body. When the oxygen-rich blood reaches the cells, it releases the oxygen. At the same time, the blood picks up the carbon dioxide produced by the cells during respiration and returns it to the alveoli.

Because air is rarely in the lungs for more than a few seconds, the exchange of gases (oxygen and carbon dioxide) must take place quickly. This is where the treelike structure of the respiratory system comes in. The branching structure enables more than 2400 kilometers of airways to fit into the small area called

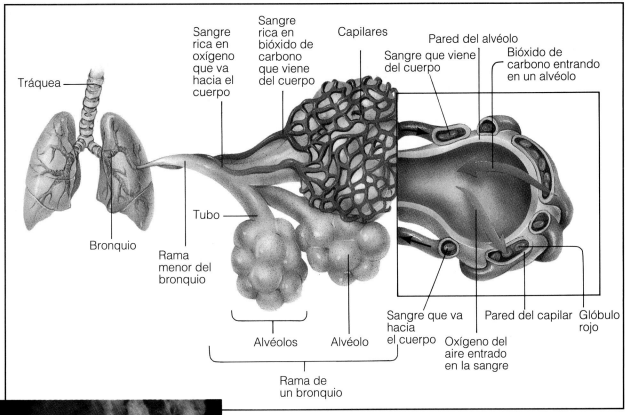

Tráquea

Bronquio

Rama menor del bronquio

Tubo

Sangre rica en oxígeno que va hacia el cuerpo

Sangre rica en bióxido de carbono que viene del cuerpo

Capilares

Pared del alvéolo

Sangre que viene del cuerpo

Bióxido de carbono entrando en un alvéolo

Alvéolos

Alvéolo

Sangre que va hacia el cuerpo

Oxígeno del aire entrado en la sangre

Pared del capilar

Glóbulo rojo

Rama de un bronquio

Figura 5–8 *El oxígeno y el bióxido de carbono se intercambian entre la sangre de los capilares y el aire de los alvéolos. En la fotografía, un glóbulo rojo se desliza por un capilar que rodea un alvéolo a menos de 0.001 centímetros de distancia.*

racimos de uvas. Estos sacos redondos se llaman **alvéolos**. Por ellos el oxígeno entra en el cuerpo.

Como puedes ver en la figura 5–8, cada alvéolo está rodeado por una red de minúsculos vasos sanguíneos llamados capilares. Es aquí, en los 600 millones de alvéolos, donde los pulmones llevan a cabo su tarea—el intercambio de oxígeno y bióxido de carbono en la sangre. Vamos a observar este proceso de cerca.

Cuando el aire entra en los alvéolos, el oxígeno del aire pasa por las paredes delgadas de los sacos a los capilares que los rodean. Cuando la sangre pasa por los capilares, recoge el oxígeno y lo lleva a las células de todo el cuerpo. Al llegar la sangre rica en oxígeno a las células, libera el oxígeno. Al mismo tiempo recoge el bióxido de carbono producido por las células durante la respiración y lo devuelve a los alvéolos.

Como el aire raramente permanece en los pulmones más de unos pocos segundos, el intercambio de gases (el oxígeno y el bióxido de carbono) debe ocurrir rápidamente. En este proceso se destaca la influencia de la estructura en forma de árbol del sistema respiratorio. Esa estructura permite que los más de 2400 kilómetros de rutas aéreas quepan en una pequeña zona llamada la cavidad

the chest cavity. (If these airways were placed end to end, they would extend from Los Angeles, California, to Minneapolis, Minnesota.) As a result, a great deal of oxygen can seep out of the lungs, and an equal amount of carbon dioxide can seep back in in a very short time.

How You Breathe

On the average, you breathe in and out about 1 liter of air every 10 seconds. This rate, however, increases when you are playing or working hard—just as the cyclists that you read about at the beginning of this chapter were doing. Their breathing rates probably jumped to triple the normal breathing rate of 12 to 14 times a minute. Their depth of breathing increased, too.

When you are about to inhale, or breathe in, muscles attached to your ribs contract and lift the rib cage up and outward. At the same time, a dome-shaped muscle called the **diaphragm** (DIGH-uh-fram) contracts and flattens out. The actions of these muscles make your chest expand. The expansion of your chest results in more room in the lungs for air. So the same amount of air now occupies a larger space. This causes the pressure (a force that acts over a certain area) of air to decrease. As a result, the air pressure in your lungs becomes lower than the air pressure outside your body. The difference in pressure causes air to rush into your lungs.

When you exhale, or breathe out, the diaphragm relaxes and returns to its normal dome-shaped position. This action causes the space inside the chest to decrease. As it does, the air pressure in the chest cavity increases. This increase in pressure causes the lungs to get smaller, forcing air out of the lungs. And so you exhale.

Because the diaphragm is a skeletal muscle, its ability to contract and relax is under your control. (You may recall from Chapter 2 that skeletal muscle is called voluntary muscle.) Sometimes, however, the diaphragm contracts involuntarily. This usually occurs because the nerves (bundles of fibers that carry messages throughout the body) that control the diaphragm become irritated by eating too fast or by some other condition. Then, as you inhale air,

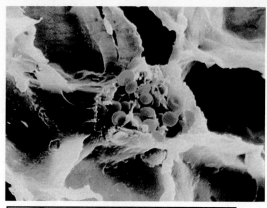

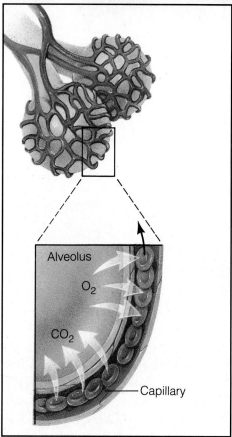

Figure 5–9 Surrounding each alveolus is a network of capillaries. As blood flows through the capillaries, oxygen moves out of the alveolus into the blood. Carbon dioxide moves in the opposite direction—out of the blood into the alveolus. The photograph shows a section of a lung in which you can see a capillary containing red blood cells surrounded by alveoli.

pulmonar. (Estas rutas del aire se podrían extender en línea recta desde Los Angeles, California hasta Minneapolis, Minnesota.) Como resultado de esto, una gran cantidad de oxígeno puede salir de los pulmones e igual cantidad de bióxido de carbono puede entrar en ellos en corto tiempo.

Cómo respiras

Tú respiras más o menos un litro de aire en 10 segundos. Sin embargo, este ritmo aumenta si juegas o trabajas duro—como pasaba con los ciclistas al comienzo de capítulo. El ritmo de sus respiraciones era probablemente tres veces más rápido que el ritmo normal de respiración de 12 a 14 veces por minuto. También se aumentó la profundidad de su respiración.

Cuando estás a punto de inhalar, los músculos que están conectados a tus costillas se contraen, levantando y expandiendo la caja torácica. Al mismo tiempo, un músculo en forma de campana llamado **diafragma** se contrae y se aplana. Las acciones de estos músculos expanden tu pecho. En consecuencia, tus pulmones tienen más espacio para el aire. Como la misma cantidad de aire ocupa un espacio mayor, la presión (la fuerza que actúa sobre una zona determinada) del aire disminuye. Entonces, la presión del aire en tus pulmones es más baja que la presión externa. La diferencia de presiones hace que el aire entre en los pulmones.

Al exhalar el diafragma toma nuevamente su forma de campana. Esta acción disminuye el espacio interior del pecho y hace que aumente la presión del aire. Este incremento de la presión disminuye el tamaño de los pulmones, forzando el aire fuera de los mismos. Y entonces exhalas.

Debido a que el diafragma está formado por músculos estriados, su capacidad de contraerse está bajo tu control. (Recordarás del capítulo 2 que los músculos estriados son llamados músculos voluntarios). Sin embargo, a veces el diafragma se contrae involuntariamente. Esto ocurre porque los nervios (conjunto de fibras que transmiten mensajes a través del cuerpo) que controlan el diafragma se irritan al comer muy rápidamente o por alguna otra razón. Entonces, cuando inhalas aire, el espacio entre las cuerdas vocales se

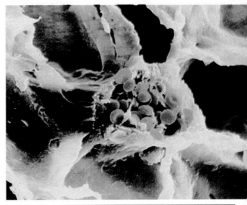

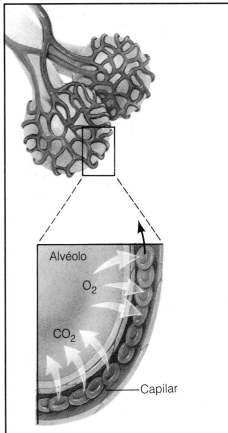

Alvéolo

O_2

CO_2

Capilar

Figura 5–9 *Una red de capilares envuelve cada alvéolo. Cuando el flujo de sangre circula a través de los capilares, el oxígeno pasa de los alvéolos a la sangre. El bióxido de carbono circula en la dirección opuesta—de la sangre a los alvéolos. La fotografía muestra una sección de un pulmón en la que puedes ver un capilar que contiene glóbulos rojos rodeados por alvéolos.*

Figure 5–10 *When you breathe in, the muscles attached to your ribs contract and lift the rib cage up and outward, allowing more room in the lungs for air. When you breathe out, the muscles attached to your ribs relax and lower the rib cage, allowing less room in the lungs for air. What role does the diaphragm have in breathing?*

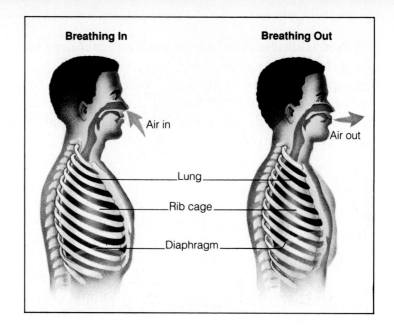

Breathing In

Air in

Lung

Rib cage

Diaphragm

Breathing Out

Air out

Figure 5–11 *A swimmer has to gulp for air so that his lungs can deliver oxygen to every cell in his body quickly and frequently. On Jupiter, which has an atmosphere consisting of about 85 percent hydrogen and 15 percent helium, he would not be able to survive.*

the space between the vocal cords snaps shut with a clicking sound. You know this clicking sound as a hiccup!

You have probably had lots of experience with hiccups. And you have probably tried almost every remedy to get rid of them—from drinking a glass of water without stopping for air to holding your breath until they cease. These methods may help somewhat because they reduce the oxygen supply and increase the carbon dioxide level of your body. This condition can cause the involuntary contractions of the diaphragm muscle to stop, thereby bringing your hiccups to a much-welcomed end.

5–1 Section Review

1. What is the function of the respiratory system?
2. What is respiration?
3. What are the structures of the respiratory system? What is the function of each?
4. Explain how the exchange of oxygen and carbon dioxide occurs in the lungs.
5. How do you breathe?

Connection—*You and Your World*

6. When you have laryngitis, or an inflammation of the larynx, you have a hoarse voice, or no voice at all. How might cheering too enthusiastically at a football game cause laryngitis?

Figura 5–10 *Al inhalar, los músculos conectados a tus costillas se contraen y, a la vez, levantan y expanden la caja torácica, creando más espacio en los pulmones. Cuando exhalas, los músculos conectados a tus costillas se relajan y bajan la caja torácica, disminuyendo el espacio del aire en los pulmones. ¿Qué función cumple el diafragma en la respiración?*

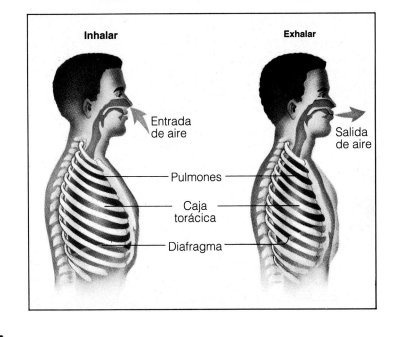

Inhalar

Exhalar

Entrada de aire

Salida de aire

Pulmones

Caja torácica

Diafragma

Figura 5–11 *Un nadador tiene que respirar intensamente para que sus pulmones puedan enviar oxígeno a cada una de las células de su cuerpo rápida y frecuentemente. En Júpiter, que tiene una atmósfera compuesta de un 85 por ciento de hidrógeno y un 15 por ciento de helio, no podría sobrevivir.*

cierra produciendo un golpecito. ¡Es el sonido del hipo!

Posiblemente hayas tenido mucha experiencia con el hipo y hayas probado todo tipo de remedios para deshacerte de él—desde tomar un vaso de agua sin respirar hasta contener el aliento hasta que se te pase. Estos métodos pueden ayudar porque reducen la cantidad de oxígeno y aumentan el nivel de bióxido de carbono de tu cuerpo. Esta condición puede hacer que las contracciones involuntarias del diafragma se detengan, poniéndole fin a tu hipo.

5–1 Repaso de la sección

1. ¿Cuál es la función del sistema respiratorio?
2. ¿Qué es la respiración?
3. ¿Cuáles son las estructuras del sistema respiratorio? ¿Cuál es la función de cada una de ellas?
4. Explica cómo ocurre el intercambio de oxígeno y bióxido de carbono en los pulmones.
5. ¿Cómo respiras?

Conexiones—*Tú y tu mundo*

6. Cuando tienes laringitis, o inflamación de garganta, tienes la voz ronca o no tienes voz. ¿Por qué crees que gritar mucho durante un partido de fútbol causa laringitis?

How a Lie Detector Gives Its Verdict

You have probably seen television courtroom dramas in which the defendant was found guilty solely on the basis of the results of a lie detector test. While being entertained by the television program, you probably never thought that its story line had anything to do with your study of life science. How wrong you were! A lie detector, or polygraph, is an instrument that works on the following idea: People who tell a lie become nervous. Their nervousness increases their blood pressure, pulse and breathing rates, and makes them sweat.

Actually, the lie detector is a combination of three different instruments. The results of each instrument are recorded by a pen that makes ink lines on moving graph paper.

One of the instruments is called the *cardiosphygmometer.* It detects changes in blood pressure (pressure of blood in the arteries) and pulse rate (beating of the arteries caused by the pumping action of the heart). This information is picked up by a cufflike device that is placed over the upper arm. This device is similar to the one your doctor uses when checking your blood pressure.

The second instrument, called the *galvanometer,* monitors the flow of a tiny electric current (flow of charged particles) through the skin. When the skin is moist, as it is with perspiration, it will conduct the electric current better. Small electrodes are taped to the hand to record this activity.

The third instrument is called the *pneumogram,* which records breathing patterns. It consists of a rubber tube that is strapped across the chest. Within the tube are instruments that measure changes in breathing patterns.

One drawback to the use of lie detectors is that some people get so nervous about taking the test that they may appear to lie even though they are telling the truth. And in rare instances, some people may be able to control their emotions so well that they can lie without affecting the results of the test. Although lie detectors are seen in television dramas, their results are generally not considered admissible in real-life courtrooms.

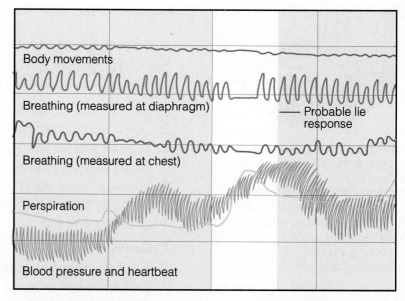

Body movements

Breathing (measured at diaphragm)

— Probable lie response

Breathing (measured at chest)

Perspiration

Blood pressure and heartbeat

Cómo funciona un detector de mentiras

Posiblemente hayas visto algún drama de los que ocurren en un tribunal por la televisión, en el cual el acusado fue declarado culpable basándose solamente en un detector de mentiras. Probablemente, al mirar ese programa, nunca se te ocurrió que su argumento tenía algo que ver con tu estudio de la biología humana. ¡Qué equivocado estabas! Un detector de metiras o polígrafo, es un instrumento que funciona de acuerdo a la idea siguiente: las personas que dicen una mentira se ponen nerviosas. Su nerviosidad aumenta su presión sanguínea, el pulso y el ritmo de su respiración, y las hace transpirar.

En realidad, un detector de mentiras es producto de la combinación de tres instrumentos diferentes. Los resultados de cada instrumento son registrados por un lápiz que va marcando líneas de tinta en papel de gráfica.

Uno de esos instrumentos se llama *cardiofigmómetro*. Este instrumento detecta cambios en la presión sanguínea (presión de la sangre en las arterias) y en el ritmo del pulso (latidos de las arterias causados por la acción de bombeo del corazón). Esta información la recibe un dispositivo en forma de puño de camisa que se coloca en el brazo, y que es similar al que usa tu médico cuando te toma la presión sanguínea.

El segundo instrumento llamado *galvanómetro* controla el flujo de una pequeña corriente eléctrica (flujo de partículas cargadas) a través de la piel. Cuando la piel está húmeda, como cuando se transpira, conduce mejor la corriente eléctrica. Unos pequeños electrodos se pegan a la mano para registrar esta actividad.

El tercer instrumento se llama *pneumograma*, y registra el ritmo de la respiración. Consiste en un tubo de caucho que se coloca sobre el pecho dentro del cual hay instrumentos que miden cambios que se producen en el ritmo de la respiración.

Una de las desventajas del uso del detector de mentiras es que algunas personas se ponen tan nerviosas cuando hacen la prueba, que puede parecer que mientan aunque estén diciendo la verdad. Y en raras circunstancias, algunas personas pueden controlar tan bien sus emociones, que pueden mentir sin afectar los resultados de la prueba. Si bien los detectores de mentiras se ven en los dramas de televisión, los resultados no son considerados admisibles en los tribunales de la vida real.

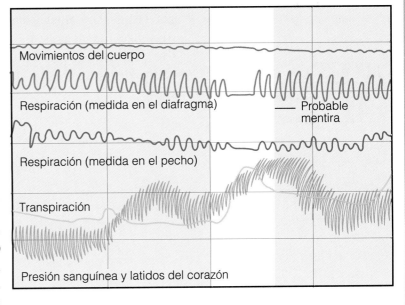

Movimientos del cuerpo

Respiración (medida en el diafragma) — Probable mentira

Respiración (medida en el pecho)

Transpiración

Presión sanguínea y latidos del corazón

Focus on these questions as you read.

▶ *What is the function of the excretory system?*

▶ *What are the four major organs of the excretory system?*

5–2 The Excretory System

When the sixteenth-century English poet John Donne wrote that "No man is an island, entire of itself," he was actually talking about the human mind and spirit. However, this phrase can also be used to describe the human body: No human body can function without help from its surroundings. For example, your body must obtain food, water, and oxygen from its surroundings and get rid of wastes that may poison you. In order to do this, three body systems work together to provide a pathway for materials to enter and leave the body.

You have already learned about two of these systems: the digestive system and the respiratory system. The digestive system is the pathway for food and water to enter the body. The respiratory system enables oxygen to enter and carbon dioxide and water vapor to leave the body. The third system is the excretory (EHKS-kruh-tor-ee) system. **The excretory system provides a way for various wastes to be removed from the body.** These wastes include excess water and salts, carbon dioxide, and urea (a nitrogen waste). The process by which these wastes are removed from the body is called **excretion.**

You have just read about one of the organs of the excretory system: the lungs. Because the lungs get rid of the wastes carbon dioxide and water vapor, they are members of the excretory system as well as the respiratory system. The remaining organs of the excretory system are the kidneys, the liver, and the skin.

The Kidneys

Have your ever made spaghetti? If so, you know that you have to use a strainer to separate the cooked spaghetti from the cooking water or else you will be eating soggy spaghetti! The strainer acts as a filter, separating one material (spaghetti) from the other (water). Like the spaghetti strainer, the **kidneys** act as the body's filter. In doing so, the kidneys filter wastes and poisons from the blood.

The kidneys, which are the main organs of the excretory system, are reddish brown in color and

ACTIVITY READING

Reading Poetry

The first line of John Donne's poem entitled "Meditation XVII" was quoted in this chapter. Find a copy of this poem in the library and read it. Is there another line in this poem that is familiar to you?

5-2 El sistema excretor

Cuando el poeta inglés John Donne escribió en el siglo dieciséis, "Nadie es una isla, por sí mismo," estaba hablando en realidad de la mente y del espíritu. Sin embargo, esta frase también se puede usar para describir el cuerpo humano: ningún cuerpo humano puede funcionar sin la ayuda de su medio ambiente. Por ejemplo, tu cuerpo debe obtener alimentos, agua y oxígeno de su medio ambiente y eliminar los desechos que te pueden intoxicar. Para hacer esto, los tres sistemas del cuerpo trabajan juntos para proveer un pasaje para que los materiales entren y salgan del cuerpo.

Ya has aprendido sobre dos de estos sistemas: el sistema digestivo y el sistema respiratorio. El sistema digestivo es el pasaje de los alimentos y el agua que entran en el cuerpo. El sistema respiratorio permite la entrada de oxígeno y la salida de bióxido de carbono y vapor de agua, del cuerpo. El tercer sistema es el sistema excretor. **El sistema excretor provee una ruta para la eliminación de desechos del cuerpo.** Estos desechos incluyen excesos de agua y sales, bióxido de carbono y urea (un desecho del nitrógeno). El proceso por el cual el cuerpo elimina sus desechos se llama **excreción**.

Acabas de leer sobre uno de los órganos del sistema excretor: los pulmones. Como los pulmones eliminan desechos de bióxido de carbono y vapor de agua, ellos son miembros tanto del sistema excretor como del sistema respiratorio. Los otros órganos del sistema excretor son los riñones, el hígado y la piel.

Los riñones

¿Has cocinado alguna vez fideos? Si lo has hecho, sabes que tienes que usar un colador para separar los fideos del agua en que se han cocinado. De lo contrario, ¡comerías fideos húmedos! El colador funciona como un filtro, separando un material (fideos) del otro (agua). Como el colador de fideos, los **riñones** funcionan como un filtro. Así que, filtran desechos y toxinas de la sangre.

Los riñones, que son los órganos principales del sistema excretor, son de color marrón rojizo y tienen

shaped like kidney beans. There is one kidney on each side of the spinal column just above the waist. Although each kidney is not much bigger than an extra-large bar of soap, together they receive and filter almost 1 liter of blood per minute, pumped into them from the aorta (the body's largest artery).

The actual filtering process takes place within the kidney's millions of microscopic chemical-filtering factories called **nephrons** (NEHF-rahnz). As you can see from Figure 5–12, each nephron is made up of a complex network of tubes enclosed in an even more complex network of capillaries.

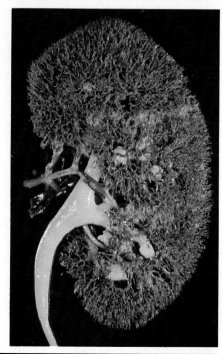

Figure 5–12 *The photograph shows the large number of blood vessels in a kidney. Some of the structures of a kidney as well as the structure of a microscopic nephron are shown in the illustrations.*

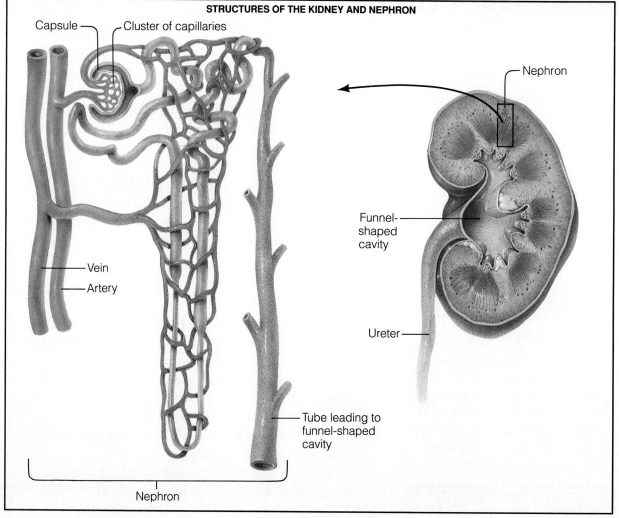

STRUCTURES OF THE KIDNEY AND NEPHRON

Capsule — Cluster of capillaries

Nephron

Vein

Artery

Funnel-shaped cavity

Ureter

Tube leading to funnel-shaped cavity

Nephron

forma de habichuela. Los riñones están localizados uno a cada lado de la columna vertebral, sobre la cintura. Si bien cada riñon no es mucho más grande que una barra de jabón de tamaño extra, los dos juntos reciben y filtran casi un litro de sangre por minuto, que es bombeada desde la aorta (la arteria más grande del cuerpo).

Ese proceso de filtración de sustancias químicas ocurre en los riñones, dentro de los millones de filtros microscópicos llamados **nefrones**. Como puedes observar en la figura 5–12, cada nefrón está formado de una red compleja de tubos que se encuentran en una red aún más compleja de capilares.

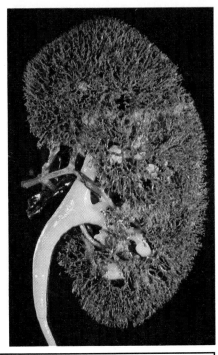

Figura 5–12 *La fotografía muestra un gran número de vasos sanguíneos en un riñón. Algunas de las estructuras de un riñón y también de un microscópico nefrón, se pueden observar en las ilustraciones.*

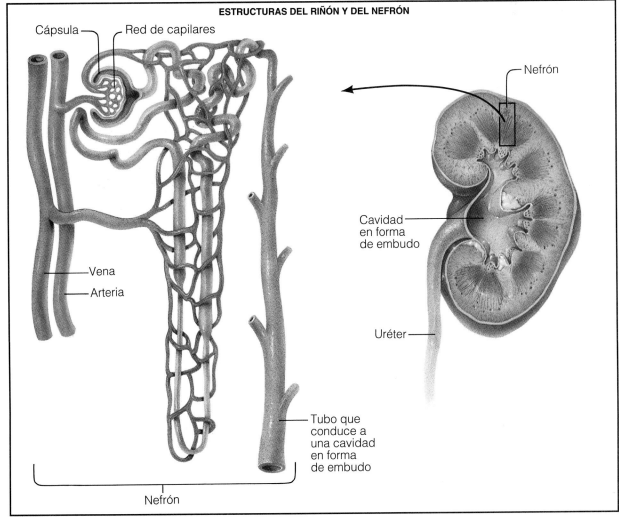

ESTRUCTURAS DEL RIÑÓN Y DEL NEFRÓN

Cápsula
Red de capilares
Nefrón
Vena
Arteria
Cavidad en forma de embudo
Uréter
Tubo que conduce a una cavidad en forma de embudo
Nefrón

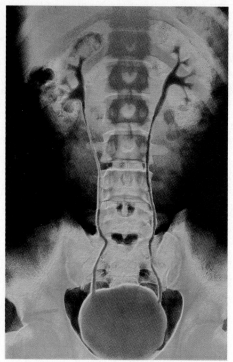

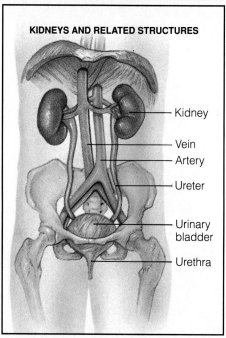

KIDNEYS AND RELATED STRUCTURES

— Kidney

— Vein
— Artery

— Ureter

— Urinary
  bladder

— Urethra

Figure 5–13 *The main organs of the excretory system are the two kidneys, which are the green bean-shaped organs in this color-enhanced X-ray. Use the illustration to locate the other excretory organs in the X-ray. What is the function of the kidneys?*

As blood pours into the kidney through an artery, it travels through smaller and smaller arteries. Finally, it enters a bundle of capillaries. Here, materials such as water, salts, urea, and nutrients pass from the capillaries into a cup-shaped part of the nephron called the **capsule.** What remains in the capillaries are large particles such as proteins and blood cells. The capsule then carries the filtered material (water, salts, urea, and nutrients) to a tiny twisting tube. To picture this part of the nephron (the capsule and tiny tube), try the following: Clench one of your hands into a fist and then cup the other hand around your fist. Your clenched fist is the bundle of capillaries and your cupped hand is the capsule. The arm to which the cupped hand is attached is the tiny twisting tube.

As the filtered material moves through the tiny tube in the nephron, the nutrients, salts, and most of the water that passed through the capillaries are reabsorbed, or taken back, into the blood. If this reabsorption process did not take place, the body would soon lose most of the water, salts, and nutrients that it needs to survive.

The liquid that remains in the tiny tube after reabsorption has taken place is called urine. Urine is mostly water. The exact percentage of water in a person's urine varies depending on the person's health, what the person has been eating and drinking, and how much the person has been exercising. Generally, urine is about 96 percent water. The remaining 4 percent are wastes, such as urea and excess salts.

Suppose you drink a lot of liquid on a particular day. You will produce more urine than you normally would, and it will contain more water. If, on the other hand, you were to eat rather salty foods, you would produce less urine, and it would contain less water. So the amount of water or salts that you take into your body affects the amount of urine and the water content of the urine that is excreted. In this way, your kidneys control the amount of liquid in your body. Put another way, the amount of water that is excreted in your urine each day equals the amount of water that you take into your body each day.

From the kidneys, urine trickles down through two narrow tubes called **ureters** (yoo-REET-erz). The

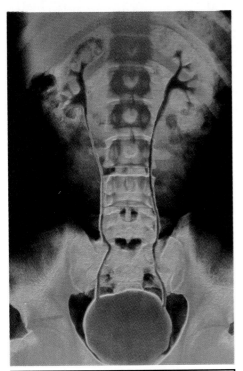

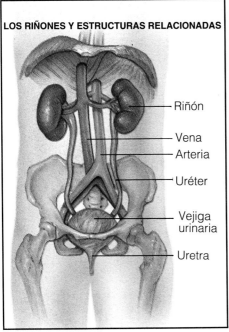

LOS RIÑONES Y ESTRUCTURAS RELACIONADAS

Riñón

Vena

Arteria

Uréter

Vejiga urinaria

Uretra

Figura 5–13 *Los órganos principales del sistema excretor son los riñones, que son los dos órganos en forma de habichuelas en la radiografía a color. Usa la ilustración para localizar otros órganos excretores. ¿Cuál es la función de los riñones?*

Cuando la sangre entra en un riñón por una arteria, circula a través de arterias cada vez más pequeñas hasta entrar a una red de capilares. Aquí, materiales tales como el agua, sales, urea y nutrientes pasan de los capilares a una parte del nefrón llamada **cápsula de Bowman**. Lo que queda en los capilares son grandes partículas como proteínas y células sanguíneas. La cápsula después lleva los materiales filtrados (agua, sales, urea y nutrientes) a un tubo contorneado muy pequeño. Para imaginarte esta parte del nefrón (la cápsula y el tubo) prueba lo siguiente: forma un puño con una mano y cúbrelo con la otra mano. El puño cerrado es la red de capilares y la mano que lo cubre es la cápsula de Bowman. El brazo del puño es el tubo contorneado.

Cuando el material filtrado pasa a través del tubo pequeño del nefrón, los nutrientes, sales y la mayor parte del agua que pasó por los capilares son reabsorbidos, o reintegrados, en la sangre. Si este proceso de reabsorción no ocurriera, el cuerpo perdería rápidamente la mayor parte del agua, sales y nutrientes que necesita para sobrevivir.

El líquido que queda en el tubo después de la reabsorción se llama orina. La mayor parte de la orina es agua. El porcentaje exacto de agua en la orina de una persona varía de acuerdo a la salud de la persona, lo que ha comido y bebido, y cuánto ejercicio ha practicado. Generalmente, la orina consiste en un 96 por ciento de agua. El otro 4 por ciento restante son desechos, tales como la urea y un exceso de sales.

Imagina que bebes mucha agua durante un día. Producirías más orina de la que normalmente produces, y ella contendrá más agua. Al cambio, si comieras alimentos salados, producirías menos orina que contendría menos agua. Por lo tanto, la cantidad de agua y sales que ingieres afecta la cantidad de orina y el contenido de agua de la orina que eliminas. Así, los riñones controlan la cantidad de líquido en tu cuerpo. Dicho de otra manera, la cantidad de agua eliminada diariamente en tu orina es igual a la cantidad de agua que bebes cada día.

De los riñones, la orina gotea por dos tubos delgados llamados **uréteres**. Éstos llevan la orina a un

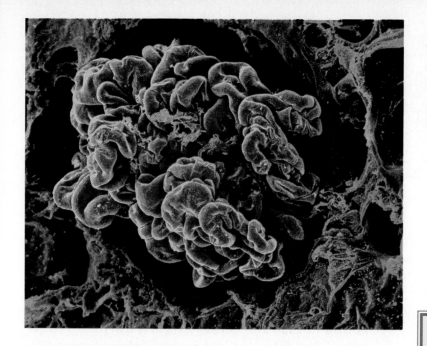

Figure 5–14 *The cluster, or bundle, of capillaries in the middle of this photograph carry waste-laden blood into the nephron. Here, wastes leave the blood through the walls of the capillaries and enter the nephron's cup-shaped capsule.*

ureters carry the urine to a muscular sac called the **urinary bladder.** The urinary bladder can store up to 470 milliliters of urine before releasing it from the body through a small tube called the **urethra** (yoo-REE-thruh).

Other Excretory Organs

In addition to the kidneys and the lungs, two other organs of the body play a major role in excretion. These organs are the liver and the skin.

THE LIVER You may recall from Chapter 3 that the **liver** plays a role in the digestion of foods. But did you also know that the liver helps to remove wastes from the body? The liver performs this function by filtering materials from the blood as the blood passes through the liver. One of the substances the liver removes from the blood is excess amino acids. You may recall from Chapter 3 that amino acids are the building blocks of protein. These amino acids are broken down in the liver to form urea, which, as you just learned, is a part of urine.

The liver also converts the hemoglobin from worn-out red blood cells into substances such as bile, which plays a role in the breakdown of fats. In addition, the liver cleanses the blood by removing and digesting most of the bacteria that enter from the large intestine.

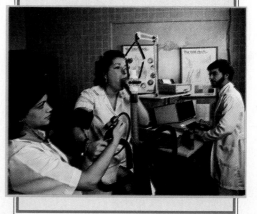

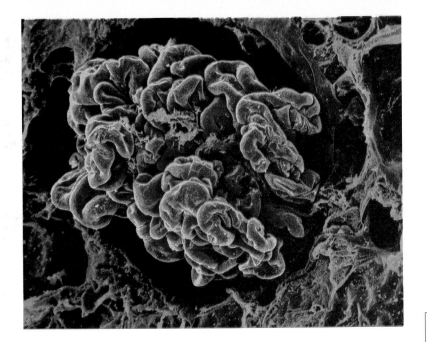

Figura 5–14 *La red de capilares en el centro de esta fotografía lleva al nefrón la sangre cargada de desechos. Allí, los desechos dejan la sangre a través de las paredes de los capilares y entran en la cápsula de Bowman.*

saco muscular llamado **vejiga urinaria**. La vejiga urinaria puede almacenar 470 mililitros de orina, antes de expulsarla del cuerpo a través de un tubo pequeño llamado **uretra**.

Otros órganos excretores

Además de los riñones y los pulmones, otros dos órganos del cuerpo cumplen una función importante en la excreción, son: el hígado y la piel.

EL HÍGADO Como recordarás del capítulo 3, el **hígado** participa en la digestión de alimentos. ¿Pero sabías que el hígado también ayuda a eliminar desechos del cuerpo? El hígado cumple esta función filtrando materiales de la sangre. Una de las sustancias que el hígado elimina de la sangre es el exceso de aminoácidos. Como recordarás del capítulo 3, los aminoácidos son las unidades básicas de las proteínas. Estos aminoácidos son degradados en el hígado y forman urea, que, como acabas de aprender, es parte de la orina.

El hígado también convierte la hemoglobina de glóbulos rojos desgastados en sustancias como la bilis, que participa en la desintegración de las grasas. Además, el hígado purifica la sangre eliminando y digiriendo la mayoría de las bacterias que llegan del intestino grueso.

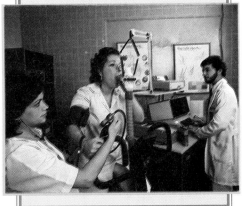

ACTIVITY

DISCOVERING

Close at Hand

1. Using a hand lens, examine the skin on your hand.

2. Identify the epidermis and pores on the ridges of the skin.

3. Place a plastic glove on your hand and remove it after 5 minutes. Look at your hand.

Describe what happened to your hand. If you placed your hand against a chalkboard and then quickly removed it, what would you see?

■ How does this activity illustrate a function of the skin?

4. Now place the tip of your right forefinger (finger nearest the thumb) on an ink pad. Move your finger from left to right with a slight rolling motion.

5. Immediately remove your finger from the ink pad and place it on an index card using the same rolling motion.

Compare your fingerprints with those of your classmates. Are they alike? How are they different? Do you notice any patterns that are similar in some of the fingerprints?

■ Are any two fingerprints ever exactly alike?

THE SKIN   The remaining excretory organ is the **skin.** Are you surprised to learn that the skin is considered an organ? If so, you will be even more surprised to know that the skin is sometimes thought of as the largest organ of the human body. It covers an area of 1.5 to 2 square meters in an average person. This is about the size of a small area rug. It varies in thickness from under 0.5 millimeter on the eyelids to about 6 millimeters on the soles of the feet. The skin is made up of two main layers: the **epidermis** and the **dermis**. The word *-dermis* means skin. The prefix *epi-* indicates that the epidermis is on, or over, the dermis.

The top layer, or epidermis, contains mostly dead, flattened cells that are constantly shed from the body. If you have ever had a slight case of dandruff (flakes of skin from the scalp), then you have seen groups of these dead cells firsthand. If you are wondering why you still have skin even though its cells are constantly being shed from your body, wonder no more. The answer, you see, is that the innermost layer of the epidermis contains the living and active cells that produce more cells. As new cells are produced, they are pushed nearer the surface of the skin, where they become the outer layer of cells—soon to flatten and die.

Any experience you may have had accidentally jabbing your skin with a sharp object (such as a needle or a thorn) will tell you something else about the epidermis. Did you feel pain? Did you bleed? Probably not. The epidermis does not contain any nerves or blood vessels.

Unlike the epidermis, the dermis, or bottom layer of the skin, contains nerves and blood vessels. The dermis is also thicker than the epidermis. In addition, the upper part of the dermis contains small, fingerlike structures that are similar to the villi in the small intestine. Because the epidermis is built on top of these structures, it has an irregular outline that forms ridges. These ridges, in turn, form patterns on the fingertips, on the palms of the hands, and on the soles of the feet. On the fingertips, these patterns are more commonly known as fingerprints. Every human has a unique set of fingerprints. And although the fingerprints of identical twins are similar, no two fingertips are the same.

ACTIVIDAD

A mano

1. Con una lupa, examina la piel de tu mano.

2. Indentifica la epidermis y los poros de las papilas de la piel.

3. Ponte un guante de plástico y quítatelo después de cinco minutos. Observa la mano. Describe lo que le ocurrió a tu mano. Si la colocaras contra la pizarra y luego la retiraras rápidamente, ¿qué verías?

■ ¿Cómo ilustra esta actividad una función de la piel?

4. Ahora coloca la yema de tu dedo índice derecho sobre una almohadilla de tinta. Mueve el dedo de izquierda a derecha con un leve movimiento de rotación.

5. Saca inmediatamente tu dedo de la almohadilla y colócalo sobre una tarjeta haciendo el mismo movimiento. Compara tus huellas digitales con las de tus compañeros. ¿En qué se parecen? ¿Y cómo se diferencian? ¿Has notado diseños similares en algunas huellas digitales?

■ ¿Puede haber dos huellas digitales iguales?

LA PIEL Otro órgano del sistema excretor es la **piel**. ¿Te sorprende saber que la piel se considera un órgano? Te sorprenderás aún más, al saber que se considera el órgano más grande del cuerpo humano. La piel cubre una superficie de 1.5 a 2 metros cuadrados en una persona de altura media, o sea aproximadamente el tamaño de una alfombra pequeña. Su grosor varía de menos de 0.5 milímetro en los párpados, a unos 6 milímetros en las plantas de los pies. La piel está formada de dos capas principales: la **epidermis** y la **dermis**. La palabra *-dermis* significa piel. El prefijo *epi-* indica que la epidermis está encima, o sobre, la dermis.

La capa exterior, o sea la epidermis, contiene principalmente las células muertas aplanadas que se desprenden constantemente del cuerpo. Si has tenido alguna vez caspa (escamas de piel del cuero cabelludo), has visto grupos de células muertas de cerca. Si te preguntas por qué aún tienes piel si las células se desprenden constantemente de tu cuerpo, no te preguntes más. La respuesta es que la capa profunda de la piel contiene células vivas que producen aun más células. Las nuevas células que van creciendo son empujadas a la superficie, donde forman la capa superior de la piel, donde pronto se aplanan y mueren.

Por cualquier experiencia que hayas tenido al cortarte la piel accidentalmente con un objeto puntiagudo (como una aguja o una espina) sabrás algo más de la epidermis. ¿Sentiste dolor? ¿Sangró la herida? Es posible que no porque la epidermis no tiene ni nervios ni vasos sanguíneos.

Al contrario de la epidermis, la dermis, o capa inferior de la piel, contiene nervios y vasos sanguíneos. La dermis es también más gruesa que la epidermis. Además, la parte superior de la dermis contiene pequeñas proyecciones en forma de hilos, similares a las vellosidades del intestino delgado. Como la epidermis está formada por estas estructuras, tiene un aspecto irregular que forma huellas. Estas huellas, a su vez forman diseños en las yemas de los dedos, en las palmas de las manos y en las plantas de los pies. En las yemas de los dedos, estos diseños son más conocidos como huellas digitales. Todos los seres humanos tienen huellas digitales únicas. Y si bien las huellas digitales de dos mellizos idénticos son similares, no hay dos huellas digitales iguales. Por eso, las huellas digitales proveen

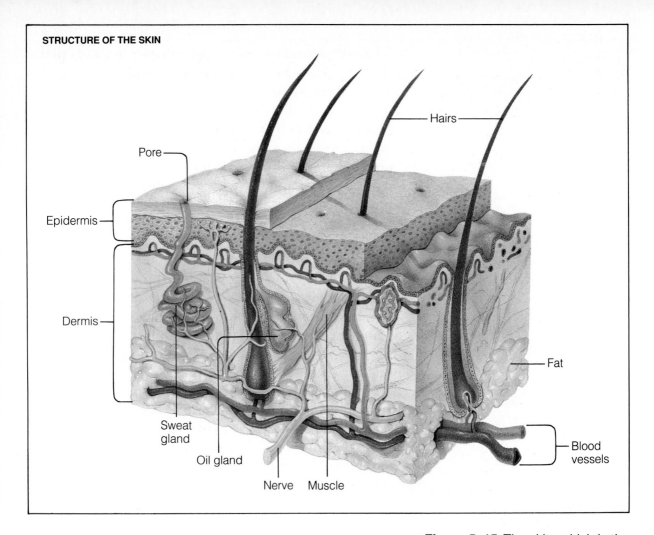

STRUCTURE OF THE SKIN

Hairs

Pore

Epidermis

Dermis

Fat

Sweat gland

Oil gland

Nerve

Muscle

Blood vessels

Thus fingerprints provide a foolproof way of identifying everyone, including those people who have lost their memories because of an injury or illness.

The skin also contains hair, nails, and sweat and oil glands. Hair and nails are formed from skin cells that first become filled with a tough, fiberlike protein

Figure 5–15 *The skin, which is the body's largest organ, is made of two main layers. The top layer is called the epidermis, and the bottom layer is called the dermis. In which layer of the skin would you find the blood vessels?*

Activity Bank

How Fast Do Your Nails Grow?, p. 254

Figure 5–16 *A close-up of a fingertip (right) shows the pattern of ridges that form a fingerprint. An even closer view shows the individual ridges (left).*

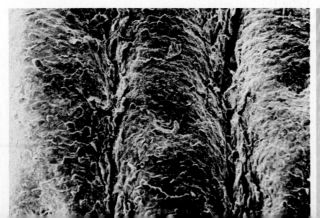

ESTRUCTURA DE LA PIEL

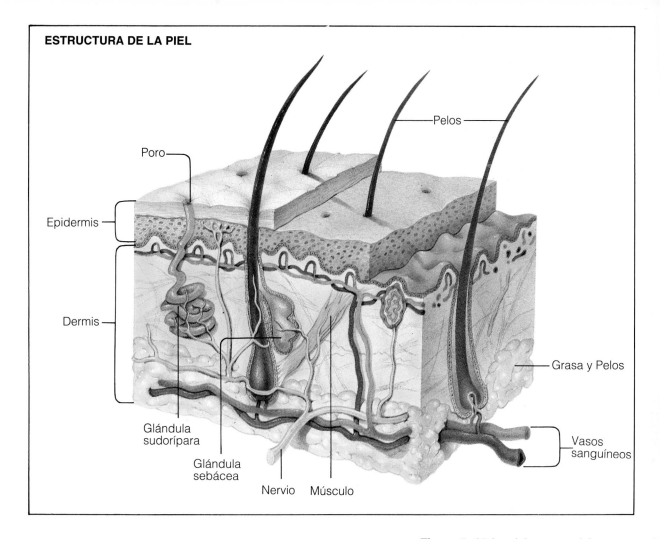

Poro

Epidermis

Dermis

Pelos

Grasa y Pelos

Vasos sanguíneos

Glándula sudorípara

Glándula sebácea

Nervio   Músculo

un método seguro de identificar a las personas, incluyendo aquellos que han perdido la memoria a causa de una lesión o enfermedad.

La piel también contiene pelos, uñas, glándulas sudoríparas y sebáceas. El pelo y las uñas están formados de células de la piel que primero se llenan de una proteína dura y fibrosa y luego mueren.

Figura 5–16 *Un primer plano de una huella digital (derecha) muestra el diseño de las papilas que forma una huella digital. Una vista cercana muestra cada papila de la huella (izquierda).*

Figura 5–15 *La piel, que es el órgano más grande del cuerpo, está formada por dos capas principales. La capa superior se llama epidermis y la capa inferior, dermis. ¿En qué capa de la piel estarán los vasos sanguíneos?*

Pozo de actividades

¿Crecen rápido tus uñas? p. 254

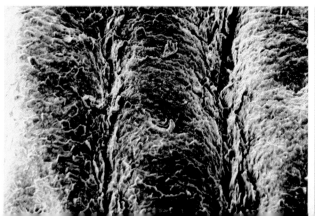

Figure 5–17 *Hair and nails are formed from skin cells that first become filled with a tough, fiberlike protein and then die. Nails grow at an average rate of 0.5 to 1.2 millimeters per day. Imagine how long it took for the man in the photograph to grow his nails!*

and then die. Sweat glands are coiled tubes that connect to pores, or openings, in the surface of the skin. Sweat glands help the body get rid of excess salts, urea, and about 0.5 liter of water every day. Together, these materials form a liquid called sweat, or perspiration.

Perspiration not only rids the body of wastes, it also helps to regulate body temperature. It does this by evaporating from body surfaces. Let's see how. When the temperature of your surroundings rises, or when you work really hard, you perspire more. As the sweat reaches the surface of the skin, it begins to evaporate, or change from a liquid to a gas. The process of evaporation requires heat. That heat comes from your body. Because the body loses heat, the evaporation of sweat is a cooling process—and your skin feels cool. During and after a strenuous activity, such as mowing the lawn or playing a game of soccer, you may sweat away up to 10 liters of liquid in a 24-hour period alone! However, as you may

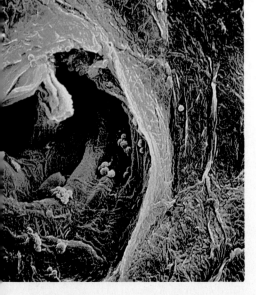

Figure 5–18 *One of the 3 million sweat glands contained in the skin of an adult is shown in this photograph. The tiny green round objects inside the sweat gland are bacteria. What is the function of the sweat glands?*

Figura 5–17 *El pelo y las uñas están formados por células de la piel que primero se han llenado de una proteína dura y fibrosa, y luego mueren. Las uñas crecen a un promedio de 0.5 a 1.2 milímetros por día. ¡Imagínate cuánto tiempo habrá tardado en crecerle las uñas al hombre de la fotografía!*

Las glándulas sudoríparas son tubos enrollados conectados a los poros, o aberturas, en la superficie de la piel. Las glándulas sudoríparas ayudan al cuerpo a remover el exceso de sales, urea y aproximadamente 0.5 litro de agua por día. Juntos, estos materiales forman un líquido llamado sudor, o transpiración.

La transpiración no sólo elimina los desechos sino que también ayuda a regular la temperatura del cuerpo, evaporándose de su superficie. Vamos a ver cómo sucede esto. Cuando la temperatura de tu medio ambiente sube, o cuando trabajas duro, transpiras más. Cuando el sudor llega a la superficie de la piel, comienza a evaporarse, o a cambiar de líquido a gas. El proceso de evaporación requiere calor; ese calor viene de tu cuerpo. Como el cuerpo pierde calor, la evaporación del sudor es un proceso refrescante—y tu piel se siente fresca. Durante y después de una actividad intensa, tal como cortar el césped o jugar un partido de fútbol, ¡puedes sudar hasta 10 litros de líquido

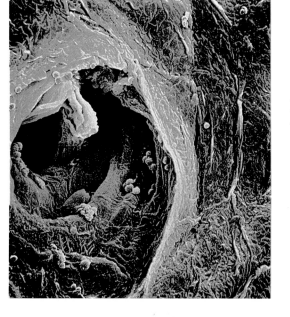

Figura 5–18 *Se ve en esta fotografía una de los tres millones de glándulas sudoríparas que se encuentran en la piel de un adulto. Los pequeños objetos redondos de color verde dentro de la glándula son bacterias. ¿Cuál es la función de estas glándulas?*

How Do I Explain This?

From what you have learned about the respiratory and excretory systems, try your hand at developing some explanations for the following situations.

Relating Concepts

1. A humidifier is a device that adds moisture to the surrounding air. A humidifier would be useful to have in a room or building during dry winter weather.

2. A dehumidifier removes moisture from the surrounding air. This device can make a person feel more comfortable during humid summer weather.

3. At higher altitudes, the air is less dense (packed closely together) than it is at lower altitudes. Mountain climbers and athletes who train at higher elevations often have difficulty breathing at these elevations.

remember from the story at the beginning of this chapter, sweating makes you thirsty. You drink lots of water and thereby replenish the water lost by sweating.

5–2 Section Review

1. What is the function of the excretory system? What structures enable it to perform this function?
2. What is urea? How is it formed?
3. Name and describe the two layers of the skin.
4. Why do you sweat?

Critical Thinking—*Applying Concepts*

5. Suppose that it is a very hot day and you drink a lot of water. Would your urine contain more or less water than it would on a cooler day? Explain your answer.

PROBLEMA
a resolver

¿Cómo se explica esto?

De acuerdo a lo que has aprendido del sistema respiratorio y del sistema excretor, trata de dar algunas explicaciones para las situaciones siguientes.

Relacionar conceptos

1. Un humedecedor es un aparato que agrega humedad al aire. Es beneficioso tener un humedecedor en una habitación o edificio durante el tiempo seco de invierno.

2. Un deshumedecedor remueve la humedad del aire. Este aparato hace que una persona se sienta más cómoda durante los meses húmedos de verano.

3. A mayor altitud, el aire resulta menos denso (comprimido) que a altitudes menores. Los alpinistas y los atletas que se entrenan a grandes altitudes a menudo tienen dificultad al respirar.

en 24 horas! Por lo tanto, como recordarás del relato al comienzo de este capítulo, si transpiras te da sed. Bebes mucha agua y por lo tanto repones el agua eliminada de tu cuerpo por la transpiración.

5–2 Repaso de la sección

1. ¿Cuál es la función del sistema excretor? ¿Qué estructuras le permiten realizar esta función?
2. ¿Qué es la urea? ¿Cómo se forma?
3. Nombra y describe las dos capas de la piel.
4. ¿Por qué sudas?

Razonamiento crítico—*Aplicar conceptos*
5. Imagina que es un día muy caluroso y bebes mucha agua. ¿Contendrá tu orina más o menos agua que en un día fresco? Explica tu respuesta.

Laboratory Investigation

Measuring the Volume of Exhaled Air

Problem

What is the volume of exhaled air?

Materials *(per group)*

glass-marking pencil	paper towel
spirometer	graduated cylinder
red vegetable coloring	

Procedure 🧪

1. Obtain a spirometer. A spirometer is an instrument that is used to measure the volume of air that the lungs can hold.
2. Fill the plastic bottle four-fifths full of water. Add several drops of vegetable coloring to the water. With the glass-marking pencil, mark the level of the water.
3. Reattach the rubber tubing as shown in the diagram.
4. Cover the lower part of the shorter length of rubber tubing with the paper towel by wrapping the towel around it. This is the part of the rubber tubing that you will need to place your mouth against. **Note:** *Your mouth should not come in contact with the rubber tubing itself, only with the paper towel.*
5. After inhaling normally, exhale normally into the shorter length of rubber tubing.
6. The exhaled air will cause an equal volume of water to move through the other length of tubing into the graduated cylinder. Record the volume of this water in milliliters in a data table.
7. Pour the colored water from the cylinder back into the plastic bottle.
8. Repeat steps 3 through 7 two more times. Record the results in your data table. Calculate the average of the three readings.

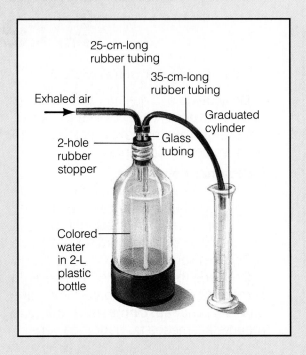

9. Run in place for 2 minutes and exhale into the rubber tubing. Record the volume of the water in the graduated cylinder.
10. Rest for a few minutes until your breathing returns to normal. Then repeat step 9 two more times and record the results. Calculate the average of the three readings.

Observations

How does your average volume of exhaled air before exercise compare to your average volume of exhaled air after exercise?

Analysis and Conclusions

1. Why is it important to measure the volume of exhaled air three times?
2. Explain how exercise affects the volume of exhaled air.
3. **On Your Own** Describe how you could determine the volume of air you exhale in a minute.

Investigación de laboratorio

Medir el volumen de aire exhalado

Problema

¿Cuál es el volumen de aire exhalado?

Materiales *(para cada grupo)*

marcador para vidrio	toalla de papel
espirómetro	cilindro graduado
colorante vegetal rojo	

Tubo de caucho de 25 cm de largo
Tubo de caucho de 35 cm de largo
Aire exhalado
Cilindro graduado
Tapón con 2 agujeros
Tubo de vidrio
Agua con colorante en una botella de 2 litros

Procedimiento 🧪

1. Consigue un espirómetro. Este instrumento se usa para medir el aire que cabe en los pulmones.

2. Llena cuatro quintos de la botella de plástico con agua. Agrega algunas gotas de colorante vegetal al agua. Con el lápiz de marcar vidrio, marca el nivel del agua.

3. Coloca el tubo de caucho como se muestra en el diagrama.

4. Envuelve la parte inferior del tubo de caucho más corto con la toalla de papel. Ésta es la parte del tubo donde colocarás tu boca. **Nota:** *Tu boca no debe estar en contacto con el tubo, sólo con la toalla de papel.*

5. Después de inhalar normalmente, exhala normalmente en la parte más corta del tubo.

6. El aire exhalado hará que un volumen igual de agua se mueva por el otro tubo al cilindro graduado. Anota el volumen del agua en mililitros en una tabla de datos.

7. Vuelve a vertir el agua con colorante del cilindro en la botella de plástico.

8. Repite los pasos 3 a 7 dos veces más. Anota los resultados en tu tabla de datos. Calcula el promedio de los resultados.

9. Corre sin desplazarte durante dos minutos y exhala en el tubo de caucho. Anota el volumen del agua en el cilindro graduado.

10. Descansa unos minutos hasta que tu respiración se normalice. Entonces, repite el paso número 9 dos veces más y anota los resultados. Calcula el promedio de estos tres resultados.

Observaciones

¿Cómo se compara el promedio del volumen de aire exhalado antes del ejercicio con el del volumen de aire después del ejercicio?

Análisis y conclusiones

1. ¿Por qué es importante medir tres veces el volumen del aire exhalado?

2. Explica cómo afecta el ejercicio el volumen del aire exhalado.

3. **Por tu cuenta** Describe cómo puedes determinar el volumen de aire exhalado en un minuto.

Summarizing Key Concepts

5–1 The Respiratory System

▲ Respiration is the combining of oxygen and food in the body to produce energy and the waste gases carbon dioxide and water vapor.

▲ The main task of the respiratory system is to get oxygen into the body and carbon dioxide out of the body.

▲ The respiratory system consists of the nose, throat, larynx, trachea, bronchi, and lungs. The bronchi divide into smaller tubes, which end inside the lungs in clusters of alveoli.

▲ The larynx, or voice box, contains the vocal cords. These structures are responsible for producing the human voice.

▲ The exchange of oxygen and carbon dioxide occurs in the alveoli, which are surrounded by a network of capillaries.

▲ Breathing consists of inhaling and exhaling. These motions are produced by movements of the diaphragm.

5–2 The Excretory System

▲ The excretory system is responsible for removing various wastes from the body.

▲ Excretion is the process by which wastes are removed.

▲ The principal organs of the excretory system are the kidneys.

▲ Each kidney contains millions of microscopic chemical filtration factories called nephrons.

▲ Within a nephron, substances such as nutrients, water, salt, and urea are filtered out of the blood. These substances pass into the cup-shaped part of the nephron called the capsule. Much of the water and nutrients is reabsorbed into the bloodstream. The liquid that remains in the tubes of the nephron is called urine.

▲ Urine travels from each kidney through a ureter to the urinary bladder. It then passes out of the body through the urethra.

▲ The liver removes excess amino acids from the blood and breaks them down into urea, which makes up urine. The liver also converts hemoglobin from worn-out red blood cells into bile.

▲ The skin has two main layers: the epidermis and the dermis. Sweat glands located in the dermis get rid of excess water, salt, and urea.

Reviewing Key Terms

Define each term in a complete sentence.

5–1 The Respiratory System
respiration
nose
epiglottis
trachea
larynx
vocal cord
bronchus
lung
alveolus
diaphragm

5–2 The Excretory System
excretion
kidney
nephron
capsule
ureter
urinary bladder
urethra
liver
skin
epidermis
dermis

Resumen de conceptos claves

5–1 El sistema respiratorio

▲ La respiración es la combinación de oxígeno y nutrientes en el cuerpo para producir energía y los gases de desecho, o sea bióxido de carbono y vapor del agua.

▲ La función principal del sistema respiratorio es llevar oxígeno al cuerpo y sacar bióxido de carbono del cuerpo.

▲ El sistema respiratorio consiste de la nariz, garganta, laringe, tráquea, bronquios y pulmones. Los bronquios se dividen en tubos más pequeños, que terminan formando racimos de alvéolos dentro de los pulmones.

▲ La laringe contiene las cuerdas vocales. Estas estructuras son las que producen la voz humana.

▲ El intercambio de oxígeno y bióxido de carbono tiene lugar en los alvéolos, que están rodeados por una red de capilares.

▲ La respiración consiste en inhalar y exhalar. Estos movimientos son producidos por las contracciones del diafragma.

5–2 El sistema excretor

▲ El sistema excretor es el encargado de remover algunos desechos del cuerpo.

▲ La excreción es el proceso por el cual se remueven los desechos.

▲ Los órganos principales del sistema excretor son los riñones.

▲ Cada riñón contiene millones de nefrones microscópicos que realizan el proceso de filtración de sustancias químicas.

▲ En un nefrón, se filtran de la sangre sustancias como los nutrientes, agua, sal y urea. Estas sustancias pasan a una parte del nefrón llamada cápsula de Bowman. Gran parte del agua y de los nutrientes son reabsorbidos en la corriente sanguínea. El líquido que queda en los tubos del nefrón se llama orina.

▲ La orina viaja desde cada riñón, a través de los uréteres hasta la vejiga urinaria. Luego se elimina del cuerpo a través de la uretra.

▲ El hígado saca el exceso de aminoácidos de la sangre y los convierte en urea, que forma la orina. El hígado también convierte en bilis la hemoglobina de los glóbulos rojos gastados.

▲ La piel está formada por dos capas principales: la epidermis y la dermis. Las glándulas sudoríparas, situadas en la dermis, eliminan el exceso de agua, sal y urea.

Repaso de palabras claves

Define cada palabra o palabras con una oración completa.

5–1 El sistema respiratorio

respiración
nariz
epiglotis
tráquea
laringe
cuerda vocal
bronquio
pulmón
alvéolo
diafragma

5–2 El sistema excretor

excreción
riñón
nefrón
cápsula de Bowman
uréter
vejiga urinaria
uretra
hígado
piel
epidermis
dermis

Chapter Review

Content Review

Multiple Choice

Choose the letter of the answer that best completes each statement.

1. In the body cells, food and oxygen combine to produce energy during
   a. digestion.   c. circulation.
   b. respiration.   d. excretion.
2. The lungs, nose, and trachea are all part of the
   a. skeletal system.
   b. digestive system.
   c. respiratory system.
   d. circulatory system.
3. Air enters the body through the
   a. lungs.   c. larynx.
   b. nose.   d. trachea.
4. Another name for the windpipe is the
   a. alveolus.   c. epiglottis.
   b. larynx.   d. trachea.
5. The voice box is also known as the
   a. larynx.   c. trachea.
   b. windpipe.   d. alveolus.

6. The trachea divides into two tubes called
   a. alveoli.   c. bronchi.
   b. air sacs.   d. ureters.
7. The process by which wastes are removed from the body is called
   a. digestion.   c. circulation.
   b. respiration.   d. excretion.
8. The kidneys contain microscopic chemical filtration factories called
   a. alveoli.   c. bronchi.
   b. nephrons.   d. cilia.
9. Urine is stored in the
   a. urinary bladder.   c. alveolus.
   b. urethra.   d. kidneys.
10. The top layer of skin is the
    a. epidermis.   c. alveolus.
    b. dermis.   d. epiglottis.

True or False

If the statement is true, write "true." If it is false, change the underlined word or words to make the statement true.

1. The job of getting oxygen into the body and getting carbon dioxide out is the main task of the <u>respiratory</u> system.
2. Dust particles in the incoming air are filtered by <u>blood vessels</u> in the nose.
3. The flap of tissue that covers the trachea whenever food is swallowed is the <u>larynx</u>.
4. The clusters of air sacs in the lungs are called <u>alveoli</u>.
5. The organs that regulate the amount of liquid in the body are the <u>kidneys</u>.
6. The <u>ureter</u> is the tube through which urine leaves the body.
7. The <u>liver</u> converts hemoglobin into bile.
8. The <u>lungs</u> are excretory organs.

Concept Mapping

Complete the following concept map for Section 5–1. Refer to pages H8–H9 to construct a concept map for the entire chapter.

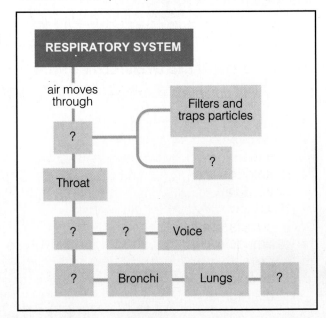

Repaso del capítulo

Repaso del contenido

Selección múltiple

Selecciona la letra de la respuesta que mejor complete cada frase.

1. En las células del cuerpo, los alimentos y el oxígeno se combinan para producir energía durante la
   a. digestión.
   b. respiración.
   c. circulación.
   d. excreción.

2. La nariz, los pulmones y la tráquea son parte del
   a. esqueleto.
   b. sistema digestivo.
   c. sistema respiratorio.
   d. sistema circulatorio.

3. El aire entra en el cuerpo a través de
   a. los pulmones.
   b. la nariz.
   c. la laringe.
   d. la tráquea.

4. El gaznate se llama también
   a. alvéolo.
   b. laringe.
   c. epiglotis.
   d. tráquea.

5. La caja de la voz se llama también
   a. laringe.
   b. gaznate.
   c. tráquea.
   d. alvéolo.

6. La tráquea se divide en dos tubos llamados
   a. alvéolos.
   b. sacos aéreos.
   c. bronquios.
   d. uréteres.

7. El proceso por el cual los desechos son removidos del cuerpo se llama
   a. digestión.
   b. respiración.
   c. circulación.
   d. excreción.

8. En los riñones hay filtros microscópicos que se llaman
   a. alvéolos.
   b. nefrones.
   c. bronquios.
   d. cilios.

9. La orina es almacenada en
   a. la vejiga urinaria.
   b. la uretra.
   c. el alvéolo.
   d. los riñones.

10. La capa superior de la piel es
    a. la epidermis.
    b. la dermis.
    c. el alvéolo.
    d. la epiglotis.

Verdadero o falso

Si la afirmación es verdadera, escribe "verdad." Si es falsa, cambia las palabras subrayadas para que sea verdadera.

1. La función de llevar oxígeno al cuerpo y remover bióxido de carbono del cuerpo es la tarea principal del sistema <u>respiratorio</u>.

2. Las partículas del polvo que se encuentran en el aire son filtradas por los <u>vasos sanguíneos</u> de la nariz.

3. El pliegue de tejido que cubre la tráquea cuando se ingieren alimentos es la <u>laringe</u>.

4. La red de sacos de aire de los pulmones se llaman <u>alvéolos</u>.

5. Los órganos que regulan la cantidad de líquido en el cuerpo son los <u>riñones</u>.

6. La <u>uretra</u> es el tubo a través del cual la orina es eliminada del cuerpo.

7. El <u>hígado</u> convierte hemoglobina en bilis.

8. Los <u>pulmones</u> son órganos excretores.

Mapa de conceptos

Completa el siguiente mapa de conceptos para la sección 5–1. Para hacer un mapa de conceptos de todo el capítulo, consulta las páginas H8–H9.

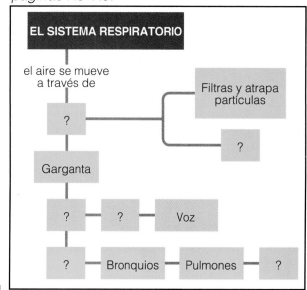

Concept Mastery

Discuss each of the following in a brief paragraph.

1. What is the difference between respiration and breathing?
2. How do the kidneys help to maintain homeostasis?
3. What role do the rib muscles and diaphragm play in breathing?
4. Why are the lungs considered to be both respiratory and excretory organs?
5. Explain the structure and function of a nephron.
6. Why is the skin classified as an excretory organ?
7. How is the kidney similar to a filter?
8. Why is the liver considered to be part of the digestive system as well as part of the excretory system?
9. What changes occur in the lungs when you inhale? What changes occur in the lungs when you exhale?
10. Name and describe four organs of excretion.
11. Trace the path of excess water from the nephrons to the outside of the body.

Critical Thinking and Problem Solving

Use the skills you have developed in this chapter to answer each of the following.

1. **Making comparisons** How are respiration and the burning of fuel similar? How are they different?
2. **Relating concepts** Would urine contain more or less water on a hot day? Explain.
3. **Relating concepts** How do respiration and excretion relate to the process of homeostasis?
4. **Designing an experiment** Design an experiment to show that the lungs excrete water.
5. **Interpreting data** Use your knowledge of the respiratory system to interpret the data table. What are the differences between inhaled air and exhaled air? How do you account for these differences?

	Inhaled Air	Exhaled Air
Nitrogen	79%	79%
Oxygen	21%	16%
Carbon Dioxide	0.04%	4.00%

6. **Applying concepts** What do you think is the advantage of having two kidneys?
7. **Making comparisons** How are the substances in the capsule of the nephron different from those in the urine that leaves the kidneys?
8. **Relating cause and effect** Emphysema is a disease in which the alveoli are damaged. How would this affect a person's ability to breathe?
9. **Relating cause and effect** Explain what happens to your throat when you sleep with your mouth open, especially when your nose is clogged because of a cold.
10. **Using the writing process** A children's television studio wants to make a movie that explains the process of respiration to young students. You have been asked to write a script that describes the travels of oxygen and carbon dioxide through the human respiratory system. Write a brief outline of your script, including information about what happens in each part of the respiratory system.

Dominio de conceptos

Comenta cada uno de los puntos siguientes en un párrafo breve.

1. ¿Cuál es la diferencia entre inhalar y exhalar?
2. ¿Cómo ayudan los riñones a mantener la homeostasis?
3. ¿Qué función cumplen los músculos de las costillas y el diafragma en la respiración?
4. ¿Por qué se consideran los pulmones órganos respiratorios y también órganos excretores?
5. Explica la estructura y función de un nefrón.
6. ¿Por qué la piel se clasifica como un órgano excretorio?
7. ¿Por qué el riñón es semejante a un filtro?
8. ¿Por qué se considera al hígado tanto parte del sistema digestivo como parte del sistema excretor?
9. ¿Qué cambios ocurren en los pulmones cuando inhalas? ¿Y cuando exhalas?
10. Menciona y describe cuatro órganos de excreción.
11. Traza la ruta del exceso de agua desde los nefrones hasta que sale del cuerpo.

Pensamiento crítico y solución de problemas

Usa las destrezas que has desarrollado en este capítulo para resolver lo siguiente.

1. **Hacer comparaciones** ¿En qué se parecen la respiración y quemar combustible? ¿Cómo se diferencian?
2. **Relacionar conceptos** ¿Contendrá la orina más o menos agua en un día caluroso? Explica?
3. **Relacionar conceptos** ¿Cómo se relacionan la respiración y la excreción con el proceso de homeostasis?
4. **Diseñar un experimento** Diseña un experimento para demostrar que los pulmones excretan agua.
5. **Interpretar datos** Utiliza tus conocimientos del sistema respiratorio para interpretar la tabla de datos. ¿Cuáles son las diferencias entre el aire inhalado y el aire exhalado? ¿Cómo explicarías estas diferencias?

	Aire inhalado	Aire exhalado
Nitrógeno	79%	79%
Oxígeno	21%	16%
Bióxido de carbono	0.04%	4.00%

6. **Aplicar conceptos** ¿Cuál crees que es la ventaja de tener dos riñones?
7. **Hacer comparaciones** ¿En qué se diferencian las sustancias en la cápsula del nefrón de las que se encuentran en la orina eliminada de los riñones?
8. **Relacionar causa y efecto** Enfisema es una enfermedad en la cual los alvéolos están dañados. ¿Cómo puede afectar esto la capacidad de respirar de una persona?
9. **Relacionar causa y efecto** Explica qué le ocurre a tu garganta cuando duermes con la boca abierta, especialmente cuando tienes la nariz tapada por un resfriado.
10. **Usar el proceso de la escritura** Un estudio de televisión para niños quiere producir una película que explique el proceso de respiración a jóvenes estudiantes. Se te ha pedido que escribas un guión que describa la circulación del oxígeno y del bióxido de carbono a través del sistema respiratorio humano. Escribe un resumen de tu guión, incluyendo información de lo que ocurre en cada parte del sistema respiratorio.

Nervous and Endocrine Systems

Guide for Reading

After you read the following sections, you will be able to

6–1 The Nervous System
- Describe the functions of the nervous system.
- Identify the structures of a neuron.
- Describe a nerve impulse.

6–2 Divisions of the Nervous System
- List the structures of the central nervous system and give their functions.
- Describe the peripheral nervous system and its function.

6–3 The Senses
- Summarize the functions of five sense organs.

6–4 The Endocrine System
- List eight endocrine glands and give the function of each.
- Explain the negative-feedback mechanism.

It is one o'clock on a Sunday morning. Suddenly, you find yourself face to face with a horrible-looking creature. You let out a scream and wake yourself out of a deep sleep. As you become more awake, you realize that it was all just a dream. The creature was not real. But your reaction to confronting the creature certainly was! Your heart pounded thunderously in your chest. Your breathing rate almost doubled, and your body was covered with perspiration. Even though you now know it was only a dream, your whole body seemed ready to respond by running away from or fighting the terrible creature.

Unknown to you, your nervous system and endocrine system were at work. Together, they control your body's activities. Parts of your nervous system—the brain, nerves, and sense organs—obtain information from the outside world. In turn, they alert your endocrine system to flood your bloodstream with chemicals. The chemicals cannot tell whether or not the threat is real. But that really does not matter, because a day may come when, faced with real danger, you will be glad that these two systems are working automatically. To find out how the nervous and endocrine systems perform their jobs, in any kind of situation, turn the page.

Journal *Activity*

You and Your World Imagine that you have to do without one of your sense organs for a day. Which one would you choose to give up? In your journal, list five everyday tasks you would ordinarily do using this sense organ. Then describe how the absence of this sense organ would affect these tasks.

◄ *A young person having a scary dream*

Los sistemas nervioso y endocrino

Guía para la lectura

Después de leer las secciones siguientes, vas a poder

6–1 El sistema nervioso

- Describir las funciones del sistema nervioso.
- Identificar las estructuras de una neurona.
- Describir un impulso nervioso.

6–2 Las divisiones del sistema nervioso

- Enumerar las estructuras del sistema nervioso central y sus funciones.
- Describir el sistema nervioso periférico y su funcion.

6–3 Los sentidos

- Resumir las funciones de los cinco órganos sensoriales.

6–4 El sistema endocrino

- Enumerar ocho glándulas endocrinas y describir las funciones de cada una.
- Explicar el mecanismo de retroalimentación negativa.

Es domingo por la mañana y el reloj marca la una. Repentinamente te encuentras frente a frente con una horrible criatura. Pegas un alarido y te despiertas de un sueño profundo. Pronto te das cuenta que sólo ha sido una pesadilla. La criatura era un fragmento de tu imaginación. Pero tu reacción fue muy real. Tu corazón latía de prisa. Se aceleró el ritmo de tu respiración y el sudor cubría tu cuerpo. A pesar de que sólo fue un sueño, tu cuerpo parecía estar listo para salir huyendo o enfrentarse al terrible monstruo.

Los sistemas nervioso y endocrino estaban funcionando sin que te dieras cuenta. Juntos, los dos controlan la actividad del cuerpo. Partes de tu sistema nervioso—el cerebro, los nervios y los órganos sensoriales—obtienen información del mundo exterior. A su vez alertan al sistema endocrino para que inunden la corriente sanguínea con sustancias químicas. No importa que la amenaza sea real o imaginaria, es probable que algún día, cuando debas enfrentarte a un peligro real, les agradecerás a estos dos sistemas su respuesta automática. Para descubrir cómo funcionan los sistemas nervioso y endocrino, bajo cualquier circunstancia, lee las páginas siguientes.

Diario *Actividad*

Tú y tu mundo Imagina que tuvieras que apañarte sin uno de tus órganos sensoriales por un día entero. ¿Cuál elegirías? En tu diario de actividades, enumera cinco tareas cotidianas en las cuales usas este sentido. Luego, describe de qué manera la falta de este sentido afectaría esas tareas.

Un joven tiene una pesadilla.

6-1 The Nervous System

You look up at the clock and realize that you have been working on this one particular math problem for more than half an hour. "Why am I having such a hard time solving this problem?" you ask yourself. Soon your mind begins to wander. Your thoughts turn to the summertime when you will no longer worry about math problems. Suddenly, the solution comes to you! This example, which may sound familiar, shows one of the many remarkable and often mysterious ways in which your nervous system functions. **The nervous system receives and sends out information about activities within the body. It also monitors and responds to changes in the environment.**

The extraordinary amount of information that your body receives at any one time is flashed through your nervous system in the form of millions of messages. These messages bring news about what is happening inside and outside your body—about the itch on your nose, or the funny joke you heard, or the odor of sweet-potato pie. Almost immediately, your nervous system tells other parts of your body what to do—scratch the itch, laugh at the joke, eat the pie.

In the meantime, your nervous system monitors (checks on) your breathing, blood pressure, and body temperature—to name just a few of the processes it takes care of without your awareness. The simple act of noticing that the weather is getting cooler is an example of the way the nervous system

Figure 6–1 *The nervous system controls and monitors all body activities—from the most simple to the most complex.*

6–1 El sistema nervioso

Miras el reloj y te das cuenta de que has estado más de media hora tratando de resolver el mismo problema matemático. "¿Por qué me cuesta tanto resolver este problema?" te preguntas. En seguida te distraes. Piensas en las vacaciones de verano cuando no tendrás ninguna preocupación. De repente, se te ocurre la solución. Esta situación, que tal vez te resulte familiar, es un ejemplo de cómo el sistema nervioso a veces funciona de una manera misteriosa. **El sistema nervioso recibe y envía información sobre las actividades dentro del cuerpo. También percibe y responde a cambios en el medio ambiente.**

La increíble cantidad de información que recibe tu cuerpo en un momento dado llega al sistema nervioso en millones de mensajes. Estos mensajes transmiten información sobre lo que ocurre dentro y fuera de tu cuerpo—la picazón de tu nariz, el chiste que escuchaste o el aroma que despide el pastel de batatas. Casi inmediatamente tu sistema nervioso le ordena a tu cuerpo lo que debe hacer—rascarse la nariz, reirse del chiste, o comer el pastel.

Al mismo tiempo, tu sistema nervioso controla tu respiración, presión sanguínea y temperatura corporal—por nombrar sólo algunas de las cosas que hace sin que te enteres. El simple hecho de percibir que hace más frío es un ejemplo de la manera en que el sistema nervioso controla lo que

Figura 6–1 *El sistema nervioso controla todas las actividades del cuerpo—desde las más simples a las más complejas.*

monitors what is happening around you. The way the nervous system responds to this change is to make you feel chilly so you put on warmer clothes.

By performing all its tasks, the nervous system keeps your body working properly despite the constant changes taking place around you. These changes, whether they happen all the time or once in a while, are called **stimuli** (singular: stimulus). To help you better understand what a stimulus is, imagine this situation. An insect zooms toward your eye. You quickly and automatically blink to avoid damage to your eye. In this case, the insect zooming toward you is the stimulus and the blinking of your eye is the response.

Although some responses to stimuli are involuntary (not under your control), such as blinking your eyes and sneezing, many responses of the nervous system are voluntary (under your control). For example, leaving a football game because it begins to rain (stimulus) is a voluntary reaction. It is a conscious choice that involves the feelings of the moment, the memory of what happened the last time you stayed out in the rain, and the ability to reason.

So you can see how important the nervous system is to you. From the instant you are born, the nervous system controls and interprets (makes sense of) all the activities going on within your body. Without your nervous system, you could not move, think, laugh, feel pain, or enjoy the taste of a wonderfully juicy taco.

Figure 6–2 *A nervous system enables organisms to respond to stimuli, or changes in the environment. In humans, the stimulus could be rain falling during a football game. The response could be opening umbrellas and donning rain gear, leaving the game, or both. In bears, a stimulus could be the sight of a salmon. What could the response be?*

ACTIVITY

CALCULATING

A Speedy Message

Messages in the nervous system travel at a speed of 120 meters per second. How many seconds would it take a nerve message to travel 900 meters? 1440 meters?

Figura 6–2 *El sistema nervioso le permite a los organismos percibir y responder a los estímulos o cambios en el ambiente. Para los humanos el estímulo podría ser la lluvia durante un partido de fútbol. La respuesta podría ser abrir el paraguas y ponerse un impermeable o dejar el estadio. También podría ser ambos. Para los osos, el estímulo podría ser ver un salmón. ¿Cuál podría ser la respuesta?*

sucede a tu alrededor. La forma en que el sistema nervioso responde a este cambio es hacerte sentir frío para que te abrigues.

El sistema nervioso mantiene a tu cuerpo en funcionamiento no obstante los cambios constantes de tu ambiente. Estos cambios del medio ambiente se llaman **estímulos**. Imagina esta situación: un insecto se dirige a uno de tus ojos y tú parpadeas automáticamente para evitar el daño. En este caso el insecto es el estímulo y el parpadeo tu respuesta.

A pesar de que algunas respuestas a los estímulos son involuntarias (no están bajo tu control), como parpadear o estornudar, muchas son voluntarias (están bajo tu control). Por ejemplo, suspender un partido de fútbol porque comienza a llover (estímulo) es una reacción voluntaria. Es una decisión consciente que involucra los sentimientos del momento, la memoria de lo que sucedió la última vez que jugaste bajo la lluvia, y la capacidad de razonar.

Ya empiezas a darte cuenta de la importancia de tu sistema nervioso, ¿verdad? Desde el momento de tu nacimiento el sistema nervioso controla e interpreta todas las actividades de tu cuerpo. Sin este sistema no te podrías mover, pensar, reir, sentir dolor, ni disfrutar del sabor de un taco delicioso y jugoso.

ACTIVIDAD

PARA CALCULAR

Un mensaje veloz

En el sistema nervioso los mensajes viajan a una velocidad de 120 metros por segundo. ¿Cuánto tardará un mensaje en recorrer 960 metros? ¿Y 1440 metros?

The Neuron—A Message-Carrying Cell

The nervous system is constantly alive with activity. It buzzes with messages that run to and from all parts of the body. Every second, hundreds of these messages make their journey through the body. The messages are carried by strings of one-of-a-kind cells called **neurons,** or nerve cells. Neurons are the basic units of structure and function in the nervous system. Neurons are unique because, unlike most other cells in the body, they can never be replaced. You need not worry about this, however. The number of neurons that you are born with is so large that you will have more than enough to last your entire lifetime.

Although neurons come in all shapes and sizes, they share certain basic characteristics, or features. You can see the features of a typical neuron in Figure 6–3. Notice that the largest part of the neuron is the **cell body.** The cell body contains the nucleus (a large dark structure), which controls all the activities of the cell.

You can think of the cell body as the switchboard of the message-carrying neuron. Running into this switchboard are one or more tiny, branching, thread-like structures called **dendrites.** The dendrites carry messages to the cell body of a neuron. A long tail-like fiber called an **axon** carries messages away from the cell body. Each neuron has only one axon, but the axon can be anywhere from 1 millimeter to more than 1 meter in length!

Figure 6–3 *Use the diagram to identify the basic structures in these neurons from the spinal cord. What is the function of the cell body?*

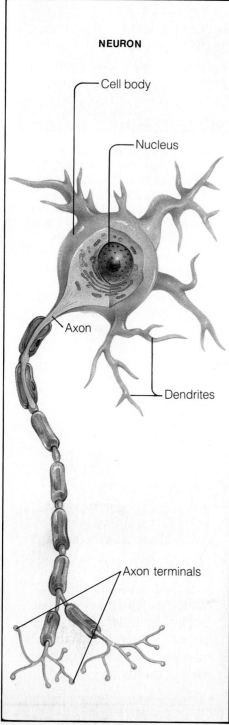

NEURON

- Cell body
- Nucleus
- Axon
- Dendrites
- Axon terminals

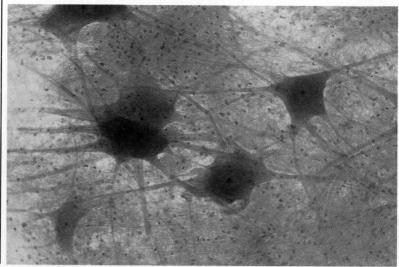

La neurona —una célula transmisora de mensajes

Figura 6–3 *Usa el diagrama para identificar la estructura básica de estas neuronas de la médula espinal. ¿Cuál es la función del cuerpo celular?*

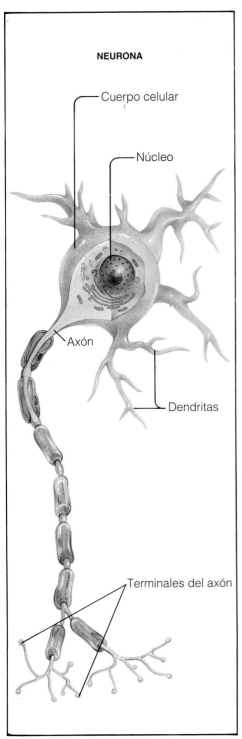

NEURONA

Cuerpo celular

Núcleo

Axón

Dendritas

Terminales del axón

En todo momento el sistema nervioso está ocupadísimo. Recibe y envía un caudal constante de información de una parte a otra del cuerpo. Cada segundo, centenas de estos mensajes viajan por el cuerpo. Se transmiten a través de conductos formados por células especiales llamadas **neuronas**. Las neuronas son las unidades básicas de la estructura y el funcionamiento del sistema nervioso. Las neuronas, a diferencia de otras células, nunca pueden ser reemplazadas. Pero esto no es razón para preocuparse. La gran cantidad de neuronas con las que nacemos nos dura toda la vida.

Las neuronas tienen diferentes formas y tamaños pero comparten ciertas características básicas. En la figura 6–3 puedes observar las características que muchas neuronas tienen en común. Verás que la parte más abultada de una neurona es el **cuerpo celular**. Este cuerpo celular contiene el núcleo (la estructura grande y oscura) que controla todas las actividades de la célula.

El cuerpo celular es como la central de operaciones de una neurona. Alrededor del cuerpo celular están las estructuras finas llamadas **dendritas** que llevan mensajes hacia el cuerpo celular. Una fibra alargada llamada **axón** emite los mensajes del cuerpo celular. Cada neurona tiene un solo axón, pero el axón puede medir ¡desde un milímetro a un metro de largo!

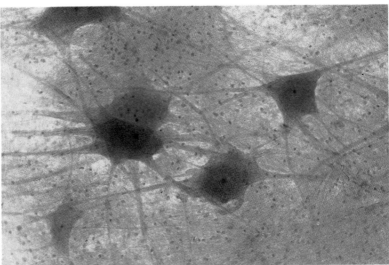

Notice in Figure 6–3 that the axon splits into many featherlike fibers at its far end. These fibers are called axon terminals (ends). Axon terminals pass on messages to the dendrites of other neurons. Axon terminals are usually found some distance from the cell body.

There are three types of neurons in your nervous system—sensory neurons, interneurons, and motor neurons. To find out the function of each neuron, try this activity: Press your finger against the edge of your desk. What happens? You feel the pressure of the desk pushing into your skin. You may even feel some discomfort or pain, if you press hard enough. Eventually, you remove your finger from this position.

How do neurons enable you to do all this? Special cells known as **receptors** receive information from your surroundings. In this activity the receptors are located in your finger. Messages travel from these receptors to your spinal cord and brain through **sensory neurons.** Your spinal cord and brain contain **interneurons.** Interneurons connect sensory neurons to **motor neurons.** It is through motor neurons that the messages from your brain and spinal cord are sent to a muscle cell or gland cell in your body. The muscle cell or gland cell that is stimulated by the motor neuron is called an **effector.**

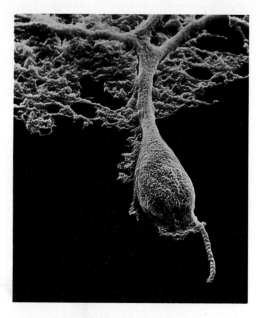

Figure 6–4 *One of the body's billions of neurons can be seen in this photograph. The axon is the ropelike structure at the bottom of the photograph. What is the function of the axon?*

Figure 6–5 *There are three types of neurons in the nervous system: sensory neurons, interneurons, and motor neurons. What is an effector? A receptor?*

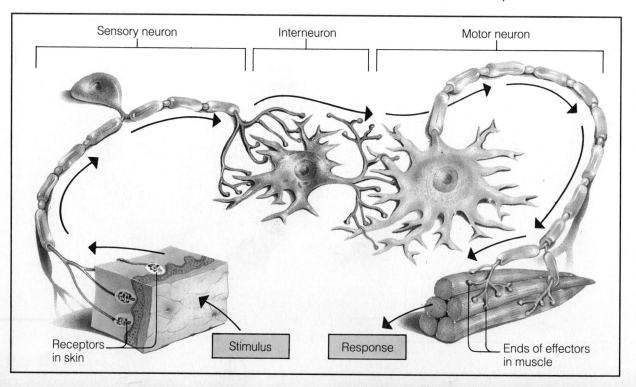

Sensory neuron   Interneuron   Motor neuron

Receptors in skin   Stimulus   Response   Ends of effectors in muscle

Observa en la figura 6–3 que el extremo del axón está dividido en numerosas fibras que parecen plumas. Estas fibras, que se llaman terminales del axón, pasan los mensajes a las dendritas de otras neuronas. Estas terminales del axón generalmente se encuentran a cierta distancia del cuerpo celular.

Hay tres tipos de neuronas en tu sistema nervioso: neuronas sensoriales, neuronas de asociación y neuronas motoras. Realiza la siguiente actividad para averiguar la función de cada neurona: Presiona tu dedo contra el borde del pupitre. ¿Qué sucede? Sientes la presión del pupitre contra tu dedo. Es posible que sientas un poco de dolor si presionas con fuerza. Finalmente, quitas el dedo del pupitre.

¿Cuál es la función de las neuronas durante esta actividad? Células especiales llamadas **receptores** reciben información del medio ambiente. En esta actividad los receptores están en tu dedo. Los mensajes viajan de los receptores a tu médula espinal y a tu cerebro a través de **neuronas sensoriales**. En tu médula espinal y tu cerebro hay **neuronas de asociación** que sirven de conexión entre las neuronas sensoriales y las **neuronas motoras**. Las neuronas motoras llevan los mensajes de tu cerebro y médula espinal hasta una célula muscular o glandular. La célula muscular o glandular que es estimulada por las neuronas motoras se llama **efector**.

Figura 6–4 *En esta fotografía puedes observar una de los miles de millones de neuronas. El axón es la estructura que parece una soga en la parte de abajo de la foto. ¿Cuál es la función del axón?*

Figura 6–5 *Hay tres tipos de neuronas en el sistema nervioso: neuronas sensoriales, neuronas de asociación y neuronas motoras. ¿Qué es un efector? ¿Y un receptor?*

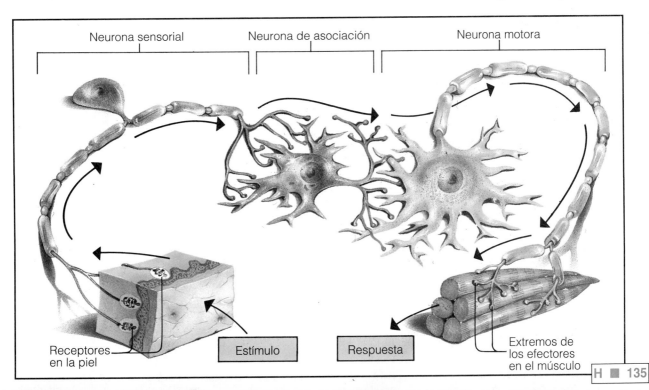

Neurona sensorial Neurona de asociación Neurona motora

Receptores en la piel

Estímulo

Respuesta

Extremos de los efectores en el músculo

The Nerve Impulse

You have just read that the path of a message, which is more accurately known as a **nerve impulse,** is basically from sensory neuron to interneuron to motor neuron. But how exactly does a message travel along a neuron? And how does it get from one neuron to another neuron? **When a nerve impulse travels along a neuron or from one neuron to another neuron, it does so in the form of electrical and chemical signals.**

An electrical signal, which in simple terms is thought of as changing positive and negative charges, moves a nerve impulse along a neuron (or from one end of the neuron to the other). The nerve impulse enters the neuron through the dendrites and travels along the length of the axon. The speed at which a nerve impulse travels along a neuron can be as fast as 120 meters per second!

The way in which a nerve impulse travels from one neuron to another is a bit more complex. Do you know why? The reason is that the neurons do not touch one another. There is a tiny gap called a **synapse** (SIHN-aps) between the two neurons. Somehow, the nerve impulse must "jump" that gap. But how? Think of the synapse as a river that flows between a road on either bank. When a car gets to the

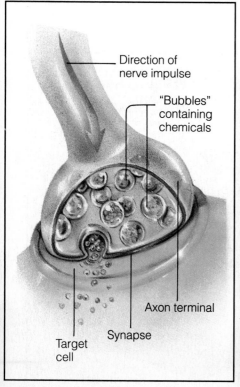

Figure 6–6 *The tiny gap between two neurons is called a synapse. The small reddish circles in the photograph are bubbles that contain chemicals which pour out of the axon terminal in one neuron, cross the synapse, and trigger a nerve impulse in the second neuron.*

Direction of
nerve impulse

"Bubbles"
containing
chemicals

Axon terminal

Target
cell

Synapse

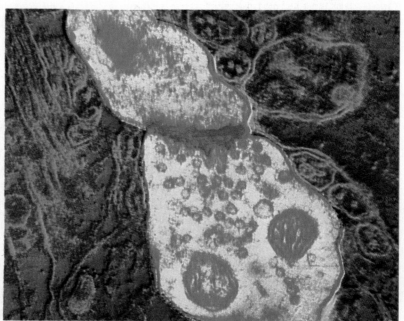

El impulso nervioso

Acabas de aprender que un mensaje, o **impulso nervioso**, viaja de una neurona sensorial a una neurona de asociación y luego a una neurona motora. ¿Pero, cómo viaja en realidad un mensaje a través de una neurona? ¿Y cómo llega de una neurona a otra? **Cuando un impulso nervioso se transmite a través de una neurona o de una neurona a otra, lo hace en forma de señales eléctricas o químicas.**

Una señal eléctrica que en simples términos es el cambio de posición de cargas positivas y negativas, mueve un impulso nervioso a través de una neurona (o del extremo de una neurona a otra). El impulso nervioso entra en la neurona a través de las dendritas y viaja a través del axón. Un impulso nervioso puede viajar a través de una neurona a una velocidad de 120 metros por segundo.

La manera en que un impulso nervioso viaja de una neurona a otra es un poco más compleja. ¿Sabes por qué? La razón es que las neuronas no se tocan entre sí. Existe un espacio pequeño entre dos neuronas llamado **sinapsis**. De alguna manera el impulso nervioso debe "saltar" la brecha. ¿Pero cómo? Piensa en la sinapsis como en un río que divide un camino. Cuando un automóvil llega al río, lo cruza en

Figura 6–6 *El pequeño espacio entre dos neuronas se llama sinapsis. Los pequeños círculos rojos de la foto son burbujas que contienen sustancias químicas que salen de la terminal de un axón en una neurona, cruzan la sinapsis y generan un impulso nervioso en la otra neurona.*

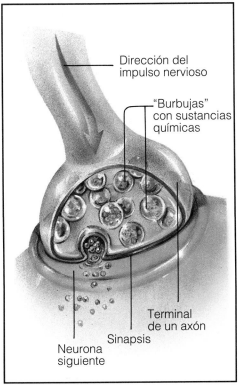

Dirección del impulso nervioso

"Burbujas" con sustancias químicas

Terminal de un axón

Sinapsis

Neurona siguiente

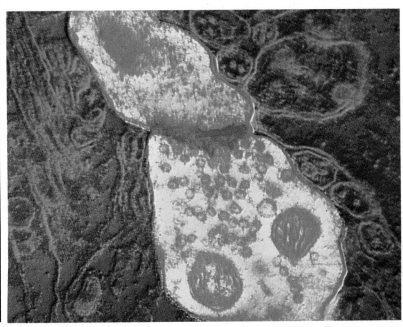

river, it crosses over by ferry. Then it drives right back onto the road and continues its journey.

Similarly, a nerve impulse is "ferried" across the synapse by a chemical signal. This chemical signal pours out of the ends of the neuron (axon terminals) as the nerve impulse nears the synapse. The electrical signal that brought the nerve impulse to this point shuts down, and the chemical signal takes the nerve impulse aboard, moving it across the synapse to the next neuron along its route. Then the chemical signal triggers the electrical signal again, and the whole process is repeated until the nerve impulse reaches its destination. You can appreciate how efficient this process is when you consider that for certain actions, this all happens in a matter of milliseconds!

6–1 Section Review

1. What are the functions of the nervous system?
2. What is a neuron? Describe its structure.
3. Identify the three types of neurons.
4. Describe a nerve impulse.

Critical Thinking—*Making Comparisons*
5. In the human nervous system, nerve impulses travel in only one direction along a neuron. How is this one-way traffic system better than a two-way traffic system along the same neuron?

ACTIVITY
DISCOVERING

A Reflex Action

1. Sit with your legs crossed so that one swings freely.

2. Using the side of your hand, gently strike your free-swinging leg just below your knee.

What happened when you struck that area? Describe in words or with a diagram the path the nerve impulse took as it traveled from your leg to the central nervous system and back to your leg.

■ What advantage does a reflex have over a response that involves a conscious choice?

6–2 Divisions of the Nervous System

In the previous section, you learned about the neuron as the basic unit of structure and function of the nervous system. You also gained some insight into the amazing job neurons do to keep you and your body in touch with the world inside and around you. Neurons, however, do not act alone. Instead, they are joined to form a complex communication network that makes up the human nervous

Guide for Reading

Focus on these questions as you read.

▶ *What are the two major parts of the human nervous system?*

▶ *What is the function and structure of each of the two major parts of the human nervous system?*

un transbordador. Luego, vuelve al camino para continuar su viaje.

De manera similar, un impulso nervioso "cruza" la sinapsis por medio de una señal química. Las terminales del axón emiten estas señales químicas cuando el impulso nervioso se acerca a la sinapsis. La señal eléctrica que condujo el impulso nervioso hasta este punto se detiene, y la señal química acarrea el impulso nervioso a través de la sinapsis hasta la neurona siguiente. Luego la señal química origina nuevamente una señal eléctrica, y el proceso se repite hasta que el impulso nervioso llega a su destino. Puedes apreciar lo eficiente que es este proceso complicado si consideras que toma tan sólo unos milisegundos.

6–1 Repaso de la sección

1. ¿Cuáles son las funciones del sistema nervioso?
2. ¿Qué es una neurona? Describe su estructura.
3. Identifica los tres tipos de neuronas.
4. Describe un impulso nervioso.

Pensamiento crítico—*Hacer comparaciones*
5. En el sistema nervioso humano, los impulsos nerviosos viajan en una sola dirección a través de una neurona. ¿Por qué este sistema de tráfico en una sola dirección es mejor que un sistema de tráfico en dos direcciones a través de la misma neurona?

ACTIVIDAD

PARA AVERIGUAR

Acción refleja

1. Siéntate con las piernas cruzadas de manera que una se pueda mover libremente.

2. Con el lado de la mano golpea levemente la pierna libre por debajo de la rodilla.

¿Que sucedió al golpearla? Describe con palabras o con un diagrama el camino que siguió el impulso nervioso desde tu pierna hasta el sistema nervioso central y de vuelta a tu pierna.

■ ¿Qué ventaja tiene una acción refleja sobre una reacción que requiere una decisión consciente?

6–2 Las divisiones del sistema nervioso

En la sección previa aprendiste que la neurona es la unidad básica de la estructura y funcionamiento del sistema nervioso. Y averiguaste además como las neuronas te mantienen a ti y a tu cuerpo en contacto con el medio ambiente. Las neuronas, sin embargo, no actúan solas, son parte de una complicada red de comunicaciones que forma el sistema nervioso

Guía para la lectura

Piensa en estas preguntas mientras lees.

▶ *¿Cuáles son las dos partes principales del sistema nervioso?*

▶ *¿Cuál es la estructura y función de cada una de las dos partes principales del sistema nervioso humano?*

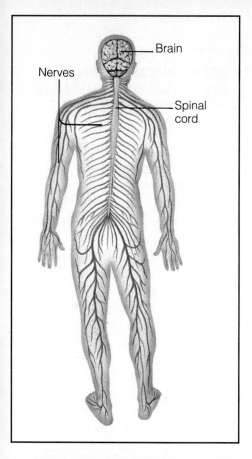

Figure 6–7 *The human nervous system is made up of the central nervous system and the peripheral nervous system. The central nervous system contains the brain and the spinal cord. The peripheral nervous system contains all the nerves that branch out from the central nervous system.*

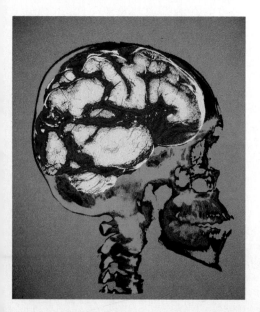

system. The human nervous system is divided into two parts: the central nervous system and the peripheral nervous system.

All information about what is happening in the world inside or outside your body is brought to the central nervous system. **The central nervous system, which contains the brain and the spinal cord, is the control center of the body.**

The other part of the human nervous system is the peripheral (puh-RIHF-uh-ruhl) nervous system. **The peripheral nervous system consists of a network of nerves that branch out from the central nervous system and connect it to the organs of the body.** Put another way, the peripheral nervous system is made up of all the nerves that are found outside the central nervous system. In fact, the word peripheral means outer part.

The Central Nervous System

If you were asked to write a list of your ten favorite rock stars and at the same time name all fifty states aloud, you would probably say you were being asked to do the impossible. And you would be quite correct. It is obvious that the nervous system is not able to control certain functions at the same time it is busy controlling other functions. What is less obvious, however, is just how many functions the brain can control at one time! For example, even an action as simple as sitting quietly in a movie theater requires several mental operations.

Many kinds of impulses travel between your central nervous system and other parts of your body as you watch a movie. Some nerve impulses control the focus of your eyes and the amount of light that enters them. Other nerve impulses control your understanding of what you see and hear. At the same time, still other nerve impulses regulate a variety of body activities such as breathing and blood circulation. And all these impulses may be related to one another. For example, if you are frightened by a scene in the movie, your breathing and heart rates

Figure 6–8 *This photograph is actually a combination of two photographs. One is an X-ray of a human skull. The other is of a human brain that has been properly positioned over the X-ray. What is the function of the skull?*

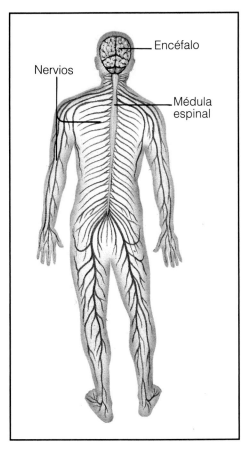

Figura 6–7 *El sistema nervioso humano está formado por el sistema nervioso central y el sistema nervioso periférico. El sistema nervioso central contiene el encéfalo y la médula espinal. El sistema nervioso periférico está compuesto por todos los nervios que se ramifican del sistema nervioso central.*

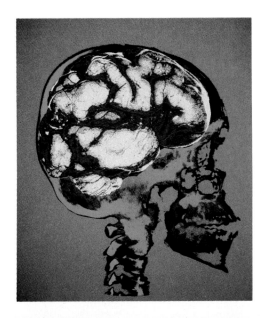

humano. El sistema nervioso humano está dividido en dos partes: el sistema nervioso central y el sistema nervioso periférico.

Toda la información sobre lo que sucede dentro o fuera de tu cuerpo se transmite al sistema nervioso central. **El sistema nervioso central que contiene el encéfalo y la médula espinal, es el centro de control del cuerpo.**

La otra parte del sistema nervioso humano es el sistema nervioso periférico. **El sistema nervioso periférico consiste en una red de nervios que se ramifican desde el sistema nervioso central y lo conectan con los órganos del cuerpo.** En otras palabras, el sistema nervioso periférico está formado por todos los nervios que se encuentran fuera del sistema nervioso central. La palabra periférico significa externo.

El sistema nervioso central

Si te pidieran que escribieras los nombres de diez de tus estrellas de rock favoritas, y que a la vez enumeres en voz alta los cincuenta estados del país, es probable que dijeras que es imposible. Y estarías en lo cierto. Resulta obvio que el sistema nervioso no puede controlar ciertas funciones cuando está ocupado con otras. Lo que no está claro es cuántas funciones puede controlar a la vez. Incluso la simple acción de estar sentado en el cine mirando una película, requiere varias operaciones mentales.

Muchos impulsos diferentes viajan entre tu sistema nervioso y otras partes del cuerpo mientras miras una película. Algunos impulsos controlan tu visión y la cantidad de luz que percibes. Otros controlan tu interpretación de lo que ves y oyes, y hay otros que regulan tu respiración y circulación sanguínea. Todos estos impulsos pueden estar relacionados entre sí. Por ejemplo, si la película es de terror, es probable que aumente el ritmo de tu

Figura 6–8 *Esta fotografía es en realidad la combinación de dos fotos. Una es la radiografía de un cráneo humano. La otra es la foto de un encéfalo humano superpuesta a la radiografía. ¿Cuál es la función del cráneo?*

will likely increase. If, on the other hand, you are bored, these rates may decrease. In fact, you might even fall asleep!

The activities that occur within the central nervous system are very complex. Interpreting the information that pours in from all parts of your body and issuing the appropriate commands to these very same parts are the responsibility of the two parts of the central nervous system: the **brain** and the **spinal cord.** The brain is the main control center of the central nervous system. It transmits and receives messages through the spinal cord. The spinal cord provides the link between the brain and the rest of the body.

THE BRAIN   If you are a fan of the English author Agatha Christie, you may remember the words uttered by her fictional detective Hercule Poirot as he attempted to solve a mystery: "These little gray cells! It is up to them." Indeed, much of the human brain does appear to be gray as a result of the presence of the cell bodies of billions of neurons. Underneath the gray material is white material, which is made of bundles of axons.

Despite the presence of billions of neurons, the mass of the brain is only about 1.4 kilograms. As you might expect of such an important organ, the brain is very well protected. A bony covering called the skull encases the brain. (You may recall from Chapter 2 that the skull is part of the skeletal system.) The brain is also wrapped by three layers of connective tissue, which nourish and protect it. The inner layer clings to the surface of the brain and follows its many folds. Between the inner layer and the middle layer is a watery fluid. The brain is bathed in this fluid and is thus cushioned against sudden impact, such as when you bump heads with another person while playing soccer or when you take a nasty fall. The outer layer, which makes contact with the inside of the bony skull, is thicker and tougher than the other two layers.

Looking like an oversized walnut without a shell, the **cerebrum** (SER-uh-bruhm) is the largest and most noticeable part of the brain. As you can see from Figure 6–11 on page 140, the cerebrum is lined with deep, wrinkled grooves. These grooves greatly increase the surface area of the cerebrum, thus allowing more

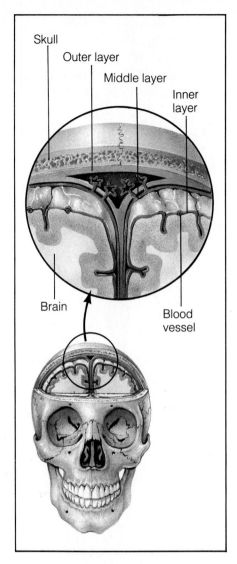

Figure 6–9 *The brain is wrapped by three layers of connective tissue, which nourish and protect it. Covering the brain and its three layers of connective tissue is a bony skull.*

respiración y los latidos de tu corazón. Si, por el contrario, es muy aburrida, ellos disminuirán y, ¡hasta puedes quedarte dormido!

Las actividades que ocurren en el sistema nervioso central son muy complejas. Las dos partes del sistema nervioso central que están a cargo de interpretar la información que llega desde todas partes del cuerpo y enviarles las respuestas adecuadas son: el **encéfalo** y la **médula espinal.** El encéfalo es el centro de control principal del sistema nervioso central. Transmite y recibe mensajes a través de la médula espinal. La médula espinal es la conexión entre el encéfalo y el resto del cuerpo.

EL ENCÉFALO Si admiras a la autora inglesa Agatha Christie, tal vez recuerdes las palabras del célebre detective Hercule Poirot: "Todo depende de la materia gris." Y efectivamente, la mayor parte del cerebro humano parece ser gris por la presencia de miles de millones de cuerpos celulares de las neuronas. Bajo la materia gris hay materia blanca, formada por los axones.

A pesar de la presencia de miles de millones de neuronas, la masa del encéfalo es de sólo 1.4 kilogramos. El encéfalo, como corresponde a un órgano tan importante, está muy bien protegido. Una protección ósea denominada cráneo lo recubre. (Como recordarás del capítulo 2, el cráneo es parte del esqueleto). El encéfalo también está recubierto por tres capas de tejido conectivo, que lo alimentan y lo protegen. La capa interior se adhiere a la superficie del encéfalo y se amolda a sus numerosos pliegues. Entre la capa interior y la capa media hay un líquido acuoso. Este líquido baña el encéfalo y lo protege de impactos repentinos, como cuando tu cabeza choca con la de otra persona durante un partido de fútbol o te caes. La capa exterior que está en contacto con el interior del cráneo, es más gruesa y resistente que las otras dos.

El **cerebro** es la parte más grande y visible del encéfalo. Como puedes observar en la figura 6–11 de la página 140, está atravesado por surcos profundos y arrugados. Estos surcos aumentan la superficie del cerebro, lo que posibilita que más actividades tengan

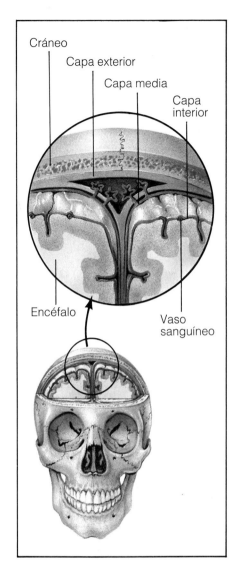

Figura 6–9 *El encéfalo está recubierto por tres capas de tejido conectivo, que lo alimentan y lo protegen. El cráneo cubre el encéfalo y sus tres capas de tejido conectivo.*

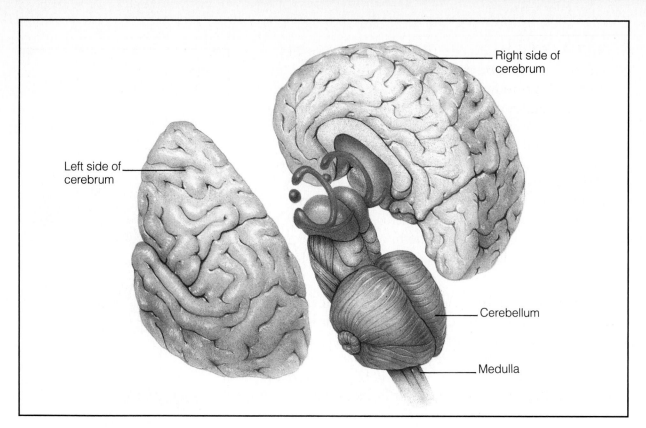

Right side of
cerebrum

Left side of
cerebrum

Cerebellum

Medulla

Figure 6–10 *The human brain consists of the cerebrum, cerebellum, and medulla. What is the function of each part?*

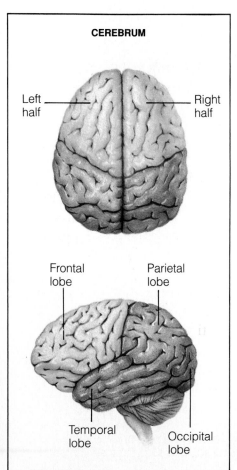

CEREBRUM

Left
half

Right
half

Frontal
lobe

Parietal
lobe

Temporal
lobe

Occipital
lobe

activities to occur there. You can appreciate how important this feature is when you consider that the cerebrum is the area where learning, intelligence, and judgment occur. Increased surface area means increased thinking ability. But this is not all the cerebrum does. It also controls all the voluntary (under your control) activities of the body. In addition, it shapes your attitudes, your emotions, and even your personality.

Another interesting feature of the cerebrum (which you may have noticed in Figure 6–11) is that it is divided into halves: a right half and a left half. Each half controls different kinds of mental activity. For example, the right half is associated with artistic ability and the left half is associated with mathematical ability. And each half controls the movement of and sends sensations to the side of the body opposite it. In other words, the right side of the brain

Figure 6–11 *The cerebrum is divided into two halves. Each half contains four lobes, or sections. What are the names of these lobes?*

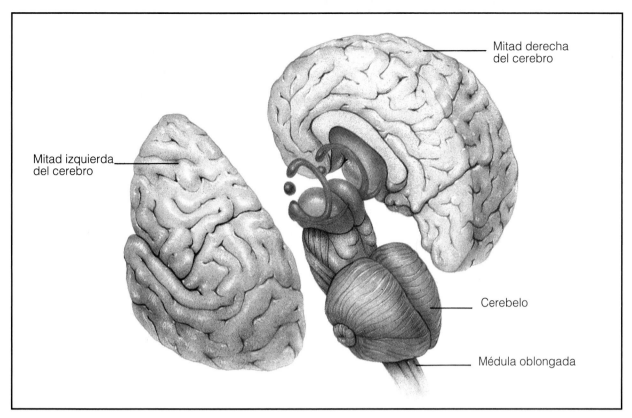

Mitad derecha
del cerebro

Mitad izquierda
del cerebro

Cerebelo

Médula oblongada

Figura 6–10 *El cerebro humano está compuesto del cerebro, cerebelo y médula. ¿Qué función cumple cada parte?*

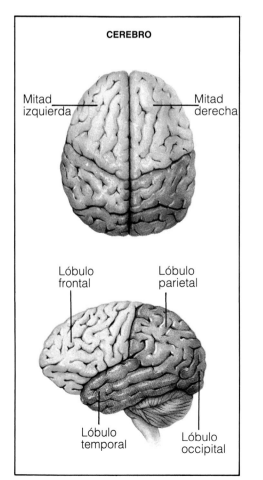

CEREBRO

Mitad izquierda

Mitad derecha

Lóbulo frontal

Lóbulo parietal

Lóbulo temporal

Lóbulo occipital

lugar allí. Esta característica es muy importante, como reconocerás al tomar en cuenta que el cerebro domina las funciones del aprendizaje, inteligencia y discernimiento. Mayor superficie significa mayor capacidad para pensar y razonar. Sin embargo, esto no es todo, el cerebro se encarga de mucho más. También controla las acciones voluntarias del cuerpo (las que están bajo tu control), y además configura tus actitudes, tus emociones y hasta tu personalidad.

Otra característica interesante del cerebro (que tal vez hayas notado en la figura 6–11) es que está dividido en dos mitades: una mitad derecha y una mitad izquierda. Cada mitad controla diferentes tipos de actividad mental. Por ejemplo, la mitad derecha se asocia con la capacidad artística y la izquierda con la capacidad matemática. Y cada mitad controla los movimientos y sensaciones de la parte del cuerpo contraria a ella, o sea que la mitad derecha del

Figura 6–11 *El cerebro está dividido en dos mitades. Cada mitad contiene cuatro lóbulos o secciones. ¿Cómo se llaman estos lóbulos?*

controls the left side of the body; the left side of the brain controls the right side of the body.

Below and to the rear of the cerebrum is the **cerebellum** (ser-uh-BEHL-uhm), the second largest part of the brain. The cerebellum's job is to coordinate the actions of the muscles and to maintain balance. As a result, your body is able to move smoothly and skillfully.

Below the cerebellum is the **medulla** (mih-DUHL-uh), which connects the brain to the spinal cord. The medulla controls involuntary actions, such as heartbeat, breathing, and blood pressure. Can you name some other types of involuntary actions?

SPINAL CORD If you bend forward slightly and run your thumb down the center of your back, you can feel the vertebrae that make up your spinal column. As you may recall from Chapter 2, the vertebrae are a series of bones that protect the spinal cord. The spinal cord runs the entire length of the neck and back. It connects the brain with the rest of the nervous system through a series of 31 pairs of

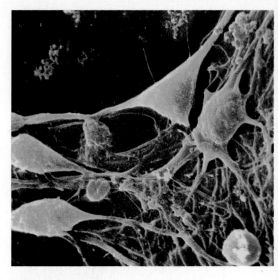

Figure 6–12 *Impulses are constantly traveling across neurons such as these located in the brain. To what part of the human nervous system does the brain belong?*

Activity Bank

How Fast Can You React?, p. 255

Figure 6–13 *The brain directs and coordinates all the body's activities. What is the function of the cerebellum?*

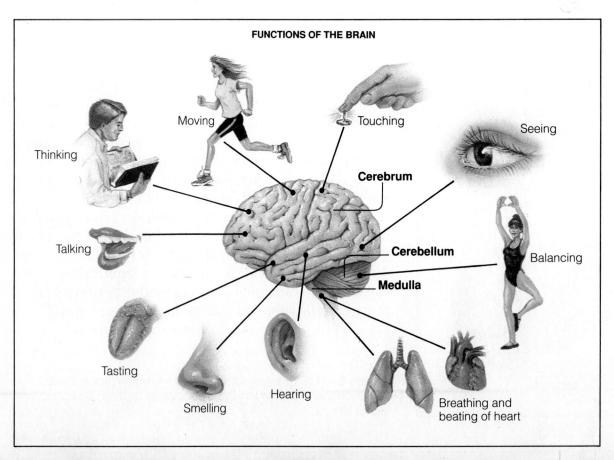

FUNCTIONS OF THE BRAIN

Thinking

Moving

Touching

Seeing

Cerebrum

Talking

Cerebellum

Balancing

Medulla

Tasting

Smelling

Hearing

Breathing and beating of heart

cerebro controla el lado izquierdo del cuerpo, y la mitad izquierda del cerebro controla el lado derecho del cuerpo.

Debajo y detrás del cerebro está el **cerebelo**, que después del cerebro es la parte más grande del encéfalo. El cerebelo coordina las acciones musculares y mantiene el equilibrio del cuerpo. Como resultado, te puedes mover hábilmente y con gracia.

Debajo del cerebelo está la **médula oblongada**, que conecta el cerebro con la médula espinal. La médula oblongada controla acciones involuntarias, tales como el latido del corazón, la respiración y la presión arterial. ¿Puedes nombrar otras acciones involuntarias?

MÉDULA ESPINAL Si te inclinas hacia adelante y pasas tu pulgar por el centro de la espalda, podrás sentir las vértebras que conforman tu columna vertebral. Como recordarás del capítulo 2, las vértebras son una serie de huesos que protegen la médula espinal. La médula espinal se extiende por todo el largo de la nuca y la espalda. Conecta el cerebro con el resto del sistema nervioso mediante

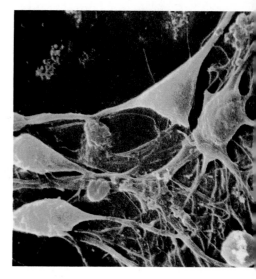

Figura 6–12 *Los impulsos nerviosos viajan constantemente a través de neuronas como éstas localizadas en el encéfalo. ¿A qué parte del sistema nervioso pertenece el encéfalo?*

Pozo de actividades

¿Qué rápido reaccionas?, p. 255

Figura 6–13 *El encéfalo controla y coordina todas las actividades del cuerpo. ¿Cuál es la función del cerebelo?*

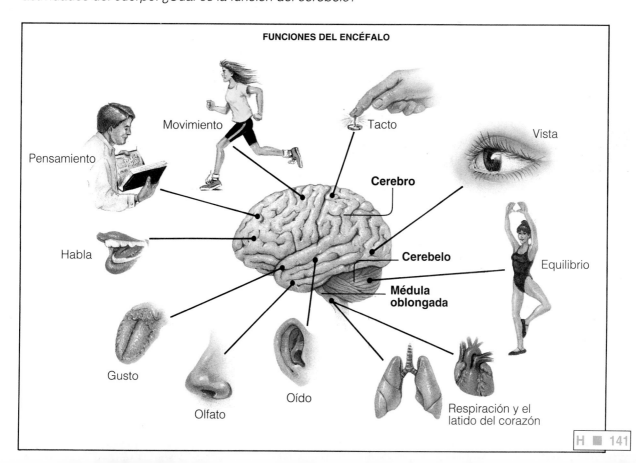

FUNCIONES DEL ENCÉFALO

Pensamiento

Movimiento

Tacto

Vista

Cerebro

Habla

Cerebelo

Médula oblongada

Equilibrio

Gusto

Olfato

Oído

Respiración y el latido del corazón

Figure 6-14 *The spinal cord, which provides the link between the brain and the rest of the body, is about 43 centimeters long and as flexible as a rubber hose. As the diagram shows, the spinal cord is protected by a series of bones called vertebrae that make up the vertebral column.*

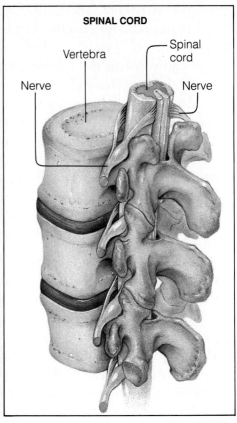

SPINAL CORD

Vertebra

Spinal cord

Nerve

Nerve

Figure 6-15 *If you touch a thumbtack, you will pull your finger away from it quickly. This reaction is an example of a reflex.*

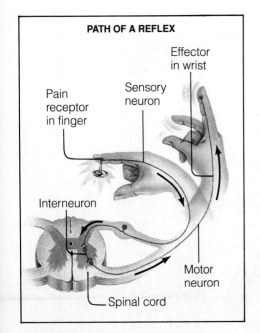

PATH OF A REFLEX

Effector in wrist

Sensory neuron

Pain receptor in finger

Interneuron

Motor neuron

Spinal cord

nerves. These nerves carry nerve impulses to and from the spinal cord.

Quite possibly, you are so interested in reading this chapter that you do not notice a fly circling in the air above your head. But if the fly happens to come close to your eyes, your eyes will automatically blink shut. Why?

A simple response to a stimulus (fly coming near your eyes) is called a **reflex.** In this example, the reflex begins as soon as the fly approaches your eyes. The fly's action sends a nerve impulse through the sensory neurons to the spinal cord. In the spinal cord, the nerve impulse is relayed to interneurons, which send the nerve impulse to motor neurons. The motor neurons stimulate the muscles (effectors) of the eyes, causing them to contract and so you blink.

Reflexes are not only lightning-fast reactions, they are also automatic. Their speed and automatic nature are possible because the nerve impulses travel only to the spinal cord, bypassing the brain. The brain does become aware of the event, however, but only after it has happened. So the instant after you

Figura 6–14 *La médula espinal, que es la conexión entre el encéfalo y el resto del cuerpo, mide unos 43 cm de largo y es tan flexible como una manguera de goma. Como se ve en el diagrama, la médula espinal está protegida por una serie de huesos llamados vértebras, que componen la columna vertebral.*

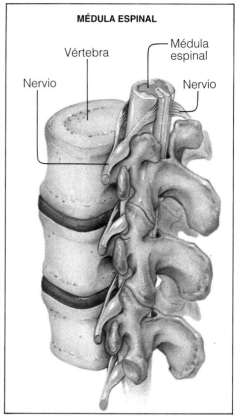

MÉDULA ESPINAL

Vértebra

Médula espinal

Nervio

Nervio

Figura 6–15 *Si te pinchas el dedo con una tachuela, lo retiras inmediatamente. Éste es un ejemplo de una acción refleja.*

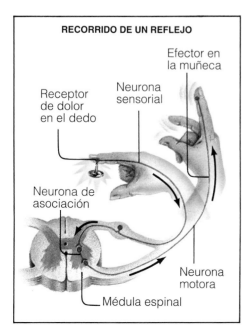

RECORRIDO DE UN REFLEJO

Efector en la muñeca

Receptor de dolor en el dedo

Neurona sensorial

Neurona de asociación

Neurona motora

Médula espinal

una serie de 31 pares de nervios que acarrean impulsos nerviosos desde y hacia ella.

Es posible que estés tan absorto en la lectura de este capítulo que no notes que hay una mosca volando a tu alrededor. Pero si la mosca se te acerca a los ojos, estos se cerrarán automáticamente. ¿Por qué?

La respuesta a un estímulo (como por ejemplo el de la mosca acercándose a tus ojos) se llama **reflejo**. En este caso, el reflejo comienza en el momento que la mosca se aproxima a tus ojos. Ésta acción envía un impulso nervioso a la médula espinal a través de las neuronas sensoriales. En la médula espinal, el impulso nervioso pasa a las neuronas de asociación, que a su vez lo envían a las neuronas motoras. Las neuronas motoras estimulan los músculos (efectores) de los ojos. Cuando estos se contraen, tú parpadeas.

Los reflejos no son sólo reacciones instantáneas; también son automáticas. Su rapidez y habilidad de actuar automáticamente son posibles porque los impulsos nerviosos no pasan por el encéfalo sino sólo por la médula espinal. El encéfalo sólo se entera una vez que la acción haya ocurrido. O sea que después

blink, your brain knows that you blinked and why you blinked.

The Peripheral Nervous System

The peripheral nervous system is the link between the central nervous system (brain and spinal cord) and the rest of the body. The peripheral nervous system consists of pairs of nerves (43 to be exact) that arise from the brain and spinal cord and lead to organs throughout your body. Many of the nerves in the peripheral nervous system are under the direct control of your conscious mind. For example, when you "tell" your leg to move, a message travels from your brain to your spinal cord and through a peripheral nerve to your leg. There is one part of the peripheral nervous system, however, that is not under the direct control of your conscious mind. This part, called the autonomic (awt-uh-NAHM-ihk) nervous system, controls body activities that are involuntary—that is, body activities that happen automatically without your thinking about them. For example, contractions of the heart muscle and movement of smooth muscles surrounding the blood vessels and the organs of the digestive system are activities under the control of the autonomic nervous system.

The nerves of the autonomic nervous system can be divided into two groups that have opposite effects on the organs they control. One group of nerves triggers an action by an organ while the other group of nerves slows down or stops the action. Thus, the nerves of the autonomic nervous system work against each other to keep body activities in perfect balance.

ACTIVITY

DISCOVERING

Fight or Flight?

1. Working with a partner, determine your pulse rate (heartbeats per minute) and breathing rate (breaths per minute) while you are at rest. Record your data.

2. Now do ten jumping jacks. **CAUTION:** *If you have any respiratory illnesses, do not perform steps 2 and 3.*

3. After exercising, measure your pulse rate and breathing rate. Your partner can measure your pulse while you are counting your breaths. Record this "after exercise" data.

Describe any changes in pulse rate and breathing rate after exercising.

■ How do these changes compare with those that occur when you are faced with an emergency situation? What other body changes occur when you react to an emergency?

Part of Body Affected	Autonomic Nervous System Nerve Group That Triggers Action	Autonomic Nervous System Nerve Group That Slows Down Action
Pupil of eye	Widened	Narrowed
Liver	Sugar released	None
Urinary bladder muscle	Relaxed	Shortened
Muscle of heart	Increased rate and force	Slowed rate
Bronchi of lungs	Widened	Narrowed

Figure 6–16 *The nerves of the autonomic nervous system can be divided into two groups that have opposite effects on the organs they control.*

de parpadear, tu encéfalo sabe que has parpadeado y por qué lo has hecho.

El sistema nervioso periférico

El sistema nervioso periférico es el vínculo entre el sistema nervioso central (encéfalo y médula espinal) y el resto del cuerpo. Este sistema consiste de 43 pares de nervios que salen del encéfalo y de la médula espinal y se conectan a los órganos del cuerpo. Muchos de los nervios del sistema nervioso periférico están bajo el control directo de tu mente consciente. Cuando le ordenas a tu pierna que se mueva, por ejemplo, un mensaje viaja del encéfalo a la médula espinal y, por medio de un nervio periférico, llega a tu pierna. Sin embargo, hay una parte del sistema nervioso periférico, que no está bajo el control directo de tu mente consciente. Esta parte, llamada sistema nervioso autónomo, controla las actividades involuntarias del cuerpo, que son las actividades que ocurren automáticamente sin que te des cuenta. Por ejemplo, las contracciones del músculo cardíaco, el movimiento de los músculos lisos situados alrededor de los vasos sanguíneos, y los órganos del sistema digestivo, se encuentran bajo el control del sistema nervioso autónomo.

Los nervios del sistema nervioso autónomo se pueden dividir en dos grupos que tienen efectos opuestos en los órganos que controlan. Un grupo de nervios inicia una acción por un órgano, y el otro la demora o detiene. Así, los nervios del sistema nervioso autónomo actúan para mantener las funciones del cuerpo en perfecto equilibrio. Por ejemplo, cuando

ACTIVIDAD PARA AVERIGUAR

¿Huir o luchar?

1. Con un compañero mide tu pulso (latidos por minuto) y tu respiración (respiraciones por minuto) mientras descansas. Anota los datos.

2. Ahora salta diez veces sin desplazarte. **CUIDADO:** *Si sufres de alguna enfermedad respiratoria, no realices los pasos 2 y 3.*

3. Después del ejercicio mide nuevamente tu pulso y respiración. Tu compañero puede tomar tu pulso mientras tu controlas la respiración. Anota estos datos "después del ejercicio."

Describe cualquier cambio en el número de latidos y respiraciones por minuto.

■ ¿Cómo puedes comparar estos cambios con los que ocurren cuando te enfrentas a una situación de emergencia? ¿Qué otros cambios ocurren en tu cuerpo cuando reaccionas ante una emergencia?

Parte del cuerpo afectada	Grupo de nervios del sistema nervioso autónomo que inicia la acción	Grupo de nervios del sistema nervioso autónomo que demora la acción
Pupila del ojo	Se ensancha	Se angosta
Hígado	Libera azúcar	Ninguna
Músculo de la vejiga	Se relaja	Se acorta
Músculo del corazón	Aumenta el ritmo y la fuerza	Disminuye el ritmo
Bronquios de los pulmones	Se ensancha	Se angosta

Figura 6–16 *Los nervios del sistema nervioso autónomo se pueden dividir en dos grupos que tienen efectos opuestos en los órganos que controlan.*

ACTIVITY READING

A Master Sleuth

If you truly enjoy a mystery, you may want to do some investigating on your own by reading some of Agatha Christie's books. The title of the book that was quoted on page 139 is *The Mysterious Affair at Styles*. If your local library does not have this particular work, ask your librarian for a list of some other Agatha Christie books.

Guide for Reading

Focus on these questions as you read.

▶ *What are the five sense organs?*

▶ *What are the functions of the five sense organs?*

Activity Bank

A Gentle Touch, p. 257

For example, when you are frightened, nerves leading to organs such as the lungs and the heart are activated. This action causes your breathing rate and heartbeat to increase. Such an increase may be necessary if extra energy and strength are needed to deal with the frightening situation. But when the frightening situation is over, the other group of autonomic nerves bring your breathing rate and heartbeat back to normal.

6–2 Section Review

1. What are the two major parts of the human nervous system? What is the function of each?
2. Identify the three main parts of the brain and give their functions.
3. What is the function of the spinal cord?
4. Describe a reflex.

Critical Thinking—*Applying Concepts*

5. If a person's cerebellum is injured in an automobile accident, how might the person be affected?

6–3 The Senses

You know what is going on inside your body and in the world around you because of neurons known as receptors (neurons that respond to stimuli). Many of these receptors are found in your sense organs. Sense organs are structures that carry messages about your surroundings to the central nervous system. **Sense organs respond to light, sound, heat, pressure, and chemicals and also detect changes in the position of your body.** The eyes, ears, nose, tongue, and skin are examples of sense organs.

Most sense organs respond to stimuli from your body's external environment. Others keep track of the environment inside your body. Although you are not aware of it, your sense organs send messages to the central nervous system about almost everything—from body temperature to carbon dioxide and oxygen levels in your blood to the amount of light entering your eyes.

ACTIVIDAD

PARA LEER

Un detective excepcional

Si te divierten los misterios a lo mejor te gustaría leer algunos de los libros de Agatha Christie. El título del libro mencionado en la página 139 es *The Mysterious Affair at Styles*. Si tu biblioteca local no lo tiene, pídele a la bibliotecaria una lista de otros libros de Agatha Christie.

Guía para la lectura

Piensa en estas preguntas mientras lees.

▶ *¿Cuáles son los cinco órganos sensoriales?*

▶ *¿Cuáles son las funciones de los cinco órganos sensoriales?*

Pozo de actividades

Una caricia, p. 257

tienes miedo, se activan los nervios que conducen a los pulmones y al corazón. Esto hace que aumente el ritmo de tu respiración y de los latidos de tu corazón. Este aumento es necesario si tienes que usar fuerza y energía adicionales para hacer frente a la emergencia. Cuando pasa el susto, el otro grupo de nervios normaliza el ritmo de los latidos y de la respiración.

6–2 Repaso de la sección

1. ¿Cuáles son las dos partes principales del sistema nervioso humano? ¿Cuál es la función de cada una?
2. Identifica las tres partes principales del encéfalo y enumera sus funciones.
3. ¿Cuál es la función de la médula espinal?
4. Describe un reflejo.

Pensamiento crítico—*Aplicar conceptos*
5. Si el cerebelo de una persona se daña en un accidente automovilístico, ¿cómo se vería afectada la persona?

6–3 Los sentidos

Gracias a los receptores (las neuronas que responden a los estímulos) sabes lo que ocurre dentro de tu cuerpo y en tu medio ambiente. Muchos de estos receptores se encuentran en los órganos sensoriales. Los órganos sensoriales son estructuras que llevan mensajes sobre el medio ambiente al sistema nervioso central. **Los órganos sensoriales responden a la luz, sonido, calor, presión y agentes químicos, y también detectan cambios en la posición de tu cuerpo.** Los ojos, oídos, nariz, lengua y piel son ejemplos de órganos sensoriales.

Aunque tú no te des cuenta, tus órganos sensoriales envían mensajes al sistema nervioso central sobre todas las cosas que ocurren dentro y fuera de tu cuerpo— desde la temperatura del cuerpo hasta el nivel de oxígeno y bióxido de carbono en tu sangre o la cantidad de luz que entra por tus ojos.

Vision

Your eyes are one of your most wonderful possessions. They enable you to watch a beautiful sunset, pass a thread through the eye of a needle, and learn about a variety of topics by reading the printed word. They can focus on a speck of dust a few centimeters away or on a distant star many light-years away. Your eyes are your windows on the world.

Your eyes are designed to focus light rays (a form of energy you can see) to produce images of objects. But your eyes are useless without a brain to receive and interpret the messages that correspond to these images. What the brain does is receive the messages coming in through the eyes. These messages are then interpreted by the brain's visual center, located at the back of the brain. You will learn more about the brain's role in vision a little later in this section.

The eye is more correctly known as an eyeball—which is an appropriate name, as it is shaped like a ball. You may wish to refer to Figure 6–18 on page 146 as you read about the structures of the eyeball. The eyeball is slightly longer than it is wide. The eye is composed of three layers of tissue. The outer, protective layer is called the sclera (SKLEER-uh). The sclera is more commonly known as the "white" of the eye. In the center of the front of the eyeball, the sclera becomes transparent and colorless. This area of the sclera is called the **cornea.** The cornea is the part of the eye through which light enters. For this reason, the cornea is sometimes called "the window of the eye."

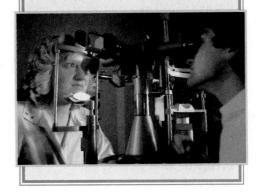
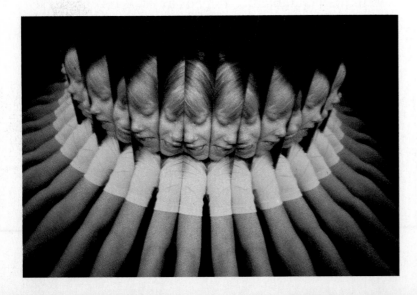

Figure 6–17 *Most sense organs respond to stimuli in the environment. But every now and then, sense organs can be fooled into sensing something that is not really as it should be. The optical illusion shown here, which is produced by mirrors, tricks the eyes into seeing many images of this young person.*

La vista

Los ojos son uno de tus atributos más maravillosos. Te permiten observar un hermoso atardecer, enhebrar una aguja y aprender muchas cosas por medio de la lectura. Pueden enfocarse sobre una partícula de polvo, a unos centímetros de distancia, o una estrella lejana, a muchos años luz. Tus ojos son tus ventanas al mundo.

Tus ojos están diseñados para enfocar los rayos luminosos (una forma de energía visible) y producir imágenes de los objetos. Pero tus ojos no funcionarían sin un cerebro que reciba e interprete los mensajes que corresponden a estas imágenes. El cerebro recibe los mensajes que entran por los ojos y son interpretados por su centro visual. Más adelante aprenderás cómo la visión está conectada al cerebro.

El ojo recibe también el nombre de globo ocular, lo que resulta un nombre apropiado debido a su forma. Tal vez te convenga mirar la figura 6–18 en la página 146 mientras lees sobre la estructura del ojo. El ojo es un poco más largo que ancho, y está compuesto de tres capas de tejido. La capa exterior se llama esclerótica, o blanco del ojo. En el centro, la esclerótica es transparente y sin color. Esta parte de la esclerótica se llama **córnea**. Como la córnea es la parte del ojo a través de la que entra la luz, es como si fuera la "ventana del ojo."

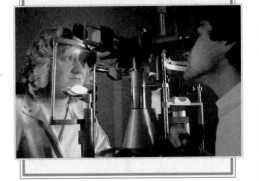
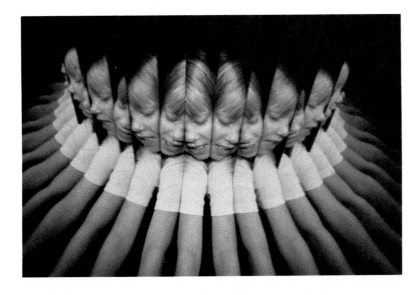

Figura 6–17 *La mayoría de los órganos sensoriales responden a estímulos del medio ambiente. De vez en cuando se los puede engañar. La ilusión óptica que aparece aquí, producida por espejos, hacen que los ojos vean múltiples imágenes de esta niña.*

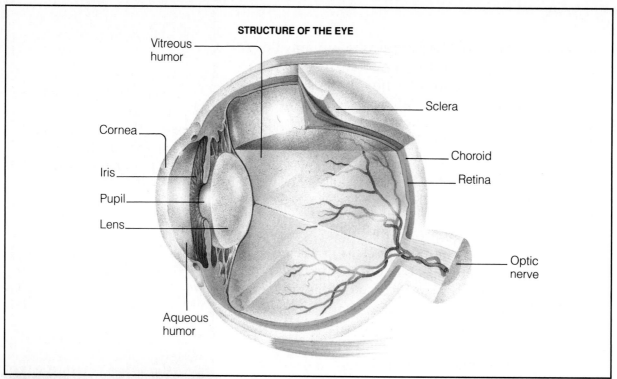

STRUCTURE OF THE EYE

Vitreous humor

Cornea

Iris

Pupil

Lens

Aqueous humor

Sclera

Choroid

Retina

Optic nerve

Figure 6–18 *What structures of the eye can you identify?*

Just inside the cornea is a small chamber filled with a fluid called aqueous (AY-kwee-uhs) humor. At the back of this chamber is the circular colored portion of the eye called the **iris.** The iris is the part of the eye people refer to when they say a person's eyes are blue, brown, black, or hazel. The iris is part of the choroid (KOR-oid), or middle layer of the eye. Unlike the sclera and the cornea, the choroid contains blood vessels.

In the middle of the iris is a small opening called the **pupil.** The pupil is not a structure but an actual opening through which light enters the eye. The amount of light entering the pupil is controlled by the size of the opening. And the size of the opening is controlled by tiny muscles in the iris, which relax or contract to make the pupil larger or smaller. By observing the pupils of your eyes in a mirror as you vary the amount of light in the room, you can actually see the opening change size. Your pupils get larger in dim light and smaller in bright light. Why? Pupils get smaller in bright light to prevent light damage to the inside of the eye. They get larger in dim light to let in more light.

Just behind the iris is the **lens.** The lens focuses the light rays coming into the eye. Small muscles

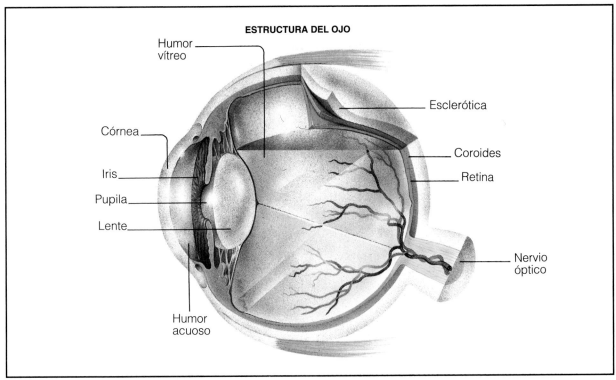

ESTRUCTURA DEL OJO

Humor vítreo

Esclerótica

Córnea

Coroides

Iris

Retina

Pupila

Lente

Nervio óptico

Humor acuoso

Figura 6–18 *¿Qué estructuras del ojo puedes identificar?*

Dentro de la córnea hay una pequeña cámara llena de un fluido llamado humor acuoso. Detrás del humor acuoso está la parte coloreada del ojo, o **iris**. El iris es la parte del ojo a la cual la gente se refiere cuando hablan de ojos azules, marrones, negros o verdes. El iris es parte de la coroides o capa intermedia del ojo. A diferencia de la esclerótica y la córnea, la coroides contiene vasos sanguíneos.

En el centro del iris hay una pequeña abertura llamada **pupila**. La pupila no es una estructura sino la abertura por la cual penetra la luz. El tamaño de esa abertura controla la cantidad de luz. Y el tamaño de la pupila es controlado por pequeños músculos en el iris que la contraen o la agrandan. Al observar tus pupilas en un espejo, si varías la cantidad de luz en el cuarto, puedes ver cómo la abertura cambia de tamaño. Tus pupilas se agrandan cuando hay poca luz y se achican cuando hay mucha. ¿Por qué? Se agrandan en la oscuridad para que entre más luz, y se achican cuando hay mucha, para impedir que la intensidad de la luz dañe el ojo. Además, se agrandan también para dejar que entre más luz.

Detrás del iris se encuentra el **lente**. El lente enfoca los rayos luminosos que entran en el ojo.

attached to the lens cause its shape to change constantly, depending on whether objects are close by or far away. When the muscles relax, the lens flattens out, enabling you to see distant objects more clearly. When the muscles contract (shorten), the lens returns to its normal shape, enabling you to see objects that are close by more clearly. Behind the lens is a large chamber that contains a transparent, jellylike fluid called vitreous (VIH-tree-uhs) humor. This fluid gives the eyeball its roundish shape.

The light that passes through the lens is focused on the back surface of the eye, which is known as the **retina** (REHT-'n-uh). The retina is the eye's inner layer of tissue. It contains more than 130 million light-sensitive receptors called rods and cones. Rods react to dim light but not to colors. Cones are responsible for color vision, but they stop working in dim light. This is the reason why colors seem to disappear at night, when you are seeing with only your rods.

Both rods and cones produce nerve impulses that travel from the retina along the optic nerve to the visual center of the brain. There the nerve impulses are interpreted by the brain. Because of the way the lens bends light rays as they enter the eye, the image that appears on the retina is upside down. The brain must automatically turn the image right side up— and do so quickly! The brain must also combine the two slightly different images provided by each eye into one three-dimensional image. This is a complex task, indeed, but your brain does it quickly and automatically almost every second of your waking day. Just imagine what it would be like living in a world in which everything was upside down!

Figure 6–19 *This image of a cat was produced by a silicon chip developed to imitate the light-sensitive cells in the retina. What are these light-sensitive cells called?*

Figure 6–20 *The retina, which is the eye's inner layer of tissue, contains the light-sensitive cells called the rods and cones (right). The lens of the eye focuses light onto the retina. The upside-down image that you see in the photograph (left) was taken with a special camera that looked through the pupil of the eye.*

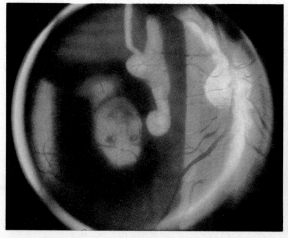

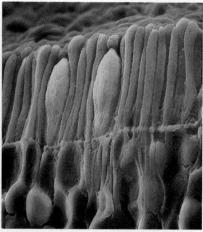

Pequeños músculos adheridos al lente hacen que su forma cambie constantemente, según la distancia a la que están los objetos. Cuando el músculo se relaja, el lente se aplana, y así puedes ver objetos lejanos. Cuando los músculos se contraen (acortan), el lente recupera su forma normal, y puedes ver objetos cercanos con mayor precisión. Detrás del lente hay una cámara grande que contiene un fluido transparente llamado humor vítreo. Este fluido le da al globo ocular su forma redondeada.

La luz que pasa por el lente es enfocada en la superficie del fondo del ojo, en su capa de tejido más profunda, o sea en la **retina**. Ésta contiene más de 130 millones de receptores sensibles a la luz, llamados bastones y conos. Los bastones responden a la luz tenue pero no a los colores. Los conos son responsables de la visión en colores, pero no funcionan en la luz tenue. Por eso, los colores parecen desaparecer a la noche, cuando sólo ves a través de los bastones.

Tanto los bastones como los conos producen impulsos nerviosos que viajan a lo largo del nervio óptico, desde la retina hasta el centro visual del cerebro. Allí se interpretan los impulsos nerviosos. Debido a la manera en que el lente dobla los rayos cuando entran en el ojo, la imagen que aparece en la retina está invertida. El cerebro debe automáticamente dar vuelta la imagen, lo más rápido posible, y también debe combinar las dos imágenes, levemente distintas, de cada ojo en una imagen tridimensional. Ésta es una tarea compleja, pero tu cerebro la realiza cada segundo de tu vida. ¡Imagínate lo que sería vivir en un mundo donde todo estuviera cabeza abajo!

Figura 6–19 *Esta imagen de un gato fue realizada por una microchip de silicio diseñada para imitar las células sensibles a la luz de la retina. ¿Cómo se llaman estas células sensibles a la luz?*

Figura 6–20 *La retina, que es la capa de tejido interior del ojo, contiene células sensibles a la luz llamadas bastones y conos (derecha). El lente del ojo enfoca la luz en la retina. La imagen invertida que ves en la foto (izquierda) fue tomada con una cámara especial que miró a través de la pupila del ojo.*

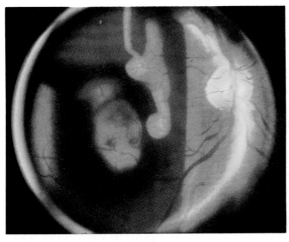
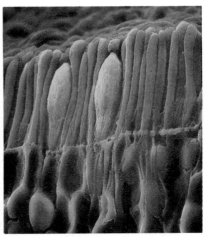

PROBLEM Solving

I Can See Clearly Now

Look around at the students in your classroom. You will notice that some of them are wearing eyeglasses. Why do some people need glasses whereas others do not? The answer to this question has to do with the structure of the eyeball. Look at the diagrams of the eyeball shown here. Notice that when the eyeball looks at an object, the light rays from that object enter the eyeball and come to a focus point on the retina.

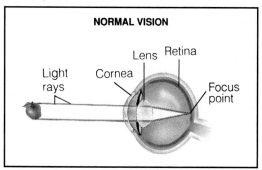

NORMAL VISION

Sometimes, however, the light rays do not come to a focus point on the retina. When the eyeball is too long from front to back, the light rays come together at a

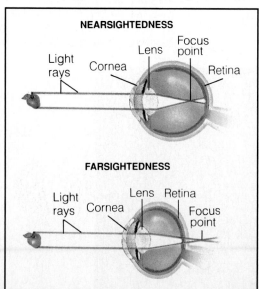

NEARSIGHTEDNESS

FARSIGHTEDNESS

point in front of the retina. The result is a blurred image of distant objects. This disorder is called nearsightedness. When the eyeball is too short from front to back, the light rays come together at a point behind the retina. The result is a blurred image of nearby objects. This disorder is called farsightedness.

To fix these disorders, eyeglasses containing corrective lenses are worn. Examine the path of the light rays through each of the two lenses below—a biconcave (sunken in at both surfaces) lens and a biconvex (arched at both surfaces) lens.

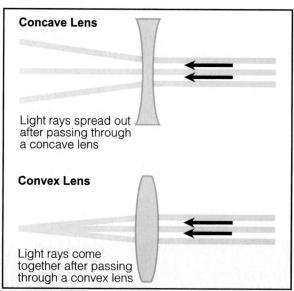

Concave Lens

Light rays spread out after passing through a concave lens

Convex Lens

Light rays come together after passing through a convex lens

Interpreting Diagrams

1. Which type of lens corrects nearsightedness?

2. Which type of lens corrects farsightedness?

3. Why is nearsightedness an appropriate name for this disorder?

4. Why is farsightedness an appropriate name for this disorder?

5. What are bifocals?

PROBLEMA ??? a resolver

Ahora veo claramente

Observa a tus compañeros de clase y verás que algunos usan anteojos. ¿Por qué algunas personas necesitan anteojos y otras no? Eso tiene que ver con la estructura del globo ocular. Mira los diagramas del ojo que aparecen a continuación. Verás que cuando el ojo mira un objeto, los rayos de luz de ese objeto entran en el ojo y llegan a un punto de enfoque en la retina.

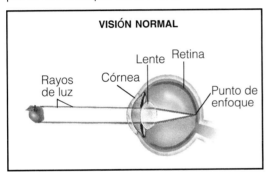

VISIÓN NORMAL

Rayos de luz · Córnea · Lente · Retina · Punto de enfoque

A veces, sin embargo los rayos de luz no llegan a un punto de enfoque en la retina. Cuando el globo ocular es demasiado largo de adelante para atrás, los rayos de luz se concentran en un punto frente a la

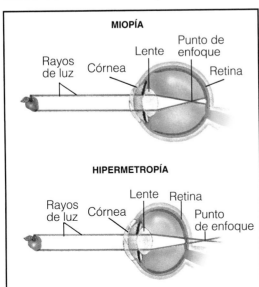

MIOPÍA

Rayos de luz · Córnea · Lente · Punto de enfoque · Retina

HIPERMETROPÍA

Rayos de luz · Córnea · Lente · Retina · Punto de enfoque

retina. El resultado es una visión borrosa de los objetos distantes. Este problema se llama miopía. Cuando el globo ocular es demasiado corto de adelante para atrás, los rayos de luz se concentran detrás de la retina. El resultado es una visión borrosa de los objetos cercanos. Este problema se llama hipermetropía.

Los lentes pueden corregir estos problemas. Examina el camino de los rayos de luz a través de estas dos lentes—una lente bicóncava (ambas superficies hundidas) y una lente biconvexa (ambas superficies arqueadas).

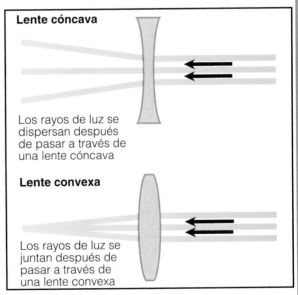

Lente cóncava

Los rayos de luz se dispersan después de pasar a través de una lente cóncava

Lente convexa

Los rayos de luz se juntan después de pasar a través de una lente convexa

Interpretar diagramas

1. ¿Qué tipo de lente corrige la miopía?

2. ¿Qué tipo de lente corrige la hipermetropía?

3. ¿Qué problema tiene una persona que es corta de vista o sufre de miopía?

4. ¿Cómo se denomina el problema de una persona que ve con claridad sólo los objetos distantes?

5. ¿Qué es un lente bifocal?

Hearing and Balance

When someone laughs or the telephone rings, the air around the source of the sound vibrates. These vibrations move through the air in waves. Hearing actually begins when some of the sound waves enter the external ear. If you look at Figure 6–21, you will see the external ear. This is the part of the ear with which you are probably most familiar. It is made mostly of cartilage covered with skin. You may recall from Chapter 2 that cartilage is strong enough to support weight, yet flexible enough to be bent and twisted. You can prove this to yourself by bending your external ear.

The funnellike shape of the external ear enables it to gather sound waves. These waves pass through the tubelike ear canal to the **eardrum.** The eardrum is a tightly stretched membrane that separates the ear canal from the middle ear. As sound waves

ACTIVITY
DOING

How Sensitive Are You?

1. Fill one cup with very warm water, a second with cold water, and a third with lukewarm water.

2. Place the index finger of your left hand in the very warm water. Then place the same finger of your right hand in the cold water. Allow your fingers to remain in the cups of water for 1 minute.

3. After 1 minute, remove your fingers from the water. Dip each finger alternately into and out of the lukewarm water.

How does the finger from the very warm water feel? The finger from the cold water? What does this activity show?

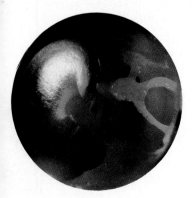

Figure 6–21 *Sound waves enter the ear and are changed into nerve impulses that are carried to the brain. The photograph of the middle ear shows the eardrum, which is colored yellow, and the three tiny bones known as the hammer, the anvil, and the stirrup.*

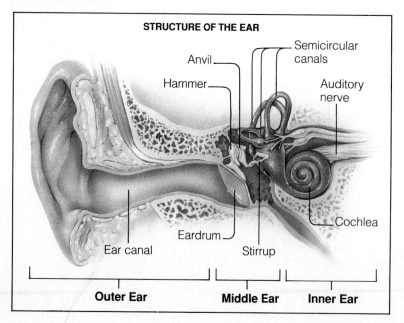

STRUCTURE OF THE EAR

Anvil

Hammer

Semicircular canals

Auditory nerve

Cochlea

Eardrum

Stirrup

Ear canal

Outer Ear   **Middle Ear**   **Inner Ear**

Oído y equilibrio

Cuando alguien se ríe o suena el teléfono, vibra el aire alrededor de la fuente de sonido. Estas vibraciones se mueven por el aire por medio de ondas. Cuando estas ondas sonoras entran al oído externo, una persona escucha. En la figura 6–21 se ilustra el oído externo o la oreja. Esta parte está formada principalmente por cartílago recubierto de piel. Como se indicó en el capítulo 2, el cartílago es lo suficientemente fuerte como para soportar peso, pero a la vez lo suficientemente flexible como para doblarse y torcerse.

La forma de embudo del oído externo le permite captar ondas sonoras. Estas ondas pasan a través del canal auditivo hasta el **tímpano**, la membrana estirada que separa el canal auditivo del oído medio. Cuando las

ACTIVIDAD
PARA HACER

Comprueba tu sensibilidad

1. Llena una taza con agua caliente, otra con agua fría y otra con agua templada.

2. Mete el dedo índice de tu mano izquierda en la taza con agua caliente. Luego mete el mismo dedo de la mano derecha en la taza con agua fría. Deja los dedos en el agua por 1 minuto.

3. Después de 1 minuto sácalos. Mete y saca cada dedo índice de la taza de agua templada, alternativamente.

¿Qué sientes en el dedo que estuvo en el agu caliente? Y en el que estuvo en el agua fría? ¿Qué indica esta actividad?

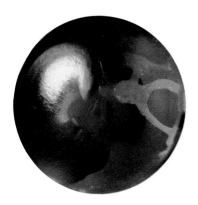

Figura 6–21 *Las ondas sonoras entran al oído y allí se convierten en impulsos nerviosos que se transmiten al cerebro. En la fotografía del oído medio se puede ver el tímpano pintado de amarillo, y los tres pequeños huesos: el martillo, el yunque y el estribo.*

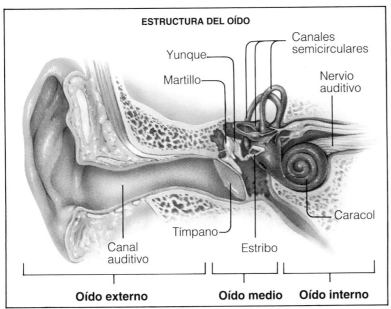

ESTRUCTURA DEL OÍDO

Yunque

Martillo

Canales semicirculares

Nervio auditivo

Caracol

Tímpano

Estribo

Canal auditivo

Oído externo   **Oído medio**   **Oído interno**

strike the eardrum, it vibrates in much the same way that the surface of a drum vibrates when it is struck.

Vibrations from the eardrum enter the middle ear, which is composed of the three smallest bones in the body—the hammer, anvil, and stirrup. The hammer, the first of these bones, picks up the vibrations from the eardrum and passes them along to the anvil and then to the stirrup. The stirrup vibrates against a thin membrane covering the opening into the fluid-filled inner ear.

Vibrations in the inner ear pass through the fluid and are channeled into a snail-shaped tube called the **cochlea** (KAHK-lee-uh). The cochlea contains nerves that are stimulated by the vibrations from a wide variety of sounds and range of loudness. The stimulated nerves produce nerve impulses that are carried from the cochlea to the brain by the auditory nerve. Once in the brain, these nerve impulses are interpreted, and you hear.

The ear not only enables you to hear, it also enables you to be aware of changes in movement and to keep your balance. The structures in the ear that are responsible for your sense of balance are the **semicircular canals** and the two tiny sacs behind them. The semicircular canals are three tiny canals located within your inner ear just above the cochlea. They are called semicircular because, as you can see from Figure 6–22, each makes a half circle (the prefix *semi-* means half).

The semicircular canals and the tiny sacs near them are filled with fluid and lined with tiny hairlike cells. These cells are embedded in a jellylike substance that contains tiny grains called hearing stones. When your head moves, the hearing stones roll back and forth, bending the hairlike cells. The hairlike cells respond by sending nerve impulses to the cerebellum of your brain. If your brain interprets these impulses to mean that your body is losing its balance, it will automatically signal some muscles to contract and others to relax until your balance is restored.

Even the most ordinary actions—such as walking, jogging, jumping, swimming, and skipping—require smooth coordination of muscles with the senses of vision, hearing, and balance. After much training

Figure 6–22 *The semicircular canals are arranged at right angles to one another so that they can respond to up-and-down, side-to-side, and bending motions (top). Tiny grains commonly called hearing stones also play a part in maintaining balance (bottom). In what part of the ear are the semicircular canals located?*

Figura 6–22 *Los canales semicirculares están dispuestos en ángulos rectos para poder responder a movimientos verticales y horizontales, de izquierda a derecha y de arriba a abajo (arriba). Gránulos pequeñísimos llamados otolitos ayudan a mantener el equilibrio (abajo) ¿En qué parte del oído están ubicados los canales semicirculares?*

ondas sonoras llegan al tímpano, lo hacen vibrar como si fuera un tambor.

Las vibraciones pasan del tímpano al oído medio, que está compuesto de los tres huesos más pequeños del cuerpo: el martillo, el yunque y el estribo. El martillo recoge las vibraciones del tímpano y las pasa primero al yunque y luego al estribo. El estribo vibra contra una membrana delgada que cubre la apertura del oído interno, que está lleno de fluido.

Las vibraciones en el oído interno viajan a través de este fluido hasta un tubo llamado **caracol**. El caracol contiene nervios que son estimulados por las vibraciones causadas por una variedad de sonidos y una gama de volumenes. Luego los nervios estimulados producen impulsos nerviosos que viajan hasta el encéfalo por el nervio auditivo.

Además de hacer posible que oigas, el oído también te permite estar al tanto de cambios en el movimiento y mantener el equilibrio del cuerpo. Las estructuras responsables de ejercer este control son los **canales semicirculares** y los dos sacos pequeños detrás de éstos. Los canales semicirculares son tres pequeños canales localizados dentro del oído interno arriba del caracol. Como podrás observar en la figura 6–22 cada uno forma un semicírculo (el prefijo *semi-* significa medio).

Los canales semicirculares y los pequeños sacos están llenos de fluidos y contienen células ciliares. Estas células están incrustadas en una sustancia gelatinosa que contiene unos gránulos pequeñísimos llamados otolitos. Cuando mueves la cabeza, los otolitos se mueven en dirección contraria, doblando las células ciliares. Éstas responden, enviando impulsos nerviosos al cerebelo. Si tu cerebro interpreta que el cuerpo está perdiendo el equilibrio, automáticamente ordenará la contracción de algunos músculos y la relajación de otros para restablecerlo.

Hasta las acciones más simples como caminar, correr, saltar y nadar, requieren la perfecta coordinación de los músculos con los órganos sensoriales de la vista, oído y equilibrio. Después de mucho entrenamiento y práctica, tu encéfalo puede

Figure 6–23 *The role of the ears in maintaining balance makes all sorts of activities possible.*

and practice, your brain can learn to quickly coordinate balance with eye and hand movements so that you can walk a tightrope as easily as you can lift a spoon to your mouth!

Smell and Taste

Unlike the senses of vision and hearing, the senses of smell and taste do not respond to physical stimuli such as light and sound vibrations. To what stimuli, then, do these senses respond? The following story—perhaps similar to an experience in your own kitchen—may provide the answer.

You are standing near the oven. Suddenly you smell the wonderful aroma of a chocolate cake. You cannot see a cake, so what tells you that there is one baking in the oven? Your sense of smell tells you, of course. Sense receptors in your nose react to invisible stimuli carried by the air from the oven to your nose. The invisible stimuli are chemicals that affect the smell receptors in your nose. So your sense of smell is a chemical sense. In turn, the smell receptors produce nerve impulses that are carried to the brain, where they are interpreted. As a result, you are not only able to smell a cake, but you are able to identify the smell as a chocolate cake!

Your sense of taste is also a chemical sense. In the case of taste, the chemicals are not carried through the air but in liquids in your mouth (solid foods mix with saliva to form liquids). The receptors for taste are located in the taste buds on your tongue. Although there are only four basic kinds of tastes—sweet, sour, bitter, and salty—there are at least 80 basic odors. Taken together, tastes and odors produce flavors. Thus your sense of smell must work

Figure 6–24 *You have no trouble in identifying the wonderful aroma of a chocolate cake thanks to the sense receptors in the nose.*

Figura 6–23 *El papel de los oídos para mantener el equilibrio permite realizar todo tipo de actividades.*

aprender a coordinar el equilibrio con movimientos del ojo y de la mano para que puedas caminar sobre una cuerda floja ¡con la misma facilidad que te llevas una cuchara a la boca!

Olfato y gusto

A diferencia de los sentidos de la vista y del oído, los sentidos del olfato y del gusto no responden a estímulos físicos como la luz u ondas sonoras. ¿A qué estímulos responden estos sentidos? Lo verás en el relato que sigue, que tal vez haya sucedido en tu propia cocina.

Estás parado cerca del horno. De repente sientes el delicioso aroma de una torta de chocolate. ¿Cómo sabes que se trata de una torta si no la puedes ver? Gracias a tu sentido del olfato. Los receptores de tu nariz responden a estímulos invisibles que el aire lleva desde el horno hasta tu nariz. Como los estímulos invisibles son sustancias químicas que afectan a los receptores de tu nariz, puedes ver que el olfato funciona químicamente. A su vez, esos receptores producen impulsos nerviosos que llegan al cerebro, donde son interpretados. Como resultado, no sólo eres capaz de oler la torta, sino que también puedes identificar su aroma como el de una torta de chocolate.

Tu sentido del gusto también reacciona ante estímulos químicos, pero las sustancias químicas no llegan por el aire sino en líquidos dentro de tu boca (la comida sólida se mezcla con la saliva para formar líquidos). Los receptores del gusto están localizados en la lengua. Hay por los menos 80 olores básicos, pero solamente cuatro sabores básicos—dulce, agrio, amargo y salado. La combinación de los sabores y olores es lo que produce los diferentes sabores. Tu sentido del olfato actúa en forma conjunta con el

Figura 6–24 *Gracias a los receptores de tu nariz no tienes ningún problema en identificar el delicioso aroma de una torta de chocolate.*

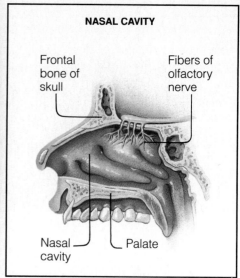

NASAL CAVITY

Frontal bone of skull

Fibers of olfactory nerve

Nasal cavity

Palate

Figure 6–25 *Smell receptors in your nose (right) and taste receptors on your tongue (left) are responsible for identifying the flavors of foods. What are taste receptors called?*

with your sense of taste in order for you to detect the flavors of foods. Perhaps you are already aware of this fact. Think back to the last time you had a stuffy nose due to a cold or an allergy. Were you able to taste the flavor of food? Probably not. Because the smell receptors in your nose were covered by extra mucus, only your sense of taste was working—not your sense of smell. Without a combined effort, the food you ate had little, if any, flavor.

Touch

The sense of touch is not found in any one place. The sense of touch is found in all areas of the skin. For this reason, you can think of the skin as your largest sense organ!

Near the surface of the skin are touch receptors that allow you to feel the textures of objects. You do not need much force to produce nerve impulses in these receptors. Prove this to yourself by gently running your fingertips across a piece of wood so that you can feel the grain. You have stimulated these touch receptors. Located deeper within the skin are the receptors that sense pressure. The sense of pressure differs as much from the sense of touch as pressing your hand firmly against a piece of wood differs from feeling it with your fingertips.

Notice in Figure 6–27 that there are other types of sense receptors. These receptors respond to heat, cold, and pain. The receptors that respond to heat and cold are scattered directly below the surface of

Figure 6–26 *The sense of touch, unlike the other senses, is not found in one particular place. All regions of the skin are sensitive to touch. For this reason, the sense of touch is one of the most important senses on which sightless people rely.*

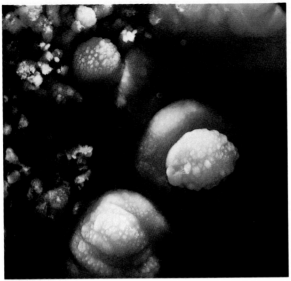

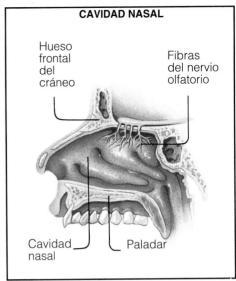

CAVIDAD NASAL

Hueso frontal del cráneo

Fibras del nervio olfatorio

Cavidad nasal

Paladar

Figura 6–25 *Los pequeños receptores de tu nariz (derecha) y de tu lengua (izquierda) tienen a su cargo identificar el sabor de las comidas. ¿Cómo se llaman los receptores del gusto?*

Figura 6–26 *El sentido del tacto, a diferencia de los demás, no se localiza en un lugar en particular. Todas las zonas de la piel son sensibles al tacto. Por eso es una de los sentidos más importantes para los ciegos.*

sentido del gusto para que puedas detectar el sabor de las comidas. Pero tal vez ya te habías dado cuenta. Recuerda la última vez que tenías la nariz tapada por una alergia o un resfrío. ¿Podías sentir el sabor de las comidas? Probablemente no. Debido a que los receptores de tu nariz estaban tapados por mucosidad, sólo funcionaba tu sentido del gusto, pero no el del olfato. Por eso, la comida tenía poco sabor.

Tacto

El sentido del tacto no se localiza en un lugar en particular. Se encuentra en toda la superficie de la piel. ¡Puedes pensar que tu piel es el órgano sensorial más grande¡

Los receptores sensoriales de la piel te permiten sentir la textura de los objetos. No necesitas demasiada fuerza para producir impulsos nerviosos en estos receptores. Si rozas con tus dedos un pedazo de madera para sentir la textura, has estimulado estos receptores del tacto. A mayor profundidad dentro de la piel se encuentran los receptores que sienten la presión. La diferencia entre el sentido de presión con el sentido del tacto es la misma diferencia que sientes al presionar tu mano contra un pedazo de madera o rozar tus dedos sobre ella.

Al fijarte en la figura 6–27, notarás que hay otros tipos de receptores sensoriales. Estos responden al calor, al frío o al dolor. Los receptores que responden al calor y al frío están distribuidos directamente debajo de

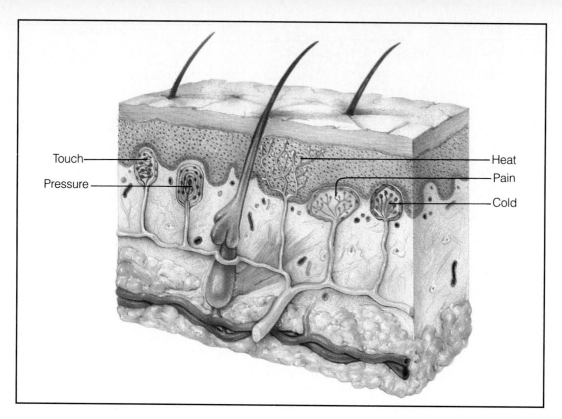

Touch

Pressure

Heat

Pain

Cold

Figure 6–27 *Human skin contains five types of sense receptors: pressure, touch, pain, heat, and cold.*

the skin. Pain receptors are found all over the skin. It should not surprise you to learn that pain receptors are important to the survival of your body, no matter how uncomfortable they may seem at times. Pain, you see, often alerts your body to the fact that it might be in some type of danger.

6–3 Section Review

1. What are the five basic senses? What organs are responsible for these senses?
2. Describe the structure of the eye. Identify the functions of the major structures.
3. Trace the path of sound from the external ear to the auditory nerve.
4. Explain the role of the ear in maintaining balance.
5. What are the four basic tastes?

Connection—*You and Your World*
6. Design an experiment to show that your sense of smell is important in determining the flavor of food.

ACTIVITY

DISCOVERING

Keeping Your Balance

1. Focus on an object in the room and close your eyes. Point to where you think it is.

2. Open your eyes. How accurate were you?

3. Now spin around twice and try to point to the same object again. Were you successful? Explain.

■ Why do you think ballet dancers can keep their balance while spinning?

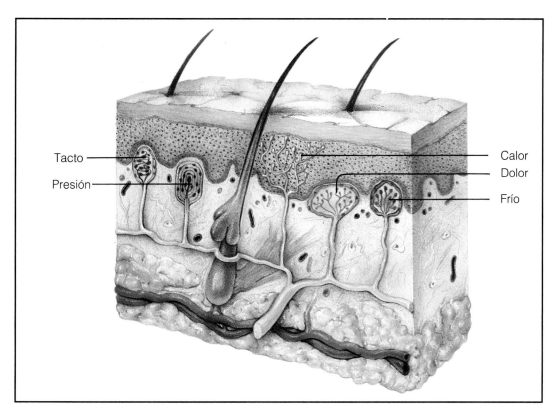

Tacto

Presión

Calor

Dolor

Frío

la superficie de la piel. Los receptores del dolor están sobre toda la superficie de la piel. Como ya sabrás, los receptores del dolor son muy importantes para la supervivencia de tu cuerpo, aunque a veces resulten muy incómodos. El dolor advierte al cuerpo de que puede encontrarse en una situación de peligro.

Figura 6–27 *La piel humana contiene cinco tipos de receptores sensoriales: presión, tacto, dolor, calor y frío.*

6–3 Repaso de la sección

1. ¿Cuáles son los cinco sentidos básicos? ¿Cuáles son los órganos que controlan estos sentidos?
2. Describe la estructura del ojo. Identifica las funciones de las estructuras principales.
3. Traza la ruta del sonido desde el oído externo hasta el nervio auditivo.
4. Explica el papel del oído en el equilibrio.
5. ¿Cuáles son los cuatro sabores básicos?

Conexión—*Tú y tu mundo*
6. Diseña un experimento para demostrar la importancia de tu sentido del olfato para determinar el sabor de la comida.

ACTIVIDAD

PARA AVERIGUAR

Mantener el equilibrio

1. Concéntrate en un objeto dentro de una habitación y cierra tus ojos. Señala hacia donde crees que está.

2. Abre los ojos. ¿Habías acertado?

3. Ahora, gira dos veces e intenta señalar nuevamente hacia el objeto. ¿Pudiste hacerlo? Explica tu respuesta.

■ ¿Cómo crees que hacen los bailarines para mantener el equilibrio mientras giran?

CONNECTIONS

With or Without Pepperoni?

Do not be too surprised if sometime soon you walk into a pizzeria and discover that the pizza you ordered is being whipped together by a voice-activated robot. As you may already know, robots are mechanical devices that do routine tasks. However, PizzaBot, as the pizza-making robot is called, is equipped with a little something extra—*artificial intelligence*. Artificial intelligence is a branch of *computer science* concerned with designing computer systems that perform tasks which seem to require intelligence. These tasks include reasoning, adapting to new situations, and learning new skills. When you recognize a face, learn a new language, or figure out the best way to arrive at a destination, you are performing such tasks.

Until recently, computers have only been able to follow instructions (a computer program). Now, however, scientists have developed computers that "think," or are able to perform complex

tasks such as diagnosing disease, locating minerals in the soil, and even making pizza! In order to "think," these computers need vast amounts of information. To make a pizza, a computer needs to recognize the sounds of a human voice as a pizza is ordered, to "decide" what possible pizza size and toppings it has just "heard," to repeat the order to confirm it (both aloud and on a screen), and then to follow the program for that pizza. The computer then processes these data one step at a time but extremely fast. (In contrast, your brain, with its billions of neurons, processes information along many pathways at the same time.)

As you can see, some of the applications of artificial intelligence are quite exciting, especially those in the field of *robotics*, or the study of robots. Just imagine the effects "thinking" robots such as PizzaBot could have on your life. The possibilities seem almost endless. In the not-too-distant future, you might even own a minirobot that would monitor your room, darting out every now and then to pick up the crumbs from your last snack! Seems impossible now, but who knows what will happen in the next few years. . . .

CONEXIONES

¿Con o sin pepperoni?

No te sorprendas si algún día en un futuro próximo entras a una pizzería y el cocinero es un robot activado a voz. Los robots, como seguramente sabes, son dispositivos mecánicos que realizan tareas rutinarias. PizzaBot, como se llama el robot de la pizzeria, tiene algo extra—*inteligencia artificial.* La inteligencia artifical es una rama de la *informática* que diseña sistemas de computación para que realicen tareas que requieren el uso de la inteligencia.

Estas tareas incluyen razonar, adaptarse a nuevas situaciones y aprender cosas nuevas. Cuando reconoces una cara, aprendes un nuevo idioma, o descubres el mejor camino para llegar a tu destino, estás realizando este tipo de tareas.

Hasta el momento, las computadoras sólo han podido seguir instrucciones (un programa de computación). Ahora los científicos han diseñado computadoras que "piensan," o realizan tareas complejas tales como diagnosticar

enfermedades, localizar minerales subterráneos, y hasta hacer pizzas. Para "pensar" estas computadoras necesitan mucha información. Para hacer pizza, la computadora debe reconocer los sonidos de la voz humana que hace el pedido, así puede "decidir" el tamaño y las características de la pizza que acaba de "escuchar," repetir el pedido, confirmarlo (tanto en voz alta como en la pantalla), y luego llevar a cabo el programa correspondiente. La computadora luego procesa los datos uno por vez, pero a gran velocidad. (En cambio, tu encéfalo con sus miles de millones de neuronas, procesa toda la información a la vez a través de diferentes caminos.)

Como te habrás dado cuenta, algunas de las aplicaciones de la robótica, la ciencia que estudia los robots, es muy interesante. Imagínate el efecto que los robots como PizzaBot pueden tener en tu vida. Las posibilidades son infinitas. En el futuro próximo tal vez tengas un minirobot que estará alerta para correr a tu habitación y recoger los restos de tu merienda. Ahora parece imposible pero quién sabe lo que el futuro nos depara....

6–4 The Endocrine System

It is late at night, and your room is dark. As you feel your way toward the light switch in the pitch-black room, something warm brushes against your leg. You let out a piercing shriek, or perhaps only a gasp. It is not until you realize it is the cat you have encountered that you breathe a sigh of relief. As your pounding heart begins to slow down and your stiffened muscles relax, you begin to feel calmer. Have you ever wondered what causes your body to react this way? As you read on, you will find the answer to this question.

Endocrine Glands

The reactions you have just read about are set in motion not only by your nervous system, but also by another system called the endocrine (EHN-doh-krihn) system. **The endocrine system is made of glands that produce chemical messengers called hormones. Hormones help to regulate certain body activities.** By turning on and turning off or speeding up and slowing down the activities of different organs and tissues, **hormones** (HOR-mohnz) do their job. Together, the nervous system and the endocrine system function to keep all the parts of the body running smoothly.

The rush of fear that you felt as you brushed against an unknown object in the dark is an example of how the nervous system and the endocrine system work together. Your senses reported all the necessary information about the event to your brain. Because your brain interpreted the information as a threat, it quickly sent nerve impulses through selected nerves. These nerves triggered certain glands of the endocrine system. The selected glands produced hormones, which traveled through the blood to their specific destinations.

In this particular example, the hormones that were produced caused an increase in your heartbeat, made your lungs work harder, and prepared your muscles for immediate action. In such a state, you were ready to fight or to flee. Put another way, you were ready to defend yourself or to run. Your body

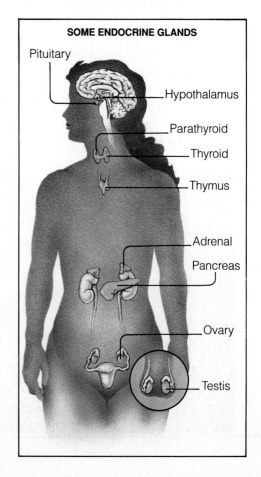

Figure 6–28 *The diagram shows some of the major glands of the endocrine system. What is the name of the chemicals produced by these glands?*

SOME ENDOCRINE GLANDS

Pituitary

Hypothalamus

Parathyroid

Thyroid

Thymus

Adrenal

Pancreas

Ovary

Testis

6–4 El sistema endocrino

Es de noche y tu habitación está a oscuras. Mientras buscas el interruptor de luz a tientas, algo caliente roza tu pierna. Lanzas un fuerte grito o tal vez te quedas sin aliento. Recién lanzas un suspiro de alivio cuando te das cuenta de que es el gato. A medida que disminuyen los latidos de tu corazón y tu cuerpo se relaja te empieza a invadir la calma. ¿Has pensado por qué tu cuerpo reacciona de esta manera? Al terminar el capítulo descubrirás la respuesta.

Glándulas endocrinas

El sistema nervioso y el sistema endocrino son los responsables de generar las reacciones sobre las que acabas de leer. **El sistema endocrino está formado por glándulas que producen mensajeros químicos llamados hormonas. Las hormonas ayudan a regular algunas actividades del cuerpo.** Las **hormonas** cumplen con sus funciones, acelerando o demorando las actividades de ciertos órganos y tejidos. Juntos, el sistema nervioso y el sistema endocrino mantienen un funcionamiento equilibrado del cuerpo.

El terror repentino que sentiste cuando el objeto caliente rozó contra tu pierna es un ejemplo de como el sistema nervioso y el endocrino trabajan juntos. Tus sentidos pasaron toda la información necesaria a tu cerebro. Tu cerebro la interpretó como una amenaza y rápidamente envió impulsos nerviosos a través de ciertos nervios. Estos nervios activaron algunas glándulas del sistema endocrino que produjeron hormonas. Éstas viajaron por la sangre para llegar a destinos determinados.

En este ejemplo en particular, las hormonas producidas causaron un aumento en tu ritmo cardíaco, forzaron tus pulmones a trabajar más y prepararon tus músculos para una acción inmediata. En ese estado estabas listo para huir o luchar. En otras palabras, estabas preparado para defenderte o salir corriendo.

Guía para la lectura

Piensa en estas preguntas mientras lees.

▶ *¿Cuál es la función del sistema endocrino?*

▶ *¿Cómo mantiene el sistema endocrino la estabilidad interna del cuerpo?*

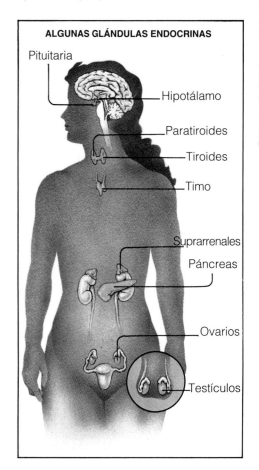

Figura 6–28 *El diagrama muestra alguna de las glándulas más importantes del sistema endocrino. ¿Cuál es el nombre de las sustancias químicas que producen?*

ALGUNAS GLÁNDULAS ENDOCRINAS

Pituitaria
Hipotálamo
Paratiroides
Tiroides
Timo
Suprarrenales
Páncreas
Ovarios
Testículos

Bacterially Produced Hormones

Scientists have developed certain bacteria that produce large amounts of some human hormones. Using reference material in the library, find out more information about the bacterially produced hormones. Use the information in a written report. Be sure to provide answers for the following questions: Which hormones are produced by bacteria? What is the function of the hormone? How are these hormones produced? Include labeled diagrams that show how the bacteria are made to produce these hormones.

remained prepared for any further trouble until your brain stopped sending out danger signals. Then the endocrine glands responded in turn, and your body calmed down.

Endocrine glands are not the only type of glands found in your body. You have another set of glands called exocrine (EHKS-oh-krihn) glands. Exocrine glands give off their chemicals through ducts, or tubes, into nearby organs. Unlike endocrine glands, exocrine glands do not produce hormones. They produce tears, sweat, oil, and digestive juices to name a few examples. Common exocrine glands include the salivary glands in the mouth and sweat glands in the skin.

The hormones secreted (given off) by the endocrine glands are delivered to their destinations through the circulatory system. Thus, endocrine glands do not need to be near the organs they control. No matter where hormones enter the bloodstream, they always find their way through the nearly 100,000 kilometers of blood vessels (that's almost two and a half times around the Earth!) to their intended target area. How is this possible? Body tissues have the ability to "recognize" the hormones that are made for them. Tissue cells are programmed to accept certain hormones and reject others. Hormones not meant for a particular type of tissue or organ will pass on until they come to their target tissue or organ.

Each of your body's eight endocrine glands releases a different set of hormones and thus controls different body processes. In the next few pages, you will read about these glands, their hormones, and the body activities they control. This information is summarized in Figure 6–29. How many of these glands and hormones sound familiar to you?

HYPOTHALAMUS The **hypothalamus** (high-poh-THAL-uh-muhs) produces hormones that help turn on and turn off the seven other endocrine glands in your body. The hypothalamus, which is a tiny gland located at the base of the brain, is the major link between the nervous system and the endocrine system. In fact, the hypothalamus is as much a part of one system as it is of the other. That is why the hypothalamus can be thought of as the way in which the brain and body "talk" to each other.

ACTIVIDAD

Hormonas producidas por bacterias

Los científicos han desarrollado ciertas bacterias que producen grandes cantidades de hormonas humanas. En la biblioteca, busca más información sobre estas hormonas producidas a partir de bacterias, y luego escribe un informe. Debes responder a las siguientes preguntas: ¿Cuáles son las hormonas producidas por las bacterias? ¿Cuál es la función de las hormonas? ¿Cómo se producen estas hormonas? Incluye un diagrama que indique cómo se logra que estas bacterias produzcan hormonas.

Tu cuerpo permaneció en ese estado hasta que el encéfalo dejó de mandar señales de peligro. Entonces las glándulas endocrinas respondieron y tu cuerpo se calmó.

Las glándulas endocrinas no son las únicas glándulas de tu cuerpo. Existe otro grupo llamado glándulas exocrinas. Estas glándulas envían sus sustancias químicas a través de ductos o tubos, a los órganos cercanos. A diferencia de las glándulas endocrinas éstas no producen hormonas. Producen lágrimas, sudor, aceites y jugos digestivos para mencionar algunos ejemplos. Entre las glándulas exocrinas más comunes están las glándulas salivales de la boca y las glándulas sudoríparas de la piel.

Las hormonas secretadas por las glándulas endocrinas llegan a destino a través del sistema circulatorio. Por lo tanto, las glándulas endocrinas no necesitan estar cerca de los órganos que controlan. Las hormonas siempre logran llegar a su destino a través de la red de más de 100,000 kilómetros de vasos sanguíneos (¡casi dos veces y media el diámetro de la Tierra!). ¿Cómo lo hacen? Los tejidos celulares están programados para aceptar ciertas hormonas y rechazar otras. Las hormonas que no le corresponden a un tipo de tejido u órgano específico continuarán su camino hasta llegar a su meta.

Cada una de las ocho glándulas endocrinas de tu cuerpo libera hormonas diferentes que controlan actividades diferentes. En las próximas páginas leerás sobre estas glándulas, sus hormonas, y las actividades que controlan. Esta información se resume en la figura 6–29. ¿Cuáles de estas glándulas u hormonas te resultan familiares?

HIPOTÁLAMO El **hipotálamo**, localizado en la base del encéfalo, produce hormonas que ayudan a regular el funcionamiento de las otras siete glándulas endocrinas del cuerpo. El hipotálamo es la principal conexión entre el sistema nervioso y el endocrino. Forma parte tanto de un sistema como del otro. Es la glándula a través de la cual se "comunican" el cerebro y el cuerpo.

SOME ENDOCRINE GLANDS

Gland	Location	Hormone Produced	Functions
Hypothalamus	Base of brain	Regulatory factors	Regulates activities of other endocrine glands
Pituitary Front portion	Base of brain	Human growth hormone (HGH)	Stimulates body skeleton growth
		Gonadotropic hormone	Stimulates development of male and female sex organs
		Lactogenic hormone	Stimulates production of milk
		Thyrotropic hormone	Aids functioning of thyroid
		Adrenocorticotrophic hormone (ACTH)	Aids functioning of adrenals
Back portion		Oxytocin	Regulates blood pressure and stimulates smooth muscles; stimulates the birth process
		Vasopressin	Increases rate of water reabsorption in the kidneys
Thymus	Behind breastbone	Thymosin	Regulates development and function of immune system
Thyroid	Neck	Thyroxine	Increases rate of metabolism
		Calcitonin	Maintains the level of calcium and phosphorus in the blood
Parathyroids	Behind thyroid lobes	Parathyroid hormone	Regulates the level of calcium and phosphorus
Adrenals Inner tissue	Above kidneys	Adrenaline	Increases heart rate; elevates blood pressure; raises blood sugar; increases breathing rate; decreases digestive activity
Outer tissue		Mineralocorticoids	Maintains balance of salt and water in the kidneys
		Glucocorticoids— cortisone	Breaks down stored proteins to amino acids; aids in breakdown of fat tissue; promotes increase in blood sugar
		Sex hormones	Supplements sex hormones produced by sex glands; promotes development of sexual characteristics
Pancreas Islets of Langerhans	Abdomen, near stomach	Insulin	Enables liver to store sugar; regulates sugar breakdown in tissues; decreases blood sugar level
		Glucagon	Increases blood sugar level
Ovaries	Pelvic area	Estrogen	Produces female secondary sex characteristics
		Progesterone	Promotes growth of lining of uterus
Testes	Scrotum	Testosterone	Produces male secondary sex characteristics

Figure 6–29 *The location of some endocrine glands, the hormones they produce, and the functions they perform are shown in the chart. Where is thymosin produced? What is its function?*

ALGUNAS GLÁNDULAS ENDOCRINAS

Glándula	Ubicación	Hormona producida	Funciones
Hipotálamo	Base del cerebro	Factores reguladores	Regula las actividades de otras glándulas endocrinas
Pituitaria Parte frontal	Base del cerebro	Hormona del crecimiento humano Hormona gonadotrópica Hormona lactogénica Hormona tirotrópica Hormona adrenocorticotrópica	Estimula el crecimiento del esqueleto Estimula el desarrollo de los órganos sexuales femeninos y masculinos Estimula la producción de leche Asiste el funcionamiento de la tiroides Asiste el funcionamiento de las suprarrenales
Parte trasera		Oxitocina Vasopresina	Regula la presión sanguínea y estimula los músculos lisos; estimula el proceso del nacimiento Acelera la reabsorción de agua en los riñones
Timo	Detrás del esternón	Timosina	Regula el desarrollo y el funcionamiento del sistema inmunológico
Tiroides	Cuello	Tiroxina Calcitonina	Acelera el metabolismo Mantiene el nivel de calcio y fósforo de la sangre
Paratiroides	Detrás de los lóbulos de la tiroides	Hormona paratiroidea	Regula el nivel de calcio y fósforo
Suprarrenales Tejido interno	Encima de los riñones	Adrenalina	Acelera el ritmo cardíaco; eleva la presión arterial; aumenta el nivel de azúcar en la sangre; acelera la respiración; demora el proceso digestivo
Tejido externo		Mineralocorticoides Glucocorticoides—cortisona Hormonas sexuales	Mantiene el nivel de sal y agua de los riñones Descompone las proteínas almacenadas en aminoácidos; acelera la descomposición del tejido adiposo; promueve el aumento del nivel de azúcar de la sangre Suplementa las hormonas sexuales producidas por las glándulas sexuales; promueve el desarrollo de las características sexuales
Páncreas Islotes de Langerhans	Abdomen, cerca del estómago	Insulina Glucagón	Permite al hígado almacenar azúcar; regula la descomposición de azúcares en los tejidos; disminuye el nivel de azúcar de la sangre Aumenta el nivel de azúcar en la sangre
Ovarios	Área pélvica	Estrógeno Progesterona	Produce características sexuales secundarias en las mujeres Promueve el crecimiento del revestimiento del útero
Testículos	Escroto	Testosterona	Produce características sexuales secundarias en los hombres

Figura 6–29 *En este cuadro se indica la ubicación de algunas glándulas endocrinas, las hormonas que producen, y las funciones que realizan. ¿Dónde se produce la timosina? ¿Cúal es su función?*

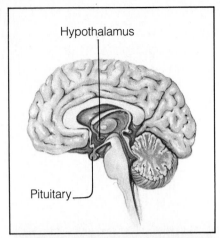

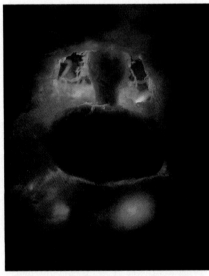

Figure 6–30 *The pituitary, which is found just under the hypothalamus, is located at the base of the brain in the center of the skull. The pea-shaped structure in the photograph is the pituitary, which is connected to the hypothalamus by a short stalk. What is the function of the pituitary?*

Messages that travel to and from the brain go through the hypothalamus. So the hypothalamus "knows about" sensations you are aware of—a lovely sunset, a painful bee sting, or a pleasant smell. It also controls things you are not aware of—the level of hormones in the blood, the amount of nutrients in the body, or the internal temperature of the body.

PITUITARY The hypothalamus depends on another endocrine gland for information about the body. This gland is the **pituitary** (pih-TOO-uh-tair-ee). The hypothalamus "talks to" the pituitary—sometimes by means of nerve impulses and sometimes by way of hormones. In response to these stimuli from the hypothalamus, the pituitary produces its own hormones.

The pituitary, which is no larger than a pea, is found in the center of the skull right behind the bridge of the nose. The pituitary controls blood pressure, growth, metabolism (all the chemical and physical activities that go on inside the body), sexual development, and reproduction. For many years, the pituitary was called the "master gland" of the body. This was because the hormones the pituitary produces control many of the activities of other endocrine glands. When it was discovered that the pituitary itself was controlled by its own master—the hypothalamus—the nickname "master gland" gradually dropped out of use.

THYMUS Just behind the breastbone is another endocrine gland—the **thymus** (THIGH-muhs). Large in infancy, the thymus begins to get smaller as you grow. By the time you reach adulthood, the thymus has shrunk to about the size of your thumb. The thymus is responsible for the development of the immune system, which you will learn in Chapter 8 is your main defense against disease-causing organisms. During infancy, the thymus produces white blood cells that protect the body's tissues, triggering an immune response against invaders. Later, other organs in the body take over the thymus's job of producing these white blood cells.

THYROID Before the mid-1800s, doctors actually thought that another endocrine gland, the **thyroid,** which is located in the neck, lubricated and protected

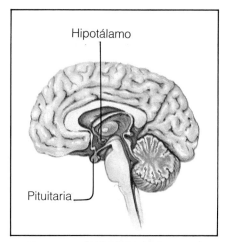

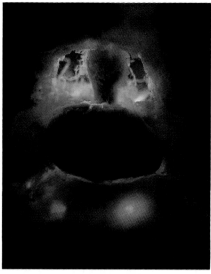

Figura 6–30 *La pituitaria que se encuentra justo debajo del hipotálamo, está ubicada en la base del cerebro en el centro del cráneo. En la foto, la estructura con forma de guisante es la pituitaria, que está conectada al hipotálamo por un tallo corto. ¿Cuál es la función de la pituitaria?*

Los mensajes que viajan desde y hacia el cerebro pasan por el hipotálamo. Esta glándula "sabe" lo que tú percibes: un hermoso atardecer, la dolorosa picadura de una abeja o un aroma delicioso. También controla cosas de las que tú no estás consciente, como el nivel de hormonas en la sangre, la cantidad de nutrientes en el cuerpo o su temperatura interna.

PITUITARIA El hipotálamo depende de otra glándula endocrina para recibir información del cuerpo. Esta glándula es la **pituitaria.** La pituitaria y el hipotálamo se comunican entre sí, a veces a través de impulsos nerviosos y otras por medio de las hormonas. En respuesta a estos estímulos del hipotálamo la pituitaria produce sus propias hormonas.

La pituitaria, que tiene el tamaño de un guisante, se encuentra en el centro del cráneo detrás del tabique de la nariz. Controla la presión arterial, el crecimiento, el metabolismo (todas las actividades químicas y físicas del interior del cuerpo), el desarrollo sexual y la reproducción. Durante años se llamó a la pituitaria la "glándula maestra" porque las hormonas que produce controlan muchas de las actividades de otras glándulas endocrinas. Ese nombre se dejó de usar cuando se descubrió que la pituitaria dependía del hipotálamo.

TIMO El **timo** se encuentra detrás del esternón. Grande durante la infancia, empieza a disminuir su tamaño a medida que el cuerpo crece. Para el momento en que ya eres adulto, el timo tiene el tamaño de tu pulgar. Esta glándula es responsable del desarrollo del sistema inmunológico, que como aprenderás en el capítulo 8, es tu principal defensa contra organismos causantes de enfermedades. Durante la infancia, el timo produce glóbulos blancos que protegen a los tejidos del cuerpo, iniciando una respuesta del sistema inmunológico contra los invasores. Más adelante otros órganos se encargarán de producir estos glóbulos blancos.

TIROIDES Antes de mediados del siglo diecinueve, los médicos pensaban que la **tiroides**, que está ubicada en el cuello, lubricaba y protegía las cuerdas

the vocal cords. It was not until 1859 that the true function of the thyroid was discovered. That function is to control how quickly food is burned up in the body.

PARATHYROIDS   Embedded in the thyroid are four tiny glands called the **parathyroids.** They release a hormone that controls the level of calcium in the blood. Calcium is a mineral that keeps your nerves and muscles working properly.

ADRENALS   Of all the hormones in the body, adrenaline (uh-DREHN-uh-lihn) is perhaps one of the best understood by scientists. The effects of adrenaline are so dramatic and powerful that you can actually feel them as your heart rate increases and blood pulses through your blood vessels.

Adrenaline is part of the body's emergency action team. Whenever you are in a dangerous situation, such as the frightening dream you read about at the beginning of this section, your body reacts in a number of ways. Your first reaction is usually a nervous one—messages from your surroundings are sent to the brain, warning you of the danger. The brain shocks the body into action to avoid the threat. A rapid series of nerve impulses to the appropriate muscles makes you take whatever actions are necessary to ensure your safety. At the same time, the brain alerts the two **adrenals** to produce adrenaline. The word adrenal means above (*ad-*) the kidney (*-renal*). And that is exactly where each adrenal is located—atop each of the two kidneys.

PANCREAS   Insulin, which is another hormone that scientists know a lot about, plays an important role in keeping the levels of sugar (glucose) in the bloodstream under control. It does this by helping body cells absorb the sugar and use it for energy. It also helps to change excess sugar into a substance called glycogen (GLIGH-kuh-juhn), which can be stored in the liver and the skeletal muscles until it is needed by the body. In this way, insulin prevents the level of sugar in the blood from rising too high. Without enough insulin, however, a person can develop diabetes mellitus (digh-uh-BEET-eez muh-LIGHT-uhs). Diabetes mellitus is a disorder in which the level of sugar in the blood is too high.

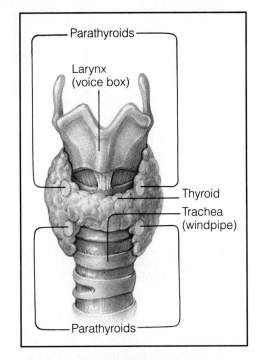

Figure 6–31 *The parathyroids are four tiny glands embedded in the thyroid, which is located in the neck. What hormone does the thyroid produce?*

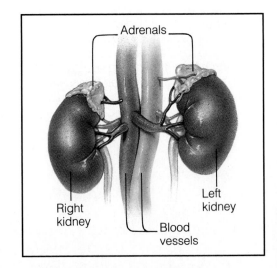

Figure 6–32 *Located atop each of the two kidneys is an adrenal gland. What is the function of the adrenal glands?*

vocales. Hasta 1859 no se descubrió la función verdadera de la tiroides. Ésta controla la velocidad con la que se metaboliza la comida en el cuerpo.

PARATIROIDES Incrustadas en la tiroides hay cuatro glándulas pequeñísimas llamadas **paratiroides**. Liberan una hormona que controla el nivel de calcio en la sangre. El calcio es un mineral que mantiene el buen funcionamiento de tus nervios y músculos.

SUPRARRENALES De todas las hormonas del cuerpo la adrenalina es una de las que mejor entienden los científicos. Los efectos de esta hormona son tan notables que puedes sentirlos cuando tu ritmo cardíaco se acelera y la sangre pulsa por tus vasos sanguíneos.

La adrenalina es parte del equipo de emergencia del cuerpo. Ante un peligro, como la pesadilla que leíste al principio de esta sección, el cuerpo responde de varias maneras. Tu primera reacción suele ser nerviosa—el cerebro recibe mensajes del medio ambiente que indican la presencia de un peligro. El cerebro alerta al cuerpo para evitar la amenaza. Una serie de rápidos impulsos nerviosos a los músculos apropiados te hace tomar las acciones necesarias para tu seguridad. Al mismo tiempo, el cerebro alerta a las dos **suprarrenales** para que produzcan adrenalina. Y como su nombre lo indica, estas glándulas están ubicadas encima de los riñones.

PÁNCREAS La insulina, otra hormona sobre la cual los científicos tienen mucha información, ayuda a controlar el nivel de azúcar (glucosa) en la sangre. Ayuda a las células del cuerpo a absorber el azúcar y usarlo como energía. También ayuda a convertir el exceso de azúcar en una sustancia llamada glucógeno, que se almacena en el hígado y los músculos del esqueleto hasta que el cuerpo lo necesita. Así, la insulina impide que el nivel de azúcar del cuerpo suba demasiado. Si no tiene suficiente insulina, una persona puede padecer de diabetes mellitus. En esta enfermedad, el nivel de azúcar en la sangre es demasiado alto.

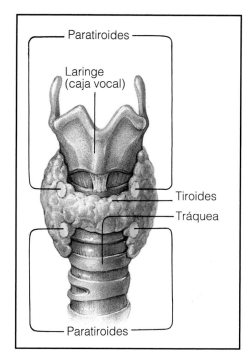

Figura 6–31 *Las paratiroides son cuatro glándulas muy pequeñas incrustadas en la tiroides, que está ubicada en el cuello. ¿Qué hormona produce la tiroides?*

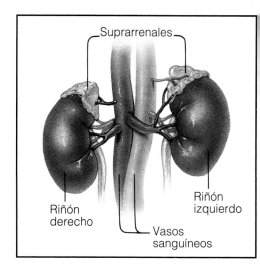

Figura 6–32 *Encima de cada riñón hay una glándula suprarrenal. ¿Cuál es la función de las glándulas suprarrenales?*

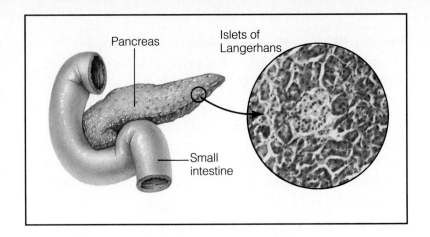

Figure 6-33 *The pancreas is located near the entrance to the small intestine. The pancreas contains small groups of cells called islets of Langerhans. What hormones are produced by the islets of Langerhans?*

Pancreas

Islets of Langerhans

Small intestine

Insulin is produced by a small group of cells called the **islets** (IGH-lihts) **of Langerhans** (LAHNG-er-hahns) within the pancreas. You may recall from Chapter 3 that the pancreas is also part of the digestive system, releasing enzymes into the small intestine. In addition to insulin, the islets of Langerhans produce another hormone called glucagon (GLOO-kuh-gahn). The effect of glucagon in the body is exactly opposite that of insulin. Glucagon increases the level of sugar in the blood by speeding up the conversion of glycogen to sugar in the liver.

Together, the effects of insulin and glucagon ensure that the level of sugar in the blood is always just right. If the level of sugar in the blood drops, the pancreas releases more glucagon to make up for the loss. If the level of sugar in the blood rises, the pancreas releases more insulin to get rid of the excess sugar.

OVARIES AND TESTES The **ovaries** (OH-vuh-reez) are the female reproductive glands, and the **testes** (tehs-teez; singular: testis, TEHS-tihs) are the male reproductive glands. The reproductive glands produce sex hormones that affect cells throughout the body. The ovaries and testes will be discussed in more detail in Chapter 7.

Negative-Feedback Mechanism

You can compare the way the endocrine system works to the way a thermostat in a heating and cooling system works. A thermostat is a device that controls the system in order to keep the temperature within certain limits. Suppose you set the thermostat in your classroom at 20°C. If the temperature of the room goes above 20°C, the thermostat turns on the

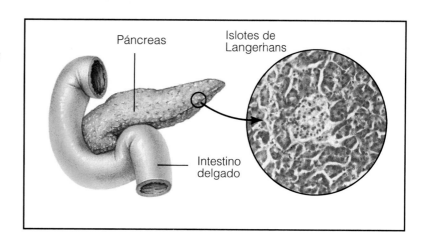

Figura 6–33 *El páncreas, que se encuentra cerca de la entrada del intestino delgado, contiene grupos pequeños de células llamados islotes de Langerhans. ¿Qué hormonas producen los islotes de Langerhans?*

Los **islotes de Langerhans**, que están dentro del páncreas, producen la insulina. Como recordarás del capítulo 3, el páncreas también es parte del sistema digestivo y libera enzimas en el intestino delgado. Además de la insulina, los islotes de Langerhans producen otra hormona llamada glucagón. El glucagón tiene el efecto opuesto de la insulina ya que aumenta el nivel de azúcar en la sangre, acelerando la conversión de glucógeno a azúcar en el hígado.

El efecto combinado de la insulina y el glucagón asegura el equilibrio del nivel de azúcar en la sangre. Si el nivel de azúcar baja, el páncreas libera más glucagón; si sube, el páncreas libera más insulina.

OVARIOS Y TESTÍCULOS Los **ovarios** son las glándulas de reproducción femeninas, y los **testículos** las glándulas de reproducción masculinas. Las glándulas de reproducción producen hormonas sexuales que afectan a las células de todo el cuerpo. En el capítulo 7 se tratará este tema con más detalle.

Mecanismo de retroalimentación negativa

Se puede comparar el funcionamiento del sistema endocrino al de un termostato. El termostato es un dispositivo que controla un sistema para mantener la temperatura dentro de ciertos límites. Imagina que pones el termostato de tu clase a 20°C. Si la temperatura de la habitación pasa los 20°C, el termostato accionará el aire acondicionado. Cuando la temperatura vuelve a los 20°C, el termostato cierra el

air conditioner. The cooling effect produced by the air conditioner brings the temperature of your classroom back down to 20°C. At this point, the thermostat turns the air conditioner off. If, on the other hand, the temperature of the room falls below 20°C, the thermostat turns on the heater rather than the air conditioner. The heater, which has a warming effect, stays on until the temperature again returns to 20°C. In this way, the thermostat controls the internal environment of your classroom. In a similar way, a **negative-feedback mechanism** automatically controls the levels of hormones in your body. **In a negative-feedback mechanism, the production of a hormone is controlled by the amount of another hormone in the blood, thereby keeping the body's internal environment stable.**

The actions of the pituitary and the thyroid are probably the best examples of the negative-feedback mechanism. The pituitary is very sensitive to the amount of thyroxine (thigh-RAHKS-een) in the blood. Thyroxine is the name of the hormone that is released by the thyroid. When the level of thyroxine in the blood drops too low, the pituitary releases its hormone, a hormone called thyroid-stimulating hormone, or TSH. This action causes the thyroid to make more thyroxine, thus restoring the level of thyroxine in the blood. When the amount of thyroxine in the blood is just right, the pituitary stops releasing TSH, and the thyroid stops producing thyroxine. In this way, the negative-feedback mechanism helps to keep the internal environment of the body stable.

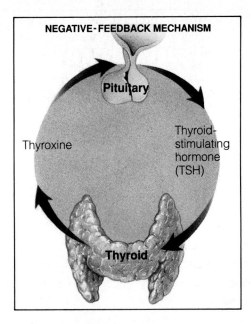

NEGATIVE-FEEDBACK MECHANISM

Pituitary

Thyroxine

Thyroid-stimulating hormone (TSH)

Thyroid

Figure 6–34 *The release of TSH into the bloodstream by the pituitary stimulates the production of thyroxine by the thyroid. When the level of thyroxine in the bloodstream increases, the pituitary reacts negatively by lowering the amount of TSH it releases. This is an example of a negative-feedback mechanism, which controls the levels of hormones in the blood.*

6–4 Section Review

1. What is the function of the endocrine system?
2. What is a hormone?
3. List eight endocrine glands in the body.
4. What is the negative-feedback mechanism?
5. Explain how the negative-feedback mechanism helps to maintain a state of balance within the body.

Critical Thinking—*Relating Facts*
6. If a person has diabetes mellitus, would his or her production of glucagon be increased or decreased? Explain your answer.

aire acondicionado. Si por el contrario, la temperatura baja de los 20°C, el termostato prenderá la calefacción hasta que la temperatura vuelva a los 20°C. De esta manera el termostato controla la temperatura ambiente de tu salón de clase. De una manera similar, el **mecanismo de retroalimentación negativa** controla automáticamente los niveles hormonales en el cuerpo. **En un mecanismo de retroalimentación negativa, la producción de una hormona es controlada por la cantidad de otra hormona en la sangre, manteniendo así la estabilidad interna del cuerpo.**

El funcionamiento de la pituitaria y la tiroides son un buen ejemplo del mecanismo de retroalimentación negativa. La pituitaria es muy sensible a la cantidad de tiroxina en la sangre. La tiroxina es la hormona que libera la tiroides. Cuando el nivel de tiroxina en la sangre baja demasiado, la pituitaria libera su hormona TSH (siglas en inglés que significan hormona que estimula la tiroides). Cuando el nivel de tiroxina en la sangre se equilibra, la pituitaria deja de liberar TSH, y la tiroides deja de producir tiroxina. De esta manera, el mecanismo de retroalimentación negativa mantiene la estabilidad interna del cuerpo.

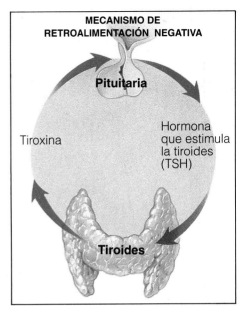

Figura 6–34 *Cuando la pituitaria libera TSH estimula la producción de tiroxina en la tiroides. Cuando aumenta el nivel de torixina en el flujo sanguíneo, la pituitaria reacciona de manera negativa disminuyendo la cantidad de TSH. Ese es un ejemplo de la retroalimentación negativa, que controla el nivel hormonal en la sangre.*

6–4 Repaso de la sección

1. ¿Cuál es la función del sistema endocrino?
2. ¿Qué es una hormona?
3. Enumera ocho glándulas endocrinas del cuerpo.
4. ¿Qué es el mecanismo de retroalimentación negativa?
5. Explica cómo un mecanismo de retroalimentación negativa ayuda a mantener un estado de equilibrio dentro del cuerpo.

Pensamiento crítico—*Relacionar hechos*
6. Si una persona tiene diabetes mellitus, ¿aumentaría o disminuiría su producción de glucagón? Explica tu respuesta.

Laboratory Investigation

Locating Touch Receptors

Problem

Where are the touch receptors located on the body?

Materials *(per pair of students)*

scissors	9 straight pins
metric ruler	piece of card-
blindfold	board (6 cm x 10 cm)

Procedure

1. Using the scissors, cut the piece of cardboard into five rectangles each measuring 6 cm x 2 cm.

2. Into one cardboard rectangle, insert two straight pins 5 mm apart. Into the second cardboard rectangle, insert two pins 1 cm apart. Insert two pins 2 cm apart into the third rectangle. Insert two pins 3 cm apart into the fourth rectangle. In the center of the remaining cardboard rectangle, insert one pin.

3. Construct a data table in which the pin positions on the cardboard appear across the top of the table.

4. Blindfold your partner.

5. Using the cardboard rectangle with the straight pins 5 mm apart, carefully touch the palm surface of your partner's fingertip, palm of the hand, back of the hand, back of the neck, and inside of the forearm. **CAUTION:** *Do not apply pressure when touching your partner's skin.* In the data table, list each of these body parts.

6. If your partner feels two points in any of the areas that you touch, place the number 2 in the appropriate place in the data table. If your partner feels only one point, place the number 1 in the data table.

7. Repeat steps 5 and 6 with the remaining cardboard rectangles.

8. Reverse roles with your partner and repeat the investigation.

Observations

On which part of the body did you feel the most sensation? The least?

Analysis and Conclusions

1. Which part of the body that you tested had the most touch receptors? The fewest? How do you know?

2. Rank the body parts in order from the most to the least sensitive.

3. What do the answers to questions 1 and 2 indicate about the distribution of touch receptors in the skin?

4. **On Your Own** Obtain a variety of objects. Blindfold your partner and hand one of the objects to your partner. Have your partner describe how the object feels. Your partner is not to name the object. Record the description along with the name of the object. Repeat the investigation for each object. Reverse roles and repeat the investigation. How well were you and your partner able to "observe" with the senses of touch?

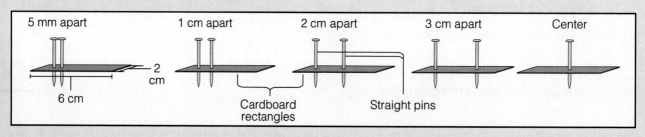

| 5 mm apart | 1 cm apart | 2 cm apart | 3 cm apart | Center |

6 cm   2 cm

Cardboard rectangles   Straight pins

Investigación de laboratorio

Ubicar receptores táctiles

Problema

¿Dónde se encuentran los receptores táctiles en el cuerpo?

Materiales *(para cada par de estudiantes)*

tijeras	9 alfileres
regla métrica cartón	(6 cm x
venda para los ojos	10 cm)

Procedimiento

1. Corta con las tijeras el pedazo de cartón en cinco rectángulos de 6 cm x 2 cm cada uno.

2. En el primer rectángulo, inserta dos alfileres separados por una distancia de 5 mm. En el segundo, inserta dos alfileres a 1 cm de distancia. Inserta dos alfileres a 2 cm de distancia en el tercer rectángulo. Inserta dos alfileres a 3 cm de distancia en el cuarto. Inserta un alfiler en el centro del rectángulo restante.

3. Haz una tabla de datos en la cual la posición de los alfileres sobre el cartón aparezca arriba de todo.

4. Tápale los ojos a tu compañero(a).

5. Usando el rectángulo de cartón con los alfileres a 5 mm de distancia, toca con cuidado la de yema del dedo de tu compañero, la palma y el dorso de su mano, la parte trasera del cuello y la parte interna del antebrazo. **CUIDADO:** *No presiones al tocar la piel de tu compañero(a).* En la tabla de datos, enumera estas partes del cuerpo.

6. Si en cualquiera de las áreas donde lo (la) tocas tu compañero(a) siente dos puntos, anota el número 2 en el lugar corres-pondiente de la tabla. Si siente sólo un punto, anota en la tabla el número 1.

7. Repite los pasos 5 y 6 con todos los rectángulos restantes.

8. Haciendo el papel de la otra persona, repitan la investigación.

Observaciones

¿Qué parte de tu cuerpo resultó más sensible? ¿Y menos sensible?

Análisis y conclusiones

1. ¿Cuál de las partes que tocaste tenía la mayor cantidad de receptores táctiles? ¿La menor cantidad? ¿Cómo lo sabes?

2. Enumera las partes del cuerpo desde la más sensible hasta la menos sensible.

3. Qué indican las respuestas a las preguntas 1 y 2 acerca de la distribución de los receptores táctiles en la piel?

4. **Por tu cuenta** Junta una variedad de objetos. Tápale los ojos a tu compañero(a) con la venda y entrégale uno de los objetos. Pídele que describa cómo es el objeto, pero que no diga su nombre. Anota la descripción junto al nombre del objeto. Repite el paso con cada objeto. Haciendo el papel de la otra persona, repitan la operación. ¿Qué éxito tuvieron en "observar" con el sentido del tacto?

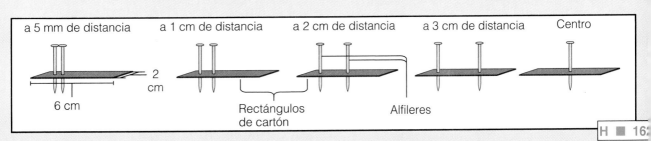

a 5 mm de distancia   a 1 cm de distancia   a 2 cm de distancia   a 3 cm de distancia   Centro

2 cm

6 cm

Rectángulos de cartón

Alfileres

Summarizing Key Concepts

6–1   The Nervous System

▲ The nervous system receives and sends out information about activities within the body and monitors and responds to changes in the environment.

▲ The basic unit of structure and function of the nervous system is the neuron, which is made up of the cell body, dendrites, an axon, and axon terminals.

▲ A nerve impulse sends messages in the form of electrical and chemical signals. The gap between neurons is called a synapse.

6–2 Divisions of the Nervous System

▲ The central nervous system is composed of the brain and the spinal cord. The brain is divided into three parts: the cerebrum, the cerebellum, and the medulla.

▲ The peripheral nervous system consists of all the nerves that connect to the central nervous system.

▲ The autonomic nervous system consists of two sets of nerves that have opposite effects on the organs they control.

6–3   The Senses

▲ Light entering the eye passes through the cornea, aqueous humor, lens, and vitreous humor to the retina. The optic nerve carries the impulses to the brain.

▲ Sound enters the ear as vibrations and strikes the eardrum, causing the hammer, anvil, and stirrup to vibrate. These vibrations finally reach the cochlea. The auditory nerve carries the impulses to the brain.

▲ Smell and taste are chemical senses.

▲ The skin contains receptors for touch, pressure, pain, heat, and cold.

6–4 The Endocrine System

▲ The endocrine system includes the hypothalamus, pituitary, thymus, thyroid, parathyroids, adrenals, pancreas, and ovaries or testes.

▲ In the feedback mechanism, the production of a hormone is controlled by the amount of another hormone in the blood, thereby keeping the body's internal environment stable.

Reviewing Key Terms

Define each term in a complete sentence.

6–1   The Nervous System

stimulus
neuron
cell body
dendrite
axon
receptor
sensory neuron
interneuron
motor neuron
effector
nerve impulse
synapse

6–2   Divisions of the Nervous System

brain
spinal cord
cerebrum
cerebellum
medulla
reflex

6–3   The Senses

cornea
iris
pupil
lens
retina
eardrum
cochlea
semicircular canal

6–4   The Endocrine System

hormone
hypothalamus
pituitary
thymus
thyroid
parathyroid
adrenal
islets of Langerhans
ovary
testis
negative-feedback mechanism

Resumen de conceptos claves

6–1 El sistema nervioso

▲ El sistema nervioso recibe y envía información sobre las actividades internas del cuerpo. También percibe y responde a cambios en el medio ambiente.

▲ La unidad básica de la estructura y funcionamiento del sistema nervioso es la neurona, formada por el cuerpo celular, dendritas, un axón y terminales del axón.

▲ Un impulso nervioso envía mensajes en forma de señales eléctricas y químicas. El espacio pequeño entre dos neuronas se llama sinapsis.

6–2 Las divisiones del sistema nervioso

▲ El sistema nervioso está compuesto del encéfalo y la médula espinal. El encéfalo está dividido en tres partes: el cerebro, el cerebelo y la médula oblongada.

▲ El sistema nervioso periférico consiste de todos los nervios que se conectan con el sistema nervioso central.

▲ Los nervios del sistema nervioso autónomo están divididos en dos grupos que tienen efectos opuestos en los órganos que controlan.

6–3 Los sentidos

▲ La luz que entra por los ojos pasa a través de la córnea, humor acuoso, lente, humor vítreo hasta la retina. El nervio óptico lleva los impulsos al cerebro.

▲ El sonido entra al oído en forma de vibraciones y toca el tímpano, haciendo vibrar al martillo, yunque y estribo. Estas vibraciones luego llegan al caracol. El nervio auditivo lleva los impulsos al cerebro.

▲ Los sentidos del olfato y del gusto reaccionan a estímulos químicos.

▲ Los receptores sensoriales de la piel te permiten sentir la textura, la presión, el dolor y también el calor y el frío.

6–4 El sistema endocrino

▲ El sistema endocrino incluye el hipotálamo, la pituitaria, el timo, la tiroides, las paratiroides, las suprarrenales, el páncreas, y los ovarios o los testículos.

▲ En el mecanismo de retroalimentación negativa, la producción de una hormona se controla según la cantidad de otra hormona en la sangre, manteniendo así la estabilidad interna del cuerpo.

Repaso de palabras claves

Define cada palabra o palabras con una oración completa.

6–1 El sistema nervioso
estímulo
neurona
cuerpo celular
dendrita
axón
receptor
neurona sensorial
neurona de asociación
neurona motora
efector
impulso nervioso
sinapsis

6–2 Las divisiones del sistema nervioso
encéfalo
médula espinal
cerebro
cerebelo
  médula oblongada
reflejo

6–3 Los sentidos
córnea
iris
pupila
lente
retina
tímpano
caracol
canal semi-
  circular

6–4 El sistema endocrino
hormona
hipotálamo
pituitaria
timo
tiroides
paratiroides

suprarrenales
islotes de
  Langerhans
ovarios
testículos
mecanismo de
  retroalimentación
  negativa

Chapter Review

Content Review

Multiple Choice

Choose the letter of the answer that best completes each statement.

1. A change in the environment is a(an)
   a. effector.   c. reflex.
   b. stimulus.   d. hormone.
2. The short fibers that carry messages from neurons toward the cell body are the
   a. dendrites.   c. synapses.
   b. axon terminals.   d. axons.
3. The gap between two neurons is called the
   a. dendrite.   c. synapse.
   b. cell body.   d. axon.
4. The part of the brain that controls balance is the
   a. spinal cord.   c. cerebellum.
   b. cerebrum.   d. medulla.
5. Which endocrine gland provides a link between the nervous system and the endocrine system?
   a. pituitary   c. parathryoid
   b. adrenal   d. hypothalamus

6. The largest part of the brain is the
   a. spinal cord.   c. cerebellum.
   b. cerebrum.   d. medulla.
7. Which of the following is part of the central nervous system?
   a. medulla
   b. semicircular canals
   c. retina
   d. auditory nerve
8. The pancreas produces the hormones insulin and
   a. thyroxine.
   b. glucagon.
   c. human growth hormone.
   d. adrenaline.
9. The layer of the eye onto which an image is focused is the
   a. retina.   c. choroid.
   b. sclera.   d. cornea.

True or False

If the statement is true, write "true." If it is false, change the underlined word or words to make the statement true.

1. The part of the neuron that contains the nucleus is the <u>axon</u>.
2. The <u>pituitary</u> produces adrenaline.
3. The brain and the spinal cord make up the <u>peripheral</u> nervous system.
4. The reproductive glands are the ovaries and the <u>testes</u>.
5. The <u>retina</u> is the watery fluid between the cornea and the lens of the eye.
6. The <u>auditory nerve</u> carries impulses from the ear to the brain.
7. The outer layer of the eye is the <u>choroid</u>.

Concept Mapping

Complete the following concept map for Section 6–1. Refer to pages H8–H9 to construct a concept map for the entire chapter.

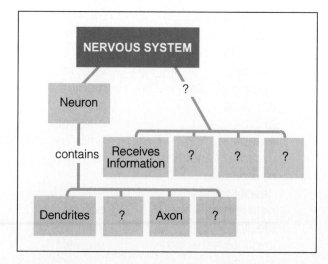

Repaso del capítulo

Repaso del contenido

Selección múltiple

Selecciona la letra de la respuesta que mejor complete cada frase.

1. Un cambio en el medio ambiente es un(a)
   a. efector.
   b. estímulo.
   c. reflejo.
   d. hormona.

2. Las fibras cortas que llevan mensajes de las neuronas al cuerpo celular son
   a. dendritas.
   b. terminales del axón.
   c. sinapsis.
   d. axones.

3. El pequeño espacio entre dos neuronas se llama
   a. dendrita.
   b. cuerpo celular.
   c. sinapsis.
   d. axón.

4. La parte del encéfalo que controla el equilibrio es
   a. la médula espinal.
   b. el cerebro.
   c. el cerebelo.
   d. la médula oblongada.

5. ¿Qué glándula endocrina actúa como conexión entre el sistema nervioso y el sistema endocrino?
   a. pituitaria
   b. suprarrenales
   c. paratiroides
   d. hipotálamo

6. La parte más grande del encéfalo es
   a. la médula espinal.
   b. el cerebro.
   c. el cerebelo.
   d. la médula oblongada.

7. ¿Cuál de lo siguiente forma parte del sistema nervioso central?
   a. médula oblongada
   b. canales semicirculares
   c. retina
   d. nervio auditivo

8. El páncreas produce la hormona insulina y
   a. tiroxina.
   b. glucagón.
   c. hormona de crecimiento humano.
   d. adrenalina.

9. La capa del ojo sobre la cual la luz es enfocada es la
   a. retina.
   b. esclerótica.
   c. coroides.
   d. córnea.

Verdadero o falso

Si la afirmación es verdadera, escribe "verdad." Si es falsa, cambia las palabras subrayadas para que sea verdadera.

1. La parte de la neurona que contiene el núcleo es el <u>axón</u>.
2. La <u>pituitaria</u> produce adrenalina.
3. El encéfalo y la médula espinal forman el sistema nervioso <u>periférico</u>.
4. Las glándulas reproductoras son los ovarios y los <u>testículos</u>.
5. La <u>retina</u> es el fluido acuoso entre la córnea y el lente del ojo.
6. El <u>nervio auditivo</u> acarrea impulsos del oído al encéfalo.
7. La capa exterior del ojo es la <u>coroides</u>.

Mapa de conceptos

Completa el siguiente mapa de conceptos para la sección 6–1. Para hacer un mapa de conceptos de todo el capítulo, consulta las páginas H8–H9.

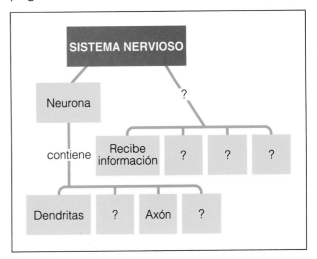

Concept Mastery

Discuss each of the following in a brief paragraph.

1. What is a stimulus? Give two examples.
2. What are the functions of the three types of neurons found in the nervous system?
3. Compare the functions of a receptor and an effector.
4. Explain how an impulse crosses a synapse.
5. Describe the role of the lens in vision.
6. Compare the effect of adrenaline and insulin on the body.
7. What is the function of the hypothalamus?
8. Explain what a negative-feedback mechanism is. Give an example.
9. Explain why it is an advantage to you that your reflexes respond quickly and automatically.
10. How does an endocrine gland differ from an exocrine gland?
11. How is the central nervous system protected?
12. Trace the path of light through the eye.
13. Trace the path of sound through the ear.

Critical Thinking and Problem Solving

Use the skills you have developed in this chapter to answer each of the following.

1. **Making comparisons** Compare the nervous system to a computer. How are they similar? Different?
2. **Applying concepts** Explain why many people become dizzy after spinning around for any length of time.
3. **Interpreting graphs** The accompanying graph shows the levels of sugar in the blood of two people during a five-hour period immediately after a typical meal. Which line represents an average person? Which line represents a person with diabetes mellitus? Explain your answers.
4. **Relating concepts** A routine examination by a doctor usually includes the knee-jerk test. What is the purpose of this test? What could the absence of a response indicate?
5. **Applying concepts** Explain why after entering a dark room, you are surprised to see how colorful the room is when the lights are turned on.
6. **Applying concepts** Sometimes as a result of a cold, the middle ear becomes filled with fluid. Why do you think this can cause a temporary loss of hearing?
7. **Making predictions** What might happen if the cornea becomes inflamed and as a result more fluid collects there?
8. **Using the writing process** Select a picture in a book or magazine. In a short essay, explain how what you see in the picture is influenced by your sense of touch, hearing, smell, or taste as well as your sense of vision.

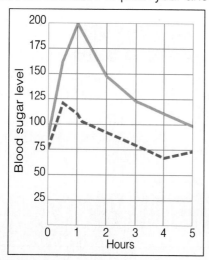

Dominio de conceptos

Comenta cada uno de los puntos siguientes en un párrafo breve.

1. ¿Qué es un estímulo? Da dos ejemplos.
2. ¿Cuáles son las funciones de los tres tipos de neuronas del sistema nervioso?
3. Compara las funciones de un receptor y las de un efector.
4. Explica cómo un impulso cruza la sinapsis.
5. Describe el papel de la lente en la visión.
6. Compara los efectos de la insulina y la adrenalina en el cuerpo.
7. ¿Cuál es la función del hipotálamo?
8. Explica lo que es un mecanismo de retro-alimentación negativa. Da un ejemplo.
9. Explica por qué es una ventaja que tus reflejos respondan rápida y automáticamente.
10. ¿Cuál es la diferencia entre una glándula endocrina y una glándula exocrina?
11. ¿Cómo está protegido el sistema nervioso central?
12. Sigue el paso de la luz a través del ojo.
13. Sigue el paso del sonido a través del oído.

Pensamiento crítico y solución de problemas

Usa las destrezas que has desarrollado en este capítulo para resolver lo siguiente.

1. **Hacer comparaciones** Compara el sistema nervioso a una computadora. ¿En qué se parecen? ¿En qué se diferencian?
2. **Aplicar conceptos** Explica por qué mucha gente se marea al girar varias veces.
3. **Interpretar gráficas** La siguiente gráfica indica los niveles de azúcar en la sangre de dos personas durante un período de cinco horas después de una comida normal. ¿Qué línea representa a la persona media? ¿Qué línea representa a la persona que sufre de diabetes mellitus? Explica tus respuestas.
4. **Relacionar conceptos** En un visita médica por lo general te dan un golpe seco bajo la rodilla. ¿Cuál es el propósito de esta prueba? ¿Qué significaría si no hay reacción?
5. **Aplicar conceptos** Explica por qué al entrar en una habitación a oscuras te sorprenden los colores una vez que se enciende la luz.
6. **Aplicar conceptos** A veces como resultado de un resfriado, el oído medio se llena de fluido. ¿Por qué crees que esto puede causar una sordera temporal?
7. **Hacer predicciones** ¿Qué sucedería si se inflama la córnea y en consecuencia se acumula en ella más fluido?
8. **Usar el proceso de la escritura** Elige un dibujo de una revista o libro. En un ensayo corto, explica cómo lo que ves en el dibujo influye en tu sentido del tacto, oído, olfato o gusto y también en tu sentido de la vista.

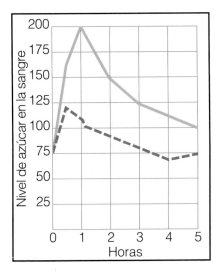

Reproduction and Development

Almost everyone loves babies—all kinds of babies: animal babies (bunnies, kittens, and puppies, to name just a few) and human babies. Babies can be one of the funniest and most appealing subjects of photography. Just look at the photograph on the opposite page!

One of the many common characteristics of all newborn human babies is their total helplessness. They cannot sit up, move from one place to another, feed themselves, or talk in a language understood by other people. Their basic means of communicating hunger, discomfort, unhappiness, or pain is by crying. With proper care and training, however, babies gradually learn to do some things for themselves. And they eventually become children, adolescents, and then adults.

At this point, you may be asking yourself this question: What changes take place as a baby develops and grows into a full-sized adult? As you read this chapter you will find the answer to this question as well as the answers to others. And you will also discover that human development is an exciting, ongoing process.

Journal *Activity*

You and Your World Place photographs of yourself as an infant, toddler, or young child in your journal. Below each photograph, describe what you were doing when the photograph was taken and what you remember about it. What physical and social changes have you undergone since the photographs were taken?

These human babies—products of reproduction—guarantee the survival of the human species.

Reproducción y *desarrollo*

Guía para la lectura

Después de leer las secciones siguientes, vas a poder

7–1 El sistema reproductor

- Reconocer la función e importancia del sistema reproductor.

- Definir la fertilización.

- Comparar las funciones y estructuras de los sistemas reproductores masculino y femenino.

7–2 Etapas de desarrollo

- Describir los cambios que ocurren entre la fertilización y el nacimiento.

- Describir el proceso de nacimiento.

- Enumerar y describir las etapas de desarrollo después del nacimiento.

Casi todo el mundo adora a los bebés—toda clase de bebés: bebés de animales (conejitos, gatitos, perritos, para mencionar unos pocos) y bebés humanos. Los bebés pueden ser unos de los temas fotográficos más graciosos y atractivos. ¡Míralos en la fotografía de la página opuesta!

Una de las muchas características que comparten todos los bebés humanos es su dependencia total. No se pueden sentar, ni moverse de un lado a otro, ni alimentarse, ni hablar un idioma que se pueda entender. La manera básica para comunicar su hambre, incomodidad, infelicidad, o dolor es llorar. Sin embargo, con el cuidado y entrenamiento adecuado, los bebés gradualmente aprenden a hacer algunas cosas por ellos mismos. Y con el tiempo se vuelven niños, adolescentes y luego adultos.

Ahora te estarás haciendo una pregunta: ¿Qué cambios ocurren cuando el bebé se desarrolla y crece hasta llegar a ser un adulto? Al leer este capítulo encontrarás la respuesta a esta pregunta y a otras más. Y también descubrirás que el desarrollo humano es un proceso continuo y fascinante.

Diario *Actividad*

Tú y tu mundo En tu diario pega fotos tuyas de bebito(a), niño o niña pequeño y un poco mayor. Debajo de cada foto, describe lo que hacías cuando se tomó la foto y lo que recuerdas sobre ella. ¿Qué cambios físicos y sociales has pasado desde que te tomaron las fotos?

Estos bebés humanos—productos de la reproducción—garantizan la supervivencia de la especie.

7–1 The Reproductive System

In the previous chapters of this textbook, you learned about the human body systems that are vital to the survival of the individual. Without the proper functioning of these systems, humans would no doubt be unable to live healthy, normal lives. The loss of the digestive system, nervous system, or circulatory system would be fatal (deadly) in humans. Can you explain why?

There is one body system, however, that is not essential to the survival of the individual. In fact, humans can survive quite well without the functioning of this system. What this system is important to is the survival of the human species—that is, the continuation on Earth of people just like you. Have you figured out what this system is?

The body system is the reproductive system, which contains special structures that enable reproduction to take place. Reproduction is the process through which living things produce new individuals of the same kind. Thus the reproductive system ensures the continuation of the species. Without it, a species will cease to exist. Do you know the scientific word that means a species no longer exists on Earth?

Figure 7–1 *The process of reproduction results in new individuals of the same kind. Without reproduction, humans, hippopotamuses, and, for that matter, all species of living things would cease to exist.*

*Piensa en estas preguntas
mientras lees.*

▶ *¿Cuál es la importancia de
la reproducción?*

▶ *¿Cuáles son las estructuras
de los sistemas reproductores
masculino y femenino?*

7–1 El sistema reproductor

En capítulos anteriores, aprendiste sobre los sistemas del cuerpo humano que son vitales para la supervivencia del individuo. Si estos sistemas no funcionaran bien, los humanos no podrían llevar una vida saludable y normal. La pérdida del sistema digestivo, del nervioso, o del circulatorio sería fatal (mortal) para los seres humanos. ¿Puedes explicar por qué?

Sin embargo, hay un sistema del cuerpo que no es esencial para la supervivencia del individuo. De hecho, los seres humanos pueden sobrevivir bastante bien sin el funcionamiento de este sistema. Para lo que este sistema es importante, es para la supervivencia de la especie humana—o sea, para que continúe habiendo sobre la Tierra personas como tú. ¿Adivinas qué sistema es?

Se trata del sistema reproductor, que contiene estructuras especiales para que la reproducción tenga lugar. La reproducción es el proceso mediante el cual los seres vivos producen nuevos individuos de la misma especie. Así, el sistema reproductor asegura la continuación de las especies. Sin él, una especie dejaría de existir. ¿Sabes cuál es la palabra científica que significa que una especie dejó de existir en la Tierra?

Figura 7–1 *El proceso de reproducción da como resultado nuevos individuos de la misma especie. Sin la reproducción, los humanos, los hipopótamos y, por consiguiente, todas las especies de seres vivos dejarían de existir.*

In humans, the reproductive system produces, stores, nourishes, and releases specialized cells known as sex cells. From the union of these sex cells will come a new individual—the next generation. How does the reproductive system function? How does the extraordinary process of reproduction take place? And how do single cells become complete humans millions and millions of times every year?

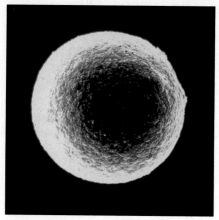

Sexual Development

Does it surprise you to learn that you began life as one single cell? Well, that's just how you started. This single cell was produced by the joining of two other cells. These two other cells are specialized cells known as sex cells. Sex cells are unlike any other cells that make up your body. Biologists call the sex cells gametes (GAM-eets). There are two kinds of sex cells (or gametes)—a male sex cell and a female sex cell. The male sex cell is called the **sperm.** The female sex cell is called the **egg,** or ovum (OH-vuhm; plural: ova, OH-vuh). The joining of a sperm nucleus and an egg nucleus is called **fertilization.** Recall that the nucleus of a cell contains the genetic material. Fertilization is the process by which organisms produce more of their own kind. The result of fertilization is a fertilized egg—one single cell from which come all the trillions of cells in a human body!

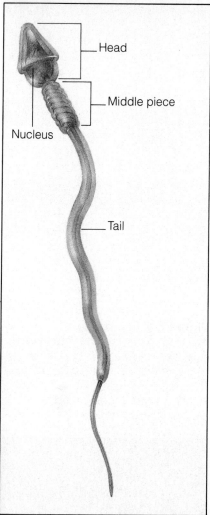

Head

Middle piece

Nucleus

Tail

Figure 7–2 *The tadpole-shaped sperm, which consists of a head, a middle piece, and a tail, is the male sex cell. The ball-shaped egg is the female sex cell. What is the name of the process in which the nuclei of these two sex cells join?*

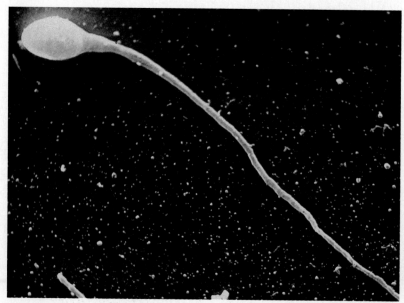

En los seres humanos, el sistema reproductor produce, almacena, nutre, y libera células especializadas llamadas células sexuales. De la unión de estas células sexuales se formará un nuevo individuo—la próxima generación. ¿Cómo funciona el sistema reproductor? ¿Cómo ocurre el proceso de reproducción? ¿Y cómo, por millones y millones de veces cada año una sola célula se convierte en un ser humano?

El desarrollo sexual

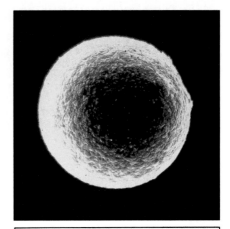

¿Te sorprende saber que comenzaste a vivir como una sola célula? Sí, así fue como empezó. Esa única célula se produjo de la unión de otras dos células. Esas otras dos células, son células especializadas, conocidas como células sexuales. Las células sexuales no son como ninguna de las otras células que componen tu cuerpo. Los biólogos llaman a las células sexuales gametos. Hay dos clases de células sexuales—una célula sexual masculina y una femenina. La célula sexual masculina se llama **espermatozoide**. La célula sexual femenina se llama el **óvulo** o huevo. La unión del núcleo de un espermatozoide con el núcleo de un óvulo se llama **fertilización**. Recuerda que el núcleo de una célula contiene el material genético. La fertilización es el proceso por el cual los organismos producen más organismos de su misma clase. El resultado de la fertilización es un óvulo fertilizado—¡una sola célula de la cual salen todos los billones de células del cuerpo humano!

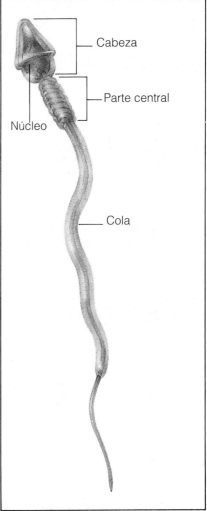

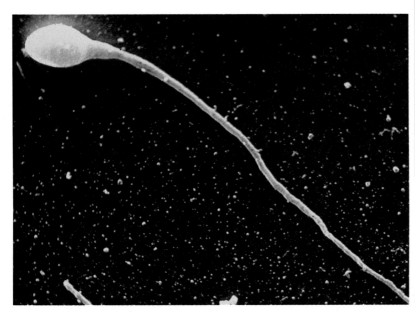

Figura 7–2 *El espermatozoide, que parece un renacuajo, tiene cabeza, parte central y cola, y es la célula sexual masculina. El óvulo, en forma de bola, es la célula sexual femenina. ¿Cómo se llama el proceso en el que se unen los núcleos de estas células?*

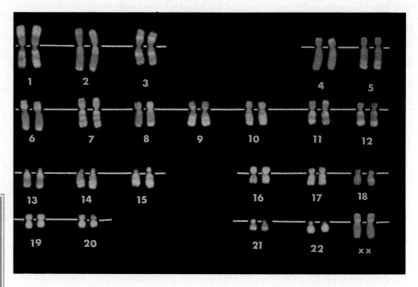

Figure 7–3 *Chromosomes are thick rodlike structures that are responsible for passing on inherited characteristics. The photograph shows the size, number, and pairs of chromosomes for a human body cell. How many chromosomes are in each human body cell?*

Both the sperm and the egg contain thick, rodlike structures called chromosomes (KROH-muh-sohmz). Chromosomes are responsible for passing on inherited characteristics such as skin, eye, and hair color from one generation of cells to the next. With the exception of the sex cells (sperm and egg), every cell in the human body contains 46 chromosomes. The sex cells contain only half this number, or 23 chromosomes. As a result of the joining of sperm (23 chromosomes) and egg (23 chromosomes) nuclei during fertilization, the nucleus of a fertilized egg contains 46 chromosomes—the normal number of chromosomes for all body cells. Within these 46 chromosomes is all the information needed to produce a complete new human—you!

If it surprised you to learn that humans begin life as a single cell, then the following fact will probably surprise you just as much, if not more. For the first 6 weeks after fertilization, male and female fertilized eggs (now called embryos) are identical in appearance. Then, during the seventh week of development, major changes occur. If the fertilized egg is a male, certain hormones are produced that cause the development of the male reproductive organs. If the fertilized egg is a female, certain other hormones are produced that cause the development of the female reproductive organs. (Hormones, you will recall from Chapter 6, are chemical messengers

Figura 7–3 *Los cromosomas, estructuras en forma de bastones, son los que transmiten las características hereditarias. Esta fotografía muestra el tamaño, número y pares de cromosomas de una célula del cuerpo humano. ¿Cuántos cromosomas hay en cada célula del cuerpo humano?*

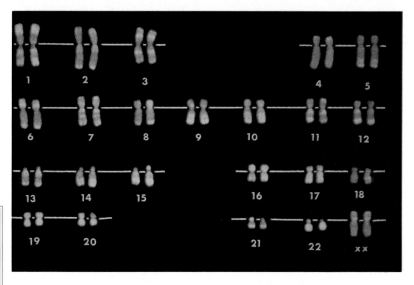

Tanto el espermatozoide como el óvulo contienen gruesas estructuras en forma de bastones llamadas cromosomas. Los cromosomas tienen a su cargo trasmitir las características hereditarias como el color de la piel, los ojos y el pelo de una generación de células a la próxima. Con la excepción de las células sexuales (el espermatozoide y el óvulo), cada célula del cuerpo humano contiene 46 cromosomas. Las células sexuales contienen sólo la mitad de ese número, o sea 23 cromosomas. Como resultado de la unión de los núcleos del espermatozoide (23 cromosomas) y el óvulo (23 cromosomas) durante la fertilización, el núcleo de un óvulo fertilizado contiene 46 cromosomas—el número normal de cromosomas de todas las células del cuerpo. Toda la información necesaria para producir un nuevo ser humano, está contenida en esos 46 cromosomas.

Si te ha sorprendido saber que la vida de los seres humanos comienza como una sola célula, te sorprenderá más lo siguiente. Durante las primeras seis semanas después de la fertilización, todos los huevos fertilizados (ahora llamados embriones) parecen ser idénticos. Luego en la séptima semana de su desarrollo, ocurren cambios importantes. Si el embrión es masculino, se producen ciertas hormonas que causarán el desarrollo de los órganos reproductores masculinos. Si es femenino, se produce otra clase de hormonas para el desarrollo de los órganos reproductores femeninos. (Recordarás, del capítulo 6, que las hormonas son mensajeros químicos

that regulate certain activities of the body.) Thus the male and female reproductive organs develop from exactly the same tissues in a fertilized egg.

After birth and for the next 10 to 15 years, the hormones specific to the male and those specific to the female continue to influence the development of their respective reproductive organs. Accompanying this development is the appearance of certain sex characteristics such as growth of facial hair in males and broadening of the hips in females. You will read more about this process in the next section. At the end of this process, the male and female reproductive organs are fully developed and functional.

The Male Reproductive System

The primary male reproductive organs are the **testes** (TEHS-teez; singular: testis, TEHS-tihs). The testes are oval-shaped organs found inside an external pouch (sac) of skin called the scrotum (SKROHT-uhm). The major role of the testes is to produce sperm. The fact that the testes remain in the scrotum outside the body is very important to the development of sperm. The external temperature is

Figure 7–4 *In the male reproductive system, sperm and the hormone testosterone are produced within two oval-shaped organs called the testes. Sperm travel from the testes through tubes to the urethra. What is the function of testosterone?*

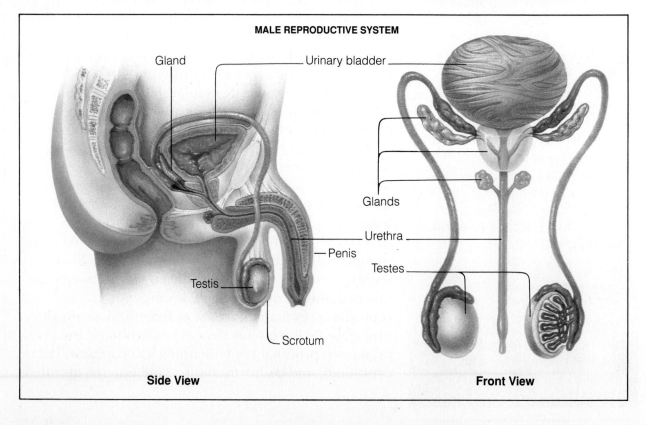

MALE REPRODUCTIVE SYSTEM

Gland • Urinary bladder • Glands • Urethra • Penis • Testis • Scrotum • Testes

Side View   **Front View**

que regulan ciertas actividades del cuerpo.) Así, los órganos reproductores masculinos y femeninos se desarrollan de tejidos idénticos.

Después del nacimiento y durante los próximos 10 a 15 años, las hormonas específicas del hombre y las específicas de la mujer siguen influyendo en el desarrollo de sus respectivos órganos reproductores. El surgimiento de ciertas características sexuales, tales como el crecimiento de pelo facial en los varones y ensanchamiento de la cadera en las mujeres, acompaña este desarrollo. En la próxima sección vas a leer más acerca de este proceso. Al final del mismo, los órganos reproductores femeninos y masculinos están completamente desarrollados y son funcionales.

El sistema reproductor masculino

Los principales órganos reproductores masculinos son los **testículos**. Los testículos son órganos de forma oval que se encuentran dentro de una envoltura de piel llamada escroto. El papel básico de los testículos es producir espermatozoides. El hecho de que los testículos permanezcan en el escroto fuera del cuerpo es muy importante para el desarrollo de los espermatozoides. La

Figura 7–4 *En el sistema reproductor masculino, el espermatozoide y la hormona testosterona se producen dentro de dos órganos de forma oval llamados testículos. Los espermatozoides viajan por tubos a la uretra. ¿Cuál es la función de la testosterona?*

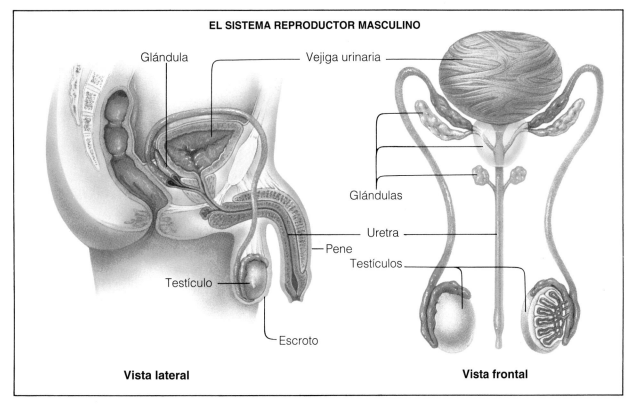

EL SISTEMA REPRODUCTOR MASCULINO

Glándula · Vejiga urinaria

Glándulas

Uretra

Pene

Testículo

Testículos

Escroto

Vista lateral · **Vista frontal**

Jelly-Bean Chromosomes

1. Obtain 5 paper cups and a package of jelly beans.

2. Put 2 different-colored pairs of jelly beans (a total of 4 different-colored jelly beans) in a paper cup.

3. Add 4 more identically colored jelly beans to the same cup.

4. Divide the 8 jelly beans evenly between 2 other cups, so that each cup contains the same number of each color jelly bean.

5. Divide the contents of the 2 cups evenly so that you have 4 cups that each contain 1 of each color jelly bean.

How do the number of jelly beans that were placed in the original cup relate to the number of jelly beans found in the last 4 cups?

■ If the number of jelly beans in step 2 represents the normal number of chromosomes in a human body cell, what do you think the number of jelly beans in each of the 4 cups in step 5 represents?

■ What do you think each cup represents?

■ This process is sometimes called reduction division. Explain how you think it got this name.

about 1° to 3°C lower than the internal temperature of the body (37°C). Sperm development in the testes requires a lower temperature.

The testes are actually clusters of hundreds of tiny tightly coiled tubes. It is in these tubes that sperm are produced. Developed sperm travel from the tubes through several other structures to the urethra (yoo-REE-thruh). The urethra is a larger tube that leads to the outside of the body through the penis. During their passage to the urethra, sperm mix with a fluid produced by glands in the area. The combination of this fluid and sperm is known as semen (SEE-mehn). The number of sperm present in just a few drops of semen is astonishing. Between 100 and 200 million sperm are present in 1 milliliter of semen—about 5 million sperm per drop!

If you look at Figure 7–2 on page 169, you can see that a sperm cell consists of three parts: a head, a middle piece, and a tail. The head contains the nucleus, or control center of the cell. Energy-releasing cell structures pack the middle piece. And the tail propels the sperm cell forward.

In addition to producing sperm, the testes produce a hormone called testosterone (tehs-TAHS-ter-ohn). Testosterone is responsible for a number of male characteristics: the growth of facial and body hair, broadening of the chest and shoulders, and deepening of the voice.

The Female Reproductive System

Unlike the male reproductive system, all parts of the female reproductive system are within the female's body. The primary female reproductive organs are the **ovaries** (OH-vuh-reez). The ovaries are located at about hip level, one on each side of a female's body. The major role of the ovaries is to produce eggs, or ova. Located near each ovary, but not directly connected to it, is a **Fallopian** (fuh-LOH-pee-uhn) **tube**, or oviduct. From the ovary, an egg enters a Fallopian tube and travels slowly through it. At the opposite end of a Fallopian tube, an egg enters a hollow muscular organ called the **uterus** (YOOT-er-uhs), or womb. The uterus, which is shaped like an upside-down pear, is the organ in

ACTIVIDAD

Cromosomas de caramelos

1. Consigue 5 vasos de papel y un paquete de caramelos de gelatina (Jelly-Beans).

2. Coloca 2 pares de caramelos de distintos colores (en total 4 caramelos distintos) en un vaso.

3. Añade 4 caramelos más de los mismos colores usados anteriormente.

4. Reparte los 8 caramelos en 2 vasos, de modo que en cada vaso haya el mismo número de caramelos de cada color.

5. Divide el contenido de esos 2 vasos en 4 vasos, cada uno con 1 caramelo de cada color.

¿Cómo se relaciona el número de caramelos que se había puesto en el primer vaso con el número de caramelos en los últimos 4 vasos?

■ Si el número de caramelos en el paso 2 representa el número normal de cromosomas en una célula del cuerpo humano, ¿qué crees que representa el número de caramelos en cada uno de los 4 vasos del paso 5?

■ ¿Qué crees que representa cada vaso?

■ Este proceso se llama a veces división por reducción. Explica por qué crees que recibió ese nombre.

temperatura externa es más o menos de 1° a 3°C más baja que la temperatura interna del cuerpo (37°C). El desarrollo del espermatozoide en los testículos requiere una temperatura más baja.

Los testículos son en realidad racimos de centenares de diminutos tubitos enrollados en forma compacta que producen espermatozoides. El espermatozoide desarrollado viaja de los tubos a la uretra por varias estructuras diferentes. La uretra es un tubo más grande que se comunica con el exterior del cuerpo por el pene. Durante su paso por la uretra, los espermatozoides se mezclan con un líquido producido por glándulas de esa zona. La combinación de este líquido con los espermatozoides es el semen. El número de espermatozoides presente en sólo unas gotas de semen es extraordinario. De 100 a 200 millones en 1 mililitro de semen—¡cerca de 5 millones de espermatozoides por gota!

Si ves la figura 7–2 en la página 169, notarás que un espermatozoide tiene tres partes: la cabeza, la parte central y la cola. En la cabeza está el núcleo, o centro de control de la célula. La parte central está llena de estructuras que liberan energía. La cola impulsa al espermatozoide hacia adelante.

Además de producir espermatozoides, los testículos producen una hormona llamada testosterona. La testosterona es responsable de algunas características masculinas como el crecimiento de pelo en la cara y el cuerpo, el ensanchamiento del pecho y los hombros, y la gravedad de la voz.

El sistema reproductor femenino

A diferencia del sistema reproductor masculino, todas las partes del sistema reproductor femenino están dentro del cuerpo de la mujer. Los principales órganos reproductores femeninos son los **ovarios**. Los ovarios se encuentran al nivel de la cadera, uno de cada lado del cuerpo. Su principal papel es producir huevos u óvulos. Cerca de cada ovario, pero no conectado directamente con él, se halla una **trompa de Falopio**, u oviducto. Del ovario, un óvulo pasa a la trompa de Falopio por donde se desplaza lentamente. En el extremo opuesto de la trompa se encuentra un órgano musculoso hueco llamado **útero**, o matriz. El útero, que tiene la forma de una pera cabeza abajo, es el órgano en el que se

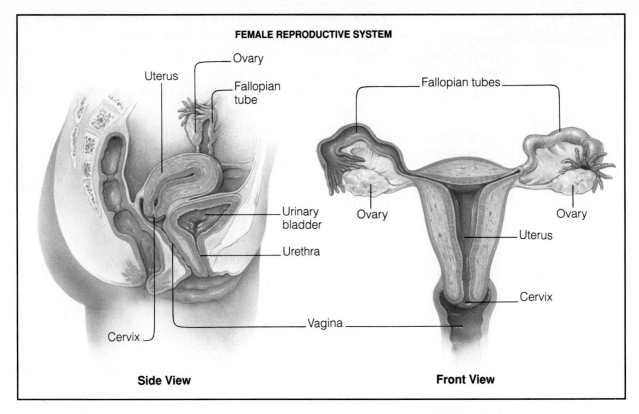

FEMALE REPRODUCTIVE SYSTEM

Ovary

Uterus

Fallopian tube

Fallopian tubes

Urinary bladder

Urethra

Ovary

Ovary

Uterus

Cervix

Cervix

Vagina

Side View

Front View

which a fertilized egg develops. The lower end of the uterus narrows into an area called the cervix (SER-vihks). The cervix opens into a wider channel called the vagina (vuh-JIGH-nuh), or birth canal. The vagina is the passageway through which a baby passes during the birth process.

Compared to a sperm cell, an egg cell is enormous. It is one of the largest cells in the body. It is so large, in fact, that it can be seen with the unaided eye. Its size is often compared to that of a grain of sand.

It is interesting to note that whereas a male continually produces sperm cells, a female is born with all the eggs she will ever have. A female will not produce any new eggs in her lifetime. The average number of undeveloped eggs a female has in her ovaries is about 400,000. Only about 500 of these, however, will actually leave the ovaries and journey to the uterus.

Like the testes, the ovaries produce hormones. One of these hormones is called estrogen (EHS-truh-juhn). Estrogen triggers the development of a number of female characteristics: broadening of the hips, enlargement of the breasts, and maturation (aging) of egg cells in the ovaries.

Figure 7–5 *In the female reproductive system, the ovaries produce eggs and hormones. From an ovary, an egg travels through a Fallopian tube to the uterus. What is another name for a Fallopian tube? For the uterus?*

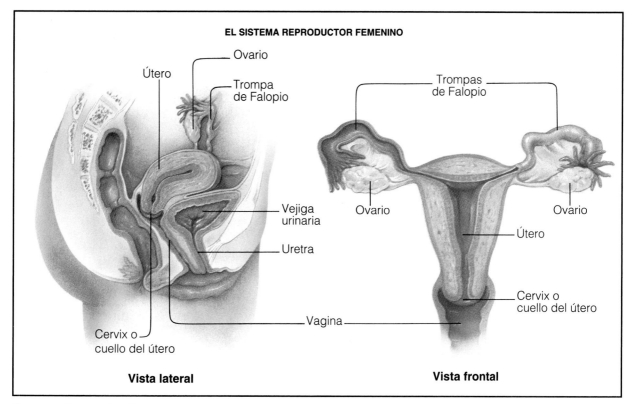

EL SISTEMA REPRODUCTOR FEMENINO

Útero

Ovario

Trompa de Falopio

Vejiga urinaria

Uretra

Cervix o cuello del útero

Vista lateral

Trompas de Falopio

Ovario

Ovario

Útero

Cervix o cuello del útero

Vagina

Vista frontal

desarrolla un óvulo fertilizado. La parte inferior del útero se estrecha en un área llamada cervix o cuello del útero. Éste se abre a un canal más ancho llamado la vagina, o canal de nacimiento. La vagina es el canal por donde pasa un bebé al nacer.

Comparado con un espermatozoide, un óvulo es enorme. Es una de las células más grandes del cuerpo, es tan grande que se puede ver sin lupa. Su tamaño se compara con el de un grano de arena.

Es interesante notar que mientras el varón produce espermatozoides continuamente , una mujer nace con todos los óvulos que tendrá durante su vida. Una mujer tiene en los ovarios aldrededor de 400,000 óvulos, pero sólo unos 500 salen de los ovarios y viajan al útero.

Al igual que los testículos, los ovarios producen hormonas. Una de esas hormonas es el estrógeno. El estrógeno causa el desarrollo de varias características femeninas: ensanchamiento de la cadera, crecimiento de los pechos, y maduración (envejecimiento) de los óvulos en los ovarios.

Figura 7–5 *En el sistema reproductor femenino, los ovarios producen óvulos y hormonas. Un óvulo viaja de un ovario al útero a través de la trompa de Falopio. ¿Qué otro nombre se le da a la trompa de Falopio? ¿Y al útero?*

The Menstrual Cycle

The monthly cycle of change that occurs in the female reproductive system is called the **menstrual** (MEHN-struhl) **cycle**. The menstrual cycle has an average length of about 28 days, or almost a month. In fact, the word menstrual comes from the Latin word *mensis,* meaning month. The menstrual cycle involves the interaction of the reproductive system and the endocrine system. It is controlled by hormones operating on a negative-feedback mechanism. Do you remember how such a mechanism works? If you do not, you may want to review Section 6–4 in the previous chapter.

Although the menstrual cycle affects the entire body of a female, it has two basic purposes: (1) the development and release of an egg for fertilization and (2) the preparation of the uterus to receive a fertilized egg. The menstrual cycle consists of a complex series of events that occur in a periodic fashion. It is not necessary for you to know about these events in detail. What you should understand and appreciate is the purpose of the menstrual cycle and some of its basic characteristics.

As you just learned, unlike male sex cells, female sex cells are formed in the ovaries at birth. Each sex cell, or egg, is held within a little pocket of cells called a follicle (FAHL-ih-kuhl). By the time a female

Figure 7–6 *During ovulation, an egg bursts from a follicle (right). The egg is then swept into the feathery tunnel-shaped opening of a Fallopian tube (left). What organ does an egg enter after it leaves a Fallopian tube?*

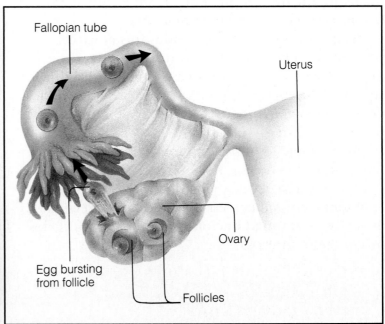

Fallopian tube

Uterus

Egg bursting from follicle

Ovary

Follicles

El ciclo menstrual

El ciclo de cambio mensual que ocurre en el sistema reproductor femenino se llama **ciclo menstrual**. El ciclo menstrual tiene una duración media de unos de 28 días, o casi un mes. La palabra menstrual viene de la palabra latina *mensis,* que significa mes. El ciclo menstrual implica la interacción del sistema reproductor y el sistema endocrino. Está controlada por hormonas que funcionan bajo un mecanismo de retroalimentación negativa. ¿Recuerdas cómo funciona ese mecanismo? Si no lo recuerdas repasa la sección 6–4 del capítulo anterior.

Aunque el ciclo menstrual afecta todo el cuerpo de una mujer, tiene dos propósitos básicos: (1) el desarrollo y liberación de un óvulo para su fertilización y (2) la preparación del útero para recibir un óvulo fertilizado. El ciclo menstrual consiste en una serie compleja de hechos que ocurren periódicamente. No es necesario que sepas acerca de estos hechos en detalle, pero sí debes entender y apreciar el propósito del ciclo menstrual y algunas de sus características básicas.

Como acabas de aprender, a diferencia de las células masculinas, las células sexuales femeninas están en los ovarios al nacer. Cada célula sexual, u óvulo, está suspendida en un pequeño saco de células llamado folículo. Cuando una mujer está lista para comenzar el

Figura 7–6 *Durante la ovulación, un óvulo sale de un folículo (derecha) y luego pasa a la suave abertura, parecida a un túnel, de una trompa de Falopio, (izquierda). Después de salir de la trompa de Falopio ¿en qué órgano entra el óvulo?*

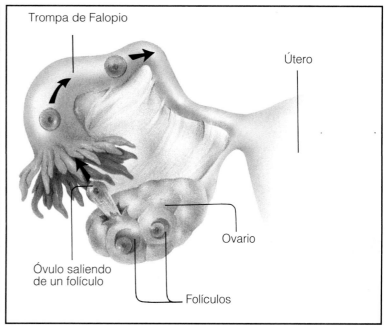

Trompa de Falopio

Útero

Ovario

Óvulo saliendo de un folículo

Folículos

is ready to begin the menstrual cycle, there may be nearly half a million follicles in the ovaries. Only a few follicles, however, release ripened (mature) eggs.

If an egg does ripen, increased hormone levels cause the follicle to burst through the side of the ovary, releasing the egg. This process is called **ovulation** (ahv-yoo-LAY-shuhn). The egg is then swept into the feathery funnel-shaped opening of a Fallopian tube. Pushed along by microscopic cilia lining the walls, the egg is moved through the Fallopian tube toward the uterus.

If sperm are present in the Fallopian tube when the egg arrives, the egg can be fertilized. Although hundreds of millions of sperm are released by the male, only relatively few—perhaps 10,000 to 100,000—enter the proper Fallopian tube (the Fallopian tube containing the egg). Of these sperm, barely 1000 make it to the egg. Nevertheless, only 1 sperm is needed for fertilization.

The changes occurring in the ovary are not the only changes taking place during the menstrual cycle. In preparation for the arrival of a fertilized egg, the lining of the uterus is thickening, and the blood

Figure 7–7 *Although hundreds of millions of sperm are released by the male (top left), very few sperm enter the proper Fallopian tube (top right). The proper Fallopian tube is the one that contains the egg (bottom left). Of all the sperm that make it to the egg (bottom right), only one is needed to fertilize it.*

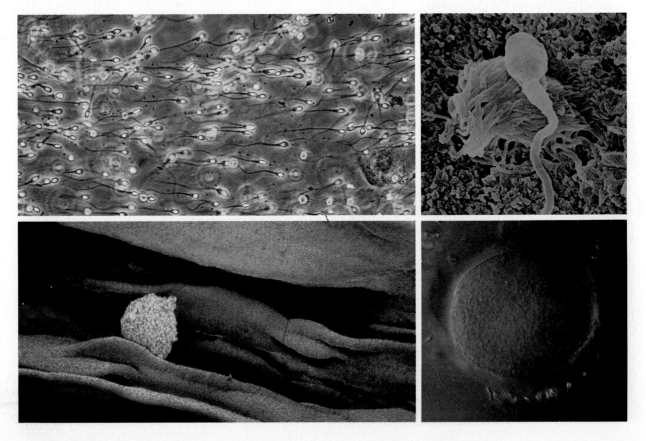

ciclo menstrual, puede haber casi medio millón de folículos en los ovarios. Sin embargo, sólo algunos folículos liberan óvulos maduros.

Si un óvulo madura, un nivel mayor de hormonas hace que el folículo se abra y libere al óvulo. Este proceso se llama **ovulación**. Luego el óvulo es arrastrado a la abertura, en forma de embudo, de una trompa de Falopio. Los cilios microscópicos que cubren las paredes de la trompa llevan al óvulo hacia el útero.

Si al llegar el óvulo a la trompa de Falopio encuentra allí espermatozoides, puede ser fertilizado. Aunque el hombre libera cientos de millones de espermatozoides, pocos relativamente—unos 10,000 a 100,000—entran en la trompa de Falopio adecuada (la que contiene el óvulo). De ellos, sólo 1000 llegan al óvulo. Sin embargo, solamente se necesita un espermatozoide para la fertilización.

Los cambios que ocurren en el ovario no ocurren sólo durante el ciclo menstrual. Como preparación para la llegada de un óvulo fertilizado al útero, el revestimiento del útero se vuelve más espeso y la cantidad de sangre en

Figura 7–7 *Aunque el hombre libera cientos de millones de espermatozoides (arriba, izquierda), muy pocos entran en la trompa de Falopio adecuada—la que contiene el óvulo (arriba derecha). De todos los espermatozoides que llegan al óvulo (abajo derecha), sólo se necesita uno para fertilizarlo.*

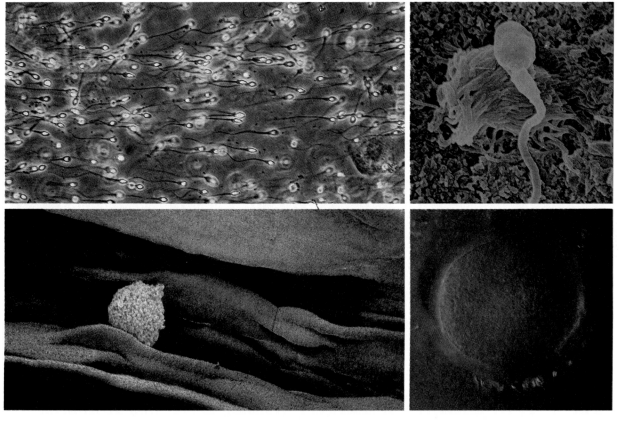

Figure 7–8 *The monthly cycle of change that occurs in the female reproductive system is called the menstrual cycle. It consists of a complex series of events that occur in a periodic fashion. What events take place during menstruation?*

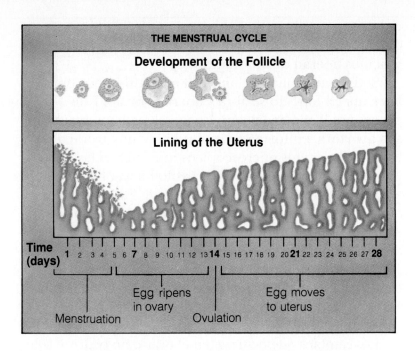

THE MENSTRUAL CYCLE

Development of the Follicle

Lining of the Uterus

Time (days) 1 2 3 4 5 6 **7** 8 9 10 11 12 13 **14** 15 16 17 18 19 20 **21** 22 23 24 25 26 27 **28**

Menstruation

Egg ripens in ovary

Ovulation

Egg moves to uterus

supply to the tissues is increasing. If a fertilized egg reaches the lining, it implants (inserts) itself there, divides and grows, and eventually develops into a new human.

If the egg is not fertilized, it and the lining of the uterus will begin to break down. When this happens, the extra blood and tissue in the thickened lining of the uterus pass out of the body through the vagina. This process is called menstruation (mehn-STRAY-shuhn). On the average, menstruation lasts 5 days. At the same time menstruation is occurring, a new egg is maturing in its follicle in the ovary, and the changing levels of hormones are causing the cycle to begin anew.

7–1 Section Review

1. What are the structures and functions of the male and female reproductive systems?
2. What is fertilization?
3. Describe the menstrual cycle.

Critical Thinking—*Relating Facts*

4. A Fallopian tube is lined with mucus. How does this contribute to the function of the tube?

Figura 7–8 *El ciclo mensual de cambio que ocurre en el sistema reproductor femenino se llama ciclo menstrual. Consiste en una serie compleja de eventos que tienen lugar periódicamente. ¿Qué sucede durante la menstruación?*

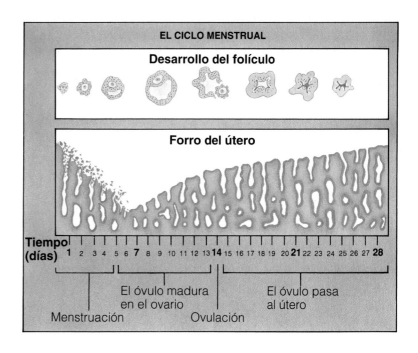

EL CICLO MENSTRUAL

Desarrollo del folículo

Forro del útero

Tiempo (días)   1   2   3   4   5   6   **7**   8   9   10   11   12   13   **14**   15   16   17   18   19   20   **21**   22   23   24   25   26   27   **28**

Menstruación

El óvulo madura en el ovario

Ovulación

El óvulo pasa al útero

los tejidos aumenta. Si un óvulo fertilizado llega al revestimiento, allí se implanta (inserta), se divide y crece, y eventualmente se desarrolla un nuevo ser humano.

Si el óvulo no es fertilizado, éste y el revestimiento del útero comienzan a desintegrarse. Al suceder esto, el exceso de sangre y tejidos que hacen más espeso el revestimiento del útero, salen del cuerpo por la vagina. Este proceso se llama menstruación. Comúnmente la menstruación dura 5 días. Al mismo tiempo que ocurre la menstruación, un nuevo óvulo madura en su folículo en el ovario, y los cambios de niveles de hormonas hacen que el ciclo vuelva a comenzar.

7–1 Repaso de la sección

1. ¿Cuáles son las estructuras y funciones de los sistemas reproductores masculino y femenino?
2. ¿Qué es la fertilización?
3. Describe el ciclo menstrual.

Pensamiento crítico—*Relacionar conceptos*
4. Una trompa de Falopio está recubierta de mucosidad. ¿Cómo contribuye esto a la función de la trompa?

7–2 Stages of Development

You have just read that an egg can be fertilized only during ovulation and for several days after. Ovulation usually occurs about 14 days after the start of menstruation. If the egg is fertilized, the remarkable process of human development begins. In the course of this process, a single cell no larger than the period at the end of this sentence will undergo a series of divisions that will result in the formation of a new human. Approximately 9 months after fertilization, a baby will be born. As you well know, this is only the beginning of a lifetime of developmental changes.

Humans go through various stages of development before and after birth. **Before birth, a single human cell develops into an embryo and then a fetus. After birth, humans pass through the stages of infancy, childhood, adolescence, and adulthood.**

Development Before Birth

As the fertilized egg, now called a **zygote** (ZIGH-goht), begins its 4-day trip through the Fallopian tube to the uterus, it begins to divide. From one cell it becomes two, then four, then eight, and so on. At this point, the cells resemble a hollow ball. During this early stage of development, and for the next 8 weeks or so, the developing human is called an **embryo** (EHM-bree-oh).

Soon after the embryo enters the uterus, it attaches itself to the wall and begins to grow inward. As it does so, several membranes form around it. One of those membranes develops into a fluid-filled sac called the **amniotic** (am-nee-AHT-ihk) **sac.** The amniotic sac cushions and protects the developing baby. Another membrane forms the **placenta** (pluh-SEHN-tuh). The placenta is made partly from tissue that develops from the embryo and partly from tissue that makes up the wall of the uterus.

The placenta provides a connection between developing embryo and mother. The developing embryo needs a supply of oxygen and food. It also needs a way of getting rid of wastes. You may think that the embryo's needs could be met if the blood supply of mother and embryo were joined. But such

ACTIVITY
WRITING

The Developing Embryo

The first trimester, or 3 months, of a pregnancy is the most important in the development of a baby. Use reference materials in the library to find out about the changes that occur in the developing baby during the first trimester. On posterboard, construct a chart in which you describe these changes on a weekly basis for the first 12 weeks of a typical pregnancy.

7–2 Etapas de desarrollo

Acabas de leer que un óvulo puede ser fertilizado sólo durante la ovulación y varios días después. La ovulación generalmente ocurre unos 14 días después de haberse iniciado la menstruación. Si el óvulo es fertilizado, comienza el extraordinario proceso del desarrollo humano. En el curso de este proceso, una sola célula, no más grande que el punto final de esta oración, pasará por una serie de divisiones que resultarán en la formación de un nuevo ser humano. Aproximadamente 9 meses después de la fertilización, nace un bebé. Como tú bien sabes, éste es sólo el principio de una vida llena de cambios en el desarrollo.

Los seres humanos pasan por varias etapas de desarrollo antes y después de su nacimiento. **Antes del nacimiento, una sola célula humana se desarrolla para formar un embrión y más tarde un feto. Después de su nacimiento, los seres humanos pasan por las etapas de la infancia, la niñez, la adolescencia, y la edad adulta.**

Desarrollo antes del nacimiento

El óvulo fertilizado, ahora llamado **cigoto**, empieza a dividirse tan pronto como comienza su viaje de 4 días por la trompa de Falopio al útero. De una célula se hacen dos, luego cuatro, ocho, y así sucesivamente. En este punto las células parecen una bola hueca. Durante esta etapa, y en las 8 semanas siguientes, el ser humano en desarrollo se llama **embrión**.

Inmediatamente después de entrar en el útero, el embrión se inserta en la pared y empieza a crecer. A medida que crece, se forman varias membranas a su alrededor. Una de ellas se convierte en un saco lleno de líquido llamado **saco amniótico**. El saco amniótico envuelve y protege al bebé en desarrollo. Otra de las membranas forma la **placenta**. La placenta se compone en parte, del tejido que se desarrolla del embrión y en parte, de tejido de la pared del útero.

La placenta es una conexión entre el embrión y la madre. El embrión en desarrollo necesita un abastecimiento de oxígeno y de alimento. También necesita un medio para eliminar desechos. Pensarás que las necesidades del embrión se cubrirían si se uniera el suministro de sangre de la madre con la del embrión. Pero tal situación también

Guía para la lectura

Piensa en estas preguntas mientras lees.

▶ *¿Qué etapas del desarrollo humano tienen lugar antes de nacer?*

▶ *¿Qué etapas del desarrollo humano tienen lugar después de nacer?*

ACTIVIDAD
PARA ESCRIBIR

El desarrollo del embrión

El primer trimestre, de un embarazo es el más importante para el desarrollo de un bebé. Busca materiales de referencia en la biblioteca e investiga los cambios que ocurren en el bebé en desarrollo durante ese trimestre. En una cartulina, haz una gráfica donde se describan esos cambios, semana a semana, durante las primeras 12 semanas de un embarazo normal.

H ■ 177

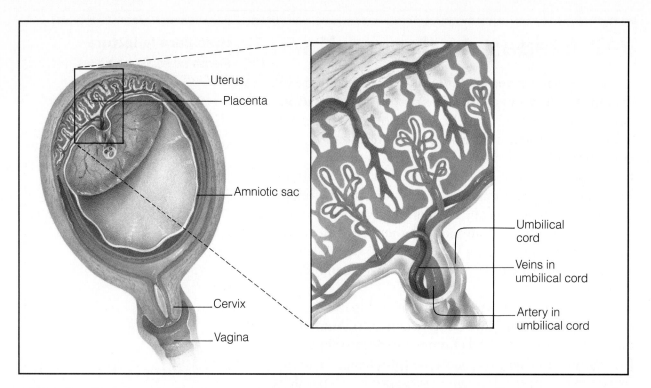

Uterus

Placenta

Amniotic sac

Cervix

Vagina

Umbilical cord

Veins in umbilical cord

Artery in umbilical cord

Figure 7–9 *The placenta provides a connection between the mother and the developing baby. Through blood vessels in the umbilical cord, food and oxygen from the mother and wastes from the developing baby are exchanged. What is the function of the amniotic sac?*

an arrangement would also allow diseases to spread from mother to embryo and would cause other problems related to the mixing of different blood types.

Actually, the blood of mother and embryo flow past each other, but they do not mix. They are separated by a thin membrane that acts as a barrier. Across this thin barrier, food, oxygen, and wastes are exchanged. Thus the placenta becomes the embryo's organ of nourishment, respiration, and excretion. The placenta also permits harmful substances such as alcohol, chemicals in tobacco smoke, and drugs to pass from the mother to the developing baby. For this reason, it is important that pregnant women not drink alcohol, smoke tobacco, or take any type of drug without a doctor's approval.

After eight weeks of development, the embryo is about the size of a walnut. Now called a **fetus** (FEET-uhs), it begins to take on a more babylike appearance. By the end of 3 months, it has the main internal organs, dark eye patches, and fingers and toes. During this time, a structure known as the **umbilical** (uhm-BIHL-ih-kuhl) **cord** forms. The umbilical cord, which contains two arteries and one vein, connects the fetus to the placenta. The large size of the fetus's head—about half the total size—indicates

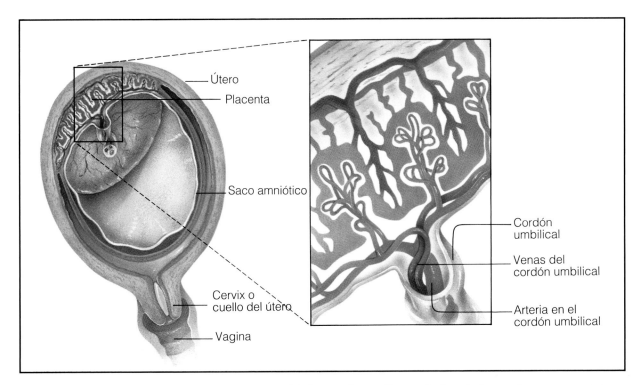

Útero

Placenta

Saco amniótico

Cervix o
cuello del útero

Vagina

Cordón
umbilical

Venas del
cordón umbilical

Arteria en el
cordón umbilical

Figura 7–9 *La placenta es una conexión entre la madre y el bebé en desarrollo. El alimento y oxígeno de la madre y los desechos del bebé, se intercambian por medio de los vasos sanguíneos del cordón umbilical. ¿Cuál es la función del saco amniótico?*

permitiría que las enfermedades de la madre se trasmitieran al embrión, y causaría otros problemas relacionados con la mezcla de diferentes tipos de sangre.

En realidad, la sangre de la madre y del embrión fluyen juntas, pero no se mezclan. Están separadas por una membrana delgada que actúa como barrera. El alimento, el oxígeno, y los desechos, se intercambian a través de esta barrera. De modo que la placenta viene a ser el órgano para la nutrición, respiración y excreción del embrión. La placenta también permite que las sustancias dañinas como el alcohol, sustancias químicas del humo de tabaco, y drogas, pasen de la madre al nuevo bebé. Por eso es importante que las mujeres embarazadas no beban alcohol, ni fumen tabaco, ni tomen ninguna clase de drogas sin permiso del médico.

Después de ocho semanas de desarrollo, el embrión ha alcanzado el tamaño de una nuez. Ahora se llama **feto**, y se empieza a ver más como un bebé. Al cabo de 3 meses, ya tiene los órganos internos principales, parches oscuros como ojos y dedos de las manos y los pies. Durante este tiempo, se forma la estructura conocida como **cordón umbilical**. El cordón umbilical, que tiene dos arterias y una vena, conecta el feto con la placenta. El gran tamaño de la cabeza del feto—casi la mitad de su tamaño total—

the rapid brain development that is taking place. At this point, the fetus is about 9 centimeters long and has a mass of about 15 grams.

During the fourth, fifth, and sixth months, the tissues of the fetus continue to become more specialized. A skeleton begins to form, a heartbeat can be heard with a stethoscope, and a layer of soft hair grows over the skin. The mass of the fetus is now about 700 grams.

The final 3 months prepare the fetus for a completely independent existence. The lungs and other organs undergo a series of changes that prepare them for life outside the mother. The mass of the fetus quadruples. A baby is about to be born. The entire time period between the fertilization of an egg and the birth of a baby is known as pregnancy. An average full-term pregnancy is about 9 months.

In recent years, medical technology has made it possible to detect, and in some cases treat, fetal disorders. Such advances have opened up a new frontier in medicine: diagnosing and treating babies before they are born! In one technique, a small amount of the amniotic fluid in which a fetus floats is removed through a hollow needle. The amniotic fluid, which contains cells from the fetus, is then studied to determine the health of the fetus. If there are problems that can be corrected, doctors are now able to inject medication through the hollow needle into the fetus. In a recent medical breakthrough, doctors have safely given blood transfusions to babies still in the uterus. This amazing feat was performed

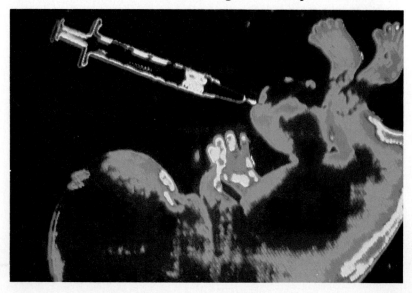

Figure 7–10 *In this photograph you can see a needle removing a small amount of fluid from the amniotic sac. This sac contains cells from the fetus that will be examined to determine the health of the fetus.*

indica que está ocurriendo un rápido desarrollo del cerebro. En este momento, el feto mide casi 9 centímetros de largo y tiene una masa de unos 15 gramos.

Durante los meses cuarto, quinto y sexto, los tejidos del feto siguen especializándose. Se empieza a formar el esqueleto, se puede oír latir el corazón con un estetoscopio, y una capa de pelo suave crece en la piel. La masa del feto es ahora de unos 700 gramos.

Los últimos 3 meses preparan al feto para existir de manera independiente. Los pulmones y otros órganos sufren una serie de cambios que lo preparan para vivir fuera de la madre. La masa del feto se cuadruplica. El bebé está por nacer. El tiempo entre la fertilización de un óvulo y el nacimiento de un bebé, es el embarazo. El término completo de un embarazo normal es de unos 9 meses.

En años recientes la tecnología médica ha posibilitado detectar, y en muchos casos tratar, enfermedades del feto. Estos adelantos han abierto nuevas fronteras en medicina: ¡el diagnóstico y tratamiento de bebés antes de nacer! Uno de estos procedimientos consiste en sacar una pequeña cantidad del líquido amniótico en el que flota el feto con una aguja hueca. El líquido se estudia luego para determinar la salud del feto. Si existen problemas que pueden ser corregidos, los médicos pueden inyectarle medicina al feto a través de esa aguja. Recientemente se han hecho también transfusiones de sangre a bebés en el útero. Esta gran hazaña fue realizada con la ayuda de

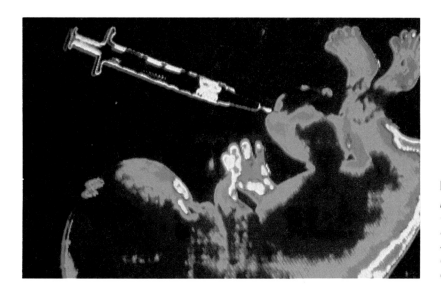

Figura 7–10 *En esta fotografía puedes ver que una aguja saca una pequeña cantidad de líquido del saco amniótico. El saco contiene células del feto que serán examinadas para determinar su salud.*

Multiple Births

A multiple birth occurs when two or more children are born at one time to one mother. Using reference materials in the library, look up information on twins. In a written report, describe how twins develop. You might wish to use diagrams in your explanation.

- What is the difference in origin and appearance between identical and fraternal twins?
- How do identical triplets develop?
- How do fraternal triplets develop?

with the help of sound waves, which produce an image on a television screen similar to the one shown in Figure 7–10 on page 179.

Birth

After about 9 months of development and growth inside the uterus, the fetus is ready to be born. Strong muscular contractions of the uterus begin to push the baby through the cervix into the vagina. These contractions are called labor. Labor is the first stage in the birth process. As labor progresses, the contractions of the uterus become stronger and occur more frequently. Finally, the baby—who is still connected to the placenta by the umbilical cord—is pushed out of the mother (usually head first). This stage, known as delivery, is the second stage in the birth process. Delivery usually takes less time than labor does. For example, labor may last anywhere from 2 to 20 hours or more; delivery may take from several minutes to a few hours. Within a few seconds of delivery, a baby may begin to cough or cry. This action helps to rid its lungs of fluid with which they have been filled, as well as to expand and fill its lungs with air.

Shortly after delivery, the third stage in the birth process begins. The umbilical cord, which is still attached to the placenta, is tied and then cut about 5 centimeters from the baby's abdomen. This procedure does not cause the baby any pain. A few minutes later, another set of contractions pushes the placenta and other membranes from the uterus. This is appropriately called afterbirth. Within 7 to 10

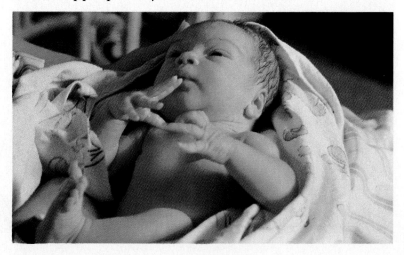

Figure 7–11 *After about 9 months of growth and development inside the uterus, a baby is born. This baby is only minutes old. What are the names of the three stages in the birth process?*

ACTIVIDAD

PARA AVERIGUAR

Nacimientos múltiples

Un nacimiento múltiple ocurre cuando dos o más bebés nacen de una sola madre al mismo tiempo. Busca información sobre gemelos en materiales de referencia de la biblioteca. En un informe escrito, describe cómo se desarrollan los gemelos. Puedes usar diagramas en tu explicación.

- ¿Cómo se diferencian, en su origen y apariencia los gemelos idénticos de los fraternos?
- ¿Cómo se desarrollan los trillizos idénticos?
- ¿Cómo se desarrollan los trillizos fraternos?

ondas de ultrasonido, que producen una imagen en una pantalla de televisión como la que aparece en la figura 7–10 de la página 179.

Nacimiento

Después de casi 9 meses de desarrollo y crecimiento dentro del útero, el feto está listo para nacer. Fuertes contracciones del útero empiezan a empujar al bebé a través del cuello del útero hacia la vagina. Estas contracciones se llaman dolores de parto. Esta es la primera etapa del proceso de nacimiento. Más tarde, las contracciones del útero se vuelven más fuertes y ocurren con más frecuencia. Finalmente, el bebé—que todavía sigue conectado a la placenta y al cordón umbilical—es empujado fuera de la madre (usualmente la cabeza primero). Esta etapa, conocida como parto, es la segunda etapa del proceso de nacimiento. El parto generalmente dura menos tiempo que las contracciones. Por ejemplo, las contracciones pueden durar de 2 a 20 horas o más; el parto puede tomar algunos minutos o algunas horas. A los pocos segundos podrás oír al bebé llorar o toser. Esta acción le ayuda a limpiar los pulmones del líquido del que estaban llenos y, al mismo tiempo, a abrirlos y llenarlos de aire.

Poco después del parto, comienza la tercera etapa del proceso de nacimiento. El cordón umbilical, que todavía está unido a la placenta, se ata y se corta a unos 5 centímetros del abdomen del bebé. Este procedimiento no le causa ningún dolor. Pocos minutos después, otra serie de contracciones empuja la placenta y las otras membranas fuera del útero. Esto se llama apropiadamente secundinas. De 7 a 10 días

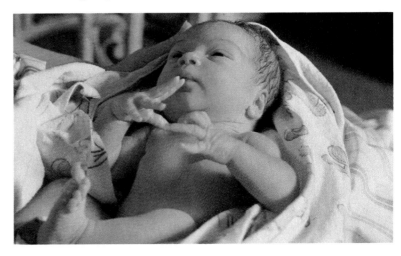

Figura 7–11 *Después de casi 9 meses de crecimiento y desarrollo dentro del útero, nace un bebé. Este bebé ha nacido sólo hace unos minutos. ¿Cómo se llaman las tres etapas del proceso de nacimiento?*

days, the remaining part of the umbilical cord dries up and falls off the baby's abdomen, leaving a scar. This scar is known as the navel. Do you know a more common name for the navel?

Development After Birth

The human body does not grow at a constant rate. The most rapid growth occurs before birth, when in the space of 9 months the fetus increases its mass about 2.4 billion times! After birth, there are two growth spurts (sudden increases in height and mass). These growth spurts occur in the first 2 years of life and again at the beginning of adolescence.

You may be surprised to learn that as you grow from infancy to adulthood, the number of bones in your body decreases. The 350 or so bones you were born with gradually fuse (come together) into the approximately 206 bones you will have in your skeleton as an adult. (Some simple arithmetic should tell you that is about 144 fewer bones.) The actual number of bones in a person's body varies because some people may have an extra pair of ribs or they may have fewer vertebrae in their spine.

INFANCY Have you ever watched a 6-month-old baby for a few minutes? Its actions, or responses, are simple. It can suck its thumb, grasp objects, yawn, stretch, blink, and sneeze. When lying in bed, the infant often curls up in a position much like the one it had in the uterus.

One of the most obvious changes during **infancy,** which extends from 1 month to about 2 years of age, is a rapid increase in size. The head of a young

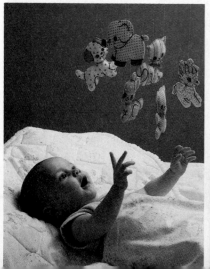

Figure 7–12 *During infancy, which extends from about 1 month to 2 years, mental and muscular skills begin to develop. What skills are illustrated by the 5-month-old (left), the 1-year-old (top), and the 1½-year-old (right)?*

después, el pedazo restante del cordón umbilical se seca y se desprende del abdomen del bebé, dejando una cicatriz. Esta cicatriz es el ombligo.

Desarrollo después del nacimiento

El cuerpo humano no crece a un ritmo constante. El crecimiento más rápido ocurre antes del nacimiento, cuando en un espacio de 9 meses el feto aumenta su volumen ¡casi 2.4 mil de millones de veces! Después del nacimiento hay dos etapas de crecimiento acelerado (aumentos repentinos de estatura y masa) que tienen lugar en los 2 primeros años de vida y al principio de la adolescencia.

Te sorprenderá saber que a medida que creces de la infancia a la edad madura, el número de huesos de tu cuerpo disminuye. Los 350 huesos con los que naciste, gradualmente se funden (se juntan) hasta llegar a los aproximadamente 206 huesos que tu esqueleto tendrá cuando seas adulto. (Son unos 144 huesos menos como podrás comprobar). El real número de huesos de una persona varía porque algunas pueden tener un par extra de costillas o menos vértebras en la espina dorsal.

INFANCIA ¿Has observado alguna vez a un niño de 6 meses por unos minutos? Sus acciones, o reacciones, son simples. Se puede chupar el dedo, agarrar objetos, bostezar, estirarse, parpadear y estornudar. En su cuna, el bebé toma a menudo una posición parecida a la que tenía en el útero.

Uno de los cambios más evidentes durante la **infancia**, que se extiende de 1 mes hasta cerca de los 2 años de edad, es el cambio rápido de tamaño. La cabeza

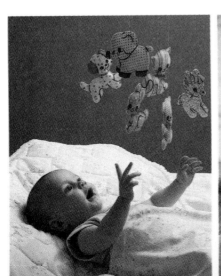

Figura 7–12 *Durante la infancia, que se extiende más o menos de un mes a los 2 años, la capacidad mental y muscular empieza a desarrollarse. ¿Qué habilidades demuestran el niño de 5 meses (izquierda), el de 1 año (arriba), y el de 1 año y medio (derecha)?*

Figure 7–13 *Childhood begins around the age of 2 years and continues until the age of 13 years. In addition to understanding and speaking a language, children can be taught to read before they attend school (top). Children also learn to interact socially with others, as these 8- to 11-year-olds are doing (bottom).*

baby is rather large compared to the rest of its body. Actually, a baby's head makes up about one fourth of its body length. As an infant gets older, the head grows more slowly—and the body, legs, and arms begin to catch up.

Mental and muscular skills begin to develop in a fairly predictable order. The exact ages at which they occur, however, vary from baby to baby. A newborn infant cannot lift its head. But after about 3 months, it can hold its head up and can also reach for objects. Within the next 2 months, the infant can grasp objects. At about 7 months, most infants are able to move around by crawling. Somewhere between 10 and 14 months, most infants begin to walk by themselves.

CHILDHOOD   Infancy ends and **childhood** begins around the age of 2 years. Childhood continues until the age of 13 years. During childhood, mental abilities increase and memory is strengthened. Muscular skills develop. With practice, a small child becomes better at walking, holding a knife and fork, writing with a pencil, and playing sports. Over a period of several years, baby teeth are lost and replaced by permanent teeth.

During childhood, young children develop language skills. As you probably already know, all babies make babbling sounds. However, as a child becomes aware of itself and others, these sounds are shaped into language. Language skills come from observing and imitating others. At first, a child uses only one word at a time. For example, the child might say "ball." Soon after that, the child uses an action word and produces a two-word sentence, perhaps "Hit ball." By the age of 4 or 5, the child is able to speak in adultlike conversation.

In addition to understanding and speaking a language, children can be taught to read and solve problems even before they attend school. During childhood, children learn a great deal about their environment. They also learn to behave in socially appropriate ways.

ADOLESCENCE   In many cultures, **adolescence** is thought of as a passage from childhood to adulthood. The word adolescence comes from a Latin word meaning to grow up. Adolescence begins

Figura 7–13 *La niñez empieza alrededor de los 2 años y continúa hasta los 13. Además de entender y hablar un idioma, los niños pueden aprender a leer antes de asistir a la escuela (arriba). Los niños también aprenden a comportarse socialmente con otros, como lo hacen estos niños de 8 a 11 años (abajo).*

de un bebé es más bien grande comparada con el resto de su cuerpo; es casi una cuarta parte del largo de su cuerpo. A medida que un bebé crece, su cabeza no crece tanto—y su cuerpo, piernas, y brazos van ganando más tamaño.

Las habilidades mentales y musculares empiezan a desarrollarse en un orden casi predecible, pero la edad en que esto ocurre varía entre un bebé y otro. Un recién nacido no puede sostener la cabeza, pero después de unos 3 meses, puede no sólo sostener la cabeza sino también tratar de alcanzar objetos; en los próximos 2 meses, podrá agarrarlos. Cerca de los 7 meses, la mayoría de los infantes pueden gatear; entre los 10 y los 14 meses, la mayoría empiezan a caminar solos.

NIÑEZ Cerca de los 2 años termina la infancia y empieza la **niñez**. La niñez continúa hasta la edad de 13 años. Durante la niñez, las habilidades mentales aumentan y se fortalece la memoria. Se desarrollan las destrezas musculares. Practicando, un niño o una niña pequeña logra mejorar la forma de caminar, puede manejar el cuchillo, el tenedor, y el lápiz y comienza a practicar deportes. En el transcuro de varios años, se caen los dientes de leche y salen los permanentes.

También los niños pequeños desarrollan sus habilidades lingüísticas. Como ya has de saber, todos los bebés balbucean. Sin embargo, a medida que un niño se da cuenta de sí mismo y de otros, ese balbuceo se convierte en lenguaje. Las habilidades lingüísticas se desarrollan observando e imitando a otros. Al principio el niño usa solamente una palabra a la vez. Por ejemplo, el niño dirá "pelota." Poco después, el niño usa una palabra de acción y forma una oración de dos palabras, como "pega pelota." A la edad de 4 ó 5 años, el niño puede conversar casi como adulto.

Además de entender y hablar un idioma, los niños pueden aprender a leer y a resolver problemas aún antes de asistir a la escuela. Durante la niñez, los niños aprenden mucho sobre su medio ambiente. También aprenden a comportarse de manera socialmente aceptable.

ADOLESCENCIA En muchas culturas, la **adolescencia** se considera un paso de la niñez a la edad adulta. La palabra adolescencia viene de una palabra latina que significa crecer. La adolescencia empieza con la

Figure 7–14 *In many cultures, adolescence is seen as a passage from childhood to adulthood. In this ceremony, a 14-year-old Apache girl is sprinkled with cattail pollen by members of her tribe to signify this passage. In Austin, Texas, teenagers socialize at a dance.*

at **puberty** (PYOO-ber-tee) and continues through the teenage years to the age of 20. During puberty, the sex organs develop rapidly. Menstruation begins in females and the production of sperm begins in males. In addition, a growth spurt occurs. In females, this rapid growth occurs between the ages of 10 and 16. During these years, females may grow about 15 centimeters in height and gain about 16 kilograms or more in mass. In males, the growth spurt occurs between the ages of 11 and 17. During this time, males may grow about 20 centimeters in height and gain about 20 kilograms in mass.

ADULTHOOD At about the age of 20, **adulthood** begins. All body systems, including the reproductive system, have become fully matured, and a person's full height has been reached. As a human passes from infancy through adulthood, fat beneath the skin keeps moving farther and farther away from the surface. The round, padded, button-nosed face of a baby is slowly replaced by the leaner, more defined face of an adult. The nose and the ears continue to grow and take on more individual shapes.

After about 30 years, a process known as aging begins. This process becomes more noticeable between the ages of 40 and 65. During this time, the skin loses some of its elasticity (capacity to return to its original shape), the eyes lose their ability to focus on close objects, the hair sometimes loses its coloring, and muscle strength decreases. During this period, females go through a physical change known as

ACTIVITY
DOING

Reaching for the Heights

1. To find out the range of heights for your age group, make a chart of as many of your friends' heights as you can.

2. Then construct a graph of your findings. Mark off the number of friends of each height on the vertical portion of the graph. On the horizontal portion of the graph, mark off the heights in centimeters.

What was the height of most of your friends?

Do you think that you would have similar results if you were to do a graph for your friends' shoe sizes?

Figura 7– 14 *En muchas culturas la adolescencia se considera un paso de la niñez a la edad adulta. En esta ceremonia, miembros de la tribu Apache rocían a una muchacha de 14 años con polen de enea para simbolizar este paso. En Austin, Texas, unos adolescentes charlan en un baile.*

pubertad y continúa durante los años de adolescencia hasta los 20 años. Durante la pubertad los órganos sexuales se desarrollan rápidamente. La menstruación empieza en las mujeres y la producción de esperma en los hombres. Además, ocurre un crecimiento acelerado, en el caso de las mujeres entre los 10 y 16 años. En este período pueden crecer hasta unos 15 centímetros y ganar más o menos 16 kilos de masa. En los hombres el crecimiento acelerado ocurre entre los 11 y los 17 años. Durante este tiempo, los hombres pueden crecer hasta 20 centímetros y ganar hasta 20 kilos de masa.

LA EDAD ADULTA Alrededor de los 20 años comienza la **edad adulta**. Todos los sistemas del cuerpo, incluso el sistema reproductor, han alcanzado su madurez, y la persona ha alcanzado su estatura definitiva. A medida que un ser humano pasa de la infancia a la edad adulta, la grasa que hay bajo la piel se mueve cada vez más lejos de la superficie. La cara redonda, gordita, con nariz de botón de un bebé es reemplazada por la más delgada, más refinada del adulto. La nariz y las orejas siguen creciendo y asumen formas más individuales.

Después de unos 30 años, empieza el proceso de envejecimiento. Este proceso es más obvio entre los 40 y los 65 años. Entonces, la piel pierde algo de su elasticidad (capacidad para volver a su forma original), los ojos pierden su capacidad de enfocarse en objetos cercanos, algunas veces el pelo pierde su color, y la fortaleza de los músculos disminuye. Durante este período las mujeres pasan por un cambio físico conocido como menopausia, en que la menstruación

ACTIVIDAD

PARA HACER

Escalando las alturas

1. Haz una lista con las estaturas de todos los amigos que puedas, para encontrar qué diferencias hay en la estatura de gente de tu edad.

2. Después haz una gráfica con los datos. Marca el número de amigos de cada estatura en la zona vertical. En la horizontal, marca las estaturas en centímetros.

¿Cuál es la estatura de la mayoría de tus amigos?

¿Crees que obtendrías los mismos resultados en una gráfica con las medidas de los zapatos que usan?

Figure 7–15 *By the time people reach adulthood, all their body systems have become fully matured.*

menopause, in which menstruation stops and ovulation no longer occurs. Males do not go through similar changes in their reproductive processes. In fact, males continue to produce sperm throughout their lives. However, the number of sperm they produce decreases as they age.

After age 65, the aging process continues, often leading to less efficient heart and lung action. But the effects of aging can be slowed down or somewhat reversed if people follow sensible diets and good exercise plans throughout their lives.

7–2 Section Review

1. What stages of development does a human go through before birth?
2. What stages of development does a human go through after birth?
3. What is a developing baby called during the first 8 weeks of development? After the first 8 weeks?
4. What is the function of the amniotic sac? The placenta?
5. What is puberty?

Connection—*Medicine*
6. Why is it important for pregnant women to have good health practices?

Figura 7–15 *Cuando las personas llegan a la edad adulta todos los sistemas de su cuerpo han alcanzado la madurez.*

cesa y la ovulación ya no ocurre. Los hombres no pasan por cambios parecidos en su proceso reproductor. Siguen produciendo esperma toda su vida. Sin embargo, el número de espermatozoides que producen disminuye a medida que envejecen.

Después de los 65 años, el proceso de envejecimiento continúa, a menudo resultando en un funcionamiento menos eficiente del corazón y los pulmones. Pero los efectos del envejecimiento pueden ser demorados o revertidos de alguna forma, si se sigue una dieta adecuada y un buen programa de ejercicios durante toda la vida.

7–2 Repaso de la sección

1. ¿Cuáles son las etapas de desarrollo por las que pasa un ser humano antes de nacer?
2. ¿Cuáles son las etapas de desarrollo por las que pasa un ser humano después de nacer?
3. ¿Durante las primeras 8 semanas de desarrollo, ¿cómo se le llama a un bebé? ¿Y después de las primeras 8 semanas?
4. ¿Cuál es la función del saco amniótico? ¿Y la de la placenta?
5. ¿Qué es la pubertad?

Conexión—*Medicina*

6. ¿Por qué es importante para las mujeres embarazadas tener buenos hábitos de salud?

CONNECTIONS

Electronic Reproduction

Have you ever wondered what it would be like to have several exact copies of yourself? One could go to class and do homework. One could do chores at home. One could spend the day playing—or perhaps you would let the real you do that. Well, dream on. By now, you know how complex the process of human reproduction really is and that there is only one "you" in the world. There will never be another.

Fortunately, the same is not true for photographs, illustrations, or the printed word. For today, modern photocopying machines can print out exact copies at the rate of hundreds per minute. Hundreds of copies per minute—now that's reproduction!

sheet of paper you want to copy on the machine, light shines onto it. The blank parts of the paper reflect the light and the light strikes the circular drum. Wherever the light strikes, the charge on the drum is removed. The dark parts of the paper (either words or visuals) do not reflect the light onto the drum. So the drum has parts that are charged and parts that have had the charge removed. When, in the next step, a liquid known as toner is introduced onto the drum, the toner is attracted to the charged parts only. The parts of the drum that are not charged do not attract toner. In seconds, the toner is laid down and an image is created on the photocopying machine paper.

You might be surprised to learn that photocopying machines do not use ink. They rely instead on *electricity*, or the flow of charged particles called electrons. Inside the photocopy machine is a circular drum. The drum is charged with static electricity and is coated with a material that conducts electricity when exposed to light.

Let's say you want to make a copy of a page of this textbook. When you place the

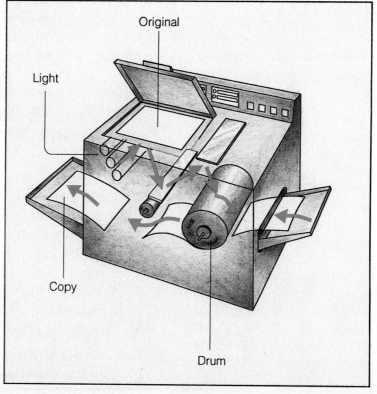

Original

Light

Copy

Drum

Reproducción electrónica

¿Te has preguntado alguna vez cómo sería tener varias copias exactas de ti mismo? Una podría ir a clase y hacer la tarea. Otra podría hacer las tareas de la casa. Otra podría pasar el día jugando— o quizás podrías dejar que el verdadero tú hiciera eso. Bueno, sigue soñando. Ahora ya sabes lo verdaderamente complejo que es el proceso de la reproducción humana, y que en realidad sólo hay un "tú" en el mundo. Nunca habrá otro.

Afortunadamente, esto no ocurre con fotografías, ilustraciones, o la palabra impresa. Actualmente las máquinas de fotocopias pueden imprimir copias exactas a una velocidad de cientos por minuto. Cientos de copias por minuto— ¡eso es reproducción!

Te sorprenderá saber que las copiadoras no usan tinta. Dependen de la *electricidad*, el flujo de partículas cargadas llamadas electrones. Dentro de la fotocopiadora hay un cilindro. El cilindro está cargado de electricidad estática y cubierto de un material que conduce la electricidad cuando se expone a la luz.

Digamos que quieres hacer una copia de una página de este libro. Cuando pones la hoja de papel que quieres copiar en la máquina, la luz brilla sobre ella. La parte blanca del papel refleja la luz y la luz choca con el cilindro. Al chocar la luz, la carga del cilindro se elimina. Las partes oscuras del papel (palabras o ilustraciones) no reflejan la luz en el cilindro, y así éste tiene partes cargadas y partes de las que se ha eliminado la carga. Cuando en el paso siguiente, se introduce en el cilindro un líquido llamado tonificador, éste es atraído; se atrae sólo a las partes cargadas. Las partes del cilindro que no están cargadas no lo atraen. En segundos el tonificador se fija, creando una imagen en el papel de la copiadora.

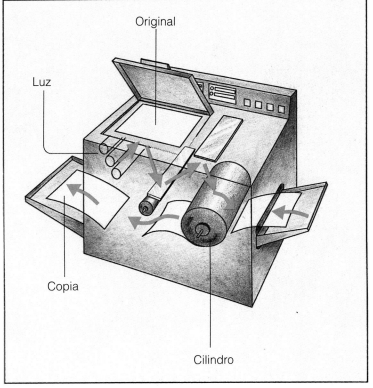

Original

Luz

Copia

Cilindro

Laboratory Investigation

How Many Offspring?

Problem

How do the length of gestation, number of offspring per birth, age of puberty, and life span of various mammals compare?

Materials *(per group)*

graph paper
colored pencils

Procedure

1. Study the chart, which shows the length of gestation (pregnancy), the average number of offspring per birth, the average age of puberty, and the average life span of certain mammals.
2. Construct a bar graph that shows the length of gestation for each mammal.
3. Construct another bar graph that shows the average number of offspring of each mammal.
4. Construct a third bar graph that shows the life span of each mammal. Color the portion of the bar that shows the length of childhood, or time from birth to puberty.

Observations

1. Which of the mammals has the longest gestation period?
2. Which mammal has the largest number of offspring per birth?
3. Which of the mammals has the shortest life span?
4. Which mammal takes longer to reach puberty than Rhesus monkeys?

Analysis and Conclusions

1. What general conclusions can you draw after studying the graphs you have made?
2. If a mouse produces five litters per year, how many mice does the average female mouse produce in a lifetime?
3. Of all the mammals listed, which care for their young for the longest period of time after birth? Why do you think this is the case?
4. **On Your Own** Gather the same kinds of data for five additional mammals. Add these data to your existing graphs. How do the five new mammals compare with those provided in this investigation?

Mammal	Gestation Period (days)	Number of Offspring per Birth	Age at Puberty	Life Span (years)
Opossum	12	13	8 months	2
House mouse	20	6	2 months	3
Rabbit	30	4	4 months	5
Dog	61	7	7 months	15
Lion	108	3	2 years	23
Rhesus monkey	175	1	3 years	20
Human	280	1	13 years	74
Horse	330	1	1.5 years	25

Investigación de laboratorio

¿Cuántos descendientes?

Problema

¿Cómo se comparan la duración de la gestación, el número de hijos por nacimiento, la edad de la pubertad, y la duración de la vida en varios mamíferos?

Materiales *(para cada grupo)*

papel cuadriculado
lápices de colores

Procedimiento

1. Estudia la gráfica, que muestra la duración de la gestación (embarazo), el número promedio de hijos por nacimiento, la edad promedio de la pubertad, y la duración promedio de vida de ciertos mamíferos.

2. Haz una gráfica de barras que muestre la duración de la gestación en cada mamífero.

3. Haz otra gráfica de barras que muestre el número promedio de hijos de cada mamífero.

4. Haz una tercera gráfica que muestre el promedio de vida de cada mamífero. Colorea la porción de la barra que indique el tiempo desde el nacimiento hasta la pubertad.

Observaciones

1. ¿Cuál de los mamíferos tiene el período de gestación más largo?

2. ¿Cuál tiene el mayor número de hijos por nacimiento?

3. ¿Cuál tiene el período de vida más corto?

4. ¿A qué mamífero le toma más tiempo alcanzar la pubertad que a los monos rhesus?

Análisis y conclusiones

1. ¿A qué conclusiones generales puedes llegar después de haber estudiado las gráficas que hiciste?

2. Si un ratón tiene cría cinco veces por año, ¿cuántos ratones tiene, aproximadamente, una rata durante toda su vida?

3. De todos los mamíferos de la lista, ¿cuál cuida a sus hijos por más tiempo después del nacimiento? ¿Por qué crees que pasa eso?

4. **Por tu cuenta** Busca el mismo tipo de datos para otros cinco mamíferos. Añade esos datos a las gráficas que ya tienes. ¿En qué se parecen estos cinco animales a los que se dieron en esta investigación?

Mamífero	Período de gestación (días)	Crías por parto	Edad de pubertad	Período de vida (años)
Zarigüeya	12	13	8 meses	2
Ratón doméstico	20	6	2 meses	3
Conejo	30	4	4 meses	5
Perro	61	7	7 meses	15
León	108	3	2 años	23
Mono rhesus	175	1	3 años	20
Ser humano	280	1	13 años	74
Caballo	330	1	1.5 años	25

Summarizing Key Concepts

7–1 The Reproductive System

▲ The joining of a sperm, or male sex cell, and an egg, or female sex cell, is known as fertilization.

▲ Each sperm and egg contains 23 chromosomes, which pass on inherited characteristics from one generation of cells to the next.

▲ The male reproductive system includes two testes, which produce sperm and a hormone called testosterone. The female reproductive system includes two ovaries, which produce eggs and hormones.

▲ Located near each ovary is a Fallopian tube that leads to a hollow, muscular uterus. At the lower end of the uterus is a narrow cervix, which opens into the vagina, or birth canal.

▲ The monthly cycle of change that occurs in the female reproductive system is called the menstrual cycle.

▲ During the menstrual cycle, ovulation, or the release of an egg from an ovary, occurs. The lining of the uterus also thickens in preparation for the attachment of a fertilized egg. If fertilization does not take place, the egg and thickened lining of the uterus break down and pass out of the body. This process is called menstruation. If sperm are present in the Fallopian tube at the time of ovulation, an egg may become fertilized.

7–2 Stages of Development

▲ A fertilized egg is called a zygote. A zygote undergoes a series of divisions, forming a ball-shaped structure of many cells.

▲ During the first 8 weeks of its development, the developing human is called an embryo. It is surrounded and protected by several membranes. One of these membranes, called the placenta, provides the embryo with food and oxygen and eliminates its wastes. Another membrane forms around the fluid-filled amniotic sac, which cushions and protects the embryo.

▲ The umbilical cord, which contains blood vessels, connects the fetus to the placenta.

▲ During the birth process, the baby and placenta pass out of the uterus through the cervix into the vagina.

▲ Humans pass through various stages of development during their lives. These stages are infancy, childhood, adolescence, and adulthood. Adolescence begins at puberty, when the sex organs develop rapidly.

Reviewing Key Terms

Define each term in a complete sentence.

7–1 The Reproductive System
sperm
egg
fertilization
testis
ovary
Fallopian tube
uterus

menstrual cycle
ovulation

7–2 Stages of Development
zygote
embryo
amniotic sac
placenta

fetus
umbilical cord
infancy
childhood
adolescence
puberty
adulthood

Resumen de conceptos claves

7–1 El sistema reproductor

▲ La unión de un espermatozoide, o célula sexual masculina, y un óvulo, o célula sexual femenina, se conoce como fertilización.

▲ Cada espermatozoide y cada óvulo contienen 23 cromosomas, que trasmiten las características hereditarias de una generación de células a la siguiente.

▲ El sistema reproductor masculino incluye dos testículos, que producen esperma y una hormona llamada testosterona. El sistema reproductor femenino incluye dos ovarios, que producen óvulos y hormonas.

▲ Hay una trompa de Falopio ubicada al lado de cada ovario. La trompa conduce al útero que es hueco y musculoso. En la parte inferior del útero está el delgado cuello del útero que se abre a la vagina, o canal de nacimiento.

▲ El ciclo mensual de cambio que ocurre en el sistema reproductor femenino se llama ciclo menstrual.

▲ Durante el ciclo menstrual ocurre la ovulación, o liberación de un óvulo del ovario. El revestimiento del útero también se espesa en preparación para la implantación del óvulo fertilizado. Si la fertilización no ocurre, el óvulo y el espeso revestimiento se desintegran y salen del cuerpo. Este proceso se llama menstruación.

Si hay espermatozoides en la trompa de Falopio en el momento de la ovulación, el óvulo puede ser fertilizado.

7–2 Etapas de desarrollo

▲ Un óvulo fertilizado se llama cigoto. Un cigoto sufre una serie de divisiones, formando una estructura en forma de bola con muchas células.

▲ Durante las primeras 8 semanas de su desarrollo, el ser humano se llama embrión. Está rodeado y protegido por varias membranas. Una de estas membranas, la placenta, le proporciona al embrión alimento y oxígeno y elimina sus desechos. Otra membrana se forma alrededor del saco amniótico lleno de líquido, la que envuelve y protege al embrión.

▲ El cordón umbilical, que contiene vasos sanguíneos, conecta el feto con la placenta.

▲ Durante el proceso de nacimiento, el bebé y la placenta salen del útero y pasan por la cervix o el cuello del útero a la vagina.

▲ Los seres humanos pasan por varias etapas de desarrollo durante su vida. Estas etapas son: la infancia, la niñez, la adolescencia, y la edad adulta. La adolescencia empieza con la pubertad, o sea cuando los órganos sexuales se desarrollan rápidamente.

Repaso de palabras claves

Define cada palabra o palabras con una oración completa.

7–1 El sistema reproductor

espermatozoide
óvulo
fertilización
testículos
ovario
trompa de Falopio
útero
ciclo menstrual
ovulación

7–2 Etapas de desarrollo

cigoto
embrión
saco amniótico
placenta
feto
cordón umbilical
infancia
niñez
adolescencia
pubertad
edad adulta

Chapter Review

Content Review

Multiple Choice

Choose the letter of the answer that best completes each statement.

1. What is the female sex cell called?
   a. testis   c. egg
   b. sperm   d. ovary
2. Sperm are produced in male sex organs called
   a. testes.   c. scrotums.
   b. ovaries.   d. urethras.
3. Sperm leave the male's body through the
   a. testes.   c. vagina.
   b. scrotum.   d. penis.
4. Eggs are produced in the
   a. scrotum.   c. cervix.
   b. ovaries.   d. Fallopian tubes.
5. A structure made up of tissues from both the embryo and the uterus is the
   a. ovum.   c. cervix.
   b. placenta.   d. fetus.

6. Another name for the womb is the
   a. Fallopian tube.   c. vagina.
   b. uterus.   d. scrotum.
7. The release of an egg from the ovary is known as
   a. ovulation.   c. menstruation.
   b. fertilization.   d. urination.
8. The structure in which a fertilized egg first divides is the
   a. ovary.   c. uterus.
   b. Fallopian tube.   d. vagina.
9. Sex organs develop rapidly during
   a. infancy.   c. puberty.
   b. childhood.   d. adulthood.
10. Adulthood begins at about the age of
   a. 13 years.   c. 20 years.
   b. 1 year.   d. 30 years.

True or False

If the statement is true, write "true." If it is false, change the underlined word or words to make the statement true.

1. The joining of a sperm and an egg is called <u>fertilization</u>.
2. The testes are found inside a sac called the <u>scrotum</u>.
3. To reach the uterus, an egg travels through the <u>cervix</u>.
4. An egg can be fertilized only while it is in a <u>Fallopian tube</u>.
5. If an egg is not fertilized, the lining of the uterus leaves the body through the <u>urethra</u>.
6. The structure that connects the embryo to the placenta is the <u>uterus</u>.
7. At 2 years of age, a person is considered to be an <u>infant</u>.

Concept Mapping

Complete the following concept map for Section 7–1. Refer to pages H8–H9 to construct a concept map for the entire chapter.

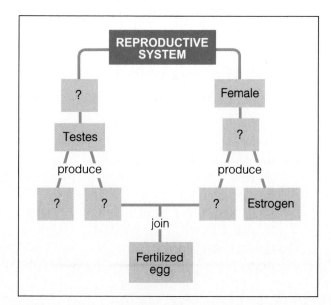

Repaso del capítulo

Repaso del contenido

Selección múltiple

Selecciona la letra de la respuesta que mejor complete cada frase.

1. ¿Cómo se llama la célula sexual femenina?
   a. testículo
   b. espermatozoide
   c. óvulo
   d. ovario

2. Los espermatozoides se producen en los órganos sexuales masculinos llamados
   a. testículos.
   b. ovarios.
   c. escrotos.
   d. uretras.

3. Los espermatozoides salen del cuerpo del hombre por
   a. los testículos.
   b. el escroto.
   c. la vagina.
   d. el pene.

4. Los óvulos se producen en
   a. el escroto.
   b. los ovarios.
   c. el cuello del útero.
   d. las trompas de Falopio.

5. Una estructura formada por los tejidos del embrión y el útero es
   a. el óvulo.
   b. la placenta.
   c. el cuello del útero.
   d. el feto.

6. La matriz se llama también
   a. la trompa de Falopio.
   b. el útero.
   c. la vagina.
   d. el escroto.

7. La liberación de un óvulo del ovario se conoce como
   a. ovulación.
   b. fertilización.
   c. menstruación.
   d. orina.

8. La estructura donde primero se divide un óvulo fertilizado es
   a. el ovario.
   b. la trompa de Falopio.
   c. el útero.
   d. la vagina.

9. Los órganos sexuales se desarrollan rápidamente durante
   a. la infancia.
   b. la niñez.
   c. la pubertad.
   d. la edad adulta.

10. La edad adulta comienza a la edad de
    a. 13 años.
    b. 1 año.
    c. 20 años.
    d. 30 años.

Verdadero o falso

Si la afirmación es verdadera, escribe "verdad." Si es falsa, cambia las palabras subrayadas para que sea verdadera.

1. La unión de un espermatozoide y un óvulo se llama <u>fertilización</u>.
2. Los testículos se encuentran dentro de un saco llamado <u>escroto</u>.
3. Para llegar al útero un óvulo viaja por el <u>cuello del útero</u>.
4. Un óvulo puede ser fertilizado sólo cuando está en la <u>trompa de Falopio</u>.
5. Si un óvulo no es fertilizado, el forro del útero sale del cuerpo por la <u>uretra</u>.
6. La estructura que conecta el embrión con la placenta es el <u>útero</u>.
7. A los 2 años de edad, una persona se considera un <u>infante</u>.

Mapa de conceptos

Completa el siguiente mapa de conceptos para la sección 7–1. Para hacer un mapa de conceptos de todo el capítulo, consulta las páginas H8–H9.

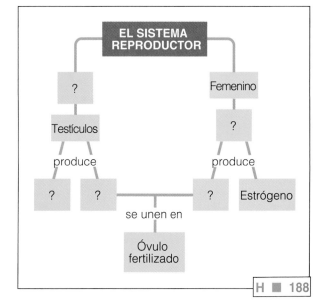

Concept Mastery

Discuss each of the following in a brief paragraph.

1. What changes occur in the female reproductive system during the menstrual cycle?
2. Describe how a fetus receives food and oxygen and how it gets rid of wastes.
3. How does a zygote form?
4. Describe the birth process.
5. Describe one method that is used by doctors to study babies while they are in the uterus.
6. Summarize the four stages of human development after birth.
7. Why is the process of reproduction so important?

Critical Thinking and Problem Solving

Use the skills you have developed in this chapter to answer each of the following.

1. **Making comparisons** In what way is development during adolescence similar to development before birth?
2. **Relating cause and effect** Why is it dangerous for pregnant women to smoke, drink, or use drugs not prescribed by a doctor?
3. **Relating facts** Why do you think the first stage in the birth process is called labor?
4. **Making inferences** The word adolescence means to grow up. Why is adolescence a good name for the teenage years of life?
5. **Applying concepts** Explain why a proper diet and an adequate amount of exercise can lessen the effects of aging.
6. **Drawing conclusions** Why do broken bones heal more rapidly in young children than in elderly people?
7. **Making comparisons** In what way is amniotic fluid similar to the shock absorbers of a car?
8. **Making predictions** Explain how a child's environment can affect its development.
9. **Relating facts** Explain how the shape of a sperm helps it function.
10. **Relating concepts** Why do you think a 1- to 2-year-old child is called a toddler?

11. **Making graphs** Use the information in the table to construct a graph. What conclusions can you draw from the graph?

Age Group in Years	Average Height in Centimeters	
	Female	Male
At birth	50	51
2	87	88
4	103	104
6	117	118
8	128	128
10	139	139
12	152	149
14	160	162
16	163	172
18	163	174

12. **Using the writing process** Develop an advertising campaign highlighting the dangers of alcohol and drug use during pregnancy.

Dominio de conceptos

Comenta cada uno de los puntos siguientes en un párrafo breve.

1. ¿Qué cambios ocurren en el sistema reproductor femenino durante el ciclo menstrual?
2. Describe cómo un feto recibe alimento y oxígeno y cómo elimina desechos.
3. ¿Cómo se forma un cigoto?
4. Describe el proceso del nacimiento.
5. Describe un método que usan los médicos para estudiar a los bebés cuando todavía están en el útero.
6. Haz un resumen de las cuatro etapas del desarrollo humano después del nacimiento.
7. ¿Por qué es tan importante el proceso de reproducción?

Pensamiento crítico y solución de problemas

Usa las destrezas que has desarrollado en este capítulo para resolver lo siguiente.

1. **Hacer comparaciones** ¿De qué manera se parece el desarrollo durante la adolescencia al desarrollo antes del nacimiento?
2. **Relacionar causa y efecto** ¿Por qué es peligroso para las mujeres embarazadas fumar, beber alcohol o usar drogas no recetadas por un médico?
3. **Relacionar hechos** ¿Por qué crees que a la primera etapa del nacimiento se le llama contracciones?
4. **Hacer inferencias** La palabra adolescencia significa crecer. ¿Por qué es la adolescencia un buen nombre para esos años de vida?
5. **Aplicar conceptos** Explica por qué una dieta adecuada y una buena dosis de ejercicio pueden disminuir los efectos del envejecimiento.
6. **Llegar a conclusiones** ¿Por qué los huesos rotos sanan más rápidamente en los niños que en los ancianos?
7. **Hacer comparaciones** ¿En qué se parece el líquido amniótico a los amortiguadores de un automóvil?
8. **Hacer predicciones** Explica de qué modo puede afectar el medio ambiente al desarrollo de un niño.
9. **Relacionar hechos** Explica cómo la forma de un espermatozoide lo ayuda en su función.
10. **Relacionar conceptos** ¿Por qué crees que un niño de 1 a 2 años anda tambaleándose?

11. **Hacer gráficas** Utiliza la información del cuadro para hacer una gráfica. ¿Qué conclusiones puedes sacar de la gráfica?

Edad en años	Promedio de altura en centímetros	
	Mujeres	*Varones*
Al nacer	50	51
2	87	88
4	103	104
6	117	118
8	128	128
10	139	139
12	152	149
14	160	162
16	163	172
18	163	174

12. **Usar el proceso de la escritura** Desarrolla una campaña de anuncios publicitarios que difunda los peligros del consumo de alcohol y drogas durante el embarazo.

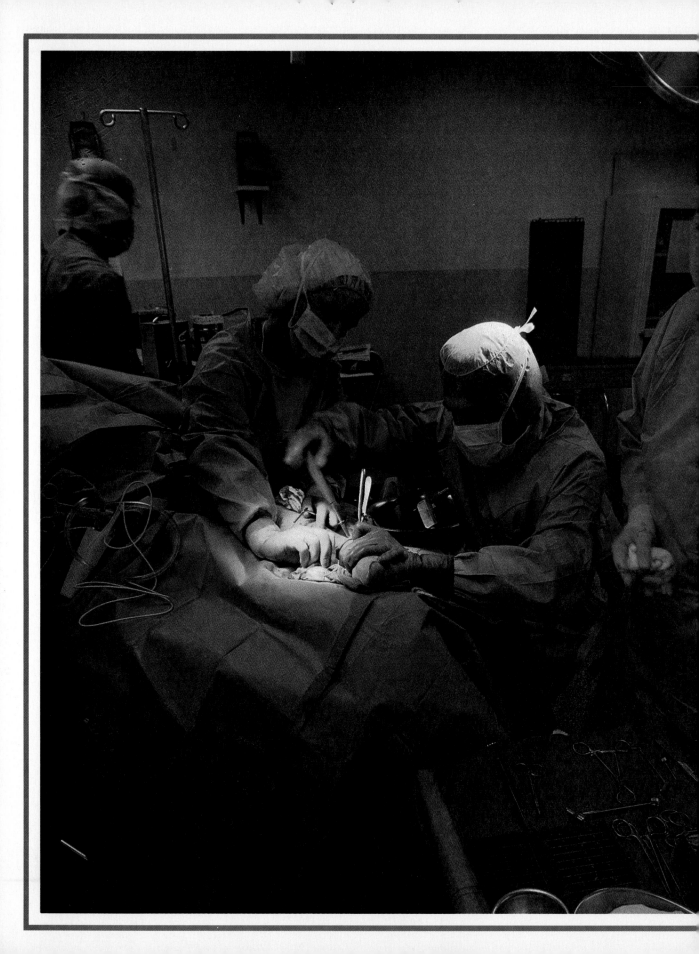

Immune System

The scene: a dimly lit room. Occupying the middle of the room is a rectangular table covered with large soiled cloths. A patient ready for surgery lies on the table. The operation is about to begin.

But wait! Why is the patient lying on dirty cloths? Why are the surgeons wiping their hands (and on soiled cloths!) instead of washing them? Is this a scene from a horror movie?

What you are reading about actually occurred in hospital operating rooms before the middle of the 1800s. Fortunately, such scenes no longer take place. And we have the work of the English surgeon Joseph Lister to thank for that! In 1865, Lister demonstrated that microorganisms were the cause of many deaths after surgery. Thus Lister reasoned that if the microorganisms could be kept away from surgical wounds many more patients would survive surgery.

Today, surgeons wash thoroughly before an operation and wear surgical gowns, masks, and gloves. And operating rooms are kept spotlessly clean and free of germs. As you read the pages that follow, you will learn some interesting things about microorganisms and disease. And you may even make a discovery as important as Lister's!

Journal *Activity*

You and Your World Have you ever had a sore throat? How about an upset stomach? A fever? How did you feel? What did you do? In your journal, explore your thoughts and feelings during these times.

◀ *Today, operations are performed in spotlessly clean operating rooms by surgical teams wearing gowns, gloves, and masks.*

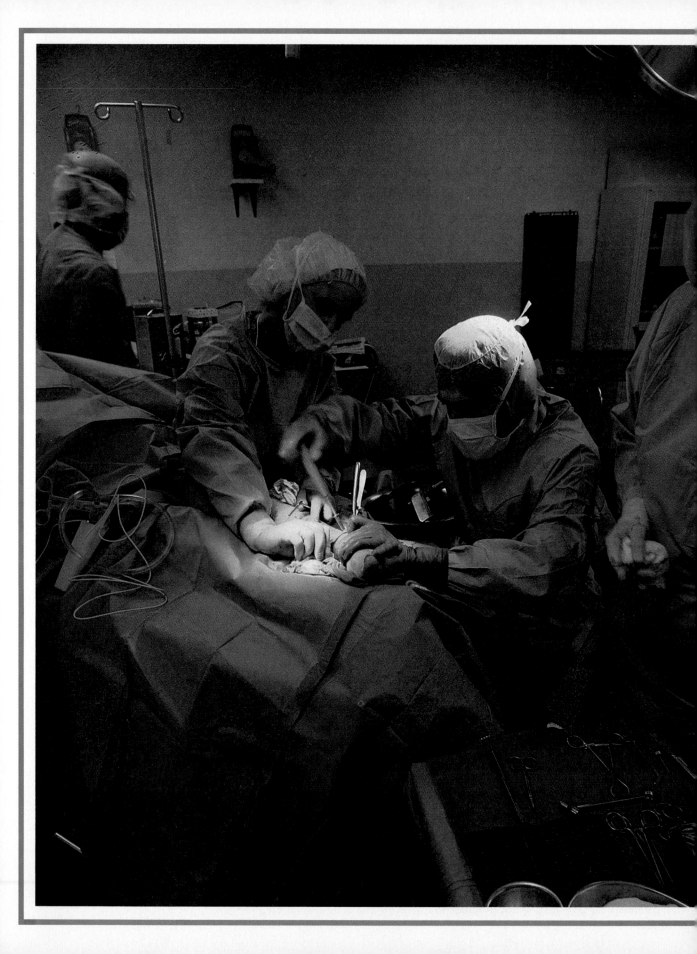

El sistema inmunológico

Guía para la lectura

Después de leer las secciones siguientes, vas a poder

8–1 Defensas del cuerpo

- Describir la función del sistema inmunológico.

- Describir las tres líneas de defensa del cuerpo contra organismos invasores.

- Definir anticuerpo y antígeno.

8–2 Inmunidad

- Definir inmunidad.

- Comparar la inmunidad activa con la pasiva.

- Describir cómo funcionan las vacunas.

8–3 Enfermedades

- Definir enfermedad.

- Describir cómo se propagan las enfermedades.

- Hacer una lista de ejemplos de enfermedades contagiosas y no contagiosas.

La escena: un cuarto mal iluminado. En el centro, una mesa rectangular está cubierta con grandes sábanas sucias. Sobre la mesa, un paciente espera ser operado. La operación va a comenzar.

Pero, ¡espera! ¿Por qué está el paciente acostado sobre sábanas sucias? ¿Por qué los médicos se están frotando las manos (en trapos sucios) en lugar de lavárselas? ¿Es ésta una escena de una película de horror?

Lo que estás leyendo ocurría en salas de operación de hospitales antes de mitades del siglo diecinueve. Afortunadamente, tales escenas ya no se ven. ¡Y por eso debemos agradecerle al cirujano inglés Joseph Lister! En 1865, Lister demostró que los microorganismos eran lo que causaba muchas muertes después de una operación. Y pensó que si los microorganismos pudieran erradicarse de las heridas de una operación, muchos más pacientes sobrevivirían las intervenciónes quirúrgicas.

Hoy en día los cirujanos se lavan minuciosamente y se ponen batas, máscaras y guantes quirúrgicos antes de una operación. Y las salas de operación se mantienen escrupulosamente limpias y libres de microbios. A medida que leas las páginas que siguen, aprenderás varias cosas sobre microorganismos y enfermedades. ¡Y quizá hasta puedas hacer un descubrimiento tan importante como el de Lister!

Diario *Actividad*

Tú y tu mundo ¿Alguna vez has tenido dolor de garganta? ¿Y dolor de estómago? ¿Y fiebre? ¿Cómo te sentías? ¿Qué hiciste? Explora tus pensamientos y sentimientos en esas ocasiones en tu diario.

◀ *Hoy en día las operaciones se realizan en salas quirúrgicas escrupulosamente limpias y los miembros del equipo operatorio se ponen batas, guantes, y máscaras.*

Activity Bank

It's No Skin Off Your Nose, p. 259

Figure 8–1 *Every minute of every day fierce battles are fought within your body. The invaders in these battles—such as influenza viruses (left) and the flatworm that causes the disease known as schistosomiasis (right)—are incredibly tiny. What body system defends against disease-causing organisms?*

8–1 Body Defenses

Considering the number of entries that invaders can successfully make into the body, it is amazing that a disease rarely occurs. Amazing, but no accident. Almost every human has a body system that works 24 hours a day all over the body to ensure its health. This body system is the immune system. **The immune system is the body's defense against disease-causing organisms.** The immune system not only repels disease-causing organisms, it also "keeps house" inside the body. It does this by removing dead or damaged cells and by looking for and destroying cells that do not function as they should.

The immune system has the remarkable ability to distinguish friend from foe. It identifies and destroys invaders and, at the same time, recognizes the body's own tissues. How does the immune system do all this? If you continue reading, you will find the answer.

The Body's First Line of Defense

Your body has certain important structures that help the immune system, although they are not actually part of it. Most invaders must first encounter these structures. These structures make up your body's first line of defense, forming a barrier between the body and its surroundings. The skin and the substances it produces, as well as protective reflexes such as sneezing and coughing, make up the first line of defense.

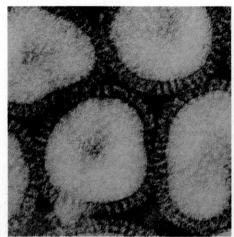

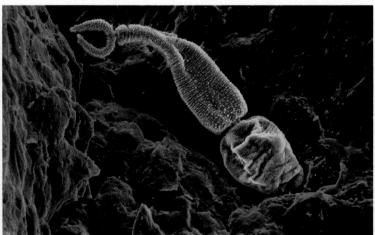

Ꝓozo de actividades

Que no se dañe, p. 259

Que no se dañe, p. 259

8–1 Defensas del cuerpo

Si tenemos en cuenta el número de veces que los invasores logran entrar con éxito en el cuerpo, es sorprendente que casi nunca ocurra una enfermedad. Sorprendente, pero no accidental. Casi todos tenemos un sistema que funciona 24 horas al día para asegurar la salud del cuerpo. Éste es el sistema inmunológico. **El sistema inmunológico es la defensa del cuerpo contra los organismos que causan enfermedades.** El sistema inmunológico no sólo rechaza los organismos que causan enfermedades, sino que también "limpia la casa" dentro del cuerpo: elimina las células muertas o dañadas, y busca y destruye células que no funcionan bien.

El sistema inmunológico tiene una habilidad excepcional para distinguir entre amigos y enemigos. Identifica y destruye a los invasores y, al mismo tiempo, reconoce los tejidos propios del cuerpo. ¿Cómo hace todo esto? Si sigues leyendo encontrarás la respuesta.

La primera línea de defensas del cuerpo

Tu cuerpo tiene ciertas estructuras importantes que colaboran con el sistema inmunológico, aunque no son parte de él. La mayoría de los invasores deben enfrentarse primero a estas estructuras que forman la primera línea de defensas de tu cuerpo. Ellas erigen una barrera entre tu cuerpo y el medio ambiente. La piel y las sustancias que produce, así como reflejos protectores, tales como el estornudo y la tos, forman esta primera línea.

Figura 8–1 *Cada minuto de cada día se libra una batalla dentro de tu cuerpo. Los invasores en esas batallas—tales como los virus de la gripe (izquierda) y el gusano plano que causa la esquistomiasis (derecha)—son increíblemente pequeños. ¿Qué sistema del cuerpo te defiende contra los organismos que causan enfermedades?*

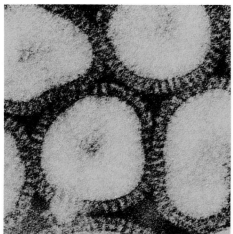
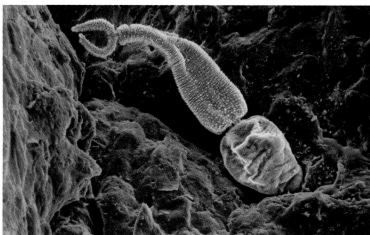

As you may recall from Chapter 5, the skin forms a protective covering over most of the body. This extraordinary organ has the ability to produce new cells and repair itself. Despite its daily dose of ripping, scratching, burning, and exposure to harsh chemicals and weather, the skin still performs admirably. It continues to produce new cells in its outer layer (epidermis) and repair tears in its inner layer (dermis). When cuts occur in the skin, however, they provide a means of entry for disease-causing organisms. What results is an infection, or a successful invasion into the body by disease-causing organisms.

Not all disease-causing organisms enter the body through the skin, however. Some are inhaled from the air. In much the same way as the skin defends the entire body against invaders, mucus (MYOO-kuhs) and cilia (SIHL-ee-uh) defend the respiratory system against airborne organisms. Mucus is a sticky substance that coats the membranes of the nose, trachea, and bronchi (parts of the respiratory system). As organisms enter these structures along with incoming air, they are trapped by the mucus and are thus prevented from traveling any farther into the body. In addition to mucus, the membranes are lined with tiny hairlike structures called cilia. The cilia, acting like brooms, sweep bacteria, dirt, and excess mucus out of the air passages at an amazing rate—about 2.5 centimeters a minute! These unwanted materials are carried to the throat, where they can be coughed out or swallowed.

Sometimes disease-causing organisms enter the body through the mouth, rather than through the skin or the nose. Here they mix with saliva, which is loaded with invader-killing chemicals. Most invaders do not survive the action of these chemicals. Those that do soon find themselves encountering a powerful acid in the stomach. This acid is so strong that it destroys the invaders. The dead invaders are eliminated from the body along with the body's other wastes.

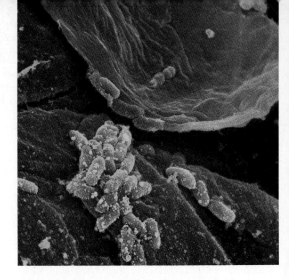

Figure 8–2 *The green objects in this photograph of the surface of the skin are bacteria. The skin is one of the body's first lines of defense against invading organisms.*

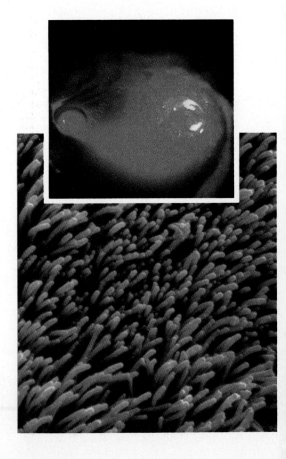

Figure 8–3 *As disease-causing organisms invade the body through the respiratory system, they are trapped by excess mucus that coats the membranes of the bronchus (top). The membranes are also lined with hairlike cilia that sweep the organisms out of the respiratory system (bottom).*

Como recordarás del capítulo 5, la piel forma una cubierta protectora sobre la mayor parte del cuerpo. Este órgano extraordinario tiene la capacidad de producir células nuevas y regenerarse. A pesar de su dosis diaria de tirones, rasguños, quemadas, y exposición a productos químicos fuertes y al clima, la piel hace un trabajo admirable. Sigue produciendo células nuevas en su capa exterior (epidermis) y repara heridas en la capa interior (dermis). Pero, cuando se producen heridas en la piel, se abre una puerta para los organismos que causan enfermedades. Lo que resulta es una infección, o una invasión exitosa de los organismos patógenos al cuerpo.

No todos los organismos patógenos entran en el cuerpo por la piel, algunos son inhalados. Casi del mismo modo que la piel defiende al cuerpo contra invasores, la mucosidad y los cilios defienden el sistema respiratorio contra los organismos del aire. La mucosidad es una sustancia pegajosa que cubre las membranas de la nariz, la tráquea, los bronquios (partes del sistema respiratorio). Tan pronto como los organismos entran allí junto con el aire inhalado, la mucosidad los atrapa y evita que lleguen más adentro. Además de la mucosidad, las membranas están cubiertas de estructuras pilosas llamadas cilios. Los cilios, que funcionan como escobas, barren las bacterias, el polvo, y el exceso de mucosidad de las vías respiratorias a la sorprendente velocidad de ¡2.5 centímetros por minuto! Los elementos indeseables van a parar a la garganta, donde, o se expelen con la tos o se tragan.

Algunas veces los organismos que causan enfermedades entran en el cuerpo por la boca, en lugar de entrar por la piel o la nariz. Allí se mezclan con los agentes químicos de la saliva que eliminan a los invasores. La mayoría de los invasores no sobreviven la acción de estas sustancias químicas. Y si sobreviven muy pronto se encuentran con un fuerte ácido en el estómago que los destruye. Los invasores muertos se eliminan del cuerpo junto con los otros desechos.

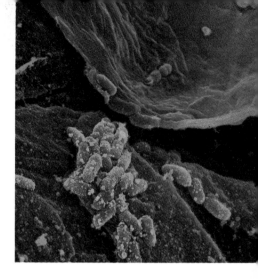

Figura 8–2 *Los objetos verdes de esta ilustración de la superficie de la piel son bacterias. La piel es una de las primeras líneas de defensas del cuerpo en contra de los organismos invasores.*

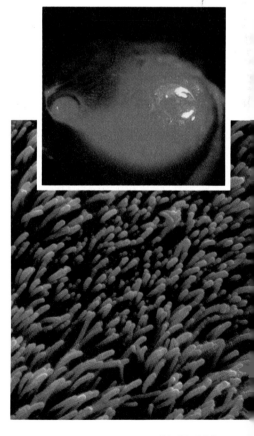

Figura 8–3 *Tan pronto como los organismos patógenos invaden el cuerpo por el sistema respiratorio, son atrapados por el exceso de mucosidad que cubre las membranas del bronquio (arriba). Las membranas también están cubiertas de cilios parecidos a hilos finos que sacan a los organismos del sistema respiratorio (abajo).*

The Body's Second Line of Defense

If the first line of defense fails and disease-causing organisms enter the body, the second line of defense goes into action. When disease-causing organisms such as bacteria enter through a cut in the skin, they immediately try to attack body cells. The body, however, is quick to respond by increasing the blood supply to the affected area. This action causes white blood cells, which constantly patrol the blood and defend the body against disease-causing organisms, to leave the blood vessels and move into nearby tissues. Once inside, some of the white blood cells—the tiny ones—attack the invading organisms and then gobble them up.

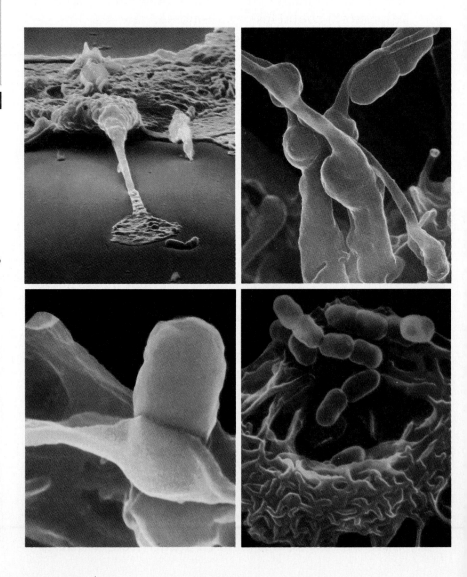

Figure 8–4 *White blood cells make up the body's second line of defense. This sequence of photographs shows what happens when a white blood cell encounters bacteria. The white blood cell first reaches out toward two bacterial cells (top left). Extensions from the white blood cell trap the bacteria (top right). Chemicals produced by the white blood cells begin to digest one of the bacterial cells (bottom left). Eventually, the bacteria will be digested and the material of which they are made will be absorbed by the white blood cells (bottom right).*

ACTIVIDAD

PARA ESCRIBIR

*Antisépticos y
desinfectantes*

Busca la siguiente información sobre antisépticos y desinfectantes en materiales de referencia de la biblioteca. ¿Cuál es la función de estas sustancias? ¿Cómo ayudan a controlar las enfermedades? ¿Cuáles son tres ejemplos de cada una? Incluye el trabajo de Joseph Lister y algunos otros científicos que han contribuido a su descubrimiento y organiza la información como informe escrito.

La segunda línea de defensas del cuerpo

Si la primera línea de defensas falla y los organismos patógenos penetran en el cuerpo, la segunda línea de defensas entra en acción. Cuando los organismos patógenos, tales como bacterias entran en el cuerpo a través de una herida en la piel, tratan inmediatamente de atacar las células. El cuerpo responde rápidamente, aumentando el suministro de sangre al área afectada. Esto causa que los glóbulos blancos, que constantemente vigilan la sangre y defienden el cuerpo contra organismos patógenos, salgan de los vasos sanguíneos y se dirijan a tejidos cercanos. Una vez dentro de ellos, algunos de los glóbulos blancos—los más pequeños— atacan a los organismos invasores y se los tragan.

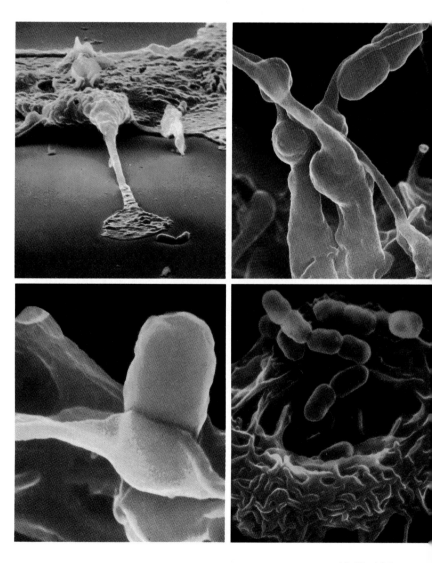

Figura 8–4 *Los glóbulos blancos son la segunda línea de defensas del cuerpo. Esta secuencia de fotografías muestra qué pasa cuando un glóbulo blanco encuentra bacterias. Primero el glóbulo blanco trata de alcanzar dos células bacterianas (arriba izquierda). Extensiones del glóbulo atrapan las bacterias (arriba derecha). Sustancias químicas producidas por los glóbulos blancos empiezan a digerir una de las células bacterianas (abajo izquierda). Eventualmente, la bacteria será digerida y el material bacteriano será absorto por los glóbulos blancos (abajo derecha).*

Soon after, the tiny white blood cells are joined by reinforcements—larger white blood cells. The larger white blood cells, which are similar to the heavy artillery used by an attacking army, destroy almost all bacteria they attack. In time, the area resembles a battlefield. Dead bacteria and the dead and wounded white blood cells are everywhere. Taken together, these events form the body's second line of defense—the **inflammatory** (ihn-FLAM-uh-tor-ee) **response.** Sometimes an infection (a successful invasion into the body by disease-causing organisms) causes a red, swollen area to develop just below the skin's surface. If you were to touch the infected area, you would discover that it is hotter than the surrounding skin area. For this reason, the area is said to be inflamed, which actually means "on fire."

In addition to the inflammatory response, the body has another second line of defense called **interferon.** Interferon is a substance produced by body cells when they are attacked by viruses. Interferon "interferes" with the reproduction of new viruses. As a result, the rate at which body cells are infected is slowed down. Other lines of defense have the time to move in and destroy the viruses.

Figure 8–5 *Although having a fever is no fun, there is a good reason for it. A fever, if mild and short-lived, helps the body fight disease-causing organisms.*

The Third Line of Defense

Although most disease-causing invaders are stopped by the body's first and second lines of defense, a few invaders are able to make it past them. If this happens, it is time for the body's third line of defense—the **antibodies**—to go to work. Antibodies are proteins produced by the immune system. Some antibodies are attached to certain kinds of white blood cells. Others are found floating freely in the blood. But regardless of their type, all antibodies are responsible for destroying harmful invaders.

Unlike the body's first two lines of defense, which you just read about, antibodies are very specific—they attack only a particular kind of invader. Thus, they can be thought of as the body's guided missiles, zeroing in on and destroying a particular target. The invading organism or substance that triggers the action of an antibody is called an **antigen**. The word antigen is derived from the term *anti*body *gen*erator, which means producer of antibodies.

Poco después los refuerzos—los glóbulos blancos más grandes—se unen a los glóbulos blancos pequeños. Los más grandes, que son similares a la artillería pesada que usa una armada de ataque, destruyen casi todas las bacterias que atacan. Después de un tiempo, el área parece un campo de batalla. Las bacterias muertas y los glóbulos blancos muertos o heridos se encuentran por todas partes. Estos eventos en conjunto forman la segunda línea de defensas del cuerpo—la **respuesta inflamatoria**. A veces una infección (una invasión exitosa del cuerpo por organismos patógenos) hace que se forme un área roja e inflamada apenas bajo la superficie de la piel. Si tú tocas el área infectada, sientes que está más caliente que la piel que la rodea. Por eso, se dice que el área está inflamada, que quiere decir "en llamas."

Además de la respuesta inflamatoria, el cuerpo tiene otra segunda línea de defensas llamada **interferona**. La interferona es una sustancia que producen las células del cuerpo al ser atacadas por un virus. La interferona "interfiere" con la reproducción de nuevos virus. Como resultado, se retarda la infección de las células del cuerpo. Otras líneas de defensas tienen tiempo para llegar y destruir los virus.

Figura 8–5 *Si bien tener fiebre no es agradable, hay una buena razón para ello. La fiebre, cuando es baja y dura poco, ayuda al cuerpo a combatir los organismos patógenos.*

La tercera línea de defensas

Aunque la mayoría de los organismos invasores patógenos son eliminados por la primera y segunda línea de defensas del cuerpo, algunos pueden penetrar. Si esto sucede, la tercera línea de defensas del cuerpo—los **anticuerpos**—entra en acción. Los anticuerpos son proteínas que produce el sistema inmunológico. Algunos están unidos a ciertos tipos de glóbulos blancos, otros se encuentran flotando libremente en la sangre, y todos tienen la responsabilidad de destruir a los invasores dañinos.

A diferencia de las primeras dos líneas de defensas del cuerpo, los anticuerpos son muy específicos—atacan solamente un tipo determinado de invasor. De modo que se podría decir que son los proyectiles teledirigidos del cuerpo, que apuntan y destruyen un blanco en particular. El organismo o sustancia invasora que activa la acción del anticuerpo se llama **antígeno**. La palabra antígeno se deriva del término *gen*erador de *anti*cuerpos, o sea productor de anticuerpos.

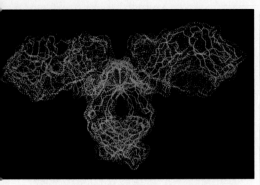

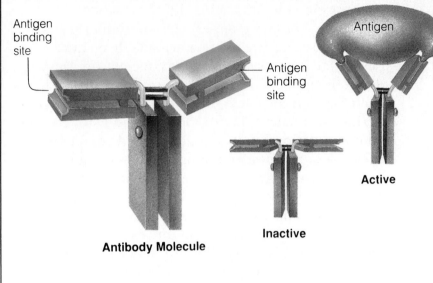

Antigen binding site

Antigen binding site

Antigen

Active

Inactive

Antibody Molecule

Figure 8–6 *Antibodies, such as the one in the computer-generated photograph, are proteins produced by the immune system. As the diagram illustrates, an antibody particle has two identical antigen-binding sites. What happens to the shape of an antibody particle when it encounters its specific antigen?*

What does an antibody look like? If you look at Figure 8–6, you can get a pretty good idea. Notice that the shape of an antibody is much like the letter T. When an antibody encounters its specific antigen, it changes shape—converting from a T shape to a Y shape. This action activates the antibody so that the two arms of the Y attach and bind to the antigen. In this way, an antibody prevents invaders such as viruses from attaching to cells.

When antibodies attach to surfaces of antigens such as bacteria, fungi, and protozoans, they slow down these organisms so that they can be gobbled up by white blood cells. Some antibodies may even destroy invaders by blasting a hole in the outer covering of the invaders' cells.

How does the immune system produce specific antibodies? How do the antibodies bind to antigens? The answers involve special white blood cells called T-cells and B-cells. (The T in T-cells stands for thymus, which is where T-cells originate; the B in B-cells refers to the bone marrow, which is where B-cells mature.) The function of T-cells is to alert B-cells to produce antibodies. If this is the first time the body is invaded by a particular antigen, it may take the B-cells a longer time to produce antibodies. During

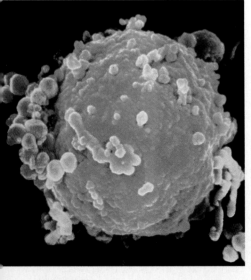

Figure 8–7 *This photograph shows a B-cell covered with bacteria. B-cells produce antibodies that attack particular kinds of invaders. What are these invaders called?*

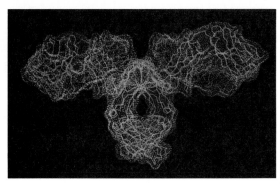

Figura 8–6 *Los anticuerpos, como el de la fotografía generada por computadora, son proteínas que produce el sistema inmunológico. Como muestra el diagrama, una molécula de anticuerpo tiene dos lugares idénticos para adherirse con un antígeno. ¿Qué le sucede a la forma de la partícula del anticuerpo cuando se encuentra con su antígeno específico?*

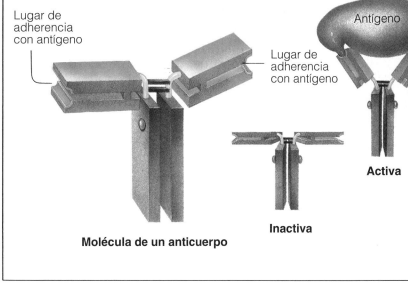

Lugar de adherencia con antígeno

Antígeno

Lugar de adherencia con antígeno

Activa

Inactiva

Molécula de un anticuerpo

¿Cómo es un anticuerpo? Si miras la figura 8–6, te darás cuenta. Observa que la forma de un anticuerpo se parece a la letra T. Cuando un anticuerpo se encuentra con su antígeno específico, cambia de forma—la T se convierte en Y. Así, cuando el anticuerpo se activa, los dos brazos de la Y sujetan y se adhieren al antígeno. De este modo un anticuerpo impide que invasores tales como virus se unan a las células.

Cuando los anticuerpos se adhieren a las superficies de antígenos tales como bacterias, hongos y protozoarios, los retardan para que los glóbulos blancos los puedan tragar. Algunos anticuerpos hasta pueden destruir a los invasores, perforando un agujero en la cubierta externa de sus células.

¿Cómo produce el sistema inmunológico anticuerpos específicos? ¿Cómo se adhieren los anticuerpos a los antígenos? Por medio de glóbulos blancos especiales llamados células-T y células-B. (La T de células-T significa timo, el lugar donde se originan; la B de células-B se refiere a la médula, por donde maduran las células-B.) Las células-T alertan a las células-B para que produzcan anticuerpos. Si es la primera vez que un antígeno determinado invade el cuerpo, las células-B pueden tardar más tiempo para producir anticuerpos.

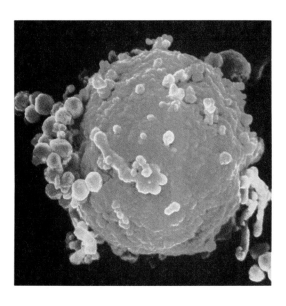

Figura 8–7 *Esta fotografía muestra una célula-B cubierta de bacterias. Las células-B producen anticuerpos que atacan tipos específicos de invasores. ¿Cómo se llaman estos invasores?*

this time, the person is experiencing the symptoms, or physical signs, of the disease. In other words, the person feels sick. Eventually, the B-cells begin to produce antibodies. The antibodies then join with the invading antigens much as the pieces of a jigsaw puzzle join together. Once joined to the invaders, the antibodies are able to destroy them. It is important to note that an antibody is specific for a certain antigen, and thus is not effective against any other antigens.

8–1 Section Review

1. What is the function of the immune system?
2. What are the body's three lines of defense against invading organisms?
3. What roles do B-cells and T-cells play in the immune system?

Critical Thinking—*Relating Concepts*
4. Explain why it is an advantage that the immune system produces antibodies specific for certain antigens rather than antibodies that work against any and all antigens.

8–2 Immunity

As you have just read, it takes time for your immune system to produce antibodies the first time a particular antigen enters your body. While your body is waiting for the immune system to make antibodies, you will, unfortunately, become ill. However, the next time the same antigen invades your body, your immune system will be ready for it. Your B-cells and T-cells, which are now familiar with the antigen, will be ready and waiting. In fact, they will produce antibodies so quickly that the disease will never even get a chance to develop. And what is more important, you will now have an **immunity** (ihm-MYOON-ih-tee) to that antigen. **Immunity is the resistance to a disease-causing organism or a harmful substance. There are two basic types of immunity: active immunity and passive immunity.**

Guide for Reading

Focus on these questions as you read.
▶ *What is immunity, and what is the difference between the two types of immunity?*
▶ *How do vaccines work?*

Durante este tiempo, la persona experimenta los síntomas, o señales físicas, de la enfermedad. En otras palabras, la persona se siente enferma. Eventualmente, las células-B empiezan a producir anticuerpos que más tarde se adhieren a los antígenos invasores, casi como si fueran piezas de un rompecabezas. Una vez adheridos a los invasores, los anticuerpos pueden destruirlos. Como un anticuerpo es específico sólo para un antígeno, no es efectivo contra otros.

8-1 Repaso de la sección

1. ¿Cuál es la función del sistema inmunológico?
2. ¿Cuáles son las tres líneas de defensas del cuerpo contra los organismos invasores?
3. ¿Qué papeles juegan las células-B y las células-T en el sistema inmunológico?

Pensamiento crítico—*Relacionar conceptos*
4. Explica por qué es una ventaja que el sistema inmunológico produzca anticuerpos específicos para determinados antígenos y no anticuerpos que funcionen contra cualquiera de ellos.

8-2 Inmunidad

Como acabas de leer, a tu sistema inmunológico le toma tiempo producir anticuerpos la primera vez que un antígeno determinado entra en tu cuerpo. Mientras tu cuerpo espera que el sistema inmunológico fabrique anticuerpos, te enfermarás. Pero, la próxima vez que un antígeno invada tu cuerpo, el sistema inmunológico estará listo para ese antígeno. Tus células-B y tus células-T que ya lo conocen, estarán listas. Producirán anticuerpos tan rápidamente que la enfermedad no tendrá la oportunidad de desarrollarse. Y lo que es más importante, te darás cuenta de que tienes **inmunidad** a ese antígeno. **La inmunidad es la resistencia contra organismos patógenos o sustancias dañinas. Hay dos tipos básicos de inmunidad: inmunidad activa e inmunidad pasiva.**

ACTIVITY

WRITING

Vaccines

Using reference materials found in the library, make a list of five diseases that have been treated and controlled by the use of vaccines. What symptoms did these diseases produce? How and when was each vaccine developed?

Figure 8–8 *There are two types of immunity: active and passive. This young boy is receiving a vaccine. Vaccines are made from disease-causing organisms that have been killed or weakened in a laboratory. Which type of immunity do you develop as a result of having a disease or receiving a vaccine?*

Active Immunity

Suppose you come into contact with an antigen. Your immune system responds by producing antibodies against the invader. Because your own immune system is responding to the presence of an antigen, this type of immunity is called **active immunity**. The word active means you are doing the action. In this case, you are making the antibodies.

In order to gain active immunity, one of two things must occur—either you come down with the disease or you receive a **vaccination** (vak-sih-NAY-shuhn) for the disease. A vaccination is the process by which antigens are deliberately introduced into a person's body to stimulate the immune system. The antigens are usually developed from disease-causing organisms that have been killed or weakened in a laboratory. Now called a vaccine (vak-SEEN), the antigens alert the body's white blood cells to produce antibodies. Most vaccines are introduced into the body by an injection through the skin. You probably experienced this firsthand when you received your measles vaccination. Some other vaccines, such as the Sabin polio vaccine, are taken into the body through the mouth. In general, vaccines will not usually cause the symptoms of a disease to occur.

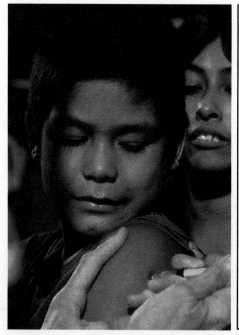

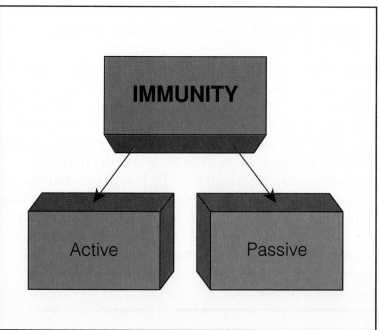

ACTIVIDAD

PARA ESCRIBIR

Vacunas

Usando materiales de referencia en la biblioteca, haz una lista de cinco enfermedades que han sido tratadas y controladas con el uso de vacunas. ¿Qué síntomas produjeron estas enfermedades? ¿Cómo y cuándo se desarrolló cada vacuna?

Figura 8–8 *Hay dos tipos de inmunidad: activa y pasiva. Este muchacho recibe una vacuna. Las vacunas se fabrican con organismos patógenos que han sido destruidos o debilitados en un laboratorio. ¿Qué tipo de inmunidad desarrollas después de tener una enfermedad o recibir una vacuna?*

Inmunidad activa

Imagínate que entras en contacto con un antígeno. Tu sistema inmunológico responde, produciendo anticuerpos contra el invasor. Como tu propio sistema inmunológico reacciona ante la presencia de un antígeno, este tipo de inmunidad se llama **inmunidad activa**. La palabra activa, quiere decir que tú estás actuando. En este caso, estás fabricando los anticuerpos.

Para desarrollar inmunidad activa, se deben dar una de dos cosas: o te enfermas o recibes una **vacuna** contra la enfermedad. La vacunación es el proceso mediante el cual los antígenos se introducen intencionalmente en el cuerpo de una persona para estimular el sistema inmunológico. Los antígenos generalmente se desarrollan con organismos patógenos que han sido destruidos o debilitados en un laboratorio. Ahora llamados vacuna, los antígenos alertan a los glóbulos blancos para que produzcan anticuerpos. La mayoría de las vacunas se introducen en el cuerpo por medio de una inyección en la piel. Probablemente lo hayas experimentado al recibir la vacuna contra el sarampión. Algunas otras vacunas, como la de Sabin contra la polio, se introducen al cuerpo por la boca. En general, no causan los síntomas de la enfermedad.

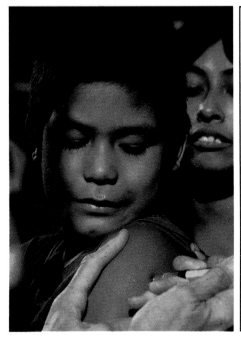

INMUNIDAD

Activa   Pasiva

How long does active immunity last? There is no set answer to this question because the length of immunity to a disease (actually to the antigen that causes the disease) varies with the type of antigen. For example, an immunity to the common cold lasts only a few weeks, whereas an immunity to the chicken pox lasts for a person's lifetime. Even after receiving a vaccination, the body sometimes has to be reminded how to produce antibodies. In such a case, a booster shot has to be given. A booster shot, as its name implies, boosts (increases) the production of antibodies in the body. Diseases that require the use of booster shots include measles, German measles, poliomyelitis, mumps, whooping cough, diphtheria, and tetanus.

Passive Immunity

The way in which you receive **passive immunity**, the second type of immunity, is to get the antibodies from a source other than yourself. In other words, you are not actually producing the antibodies that protect you—another organism is. (You are not active; you are passive.) For example, passive immunity can be acquired by the transfer of antibodies from a mother to her unborn baby across the placenta. Following the baby's birth, the antibodies give protection to the baby during its first few months. Eventually, however, the mother's antibodies are eliminated by the baby, who must then rely on its own immune system to protect itself from disease.

A person can receive passive immunity in another way. If an animal such as a horse is vaccinated, its immune system will respond by producing antibodies. The antibodies can be removed from the animal and injected into a person's bloodstream. Unfortunately, this method gives the body only temporary immunity. Soon after these antibodies do their job (which is only about a few weeks), they are eliminated from the body.

Immune Disorders

As you have just read, the function of the immune system is to defend the body against invaders. Sometimes, however, the immune system

¿Cuánto tiempo dura la inmunidad activa? No hay una respuesta fija porque la duración de la inmunidad a una enfermedad (en realidad, al antígeno que causa la enfermedad) varía con el tipo de antígeno. Por ejemplo, la inmunidad al resfriado común dura solamente unas cuantas semanas, mientras la inmunidad a la varicela dura toda la vida. Aún después de haber recibido una vacuna, a veces se le debe recordar al cuerpo cómo producir anticuerpos y se tiene que dar una revacunación. La revacunación aumenta la producción de anticuerpos en el cuerpo. Las enfermedades que requieren el uso de revacunaciones incluyen sarampión, rubéola, poliomielitis, paperas, tos ferina, difteria y tétano.

Inmunidad pasiva

La manera en que se desarrolla la **inmunidad pasiva**, el segundo tipo de inmunidad, es por medio de anticuerpos de otro origen que no seas tú. Es decir que tú, en realidad, no produces los anticuerpos que te protegen—otro organismo los produce. Tú no eres activo(a), sino pasivo(a). Por ejemplo, la inmunidad pasiva puede ser adquirida mediante la transferencia de anticuerpos de la madre a un hijo antes de nacer a través de la placenta. Al nacer el bebé, esos anticuerpos lo protegen durante sus primeros meses. Después, esos anticuerpos son eliminados por el bebé, que deberá depender de su propio sistema inmunológico.

Una persona puede recibir inmunidad pasiva de otra manera. Si un animal, digamos un caballo, es vacunado, su sistema inmunológico responderá produciendo anticuerpos. Se pueden obtener los anticuerpos del animal e inyectarlos en la sangre de una persona. Pero, este método le presta al cuerpo sólo una inmunidad temporal. Los anticuerpos son eliminados del cuerpo poco después (unas pocas semanas) de haber hecho su trabajo.

Trastornos inmunológicos

Como acabas de leer, la función del sistema inmunológico es defender al cuerpo en contra de invasores. Sin embargo, a veces el sistema inmunológico

Figure 8–9 *Allergies result when the immune system is overly sensitive to certain substances called allergens. Examples of allergens are dust, which contains dust mites (top left); feathers (top right); pet hairs (bottom left); and pollen (bottom right).*

becomes overly sensitive to foreign substances or overdoes it by attacking its own tissues. In some instances, the immune system may be fooled by invaders that hide within its cells. Whatever the cause of the malfunction, the outcome is usually serious, as you will now discover.

ALLERGIES Achoo! Achoo! And so it begins. Another attack of hay fever. As you may already know, hay fever is neither a fever nor is it caused by hay. Hay fever is an **allergy** that is caused by ragweed pollen. An allergy results when the immune system is overly sensitive to certain substances called allergens (AL-er-jehnz). Allergens may be in the form of dust, feathers, animal hairs, pollens, or foods.

When an allergen such as pollen enters the body, the immune system reacts by producing antibodies. Unlike the antibodies that help to fight infection,

Figura 8–9 *Las alergias se producen cuando el sistema inmunológico es demasiado sensible a ciertas sustancias llamadas alergenos. Algunos ejemplos de alergenos son el polvo, que contiene ácaros del polvo (arriba izquierda); plumas (arriba derecha); pelos de animales domésticos (abajo izquierda); y el polen (abajo derecha).*

se vuelve muy sensible a sustancias extrañas o trabaja en exceso y ataca sus propios tejidos. En algunos casos, los invasores que se esconden entre sus células lo engañan. Cualquiera que sea la causa de su mal funcionamiento, el resultado generalmente es serio, como vas a descubrir más adelante.

ALERGIAS Achís! Achís! Así empieza. Otro ataque de fiebre del heno. Como ya has de saber, la fiebre del heno ni es fiebre, ni es causada por heno. Es una **alergia** causada por el polen de la ambrosía. La alergia es el resultado de la exagerada sensibilidad del sistema inmunológico a ciertas sustancias llamadas alergenos. Los alergenos pueden ser polvo, plumas, pelos de animales, polen o alimentos.

Cuando un alergeno como el polvo entra en el cuerpo, el sistema inmunológico reacciona, produciendo anticuerpos. A diferencia de los que ayudan a combatir infecciones, los anticuerpos que

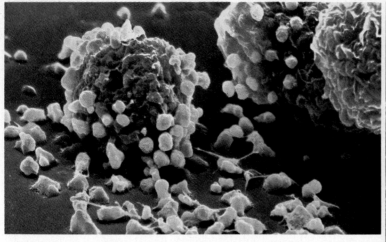

the antibodies that are produced by allergens release histamines (HIHS-tuh-meenz). Histamines are chemicals that are responsible for the symptoms of the allergy—that is, the itchy, watery eyes; the runny nose; the tickly throat; and the sneezing.

Although no complete cure for an allergy exists, people may be able to avoid allergy attacks by avoiding the allergen that causes them. This may involve removing from their diet the foods that contain the allergen or finding a new home for their pet. But if parting with a favorite food or a beloved pet is simply out of the question, then some relief may be obtained from antihistamines. As the name implies, antihistamines work against the effects of histamines.

Figure 8–10 *The large round objects in this photograph are white blood cells that are found in the lining of the nose, eyes, and throat. When allergens attach themselves to white blood cells, the white blood cells explode, releasing tiny structures that contain histamines. For those who suffer from hayfever, a bubble helmet with hose and filter may be the last resort.*

AIDS *Acquired Immune Deficiency Syndrome,* or **AIDS,** is a very serious disease caused by a virus that hides out in healthy body cells. The virus, first discovered in 1983, is named *human immunodeficiency virus,* or HIV. When HIV enters the body, it attacks helper T-cells. This action prevents helper T-cells from carrying out their regular job—to activate the immune system when a threat arises. Once inside a helper T-cell, HIV reproduces and thereby destroys the T-cell. Although the body produces antibodies against HIV, the virus evades them by growing within the cells that make up the immune system. HIV slowly destroys most of the helper T-cells.

The destruction of helper T-cells leaves the body practically undefended. As a result, disease-causing invaders that would normally be destroyed by a healthy immune system grow and multiply. It is the

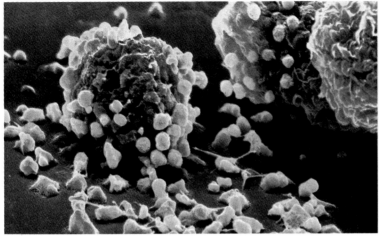

producen los alergenos liberan histaminas. Éstos son agentes químicos que causan los síntomas de una alergia—ojos húmedos e irritados; nariz que gotea; picazón en la garganta, y estornudos.

Aunque no existe una cura total para la alergia, los ataques se pueden evitar si se eliminan las causas, como sacar de la dieta alimentos que contienen el alergeno o buscar un nuevo hogar al animal doméstico. Pero si eso es imposible, se puede obtener alivio con antihistamínicos. Como el nombre lo indica, los antihistamínicos actúan en contra de los efectos de las histaminas.

Figura 8–10 *Los objetos grandes y esféricos de la fotografía son glóbulos blancos que se encuentran en el interior de la nariz, ojos, y garganta. Cuando los alergenos se adhieren a los glóbulos blancos, los glóbulos explotan y liberan pequeñas estructuras que contienen histaminas. Para los que sufren de fiebre del heno, un casco tipo burbuja con tubo y filtro puede ser el último recurso.*

SIDA El *s*índrome de *i*nmuno *d*eficiencia *a*dquirida, o **SIDA**, es una enfermedad muy seria causada por un virus que se oculta en las células saludables del cuerpo. El virus, descubierto por primera vez en 1983, se llama virus de inmunodeficiencia humana, o HIV. Cuando el HIV penetra en el cuerpo, ataca las células-T ayudantes. Esta acción impide que las células-T cumplan con su tarea—activar el sistema inmunológico cuando existe alguna amenaza. Una vez dentro de la célula-T, el HIV se reproduce y en consecuencia, la destruye. Aunque el cuerpo produce anticuerpos contra el HIV, el virus los rehuye y se refugia dentro de las células que integran el sistema inmunológico. El HIV destruye lentamente la mayoría de las células-T.

La destrucción de las células-T deja al cuerpo prácticamente indefenso. Como resultado, los invasores patógenos, que normalmente serían destruidos por un sistema inmunológico sano, crecen y se multiplican. Son los ataques repetidos

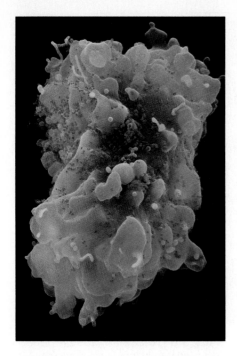

Figure 8–11 *The virus that causes AIDS— seen as tiny blue dots in this photograph—has infected a T-cell. What is the function of a T-cell?*

repeated attacks of disease that weaken and eventually kill people with AIDS.

How is AIDS spread? Contrary to popular belief, AIDS can be spread only if there is direct contact with the blood and/or body secretions of an infected person. Because HIV has been found in semen and vaginal secretions, it can be spread through sexual contact. In fact, recent data point to an alarming increase in AIDS among sexually active teenagers. Contaminated blood can also spread HIV from one person to another. Prior to 1985, this made blood transfusions a possible source of HIV transmission. Since 1985, however, mandatory screening of all blood donations for HIV has been in effect. AIDS can also be spread by the sharing of needles among intravenous (directly into a vein) drug users. Even unborn babies can be victims of AIDS, as HIV can also travel across the placenta from mother to unborn child.

Is there a cure for AIDS? Unfortunately, there is none at this time. However, there are several drugs that appear effective in slowing down the growth of the virus, thereby allowing AIDS patients to live longer. It is hoped that a drug to cure this terrible disease will be developed soon. In the meantime, there is only one way to prevent AIDS—avoid exposure to HIV, or the virus that causes AIDS.

Figure 8–12 *Pamphlets such as these inform people about AIDS: what it is and how it is spread. What is the name of the virus that causes AIDS?*

8–2 Section Review

1. What is immunity? Compare active immunity and passive immunity.
2. How do vaccines work?
3. What is an allergy? An allergen?
4. What is AIDS? What causes it? How does AIDS affect the immune system?

Critical Thinking—*You and Your World*
5. After receiving a vaccine, you may develop mild symptoms of the disease. Explain why this might happen.

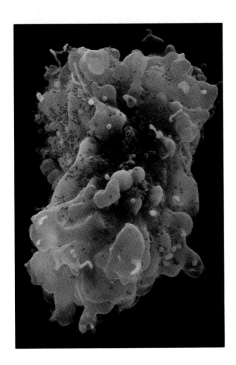

Figura 8–11 *El virus que causa el SIDA—los puntitos azules de esta fotografía—ha infectado una célula-T. ¿Cuál es la función de una célula-T?*

de la enfermedad que debilitan y eventualmente matan a las personas con SIDA.

¿Cómo se difunde el SIDA? Al contrario de la creencia popular, el SIDA se puede trasmitir sólo si hay contacto directo con la sangre y/o las secreciones del cuerpo de una persona infectada. Ya que el HIV se ha encontrado en semen y en secreciones vaginales, es transmisible a través del contacto sexual. Información reciente indica que existe un aumento alarmante de SIDA entre adolescentes sexualmente activos. El HIV también se puede trasmitir de una persona a otra a través de sangre contaminada, lo que contribuyó antes de 1985 a que las transfusiones de sangre fueran una fuente de transmisión. Sin embargo, desde 1985 es obligatorio que todas las donaciones de sangre se sometan a un examen de HIV. El SIDA también puede trasmitirse por el uso común de agujas entre usuarios de drogas intravenosas (inyectadas directamente en la vena). Aún los bebés sin nacer pueden ser víctimas del SIDA, ya que el HIV les puede llegar a través de la placenta materna.

¿Existe una cura para el SIDA? Por desgracia, no hay ninguna en la actualidad, aunque hay varias drogas que parecen ser efectivas para demorar el crecimiento del virus, lo que permite que los pacientes de SIDA vivan por más tiempo. Se espera que se encuentre pronto una droga que cure esta terrible enfermedad. Mientras tanto, hay sólo un modo de prevenirse contra el SIDA— evitar la exposición al HIV, o sea al virus que lo causa.

Figura 8–12 *Folletos como éstos informan a la gente sobre el SIDA: qué es y cómo se trasmite. ¿Cómo se llama el virus que causa el SIDA?*

8–2 Repaso de la sección

1. ¿Qué es la inmunidad? Compara inmunidad activa con inmunidad pasiva.
2. ¿Cómo funcionan las vacunas?
3. ¿Qué es una alergia? ¿Y un alergeno?
4. ¿Qué es el SIDA? ¿Qué lo causa? ¿Cómo afecta el SIDA al sistema inmunológico?

Pensamiento crítico—*Tú y tu mundo*
5. Después de recibir una vacuna puedes desarrollar síntomas leves de la enfermedad. Explica por qué sucede esto.

8–3 Diseases

You may not realize it, but few people go through life without getting some type of disease. Even the healthiest person has probably come down with the common cold at one time or another. Now that you have an understanding of how the body defends and protects itself, let's see just what it is up against. In the next few pages, you will read about the causes and symptoms of several diseases.

Infectious Disease

Many diseases are caused by tiny living things such as bacteria, viruses, protozoans, and fungi that invade the body. These living things are commonly called germs. Scientists, however, call them microorganisms. **Diseases that are transmitted among people by disease-causing microorganisms are called infectious** (ihn-FEHK-shuhs) **diseases.** There are three ways by which an **infectious disease** can be transmitted, or spread. They are by people, by animals, and by nonliving things. Sometimes, an infectious disease becomes very contagious (catching) and sweeps through an area. This condition is called an epidemic.

Many common infectious diseases are spread as a result of close contact with a sick person. Such contact often takes place through coughing or sneezing. A cough or a sneeze expels droplets of moisture that may contain disease-causing microorganisms. You

Figure 8–13 *Bacterial diseases can be caused by certain round bacteria called cocci (right) and by certain rod-shaped bacteria called bacilli (left).*

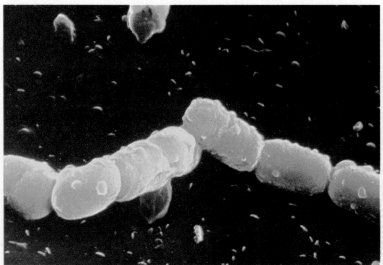
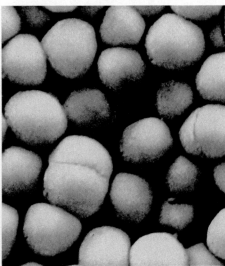

8–3 Enfermedades

Tal vez no sepas que es muy raro que alguien no contraiga algún tipo de enfermedad. Aun la persona más sana se habrá resfriado alguna vez. Ahora que ya tienes una idea de cómo el cuerpo se defiende y se protege, veamos a lo que se enfrenta. En las páginas siguientes, vas a leer acerca de las causas y síntomas de algunas enfermedades.

Enfermedades contagiosas

La causa de muchas enfermedades son pequeños organismos vivos como bacterias, virus, protozoas y hongos que invaden el cuerpo. Estos organismos se llaman comúnmente microbios, aunque para los científicos son microorganismos. **Las enfermedades que se transmiten por microorganismos patógenos se llaman enfermedades contagiosas.** Una **enfermedad contagiosa** puede ser transmitida o difundida de tres maneras: por individuos, por animales y por objetos inanimados. A veces una enfermedad infecciosa se vuelve muy contagiosa y se difunde en toda una región. Esta situación se llama epidemia.

Muchas enfermedades contagiosas comunes se transmiten por el contacto inmediato con un enfermo, que ocurre a menudo por medio de tos y estornudos. Una tos o un estornudo dispersa un rocío que puede contener microorganismos patógenos. Te sorprenderá

Guía para la lectura

Piensa en estas preguntas mientras lees.

▶ *¿Cuáles son algunos ejemplos de enfermedades contagiosas y cómo se transmiten?*

▶ *¿Cuáles son algunos ejemplos de enfermedades no contagiosas?*

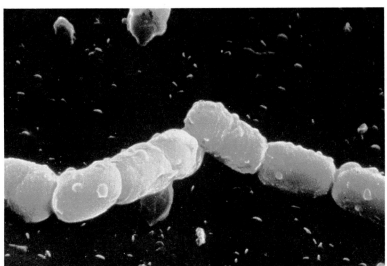
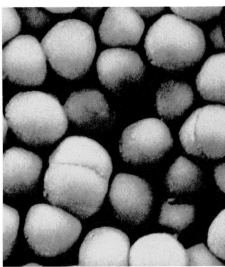

Figura 8–13 *Las enfermedades bacterianas pueden ser causadas por ciertas bacterias esféricas llamadas cocos (derecha) y por ciertas bacterias en forma de bastón llamadas bacilos (izquierda).*

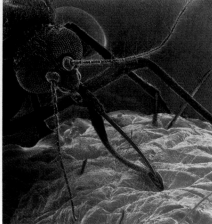

Figure 8–14 *Many infectious diseases are spread by the cough of a sick person (left), by infected animals such as mosquitoes (center), and by contaminated water (right).*

may be surprised to learn that a sneeze may contain as many as 5000 droplets and that these droplets may travel as far as 3.7 meters (almost the entire length of a small room)! If you are standing near a person who coughs or sneezes, you will probably breathe in these droplets—and the disease-causing microorganisms along with them. Diseases that are spread mainly through coughing and sneezing include colds, flu, measles, mumps, and tuberculosis.

Some infectious diseases are transmitted when a healthy person comes into direct contact with a person who has the disease. Such is the case for gonorrhea and syphilis, which are examples of sexually transmitted diseases, or STDs.

Animals can spread infectious diseases, too. Ticks, which are cousins of the spider, are responsible for spreading Lyme disease (named after the town in Connecticut where it was first observed) and Rocky Mountain spotted fever (named after the region in the United States where it was first discovered). Some other types of animals that are responsible for spreading disease are mammals and birds. Rabies, a serious disease that affects the nervous system, is transmitted by the bite of an infected mammal such as a raccoon or a squirrel.

Living things are not the only transmitters of disease. Contaminated (dirty) food or water can also spread infectious diseases. Food contaminated with certain bacteria, for example, can cause food poisoning. And in areas that have poor sanitation, diseases such as hepatitis, cholera (KAHL-er-uh), and typhoid (TIGH-foid) fever are fairly common.

Figure 8–15 *Animals are also responsible for the spread of disease. The female deer tick can carry the microorganism that causes Lyme disease. What is another disease that is spread by the bite of a tick?*

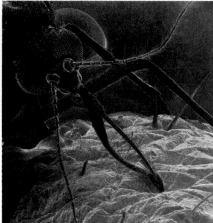

Figura 8–14 *Muchas enfermedades contagiosas se transmiten por la tos de una persona enferma (izquierda), por animales infectados como mosquitos (centro), y por el agua contaminada (derecha).*

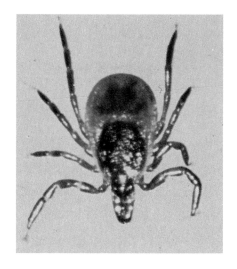

Figura 8–15 *Los animales también son responsables de la difusión de enfermedades. La hembra de esta garrapata, parásito de los "venados," puede llevar el microorganismo que causa la enfermedad de Lyme. ¿Cuál es otra enfermedad que es transmitida por la picadura de una garrapata?*

saber que un estornudo puede contener hasta 5000 gotitas y que estas gotitas pueden esparcirse hasta una distancia de 3.7 metros (¡casi el largo de un cuarto pequeño!). Si te encuentras cerca de una persona que tose y estornuda, lo más seguro es que aspirarás esas gotitas—y junto con ellas los microorganismos patógenos. Las enfermedades que se transmiten por medio de la tos y el estornudo incluyen resfriados, gripe, sarampión, paperas, y tuberculosis.

Algunas enfermedades contagiosas se transmiten al entrar una persona sana en contacto directo con una persona que tiene la enfermedad. Este es el caso de la gonorrea y la sífilis, ejemplos de enfermedades transmitidas sexualmente o ETS.

Los animales también pueden propagar enfermedades contagiosas. Las garrapatas, que son primas de las arañas, son responsables de la propagación de la enfermedad de Lyme (llamada así por el pueblo de Connecticut donde se observó primero) y la fiebre purpúrea de las Montañas Rocosas (un tipo del tifus llamado así por la región de Estados Unidos donde se descubrió). Algunos otros tipos de animales responsables de la propagación de enfermedades son los mamíferos y las aves. La rabia es una enfermedad seria que afecta el sistema nervioso. Se transmite por la mordedura de un mamífero infectado, como un mapache o una ardilla.

Los seres vivos no son los únicos agentes transmisores de enfermedades. Los alimentos y el agua contaminados también pueden propagar enfermedades contagiosas. Los alimentos contaminados con ciertas bacterias, por ejemplo, pueden çausar intoxicación. La hepatitis, el cólera y la fiebre tifoidea son bastante comunes en áreas con insuficientes servicios sanitarios.

DISEASES CAUSED BY VIRUSES Your head aches, your nose is runny, and your eyes are watery. You also have a slight cough. But do not be alarmed. More than likely, you are suffering from the common cold.

The common cold is caused by perhaps one of the smallest disease-causing organisms—a virus. A virus is a tiny particle that can invade living cells. When a virus invades the body, it quickly enters a body cell. Once inside the cell, the virus takes control of all the activities of the cell. Not only does the virus use up the cell's food supply, it also uses the cell's reproductive machinery to make more viruses. In time, the cell—now full of viruses—bursts open, releasing more viruses that are free to invade more body cells. Viruses cause many infectious diseases, including measles, chicken pox, influenza, and mononucleosis.

DISEASES CAUSED BY BACTERIA If you are like most people, you probably think that all bacteria (one-celled microscopic organisms) are harmful and cause disease in humans. Then perhaps this fact will surprise you: Most bacteria are harmless to humans! Those bacteria that do produce diseases do so in a variety of ways. Some bacteria infect the tissues of the body directly. For example, the bacterium that causes tuberculosis grows in the tissues of the lungs. As the bacterium multiplies, it kills surrounding cells, causing difficulty and pain in breathing.

Other bacteria cause disease by producing toxins, or poisons. One such bacterium causes tetanus. The tetanus bacterium lives in dust and dirt and enters the body through breaks in the skin. Once inside the body, the tetanus bacterium begins to produce a toxin that affects muscles far from the wound. Because the toxin causes violent contractions of the jaw muscles, which make it hard for an infected person to open his or her mouth, tetanus is commonly called lockjaw.

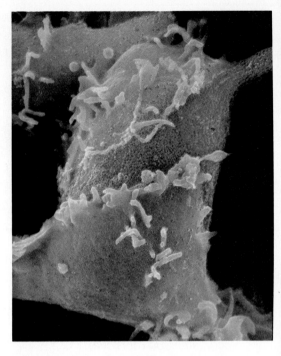

Figure 8–16 *This photograph shows how viruses—seen as tiny blue dots—are released by an infected human cell when it ruptures.*

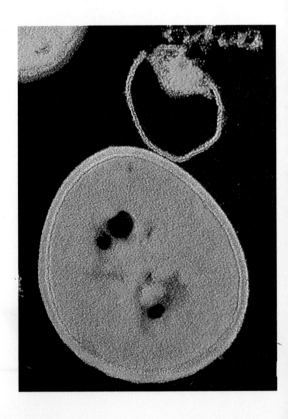

Figure 8–17 *The round objects in this photograph are bacterial cells. The bacterial cell at the top of the photograph has burst because of the addition of an antibiotic. An antibiotic is a substance produced by living organisms such as fungi that weakens or kills bacteria.*

ENFERMEDADES CAUSADAS POR VIRUS Te duele la cabeza, te gotea la nariz, y los ojos te lloran. También tienes algo de tos. Pero no te alarmes. Lo más seguro es que tengas un resfriado común.

El resfriado común es causado quizás por uno de los organismos patógenos más pequeños—un virus. Un virus es una pequeña partícula que puede invadir las células vivas. Cuando un virus invade el cuerpo, rápidamente penetra en una célula. No sólo consume el virus todo el abastecimiento de alimento de la célula, sino que también utiliza la maquinaria reproductora de la célula para fabricar más virus. Con el tiempo, la célula—llena de virus—explota y deja escapar más virus que quedan libres para invadir más células. Los virus causan muchas enfermedades contagiosas, como sarampión, varicela, gripe, y mononucleosis.

ENFERMEDADES CAUSADAS POR BACTERIAS Si tú eres como la mayoría de la gente, probablemente pienses que todas las bacterias (organismos microscópicos de una sola célula) son dañinas y causan enfermedades. No es así: ¡la mayoría de las bacterias son inofensivas para los seres humanos! Las que causan enfermedades lo hacen de muchas maneras diferentes. Algunas bacterias infectan los tejidos del cuerpo directamente. Por ejemplo, la bacteria que causa la tuberculosis crece en los tejidos de los pulmones. A medida que la bacteria se multiplica, mata las células que la rodean, lo que causa dificultades y dolor al respirar.

Otras bacterias causan enfermedades al producir toxinas, o venenos. Una de estas bacterias, la que causa el tétano, vive en el polvo y la tierra y entra en el cuerpo por heridas de la piel. Una vez dentro del cuerpo, empieza a producir una toxina que afecta a músculos lejanos a la herida. La toxina causa contracciones violentas en los músculos de la quijada, lo que causa dificultad a la persona infectada para abrir la boca. Al tétano también se le llama el trismo.

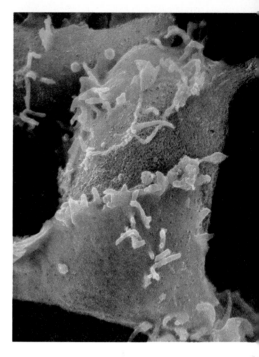

Figura 8–16 *Esta fotografía muestra cómo los virus—los puntitos azules—son liberados de una célula humana infectada, al reventarse.*

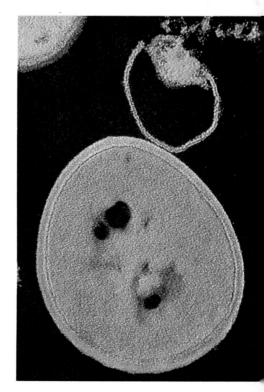

Figura 8–17 *Los objetos redondos de esta fotografía son células bacterianas. La célula bacteriana de la parte superior se ha roto a causa de la acción de un antibiótico. Un antibiótico es una sustancia producida por organismos vivos, como hongos, que debilita o mata las bacterias.*

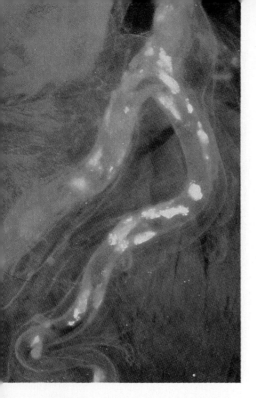

Figure 8–18 *The yellow-colored material in these arteries of the heart is a buildup of fatty substances. Such substances block the flow of blood to the heart muscle. What are the diseases that affect the heart and blood vessels called?*

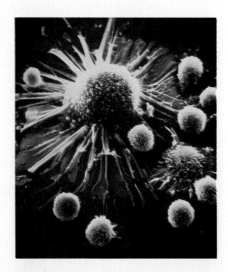

Figure 8–19 *Notice the crablike growth of the large cancer cell. The round objects are T-cells that have surrounded the cancer cell and are preparing to attack and destroy it.*

Noninfectious Diseases

Diseases that are not caused by microorganisms are called noninfectious diseases. There are many causes of **noninfectious diseases**. Some noninfectious diseases are caused by substances that harm or irritate the body. Others come from not eating a balanced diet. Still others are produced when the immune system fails to function properly. Worry and tension can also cause illness.

Because modern medicine has found more and more ways to combat many infectious diseases through the use of drugs and vaccines, people have begun to live longer. And as people's life spans have increased, so have the number of people who suffer from noninfectious diseases.

Some of the more serious noninfectious diseases are cancer, diabetes mellitus (digh-uh-BEET-eez muh-LIGHT-uhs), and cardiovascular diseases. You will now read about two noninfectious diseases—cancer and diabetes mellitus. Cardiovascular diseases, or diseases that affect the heart and blood vessels, were discussed in Chapter 4.

CANCER The noninfectious disease that is second only to cardiovascular diseases in causing death is **cancer**. Cancer is a disease in which cells multiply uncontrollably, destroying healthy tissue. Cancer is a unique disease because the cells that cause it are not foreign to the body. Rather, they are the body's own cells. This fact has made cancer difficult to understand and treat.

Cancer develops when something goes wrong with the controls that regulate cell growth. A single cell or a group of cells begin to grow and divide uncontrollably, often resulting in the formation of a tumor. A tumor is a mass of tissue. Some tumors are benign (bih-NIGHN), or not cancerous. A benign tumor does not spread to surrounding healthy tissue or to other parts of the body. Cancerous tumors, on the other hand, are malignant (muh-LIHG-nehnt). Malignant tumors invade and eventually destroy surrounding tissue. In some cases, cells from a malignant tumor break away and are carried by the blood to other parts of the body.

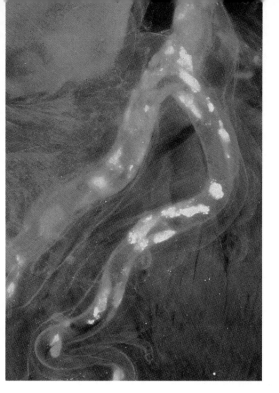

Figura 8–18 *El material de color amarillo en estas arterias del corazón es una acumulación de sustancias grasas que impiden el flujo de sangre al músculo del corazón. ¿Cómo se llaman las enfermedades que afectan al corazón y los vasos sanguíneos?*

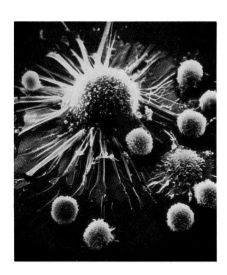

Figura 8–19 *Observa el crecimiento en forma de cangrejo de la célula de cáncer grande. Los objetos esféricos son células-T que la rodean y se preparan para atacarla.*

Enfermedades no contagiosas

Las enfermedades que no son causadas por microorganismos se llaman enfermedades no contagiosas. Las **enfermedades no contagiosas** tienen muchas causas. Algunas son causadas por sustancias que dañan o irritan el cuerpo, otras resultan de no comer una dieta balanceada, aún otras se producen cuando el sistema inmunológico no funciona bien. Las preocupaciones y tensiones también pueden causar enfermedades.

Gracias a que la medicina moderna ha encontrado más y más medios para combatir muchas enfermedades contagiosas por medio de productos farmacéuticos y vacunas, la vida se ha alargado. A medida que la vida de la gente se alarga aumenta el número de personas que sufren de enfermedades no contagiosas.

Algunas de las enfermedades no contagiosas más serias son el cáncer, la diabetes mellitus y las enfermedades cardiovasculares. Vas a leer ahora sobre dos enfermedades no contagiosas—el cáncer y la diabetes mellitus. Las enfermedades cardiovasculares, que afectan el corazón y los vasos sanguíneos, se trataron en el capítulo 4.

CÁNCER La enfermedad no contagiosa que le sigue a las enfermedades cardiovasculares como mayor causa de muerte es el **cáncer**. El cáncer es una enfermedad en la cual las células se multiplican sin control, destruyendo los tejidos sanos. Es una enfermedad única porque las células que la causan no son extrañas al cuerpo sino que son células del cuerpo mismo. Por eso, el cáncer ha sido una enfermedad difícil de entender y de tratar.

El cáncer se desarrolla cuando hay una falla en el control que regula el crecimiento de las células. Una sola célula, o un grupo de células, empieza a crecer y a dividirse sin control, produciendo a menudo un tumor. Un tumor es una masa de tejidos. Algunos tumores son benignos, o no cancerosos, y no se extienden a los tejidos a su alrededor ni a otras partes del cuerpo. Los tumores cancerosos, por otra parte, son malignos, e invaden y eventualmente destruyen los tejidos que los rodean. En algunos casos, las células se separan de un tumor maligno y la sangre las lleva a otras partes del cuerpo.

Although the basic cause of cancer is not known, scientists believe that it develops because of repeated and prolonged contact with carcinogens (kahr-SIHN-uh-juhnz), or cancer-causing substances. In a few cases, scientists have found certain cancer-causing hereditary material (genes) in viruses. The hereditary material in the viruses transforms normal, healthy cells into cancer cells. Scientists also suspect that people may inherit a tendency to develop certain types of cancer. This does not mean, however, that such people will get cancer.

The most important weapon in the fight against cancer is early detection. If a cancer is detected early on, the chances of successfully treating it are quite good. Doctors mainly use three methods to treat cancer: surgery, radiation therapy, and drug therapy. These methods may be used alone or in combination with one another.

Doctors tend to use surgery to remove malignant tumors that are localized, or are not capable of spreading. In radiation therapy, radiation (energy in the form of rays) is used to destroy cancer cells. Drug therapy, or chemotherapy, is the use of specific chemicals against cancer cells. Like radiation, these chemicals not only destroy cancer cells, but they also can injure normal cells. These injuries may account for undesirable side effects, such as nausea and high blood pressure, that often accompany such treatment.

Recently, scientists have been experimenting with drugs that can strengthen the body's immune system against cancer cells. These drugs, called monoclonal (mahn-oh-KLOH-nuhl) antibodies, are produced by joining cancer cells with antibody-producing white blood cells. Monoclonal antibodies have already

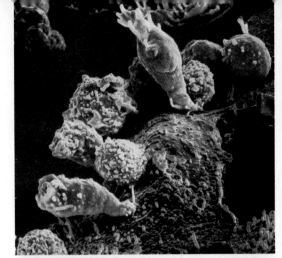

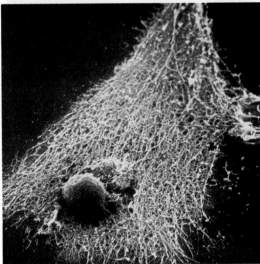

Figure 8–20 *Normally round killer T-cells become elongated when they are active, such as when they are destroying a cancer cell (top). All that remains of a cancer cell that has been attacked by a T-cell is its fibrous skeleton (bottom). What is cancer?*

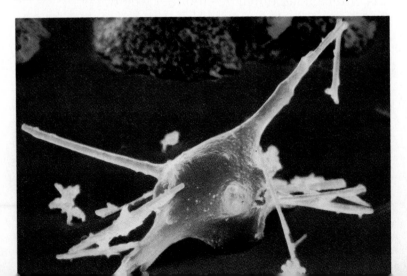

Figure 8–21 *Some chemicals, such as asbestos, are carcinogenic, or cancer-causing. The asbestos fibers visible in this photograph are being engulfed by a white blood cell.*

Aunque se desconoce la causa básica del cáncer, los científicos creen que se desarrolla a causa del contacto repetido y prolongado con carcinógenos, o sustancias que causan cáncer. En algunos casos, los científicos han descubierto cierto material carcinogénico hereditario (genes) en los virus. Ese material hereditario de los virus transforma células normales y sanas en células cancerosas. Los científicos también sospechan que se puede heredar una tendencia a desarrollar ciertos tipos de cáncer. Pero eso no quiere decir que esas personas van a contraer cáncer.

El arma más importante en la lucha contra el cáncer es su detección temprana. Si un cáncer se descubre a tiempo, las posibilidades de tratarlo con éxito son muy buenas. Los médicos usan tres métodos para tratar el cáncer: cirugía, terapia con radiación y terapia con sustancias químicas. Estos métodos se pueden usar independientemente o en combinación.

Los médicos tienden a usar cirugía para extirpar tumores aislados, o tumores que no pueden extenderse. La terapia con radiación consiste en aplicar radiación (energía en forma de rayos) para destruir las células cancerosas. La quimioterapia consiste en el uso de sustancias químicas contra las células cancerosas. Como la radiación, estas sustancias no sólo destruyen las células cancerosas, sino que también pueden dañar las normales. Estos daños pueden ser responsables de efectos secundarios indeseables, tales como naúsea e hipertensión, que a menudo acompañan el tratamiento.

Recientemente, se han hecho experimentos con drogas para fortalecer el sistema inmunológico del cuerpo en contra de las células cancerosas. Estas drogas, llamadas anticuerpos monoclonales, se producen por medio de la unión de células cancerosas con glóbulos blancos productores de anticuerpos. Ya se ha demostrado

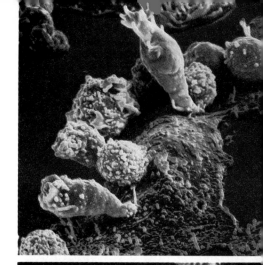

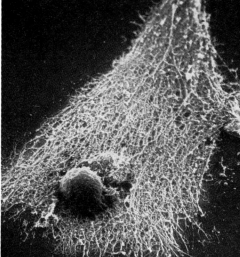

Figura 8–20 *Las células-T normalmente esféricas se alargan cuando son activadas, como cuando destruyen una célula cancerosa (arriba). Todo lo que queda de una célula cancerosa atacada por una célula-T es su esqueleto fibroso (abajo). ¿Qué es el cáncer?*

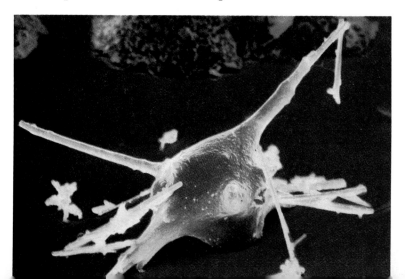

Figura 8–21 *Algunas sustancias químicas, tales como el asbesto, son carcinogénicas, o causan cáncer. Las fibras de asbesto visibles en esta fotografía son rodeadas por un glóbulo blanco.*

Figure 8–22 *With proper treatment and diet control, people who have diabetes can exercise and participate in sports. Wade Wilson of the Minnesota Vikings is a perfect example. What is diabetes mellitus?*

proven to be effective against certain types of flu virus and a type of hepatitis virus. It is hoped that monoclonal antibodies will play an important role in the fight against cancer.

DIABETES MELLITUS   Loss of weight, excess urine production, weakness, and extreme hunger and thirst are all symptoms of a serious disease known as **diabetes mellitus.** Diabetes mellitus occurs because the body either secretes (releases) too little insulin or is not able to use the insulin that it does secrete.

As you may recall from Chapter 6, insulin is a hormone that is produced by the islets of Langerhans (clusters of cells in the pancreas). The job of insulin is to reduce the level of sugar (glucose) in the blood by helping the body cells absorb sugar and use it for energy. Without insulin, sugar cannot be absorbed into body cells and energy cannot be produced. This condition causes the body to look elsewhere for its energy. And, unfortunately, the body looks to its own tissues for "food." As a result, a person begins to show the symptoms of diabetes (weight loss, weakness, and extreme hunger).

There are two types of diabetes mellitus. Juvenile-onset diabetes, as its name implies, most commonly develops in people under the age of 25. In this type of diabetes, there is little or no secretion of insulin. The treatment for this type of diabetes includes daily insulin injections and strict diet control. Adult-onset diabetes, on the other hand, develops in people over the age of 25. Although most people with adult-onset diabetes produce normal amounts of insulin, for some unknown reason their body cells cannot use the insulin to absorb the much-needed sugar. Adult-onset diabetes can often be controlled by diet.

8–3 Section Review

1. What is an infectious disease? A noninfectious disease? Give two examples of each.
2. How are infectious diseases spread?

Critical Thinking—*Applying Facts*
3. It's a fact: There is no single cure for the common cold. Why do you think this is so?

Figura 8–22 *Con un tratamiento adecuado y el control de su dieta, las personas que tienen diabetes pueden hacer ejercicio y participar en deportes. Wade Wilson, uno de los Minnesota Vikings, es un ejemplo excelente. ¿Qué es la diabetes mellitus?*

su efectividad contra ciertos tipos de virus de la gripe y de un tipo de virus de hepatitis. Se espera que los anticuerpos monoclonales tengan un papel importante en la lucha contra el cáncer.

LA DIABETES MELLITUS Pérdida de peso, exceso de producción de orina, debilidad, y hambre y sed excesivas son todos síntomas de una seria enfermedad conocida como **diabetes mellitus**. Esta enfermedad se produce porque el cuerpo secreta (libera) muy poca insulina o porque no puede usar la insulina que produce.

Como recordarás del capítulo 6, la insulina es una hormona producida por los islotes de Langerhans (racimos de células en el páncreas). La insulina reduce el nivel de azúcar (glucosa) en la sangre, ayudando a que las células absorban el azúcar y lo usen para generar energía. Si falta la insulina y las células no pueden realizar estas funciones el cuerpo debe buscar su energía en otros lugares. Desafortunadamente, el cuerpo busca "alimento" en sus propios tejidos. Como resultado, una persona empieza a mostrar los síntomas de la diabetes (pérdida de peso, debilidad, y hambre excesiva).

Hay dos tipos de diabetes mellitus. La diabetes juvenil, como su nombre lo indica, se desarrolla generalmente en jóvenes menores de 25 años. En este tipo de diabetes hay poca o ninguna secreción de insulina. El tratamiento se hace con inyecciones diarias de insulina y un control estricto de la alimentación. La diabetes adulta, por otra parte, se desarrolla en personas de más de 25 años. Aunque la mayoría de las personas que sufren de diabetes adulta producen cantidades normales de insulina, por razones desconocidas sus células no pueden usarla para absorber el azúcar. La diabetes adulta puede controlarse a veces por medio de la dieta.

8–3 Repaso de la sección

1. ¿Qué es una enfermedad contagiosa? ¿Y una enfermedad no contagiosa?
2. ¿Cómo se transmiten las enfermedades contagiosas?

Pensamiento crítico—*Aplicar conceptos*

3. Es una realidad: no hay cura para el resfriado común. ¿Por qué crees que es así?

CONNECTIONS

A Cure for Us or Yews?

Recently, doctors announced the discovery of a new cancer drug capable of melting away tumors that have resisted all other treatment. Unfortunately, very few people will receive this drug, which is known as taxol. Why? The answer lies in its source—the Pacific yew tree.

When it became clear that taxol has great potential in the fight against cancer, certain people became alarmed about what effect this would have on the Pacific yew trees. They started asking how many Pacific yews there were and what was going to happen to them. These people are concerned about *ecology*. Ecology is the study of the relationships and interactions of living things with one another and with their environment. As one ecology activist said of the Pacific yews, "Our concern is that there will not be any left the way we are approaching this."

In the past, Pacific yews were seen as commercially unimportant. So they were treated as weeds and were cut down and burned. As a result, the population of Pacific yews, which are found in forests in the Pacific Northwest, dwindled. Of the remaining Pacific yews, most are far too small to be used for making taxol. The height at which a Pacific yew is harvested for taxol is about 9 meters (or the distance needed to make a first down in football). It takes 100 years for a yew to grow that tall! In addition, it takes six 100-year-old Pacific yews to treat one cancer patient!

To further complicate the situation, Pacific yews are found in areas where logging is prohibited in order to protect the habitat of the spotted owl. The spotted owl is an endangered species. But if the yews continue to be harvested for taxol, they, too, may become an endangered species. So what can be done? Does a decision have to be made as to which is more important—cancer treatment or ecology? Most ecology activists believe that if people are careful, the yew can be preserved even as the maximum number of trees are harvested for taxol. What do you think?

¿Conservar vidas o árboles?

Recientemente los médicos anunciaron el descubrimiento de una nueva medicina para el cáncer capaz de disolver tumores que habían resistido cualquier otro tratamiento. Por desgracia, sólo unos pocos pueden beneficiarse con esta medicina, que se conoce como taxol. ¿Por qué? La respuesta está en su fuente—el tejo del Pacífico.

Cuando se hizo evidente el potencial del taxol en la lucha contra el cáncer, hubo cierta alarma por el efecto que esto tendría en los tejos. Preguntaron entonces cuántos tejos habían en el Pacífico y qué iba a suceder con ellos. Los que preguntaron están preocupados por la *ecología*. La ecología es el estudio de las relaciones e interacciones de los seres vivos entre sí y con su medio ambiente. Como dijo un activista de la ecología acerca de los tejos del Pacífico: "Nos preocupa que no quede ninguno si seguimos actuando así."

En el pasado, a los tejos no se les daba importancia comercial. Se los trataba como hierbas para cortar y para quemar. Como resultado, su número en los bosques del Noroeste en la zona del Pacífico, disminuyó. De los que quedan, la mayoría son muy jóvenes para ser utilizados para fabricar taxol. La altura necesaria para cosechar un tejo para hacer taxol es de 9 metros (la distancia necesaria para hacer el primer punto en fútbol). ¡Se necesitan 100 años para que un tejo alcance esa altura! Además, se necesitan seis tejos de 100 años para tratar a un paciente de cáncer!

Para complicar la situación aun más, los tejos crecen en áreas donde se prohibe cortar árboles para proteger el medio ambiente del búho manchado que es una especie en peligro de extinción. Pero si los tejos se siguen cortando para fabricar taxol, ellos también podrán ser una especie en peligro de extinción. Así que, ¿qué se puede hacer? ¿Se tiene que tomar una decisión sobre qué es lo más importante el tratamiento del cáncer o la ecología? La mayoría de los activistas de la ecología creen que si se tiene cuidado, se puede presevar el tejo aún si se cosecha una cantidad máxima para fabricar taxol. ¿Qué piensas tú?

Laboratory Investigation

Observing the Action of Alcohol on Microorganisms

Problem

What effect does alcohol have on the growth of organisms?

Materials *(per group)*

glass-marking pencil	alcohol
2 paper clips	100-mL beaker
2 thumbtacks	transparent tape
2 pennies	graduated cylinder
	forceps
2 petri dishes with sterile nutrient agar	

Procedure 🧪 ♨️

1. Obtain two petri dishes containing sterile nutrient agar.

2. Using a glass-marking pencil, label the lid of the first dish Soaked in Alcohol. Label the lid of the second dish Not Soaked in Alcohol. Write your name and today's date on each lid. **Note:** *Be sure to keep the dishes covered while labeling them.*

3. Using a graduated cylinder, carefully pour 50 mL of alcohol into a beaker.

4. Place a paper clip, a thumbtack, and a penny into the alcohol in the beaker. Keep these objects in the alcohol for 10 minutes.

5. Slightly raise the cover of the dish marked Not Soaked in Alcohol. **Note:** *Do not completely remove the cover from the dish.* Using clean forceps, place the other paper clip, thumbtack, and penny into the dish. Cover the dish immediately.

6. Again using clean forceps, remove the paper clip, thumbtack, and penny from the alcohol in the beaker. Slightly raise the cover of the dish marked Soaked in Alcohol and place these objects into it.

7. Tape both dishes closed and put them in a place where they will remain undisturbed for 1 week.

8. After 1 week, examine the dishes. Make a sketch of what you see.

9. Follow your teacher's instructions for the proper disposal of all materials.

Observations

What did you observe in each dish after 1 week?

Analysis and Conclusions

1. What effect did alcohol have on the growth of organisms?

2. Why did you use forceps, rather than your fingers, to place the objects in the dishes?

3. Why did you have to close the petri dishes immediately after adding the objects?

4. Explain why doctors soak their instruments in alcohol.

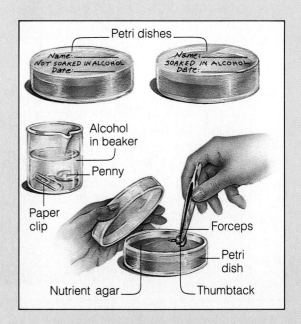

Investigación de laboratorio

Observar la acción del alcohol en microorganismos

Problema

¿Qué efecto tiene el alcohol en el crecimiento de los microorganismos?

Materiales *(para cada grupo)*

marcador para vidrio	alcohol
2 presillas	cubeta de 100 mL
2 chinchetas o tachuelas	cinta adhesiva transparente
2 centavos	cilindro graduado
	tenacillas
2 placas Petri con cultivo estéril de agar	

Procedimiento 🧪 🧰

1. Obtén dos placas Petri con cultivo estéril de agar.
2. Con un lápiz de marcar vidrio, escribe en la tapa de la primera placa "Remojado en alcohol." En la segunda, escribe "Sin remojar en alcohol." Escribe tu nombre y la fecha en cada tapa. **Nota:** *Debes mantener las placas tapadas al marcarlas.*
3. Mide 50 ml de alcohol en el cilindro graduado y viértelos con cuidado en la cubeta.
4. Coloca una presilla, una tachuela y un centavo en la cubeta con alcohol. Deja estos objetos en remojo durante 10 minutos.
5. Levanta apenas la tapa de la placa marcada "Sin remojar en alcohol." **Nota:** *No destapes completamente la placa.* Con un par de tenacillas limpias, coloca la otra presilla, la tachuela y el centavo en la placa. Tápala inmediatamente.
6. Con un par de tenacillas limpias, remueve la presilla, la tachuela y el centavo de la cubeta con alcohol.

Levanta un poco la tapa de la placa marcada "Remojado en alcohol" y coloca los objetos en ella.

7. Sella las dos placas con cinta adhesiva y déjalas reposar durante una semana.
8. Después de una semana, examina las placas. Anota tus observaciones.
9. Sigue las instrucciones de tu profesor(a) para desechar los materiales.

Observaciones

¿Qué observaste en cada placa después de una semana?

Análisis y conclusiones

1. ¿Qué efecto tiene el alcohol en el desarrollo de microorganismos?
2. ¿Por qué utilizaste tenacillas en lugar de tus dedos para colocar los objetos en las placas?
3. ¿Por qué cerraste las placas inmediatamente después de colocar los objetos?
4. Explica por qué los médicos ponen sus instrumentos en alcohol.

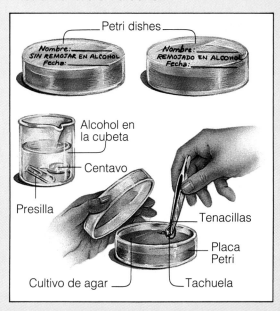

Summarizing Key Concepts

8-1 Body Defenses

▲ The immune system is the body's defense against disease-causing organisms.

▲ The body's first line of defense consists of the skin, mucus, and cilia.

▲ The body's second line of defense is the inflammatory response.

▲ The body's third line of defense consists of antibodies. Antibodies are produced by special white blood cells called B-cells. B-cells are alerted to produce antibodies by T-cells when there is an antigen in the body.

8-2 Immunity

▲ Immunity is the resistance to a disease-causing organism or a harmful substance. There are two types of immunity: active and passive.

▲ Active immunity results when a person's own immune system responds to an antigen by producing antibodies. To have active immunity, a person must get the disease or receive a vaccination. Passive immmunity results when antibodies are produced from a source other than oneself.

▲ An allergy occurs when the immune system is overly sensitive to certain substances called allergens.

▲ AIDS is a disease caused by a virus called HIV. HIV destroys helper T-cells, which ordinarily activate the immune system when a threat arises.

8-3 Diseases

▲ Diseases that are transmitted among people by disease-causing microorganisms are called infectious diseases. Some infectious diseases are caused by viruses and bacteria.

▲ Diseases that are not caused by microorganisms are called noninfectious diseases. Cancer, diabetes mellitus, and cardiovascular diseases are examples of noninfectious diseases.

▲ Cancer is a disease in which cells multiply uncontrollably, destroying healthy tissue.

▲ In diabetes mellitus, the body either secretes too little insulin or is not able to use the insulin that it does secrete.

Reviewing Key Terms

Define each term in a complete sentence.

8-1 Body Defenses
  inflammatory response
  interferon
  antibody
  antigen

8-2 Immunity
  immunity
  active immunity
  vaccination

  passive immunity
  allergy
  AIDS

8-3 Diseases
  infectious disease
  noninfectious disease
  cancer
  diabetes mellitus

Resumen de conceptos claves

8-1 Defensas del cuerpo

▲ El sistema inmunológico es la resistencia del cuerpo contra los organismos patógenos.

▲ La primera línea de defensas del cuerpo consiste en la piel, la mucosidad y los cilios.

▲ La segunda línea de defensas del cuerpo es la reacción inflamatoria.

▲ La tercera línea de defensas del cuerpo está formada por los anticuerpos. Los anticuerpos son producidos por un tipo de glóbulos blancos especializados llamados células-B. A las células-B las alertan las células-T para que produzcan anticuerpos cuando hay antígenos en el cuerpo.

8-2 Inmunidad

▲ La inmunidad es la resistencia contra organismos patógenos o sustancias dañinas. Hay dos tipos de inmunidad: activa y pasiva.

▲ La inmunidad activa es la reacción del sistema inmunológico de una persona ante un antígeno por la producción de anticuerpos. Para desarrollar inmunidad activa, una persona debe contraer una enfermedad o recibir una vacuna. En la inmunidad pasiva la persona recibe anticuerpos de una fuente que no es su propio cuerpo.

▲ Las alergias resultan cuando el sistema inmunológico es muy sensible a ciertas sustancias llamadas alergenos.

▲ El SIDA es una enfermedad causada por un virus llamado HIV. El HIV destruye las células-T, que normalmente activan el sistema inmunológico frente a una amenaza.

8-3 Enfermedades

▲ Las enfermedades que se trasmiten entre las personas por medio de microorganismos patógenos se llaman enfermedades infecciosas. Algunas enfermedades infecciosas son causadas por virus y bacterias.

▲ Las que no se trasmiten por microorganismos se llaman enfermedades no infecciosas. El cancer, la diabetes mellitus y las enfermedades cardiovasculares son ejemplos de enfermedades no infecciosas.

▲ El cáncer es una enfermedad en la cual las células se multiplican incontrolablemente, destruyendo tejido sano.

▲ En la diabetes mellitus el cuerpo o secreta muy poca insulina o no puede usar la insulina que produce.

Repaso de palabras claves

Define cada palabra o palabras con una oración completa.

8-1 Defensas del cuerpo

respuesta inflamatoria
interferona
anticuerpo
antígeno

8-2 Inmunidad

inmunidad
inmunidad activa
vacunación

inmunidad pasiva
alergia
el SIDA

8-3 Enfermedades

enfermedades infecciosas
enfermedades no infecciosas
cáncer
diabetes mellitus

Chapter Review

Content Review

Multiple Choice

Choose the letter of the answer that best completes each statement.

1. What is the body's second line of defense?
   a. skin
   c. inflammatory response
   b. antibodies d. cilia
2. Proteins that are produced by the immune system in response to disease-causing invaders are called
   a. antibodies.
   c. allergens.
   b. antigens.
   d. vaccines.
3. The resistance to a disease-causing invader is called
   a. immunity.
   c. interferon.
   b. vaccination.
   d. antigen.
4. A vaccination produces
   a. active immunity.
   b. passive immunity.
   c. no immunity.
   d. both active and passive immunity.
5. An example of an allergy is
   a. rabies.
   c. tetanus.
   b. diabetes mellitus. d. hay fever.

6. Which disease is caused by HIV?
   a. rabies
   c. hay fever
   b. cancer
   d. AIDS
7. Which is an example of an infectious disease?
   a. cancer
   b. diabetes mellitus
   c. measles
   d. allergy
8. Tumors that are not cancerous are said to be
   a. benign.
   c. malignant.
   b. infectious.
   d. contagious.
9. Another name for a cancer-causing substance is a(an)
   a. carcinogen.
   c. interferon.
   b. allergen.
   d. vaccination.
10. Which disease results from the secretion of too little insulin?
   a. measles
   c. AIDS
   b. cancer
   d. diabetes mellitus

True or False

If the statement is true, write "true." If it is false, change the underlined word or words to make the statement true.

1. The body's first line of defense against invaders is the <u>inflammatory response</u>.
2. An <u>allergen</u> is a substance that is produced by body cells when they are attacked by viruses.
3. Antibodies are produced to fight <u>antigens</u>.
4. <u>T-cells</u> produce antibodies.
5. A vaccine usually contains dead or weakened <u>antigens</u>.
6. <u>Cancer</u> is a disease in which cells multiply uncontrollably
7. Cancer and diebetes mellitus are examples of <u>noninfectious diseases</u>.

Concept Mapping

Complete the following concept map for Section 8–1. Refer to pages H8–H9 to construct a concept map for the entire chapter.

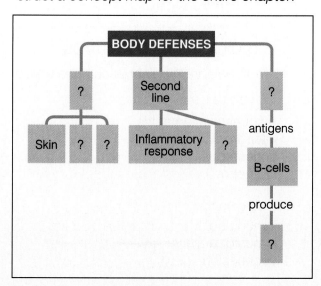

Repaso del capítulo

Repaso del contenido

Selección múltiple

Selecciona la letra de la respuesta que mejor complete cada frase.

1. ¿Cuál es la segunda línea de defensas?
   a. piel
   b. anticuerpos
   c. respuesta inflamatoria
   d. cilio

2. Las proteínas producidas por el sistema inmunológico para atacar organismos invasores patógenos se llaman
   a. anticuerpos.
   b. antígenos.
   c. alergenos.
   d. vacunas.

3. La resistencia contra organismos invasores patógenos se llama
   a. inmunidad.
   b. vacunación.
   c. interferón.
   d. antígeno.

4. Las vacunas producen
   a. inmunidad activa.
   b. inmunidad pasiva.
   c. ninguna inmunidad.
   d. ambas inmunidades pasiva y activa.

5. Un ejemplo de alergia es
   a. la rabia.
   b. la diabetes mellitus.
   c. el tétano.
   d. la fiebre del heno.

6. ¿Qué tipo de enfermedad es causada por el HIV?
   a. rabia
   b. cáncer
   c. fiebre del heno
   d. SIDA

7. ¿Cuál es una enfermedad infecciosa?
   a. cáncer
   b. diabetes mellitus
   c. sarampión
   d. alergia

8. Se dice de los tumores no cancerosos
   a. benignos.
   b. infecciosos.
   c. malignos.
   d. contagiosos.

9. Una sustancia que causa cáncer se llama también
   a. carcinógeno.
   b. alergeno.
   c. interferón.
   d. vacuna.

10. ¿Qué enfermedad resulta de la escasa producción de insulina?
    a. sarampión
    b. cáncer
    c. SIDA
    d. diabetes mellitus

Verdadero o falso

Si la afirmación es verdadera, escribe "verdad." Si es falsa, cambia las palabras subrayadas para que sea verdadera.

1. La primera línea de defensas del cuerpo contra organismos invasores es la <u>respuesta inflamatoria</u>.
2. Un <u>alergeno</u> es una sustancia producida por las células del cuerpo cuando son atacadas por los virus.
3. Los anticuerpos son producidos para combatir los <u>antígenos</u>.
4. Las <u>células-T</u> producen anticuerpos.
5. Una vacuna usualmente contiene <u>antígenos</u> muertos o débiles.
6. El <u>cáncer</u> es una enfermedad en la cual las células se multiplican incontrolablemente.
7. El cáncer y la diabetes mellitus son ejemplos de <u>enfermedades no infecciosas</u>.

Mapa de conceptos

Completa el siguiente mapa de conceptos para la sección 8-1. Para hacer un mapa de conceptos de todo el capítulo, consulta las páginas H8-H9.

Concept Mastery

Discuss each of the following in a brief paragraph.

1. Explain how the skin functions as the body's first line of defense.
2. Explain how antibodies are produced.
3. Describe three methods by which infectious diseases are spread.
4. What is a benign tumor? A malignant tumor?
5. What are three methods that are used for treating cancer?
6. What are monoclonal antibodies? How are they produced?
7. Describe what happens in the body of a person who has an allergy to dust.
8. How do antibodies fight antigens in the body?
9. What effect does AIDS have on the body? How is AIDS prevented?

Critical Thinking and Problem Solving

Use the skills you have developed in this chapter to answer each of the following.

1. **Relating concepts** Why do you get mumps only once?
2. **Relating facts** Why should you clean and bandage all cuts?
3. **Applying concepts** Explain why you should not go to school with the flu.
4. **Interpreting diagrams** The chart shows the occurrence and survival rates of some cancers in the United States. Which type of cancer has the worst survival rate? The best? Why do you think the five-year survival rates increased between 1960–1963 and between 1977–1983?

5. **Applying concepts** Explain why it is important for you to know what vaccines you have been given and when they were given.
6. **Making predictions** Suppose your cilia were destroyed. How would this affect your body?
7. **Recognizing fact and opinion** Are colds caught by sitting in a draft? Explain your answer.
8. **Applying concepts** Suppose a person was born without a working immune system. What are some of the precautions that would have to be taken so that the person could survive?
9. **Relating concepts** The Black Death, or bubonic plague, swept through England in the seventeenth century killing thousands of people. This disease is spread by fleas infected with plague microorganisms. These fleas transmit the plague microorganisms to humans by biting them. Explain why the Black Death is not a problem today.
10. **Using the writing process** In the United States, the incidence of sexually transmitted diseases is on the rise. Prepare an advertising campaign in which you alert people to the serious medical problems of these diseases.

FIVE-YEAR SURVIVAL RATES		
Site of Cancer	**1960–63**	**1977–83**
Digestive tract		
Stomach	9.5%	16.0%
Colon and rectum	36.0%	46.0%
Respiratory tract		
Lung and bronchus	6.5%	12.0%
Urinary tract		
Kidney and other		
urinary structures	37.5%	51.0%
Reproductive system		
Breast	54.0%	68.0%
Ovary	32.0%	38.0%
Testis	63.0%	74.5%
Prostate gland	42.5%	63.0%
Skin	60.0%	79.0%

Dominio de conceptos

Comenta cada uno de los puntos siguientes en un párrafo breve.

1. Explica cómo actúa la piel cómo la primera línea de defensas.
2. Explica cómo se producen los anticuerpos.
3. Describe tres métodos por los cuales se propagan las enfermedades infecciosas.
4. ¿Qué es un tumor maligno? ¿Y un tumor benigno?
5. ¿Cuáles son los tres métodos que se usan para curar el cáncer?
6. ¿Qué son los anticuerpos monoclonales? ¿Cómo se producen?
7. Describe lo que ocurre en el cuerpo cuando una persona es alérgica al polvo.
8. ¿Cómo combaten los anticuerpos a los antígenos del cuerpo?
9. ¿Qué efecto tiene el SIDA en el cuerpo? ¿Cómo se previene el SIDA?

Pensamiento crítico y solución de problemas

Usa las destrezas que has desarrollado en este capítulo para resolver lo siguiente.

1. **Relacionar conceptos** ¿Por qué contraes sarampión sólo una vez?
2. **Relacionar causa y efecto** ¿Por qué debes limpiar y vendar todas tus heridas?
3. **Aplicar conceptos** Explica por qué no debes ir a la escuela cuando estás engripado.
4. **Interpretar diagramas** La tabla muestra el índice de sobrevivencia e incidencia de algunos tipos de cáncer en los Estados Unidos. ¿Qué tipo de cáncer tiene el peor índice de sobrevivencia? ¿El mejor? ¿Por qué crees que los índices de sobrevivencia aumentaron entre 1960–1963 y entre 1977–1983?

ÍNDICE DE SOBREVIVENCIA EN CINCO AÑOS		
Localización del cáncer	1960–63	1977–83
Tracto digestivo Estómago Colon y recto	 9.5% 36.0%	 16.0% 46.0%
Tracto respiratorio Pulmones y bronquios	 6.5%	 12.0%
Tracto urinario Riñones y otras estructuras urinarias	 37.5%	 51.0%
Sistema reproductor Pechos Ovarios Testículos Glándula prostática	 54.0% 32.0% 63.0% 42.5%	 68.0% 38.0% 74.5% 63.0%
Piel	60.0%	79.0%

5. **Aplicar conceptos** Explica por qué es importante saber qué tipos de vacunas te han dado y cuándo.
6. **Hacer predicciones** Imagina que tus cilios fueron destruidos. ¿Cómo puede afectar esto a tu cuerpo?
7. **Relacionar hechos y opiniones** ¿Es posible resfriarse por sentarse en una corriente de aire? Explica tu respuesta.
8. **Aplicar conceptos** Supón que una persona nació con un sistema inmunológico que no funciona. ¿Cuáles son algunas de las precauciones que deben tomarse para que esa persona pueda sobrevivir?
9. **Relacionar conceptos** En el siglo diecisiete la peste negra o peste bubónica, arrasó Inglaterra, matando miles de personas. Esta enfermedad espropagada por pulgas infectadas con microorganismos. Las pulgas trasmiten los microorganismos de la plaga al picar a los seres humanos. Explica por qué la peste bubónica no es un problema hoy día.
10. **Usar el proceso de la escritura** En los Estados Unidos la incidencia de enfermedades contraídas por contacto sexual está en aumento. Prepara una campaña publicitaria para alertar sobre las serias consecuencias médicas que proponen estas enfermedades.problemas médicos de estas enfermedades.

"Before I'll ride with a drunk, I'll drive myself." —Stevie Wonder

Driving after drinking, or riding with a driver who's been drinking, is a big mistake. Anyone can see that.

Alcohol, Tobacco, and *Drugs*

Only one more kilometer to go and you will have reached your goal! You and your friends are running a marathon to raise money for SADD, or *S*tudents *A*gainst *D*runk *D*riving. You are running to gain support for your battle against a dangerous combination—alcohol and driving. Alcohol-related accidents are the greatest health hazard facing teenagers today.

What effect does alcohol have on the body? Why do people use alcohol? Why do they abuse it? What are the long-term effects of heavy drinking? Is alcoholism a disease? Is there a cure for it? As you read the pages that follow you will find the answers to these questions. And you will learn that alcohol is not the only substance that threatens the health and safety of teenagers and adults. Tobacco and other drugs have profound effects on the body. Read on and get wise!

Journal *Activity*

You and Your World   A friend of yours is thinking of smoking cigarettes. In your journal, write a letter to your friend explaining that tobacco use is harmful. Then, after you have completed the chapter, reread your letter.

◀ *Posters such as this alert people to the dangers of drunk driving.*

"Antes de viajar con un borracho, conduciré yo mismo." *—Stevie Wonder*

Manejar después de beber, o ir en un coche con un chofer que ha estado bebiendo es un gran error.
Todo el mundo lo sabe.

El alcohol, el tabaco y *las drogas*

Guía para la lectura

Después de leer las secciones siguientes, vas a poder

9–1 ¿Qué son las drogas?
- Definir la palabra droga.
- Describir los efectos del abuso de las drogas.

9–2 El alcohol
- Describir los efectos del abuso del alcohol.

9–3 El tabaco
- Relacionar el uso de los cigarrillos con ciertas enfermedades.

9–4 Drogas comúnmente abusadas
- Describir los efectos de fumar marihuana.
- Clasificar los inhalantes, sedantes, estimulantes, alucinógenos, y narcóticos.

¡Sólo un kilómetro más y habrás llegado a la meta! Tus amigos y tú están corriendo en un maratón para reunir dinero para SADD, o sea estudiantes en contra de conductores borrachos (por sus siglas en inglés). Tú corres para obtener apoyo en tu lucha contra una combinación peligrosa—beber alcohol y manejar. Los accidentes relacionados con el alcohol son el peligro más grande que los adolescentes enfrentan hoy en día.

¿Qué efectos tiene el alcohol en el cuerpo? ¿Por qué la gente usa alcohol? ¿Por qué lo abusa? ¿Cuáles son los efectos del exceso de alcohol a largo plazo? ¿Es el alcoholismo una enfermedad? ¿Hay una cura para ella? Al leer las siguientes páginas encontrarás las respuestas a estas preguntas. Aprenderás, además, que el alcohol no es la única sustancia que amenaza la salud y la seguridad de adolescentes y adultos. El tabaco y otras drogas tienen profundos efectos en el cuerpo; ¡Sigue leyendo y lo sabrás!

Diario *Actividad*

Tú y tu mundo Un amigo o amiga piensa comenzar a fumar cigarrillos. En tu diario, escríbele una carta explicándole que el uso del tabaco es dañino. Vuelve a leer la carta después de terminar el capítulo.

◀ *Carteles como éstos nos alertan sobre el peligro de conducir borrachos.*

Guide for Reading

Focus on these questions as you read.
▶ *What is a drug?*
▶ *What are some dangers of drug misuse and abuse?*

9–1 What Are Drugs?

Drugs! You probably hear and see that word a lot today—on radio, television, billboards, and in newspaper articles and advertisements. What is a drug, and why are drugs drawing so much attention? **A drug is any substance that has an effect on the body.** Many substances fit this definition—even aspirin, which is used to reduce pain. Drugs that are used to treat medical conditions are called medicines. Aspirin is a medicine. There are two groups of medicines: prescription drugs and over-the-counter drugs.

Figure 9–1 *Drugs come in many shapes and sizes. Some are legal; some are not. What is a drug?*

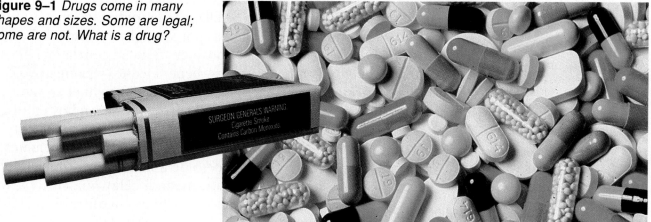

Prescription drugs usually are strong drugs that are safe to use only under the supervision of a doctor. Prescription drugs are used to treat diseases or to control conditions such as high blood pressure and pneumonia. Over-the-counter drugs, on the other hand, do not need a doctor's prescription and may be purchased by anyone. Aspirin and cold tablets are examples of over-the-counter drugs.

Drug Misuse and Drug Abuse

When you use a prescription drug exactly as it is prescribed or take an over-the-counter drug according to its directions, you are engaging in drug use. Some people, however, use prescription or over-the-counter drugs incorrectly. Usually these people do so because they are misinformed. The improper use of drugs is called drug misuse.

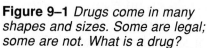
ACTIVITY

WRITING

What Are Generic Drugs?

Today there is a great deal of talk about generic drugs. Using reference books and materials in the library, find out what the term generic drug means. What are the advantages of generic drugs? What are the possible disadvantages?

9–1 ¿Qué son las drogas?

¡Drogas! Es probable que tú oigas y veas mucho esa palabra —en radio, televisión, carteles, y en artículos y anuncios en el periódico. ¿Qué es una droga y por qué llaman tanto la atención las drogas? **Una droga es cualquier sustancia que afecta el cuerpo.** Muchas sustancias caben en esta definición— hasta la aspirina que se usa para reducir el dolor. Las drogas que se usan para tratar condiciones médicas se llaman medicinas. La aspirina es una medicina. Hay dos grupos de medicinas: medicinas recetadas y medicinas de venta libre o sea sin restricciones.

Figura 9–1 *Las drogas vienen en muchas formas y tamaños. Algunas son legales y otras no. ¿Qué es una droga?*

Las medicinas recetadas son generalmente drogas fuertes que se pueden usar sólo bajo supervisión médica. Las medicinas recetadas se usan para tratar enfermedades o controlar condiciones tales como la hipertensión y la neumonía. Las medicinas de venta libre, por otra parte, no necesitan receta de un médico y todo el mundo las puede comprar. La aspirina y las tabletas para el resfriado son ejemplos de medicinas de venta libre.

Mal uso y abuso de las drogas

Cuando usas una medicina recetada siguiendo las indicaciones de un médico o cuando tomas medicinas de venta libre de acuerdo con sus indicaciones, estás usando drogas. Algunas personas, sin embargo, usan mal las medicinas de venta libre. Generalmente lo hacen así por ignorancia. El uso incorrecto de las medicinas se llama mal uso de las drogas.

ACTIVIDAD

PARA ESCRIBIR

¿Qué son medicinas genéricas?

Hoy en día se habla mucho de las medicinas genéricas. Busca el significado del término en libros de referencia y otros materiales de la bilioteca. ¿Cuáles son las ventajas de las medicinas genéricas? ¿Cuáles son las posibles desventajas?

Some people misuse drugs by taking more than the amount a doctor prescribes. They mistakenly believe that such action will speed their recovery from an illness. Other people take more of the drug because they have missed a dose. This action is particularly dangerous because it could cause an overdose. An overdose can cause a serious reaction to a drug, which can sometimes result in death.

When people deliberately misuse drugs for purposes other than medical ones, they are taking part in **drug abuse**. Some drugs prescribed by doctors are abused. Other drugs that are abused are illegal drugs. Drug abuse is extremely dangerous. Do you know why? As you have just read, drugs are substances that have an effect on the body. Drugs can produce powerful changes in your body.

Why do people use drugs? There are many answers to this question. Some seek to "escape" life's problems; others to intensify life's pleasures. Some take drugs because their friends do; others because their friends do not. Some people abuse drugs to feel grown up; others to feel young again. The list is as endless as the range of human emotions. Unfortunately, the desired effects are often followed by harmful and unpleasant side effects.

Figure 9–2 *This clay tablet contains the world's oldest known prescriptions, dating back to about 2000 BC. The prescriptions show the medicinal use of plants.*

Dangers of Drug Abuse

People of all ages abuse drugs. Some know that they are abusing drugs; others do not. And still others deny their abuse. The 18- to 25-year-old age group has the highest percentage of drug abuse.

Drug abuse is dangerous for a number of reasons. When you take a drug, for example, the internal functioning of your body changes immediately. Over time, your body also changes its response to the drug. These responses can produce some serious side effects. Let's examine some of these serious and sometimes fatal side effects.

TOLERANCE When a drug is used or abused regularly, the body may develop a **tolerance** to it. Tolerance causes the body to need increasingly larger amounts of the drug to get the same effect that was originally produced. This is exactly what happens to people who abuse drugs. They soon discover that they must take more of the drug each time in order

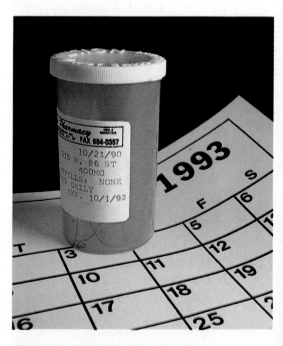

Figure 9–3 *Notice the expiration date on this container of pills. Using a medicine after its prescription has expired is an example of drug misuse. What is a prescription drug?*

Algunas personas usan mal las medicinas cuando toman más de la cantidad que receta el médico. Creen erróneamente que así se sanarán más pronto. Otras personas toman más porque se les olvidó una dosis. Esto es muy peligroso porque pueden excederse en la dosis. También puede producir una reacción grave a la medicina, y llegar a producir la muerte.

Cuando se toma mal una medicina intencionalmente con propósitos diferentes a los fines médicos, se está participando en **abuso de las drogas**. Se abusa de medicinas que recetan los médicos y también se abusa de drogas ilegales. El abuso de las drogas es demasiado peligroso. ¿Sabes por qué? Como acabas de leer, las drogas son sustancias que afectan al cuerpo, y pueden producir en él grandes cambios.

¿Por qué se usan las drogas? Las respuestas son muchas. Algunos buscan un escape de los problemas de la vida; otros tratan de intensificar sus placeres. Algunos toman drogas porque sus amigos lo hacen; otros, porque sus amigos no lo hacen. Algunas personas abusan de las drogas para sentirse mayores; otras, para sentirse jóvenes de nuevo. La lista es tan larga como la variedad de emociones humanas. Por desgracia, los efectos deseados son a menudo seguidos por efectos secundarios dañinos y desagradables.

Peligros del abuso de las drogas

Gente de todas edades abusa de las drogas. Algunos saben que están abusando, otros no. Otros hasta niegan su abuso. El grupo de 18 a 25 años de edad tiene el mayor coeficiente de abuso de las drogas.

El abuso de las drogas es peligroso por un número de razones. Cuando tomas una droga, el funcionamiento interno de tu cuerpo cambia inmediatamente. Con el tiempo, tu cuerpo también cambia su reacción a la droga. Estas reacciones pueden producir efectos secundarios serios. Examinemos algunos de estos efectos secundarios serios y algunas veces mortales.

TOLERANCIA Cuando una droga se usa y abusa con regularidad, el cuerpo puede desarrollar una **tolerancia** a ella. La tolerancia produce en el cuerpo la necesidad de tomar cantidades cada vez mayores de la droga para alcanzar el mismo efecto que se produjo originalmente. Esto es exactamente lo que pasa con las personas que abusan de las drogas. Muy pronto descubren que deben

Figura 9–2 *Esta tablilla de arcilla contiene las recetas más antiguas del mundo, de alrededor del año 2000 a.C. Las recetas muestran el uso medicinal de plantas.*

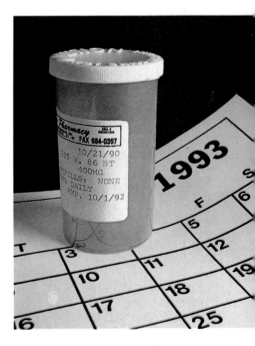

Figura 9–3 *Observa la fecha de expiración de este frasco de píldoras. El uso de una medicina después de que su receta ha expirado es un ejemplo de mal uso de una droga. ¿Qué es una medicina recetada?*

ACTIVITY
DISCOVERING

Drugs and Daphnia

1. With your teacher's help, place a *Daphnia* (water flea) in the depression on a depression slide.

2. Cover the slide with a coverslip and place the slide under a microscope.

3. Use the low-power objective to observe the *Daphnia*. You should be able to clearly see the *Daphnia*'s heart beating.

4. Calculate the average heart rate per minute of the *Daphnia*.

5. Remove the coverslip and with a dropper, place one drop of cola in the depression. Replace the coverslip and observe the *Daphnia* again.

6. Calculate the average heart rate per minute again.

Was there a difference in heart rate after the cola was added? If there was a difference, what may have caused it?

■ What does this investigation tell you about cola?

to get the same feeling they did in the beginning. Tolerance can cause people to take too much of a drug—a problem that can lead to overdose and even death.

DEPENDENCE Some drugs produce a dependence, or a state in which a person becomes unable to control drug use. Dependence can be psychological (sigh-kuh-LAHJ-ih-kuhl), physical, or both. In all cases, dependence changes the way the body functions, and it can seriously damage a person's health.

Psychological dependence is a strong desire or need to continue using a drug. When people become psychologically dependent on a drug, they link the drug with specific feelings or moods. When the drug's effect wears off, so does the feeling.

Drug abusers who are psychologically dependent on a drug often believe they can stop using the drug if they want to. Unfortunately, stopping drug abuse once a person is psychologically dependent is not easy and may require a doctor's care.

Physical dependence occurs when the body becomes used to a drug and needs the drug to function normally. This type of dependence generally takes time to develop and usually occurs as tolerance builds. Physical dependence is sometimes referred to as an addiction.

WITHDRAWAL A person who is physically dependent on a drug such as heroin needs to take the drug at least three to four times a day. Miss a dose and the body begins to react: The nose runs, the eyes tear. Miss several doses and the body reacts more violently: chills, fever, vomiting, cramps, headaches, and body aches. In time, the muscles begin to jerk wildly, kicking out of control. This is the beginning of **withdrawal**, or stopping the use of a drug.

Figure 9–4 *In this anti-crack wall mural, an artist describes his attitude toward drug abuse. These children express their views during an anti-drug rally. What types of dependence can result from drug abuse?*

Las drogas y la Dafnia

1. Con la ayuda de tu profesor(a) pon una *Dafnia* (pulga de agua) en la depresión de un portaobjetos.

2. Cúbrelo con el cubreobjetos y ponlo en el microscopio.

3. Usa el objetivo de bajo poder para observar la *Dafnia*. Debes poder ver claramente el latido de su corazón.

4. Calcula el término medio de los latidos por minuto.

5. Quita el cubreobjetos y pon una gota de cola en la depresión con un gotero. Vuelve a cubrir y observa la *Dafnia* de nuevo.

6. Calcula otra vez el término medio de los latidos por minuto.

¿Hubo alguna diferencia en el ritmo de los latidos después de añadirse la cola? Si la hubo, ¿qué la pudo haber causado?

■ ¿Qué te indica esta investigación acerca de la cola?

tomar más y más droga para sentir lo mismo que sintieron al principio. La tolerancia puede hacer que se tome demasiado de una droga—un problema que puede llevar a una dosis excesiva y aún hasta la muerte.

DEPENDENCIA Algunas drogas producen dependencia, un estado en que el uso de una droga no se puede controlar. La dependencia puede ser psicológica, física, o ambas. La dependencia cambia el modo en que funciona el cuerpo, y puede dañar seriamente la salud de una persona.

La dependencia psicológica es un fuerte deseo o necesidad de seguir usando una droga. Cuando alguien se vuelve psicológicamente dependiente de una droga, identifica la droga con un estado de humor o con sentimientos específicos. Cuando el efecto de la droga pasa, el sentimiento también pasa.

La gente que abusa de las drogas y que depende psicológicamente de ellas piensa, a menudo que puede dejar de usarlas si quiere. Pero abandonar el abuso una vez que se es psicológicamente dependiente de las drogas no es fácil y puede requerir cuidados médicos.

La dependencia física ocurre cuando el cuerpo se acostumbra a una droga y la necesita para funcionar normalmente. Este tipo de dependencia generalmente tarda en desarrollarse y ocurre a medida que la tolerancia aumenta. A veces la dependencia física se llama adicción.

SÍNDROME DE ABSTINENCIA Una persona cuyo cuerpo depende físicamente de una droga como la heroína necesita tomarla por lo menos tres o cuatro veces al día. Si se saltea una dosis, el cuerpo empieza a reaccionar: la nariz gotea y los ojos se humedecen. Si se saltean varias dosis, el cuerpo reacciona más violentamente: escalofríos, fiebre, vómito, calambres, dolor de cabeza y dolores en el cuerpo. Después de un tiempo el cuerpo empieza a sacudirse y a patalear sin control. Este es el comienzo del **síndrome de abstinencia**, o dejar de usar una droga.

Figura 9–4 *En este mural en contra del crack, un artista expresa su actitud frente al abuso de las drogas. Estos niños expresan su opinión en una manifestación contra las drogas. ¿Qué tipos de dependencia pueden resultar del abuso de las drogas?*

Although it takes a few days, the most painful symptoms of heroin withdrawal pass. However, heroin abusers are never entirely free of their need for the drug. In fact, far too many heroin abusers who have "kicked the habit" return to the drug again unless they receive medical, psychological, and social help.

Figure 9–5 *People take drugs for many reasons. One reason is to escape from personal problems.*

9–1 Section Review

1. What is a drug? Compare prescription and over-the-counter drugs.
2. What is drug misuse? Drug abuse?
3. Compare psychological and physical dependence.

Critical Thinking—*You and Your World*
4. How might you convince someone not to use drugs?

9–2 Alcohol

Guide for Reading

Focus on this question as you read.

▶ *What effects does alcohol have on the body?*

Alcohol is a drug. In fact, alcohol is the oldest drug known to humans. Egyptian wall writings, which are among the oldest forms of written communication, show pictures of people drinking wine. It was not until the Egyptian writing symbols were decoded, however, that the meaning of some of the wall paintings was revealed. Their message warned of the dangers of alcohol abuse. **The abuse of alcohol can lead to the destruction of liver and brain cells, and it can cause both physical and psychological dependence.**

How Alcohol Affects the Body

Unlike food, alcohol does not have to be digested. Some alcohol, in fact, is absorbed directly through the wall of the stomach into the bloodstream. If the stomach is empty, the alcohol is absorbed quickly, causing its effects to be felt almost immediately. If the stomach contains food, the alcohol is absorbed more slowly. Upon leaving the

Figure 9–6 *This Egyptian wall painting, painted thousands of years ago, shows how grapes were gathered to make wine.*

Aunque toma algunos días, los síntomas más dolorosos del síndrome de la abstinencia de heroína pasan. Sin embargo, los que abusan de la heroína nunca están completamente libres de su necesidad de la droga. De hecho, muchos de los que abusan de la heroína y que han "dejado el hábito," vuelven a la droga otra vez si no reciben ayuda médica, psicológica y social.

Figura 9–5 *Se usan drogas por muchas razones. Una de ellas es la creencia de que ayudan a escapar de los problemas personales.*

9–1 Repaso de la sección

1. ¿Qué es una droga? Compara drogas recetadas y drogas de venta libre.
2. ¿Qué es el mal uso de una droga? ¿Y el abuso de una droga?
3. Compara la dependencia psicológica y la dependencia física.

Pensamiento crítico—*Tú y tu mundo*
4. ¿Cómo puedes convencer a alguien de que no use drogas?

9–2 El alcohol

El alcohol es una droga. Es la droga más antigua que los seres humanos conocen. Los escritos en las paredes egipcias, que son unas de las formas más antiguas de comunicación escrita, muestran dibujos de personas bebiendo vino. Sin embargo, no fue sino hasta que los símbolos egipcios fueron descifrados que se reveló el significado de algunas de las pinturas en las paredes. Su mensaje advertía sobre los peligros del abuso del alcohol. **El abuso del alcohol puede llevar a la destrucción de las células del hígado y del cerebro, y puede causar dependencia psicológica y física.**

Cómo afecta el alcohol al cuerpo

A diferencia de los alimentos, el alcohol no necesita ser digerido. Algo de alcohol pasa directamente a la sangre, a través de la pared del estómago. Si el estómago está vacío, el alcohol se absorbe rápidamente, y sus efectos se sienten casi de inmediato. Si el estómago contiene alimentos, el alcohol se absorbe más lentamente.

Piensa en esta pregunta mientras lees.
▶ ¿Qué efectos tiene el alcohol en el cuerpo?

Figura 9–6 *Esta pared egipcia, pintada hace miles de años, muestra cómo se cosechaban las uvas para hacer vino.*

ACTIVITY

WRITING

What Is DWI?

DWI, or driving while intoxicated, is against the law in every state. However, the amount of alcohol in the blood, or BAC, that determines whether a person is legally drunk differs in many states. Using reference materials in your library, find out the BAC at which a person is considered legally drunk in each state. Arrange this information in the form of a chart. Which states have the highest BAC to be considered legally drunk? The lowest?

Figure 9–7 *As this diagram illustrates, alcohol can cause harmful effects throughout the body. What effect does alcohol have on the brain?*

stomach, the alcohol enters the small intestine, where more of it is absorbed.

After the alcohol is absorbed, it travels through the blood to all parts of the body. As the alcohol in the blood passes through the liver, it is changed into carbon dioxide and water. Carbon dioxide and some water are released from the body by way of the lungs. Most of the water, however, passes out of the body as perspiration and urine.

Because the liver can convert only a small amount of alcohol at a time into carbon dioxide and water, much of the alcohol remains unchanged in the blood. When the alcohol reaches the brain, it acts as a **depressant**. A depressant is a substance that slows down the actions of the central nervous system (brain and spinal cord). Perhaps this seems confusing to you if you have noticed that people who drink do not seem to be depressed at all. Rather, they seem quite energetic.

The reason for this false sense of energy is that alcohol initially affects the part of the brain that controls judgment and self-control. At the same time, alcohol makes people become more relaxed and unafraid. The net result is that the controls people put on their emotions are reduced, causing them to behave in ways they would never normally consider. Thus, people may seem quite stimulated during this time.

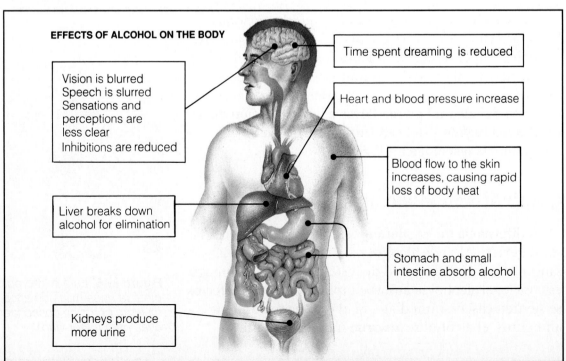

EFFECTS OF ALCOHOL ON THE BODY

Time spent dreaming is reduced

Vision is blurred
Speech is slurred
Sensations and perceptions are less clear
Inhibitions are reduced

Heart and blood pressure increase

Blood flow to the skin increases, causing rapid loss of body heat

Liver breaks down alcohol for elimination

Stomach and small intestine absorb alcohol

Kidneys produce more urine

PARA ESCRIBIR

¿Qué es DWI (CBA)?

DWI, o conducir bajo los efectos del alcohol, (en inglés) está en contra de la ley en todos los estados. Sin embargo, el contenido de alcohol en la sangre o BAC (blood alcohol content, en inglés), que determina si una persona está legalmente intoxicada, varía en muchos estados. Busca el BAC en que se considera a una persona legalmente intoxicada en cada estado en materiales de referencia de la biblioteca. Organiza esta información en forma de tabla. ¿Cuáles estados tienen el BAC más alto para considerar a alguien legalmente intoxicado? ¿Y el más bajo?

Figura 9–7 *Como ilustra este diagrama, el alcohol puede causar efectos dañinos en todo el cuerpo. ¿Qué efecto tiene el alcohol en el cerebro?*

Al salir del estómago, el alcohol entra en el intestino delgado donde se absorbe más cantidad.

Después de ser absorbido, el alcohol es llevado por la sangre a todas partes del cuerpo. Al pasar por el hígado, se transforma en bióxido de carbono y agua. El bióxido de carbono y parte del agua son desechados del cuerpo por medio de los pulmones. Pero, la mayor parte del agua sale del cuerpo en forma de sudor y orina.

Como el hígado puede convertir sólo una pequeña cantidad de alcohol a la vez en bióxido de carbono y agua, la mayor parte del alcohol se queda en la sangre sin ningún cambio. Cuando el alcohol llega al cerebro, actúa como **sedante.** Un sedante es una sustancia que retarda las acciones del sistema nervioso central (el cerebro y la médula espinal.) Esto te parecerá confuso si has notado que la gente que bebe no parece nada deprimida. Al contrario, parece bastante energética.

La razón de este falso sentido de energía es que el alcohol afecta al principio la parte del cerebro que controla el juicio y el autocontrol. Al mismo tiempo hace que la gente se ponga más relajada y que pierda el miedo. El resultado final es que los controles que se ponen en las emociones se reducen, causando un comportamiento muy distinto al habitual. Por eso la gente puede parecer entonces bastante estimulada.

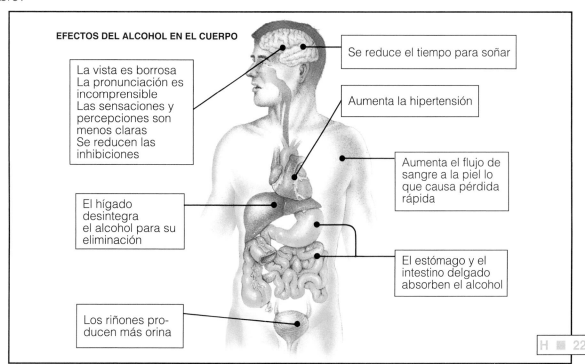

EFECTOS DEL ALCOHOL EN EL CUERPO

La vista es borrosa
La pronunciación es incomprensible
Las sensaciones y percepciones son menos claras
Se reducen las inhibiciones

Se reduce el tiempo para soñar

Aumenta la hipertensión

Aumenta el flujo de sangre a la piel lo que causa pérdida rápida

El hígado desintegra el alcohol para su eliminación

El estómago y el intestino delgado absorben el alcohol

Los riñones producen más orina

Figure 9–8 *Blood alcohol concentration, or BAC, is a measure of the amount of alcohol in the bloodstream per 100 mL of blood. The BAC is expressed as a percentage. The higher the BAC, the more powerful the effect of alcohol on the brain. What type of behavior occurs if the BAC is 0.1 percent?*

ALCOHOL'S EFFECTS ON THE BRAIN

BAC	Part of Brain Affected	Behavior
0.05%		Lack of judgment; lack of inhibition
0.1%		Reduced reaction time; difficulty in walking and driving
0.2%		Saddened, weeping, abnormal behavior
0.3%		Double vision; inadequate hearing
0.45%		Unconscious
0.65%		Death

But if people continue to drink, the alcohol in their blood begins to affect other areas of the brain. Soon the areas that control speech and muscle coordination are affected. A person may slur words and have trouble walking. More alcohol can lead to a state of total confusion as more of the brain is affected. Often a person loses consciousness. Sometimes the areas of the brain controlling breathing and heartbeat are affected. Such an overdose of alcohol is life threatening.

Alcohol and Health

For most people, the moderate use of alcohol does not result in health problems. Drinking large amounts of alcohol on a daily basis, however, can cause health problems. Prolonged alcohol abuse may cause mental disturbances, such as blackouts and hallucinations (seeing or hearing things that are not really there). It can also damage the linings of the stomach and small intestine. The risk of cancer of the mouth, esophagus, throat, and larynx is increased among alcohol abusers. Continued use of alcohol also causes cirrhosis (suh-ROH-sihs) of the liver. Cirrhosis is a disease in which liver cells and the connective tissue that hold the cells together are damaged by the heavy intake of alcohol. The damaged liver cells and connective tissue form scar tissue, which interferes with the liver's ability to perform its normal functions. Figure 9–9 shows the difference in appearance between a normal liver and a liver with cirrhosis. Cirrhosis is responsible for about 13,000 deaths in America every year.

The abuse of alcohol can lead to **alcoholism**. Alcoholism is an incurable disease in which a person is physically and psychologically dependent on alcohol. A person who has the disease is called an alcoholic. An alcoholic needs both medical and psychological help. The aid of organizations such as Alcoholics Anonymous is also important in helping alcoholics

Figure 9–9 *Long-term alcohol use destroys liver cells. Notice the differences in appearance of a normal liver (left), one that has some fatty deposits due to alcohol abuse (center), and one that is consumed by cirrhosis (right).*

Figura 9–8 *La concentración de alcohol en la sangre o BAC es la medida de la cantidad de alcohol por cada 100mL de sangre. El BAC, se expresa como porcentaje. Cuanto mayor es el BAC, mayor es el efecto del alcohol en el cerebro. ¿Qué tipo de comportamiento ocurre si el BAC es de 0.1 por ciento?*

EFECTOS DEL ALCOHOL EN EL CEREBRO

BAC	Parte afectada del cerebro	Comport- amiento
0.05%		Falta de juicio; no hay inhibiciones
0.1%		Tiempo de reacción reducido; dificultad para caminar y conducir
0.2%		Tristeza, llanto, comportamiento anormal
0.3%		Visión doble; dificultad para oír
0.45%		Inconsciencia
0.65%		Muerte

Pero si se sigue bebiendo, el alcohol empieza a afectar otras áreas del cerebro. Pronto se ven afectadas las áreas que controlan el lenguaje y la coordinación de los músculos. Las palabras no se pronuncian bien y hay problemas para caminar. Más alcohol aún puede llevar a un estado de confusión total ya que el cerebro se ve más afectado. A menudo la persona pierde el conocimiento. Algunas veces las áreas que controlan la respiración y el latido del corazón se ven afectadas. Tal dosis excesiva de alcohol es un gran riesgo para la vida.

El alcohol y la salud

El uso moderado del alcohol no causa en la mayoría de los casos problemas de salud. Pero beber grandes cantidades de alcohol a diario, puede causar problemas . Así se originan trastornos mentales, tales como desmayos y alucinaciones (ver y oír cosas que en realidad no existen.) También puede dañar el revestimiento del estómago y del intestino delgado. El riesgo de cáncer de boca, esófago, garganta y laringe aumenta. El uso continuo del alcohol también causa cirrosis del hígado, una enfermedad en que las células del hígado y el tejido conectivo que las une se dañan. Esas células dañadas forman tejido de cicatriz, que interfiere con las funciones normales del hígado. La figura 9–9 muestra la diferencia entre un hígado normal y un hígado con cirrosis. A la cirrosis se le deben cerca de 13,000 muertes por año en los Estados Unidos.

El abuso del alcohol puede llevar al **alcoholismo**, una enfermedad incurable en la que una persona es física y psicológicamente dependiente del alcohol. La persona con esta enfermedad se llama alcohólico. Hay organizaciones como Alcohólicos Anónimos que ayudan a los alcohólicos a resolver sus problemas. Un alcohólico necesita ayuda médica y psicológia. Hay

Figura 9–9 *El uso prolongado del alcohol destruye las células del hígado. Observa las diferencias entre un hígado normal (izquierda), uno que tiene algunos depósitos de grasa debido al abuso del alcohol (centro), y uno que está consumido por la cirrosis (derecha).*

overcome their problems. There are even organizations for the relatives of the 10 million or more alcoholics in this country. One, called Alateen, is for the children of people who have an alcohol problem.

Knowing about the damage that alcohol does to the body and the brain, one would think alcohol abusers would stop drinking. Unfortunately, withdrawal from alcohol can be very difficult. Like other drug abusers, alcoholics may suffer from withdrawal symptoms when they try to stop drinking. About one fourth of the alcoholics in the United States experience hallucinations during withdrawal.

CONNECTIONS

"Bad Breath?"

You have probably seen television programs in which a person suspected of driving while intoxicated is stopped by police and asked to exhale into a breath analyzer. A breath analyzer is a device that determines the amount of alcohol in the body.

The first breath analyzer, which consisted of an inflatable balloon, was developed in the late 1930s by the American doctor Rolla N. Hager who called it a "Drunkometer." Today, most breath analyzers in use are electronic. That is, they are powered by *electric currents* (flow of charged particles). About the size of a television remote-control device, an electronic breath analyzer contains a fuel cell that works like a battery. A person exhales into the breath analyzer, and the air is pulled into the fuel cell through a valve. There the air comes in contact with a small strip of positively charged platinum. This strip is in contact with a disk containing sulfuric acid. The platinum changes any alcohol that might be present to acetic acid. When this happens, particles of platinum lose electrons and an electric current is set up in the disk. The electric current then flows from the positively charged platinum particles to the negatively charged particles on the other side of the disk.

The more alcohol the breath contains, the stronger the electric current. A weak electric current or no electric current produces a green light, indicating that a person's breath contains little or no alcohol. A stronger current produces an amber light, showing that a person's breath contains some alcohol. A very strong electric current produces a red light, meaning that a person's breath contains a lot of alcohol. In the case of either an amber light or a red light, a person has failed the breath test. The person needs to be tested further to determine exactly how much alcohol the body contains.

también organizaciones para las familias de los 10 o más millones de alcohólicos del país. Una, llamada Alateen, es para los hijos de personas que tienen problemas con el alcohol.

Se podría pensar que el conocimiento de los daños que el alcohol causa al cuerpo y al cerebro debería hacer que los que abusan del alcohol lo dejaran. Por desgracia, el síndrome de abstinencia puede ser muy duro. Así como los que abusan de las drogas, los alcohólicos pueden sufrir la falta del alcohol cuando tratan de dejar de beber. Casi una cuarta parte de los alcohólicos de los Estados Unidos sufren de alucinaciones al abstenerse.

CONEXIONES

¿Mal aliento?

Probablemente hayas visto en algún programa de televisión que la policía detiene a alguien porque sospecha que conduce bajo los efectos del alcohol. Se le pide entonces que exhale en un analizador de aliento: un dispositivo que determina la cantidad de alcohol en el cuerpo.

El doctor Rolla N. Hager desarrolló a fines de la década de 1930 el primer analizador de aliento. Era un globo inflable al que llamó "Drunkometer." Hoy en día, la mayoría de los analizadores de aliento usados son electrónicos. Es decir, funcionan con *corrientes electrónicas* (flujo de partículas cargadas). Más o menos del tamaño de un control remoto de televisión, el analizador de aliento contiene una célula de combustible que funciona como una batería. Cuando alguien exhala en el analizador, una válvula lleva el aire a la célula. Allí, el aire entra en contacto con una banda de platino cargado positivamente. La banda está en contacto con un disco que contiene ácido sulfúrico. El platino transforma el alcohol en ácido acético. Cuando esto sucede, las partículas de platino pierden electrones y una

corriente eléctrica se forma en el disco. Esa corriente va de las partículas de platino con carga positiva, a las partículas con carga negativa del otro lado del disco.

Cuanto más alcohol contenga al aliento, más fuerte será la corriente. Si la corriente es débil o no existe se produce una luz verde que indica que el aliento de la persona contiene poco o nada de alcohol. Una corriente más fuerte produce una luz anaranjada, que indica que el aliento contiene algo de alcohol. Una luz roja, producida por una corriente muy fuerte significa que el aliento contiene mucho alcohol. Tanto en el caso de la luz anaranjada como en el de la luz roja, la prueba de aliento es positiva. Se necesitan más pruebas para determinar exactamente cuánto alcohol hay en el cuerpo.

9–3 Tobacco

In 1988, the Surgeon General (chief medical officer in the United States Public Health Service) warned that the nicotine in tobacco products is as addictive (habit-forming) as the illegal drugs heroin and cocaine. This report was the fifth on the effects of smoking tobacco to come from the Surgeon General's office. The first report, which was issued in 1964, declared that cigarette smoking causes lung cancer, heart disease, and respiratory illnesses. In 1972, the Surgeon General issued the first report to suggest that secondhand (passive) smoke is a danger to nonsmokers. A 1978 report warned pregnant women that smoking could affect the health of their unborn children. This report also stated that smoking could prevent the body from absorbing certain important nutrients. In 1982, cigarette smoking was named as the single most preventable cause of death in the United States. Four years later, another report published the results of studies linking secondhand smoke to lung cancer and respiratory diseases in nonsmokers. Despite all these warnings, our nation still has millions of tobacco smokers!

Some Harmful Chemicals in Tobacco Smoke
acetaldehyde
acetone
acetonitrile
acrolein
acrylonitrile
ammonia
aniline
benzene
benzopyrene
2,3 butadione
butylamine
carbon monoxide
dimethylamine
dimethylnitrosamine
ethylamine
formaldehyde
hydrocyanic acid
hydrogen cyanide
hydrogen sulfide
methacrolein
methyl alcohol
methylamine
methylfuran
methylnaphthalene
nicotine
nitric oxide
nitrogen dioxide
phenol
pyridine
toluene

Figure 9–10 *Smoking at any age is dangerous. In addition to the harmful substances listed in the chart, about 4000 other substances are inhaled when smoking cigarettes. Why do people smoke cigarettes?*

1. ¿Cómo afecta el alcohol al cuerpo?
2. ¿Qué es el alcoholismo?

Pensamiento crítico—*Tú y tu mundo*
3. ¿Por qué es peligroso conducir después de beber?

9-3 El tabaco

En 1988, el Cirujano General (jefe médico del Servicio de Salud Pública de los Estados Unidos) advirtió que la nicotina del tabaco es tan adictiva (forma hábito) como las drogas ilegales heroína y cocaína. Este informe fue el quinto que la oficina del Cirujano General expidió sobre los efectos de fumar tabaco. El primer informe, que fue expedido en 1964, declaró que fumar cigarrillos causa cáncer de los pulmones, enfermedades del corazón y enfermedades respiratorias. En 1972 el Cirujano General expidió el primer informe que decía que el humo de segunda mano (pasivo) es un peligro para los no fumadores. Un informe de 1978 advirtió a las mujeres embarazadas que fumar podría afectar la salud de los bebés aún no nacidos. Este informe también afirmaba que fumar podría impedir que el cuerpo absorbiera ciertos elementos nutritivos importantes. En 1982 se estableció que fumar cigarrillos es la única causa de muerte evitable en los Estados Unidos. Cuatro años más tarde, en otro informe se publicaron los resultados de estudios que relacionaban el humo de segunda mano con el cáncer de pulmón y las enfermedades respiratorias en no fumadores. ¡A pesar de todas estas advertencias, todavía hay millones de fumadores de tabaco en el país!

Guía para la lectura

Piensa en esta pregunta mientras lees.

▶ *¿Qué efectos ocasiona el tabaco en el cuerpo?*

Algunos agentes químicos dañinos en el humo del tabaco

acetaldehído
acetona
acetronilo
ácido cianhídrico
acroleina
acrilonitrilo
alcohol metílico
amonia
anilina
benceno
benzopireno
2,3 butadieno
butilamino
cianuro de hidrógeno
dimetilamino
dimetrilnitrosamino
dióxido de nitrógeno
etilamino
fenol
formaldehído
metacroleína
metilamina
metilfurano
metilnaftaleno
monóxido de carbono
nicotina
óxido nítrico
piridina
sulfuro de hidrógeno
tolueno

Figura 9–10 *Es peligroso fumar a cualquier edad. Además de las sustancias dañinas que aparecen en la lista, cerca de 4,000 sustancias adicionales son inhaladas cuando se fuman cigarrillos. ¿Por qué se fuman cigarrillos?*

Up in Smoke

1. Place a few pieces of tobacco in a test tube. Using some cotton, loosely plug up the mouth of the test tube.

2. With your teacher's permission, use a Bunsen burner to heat the test tube until the tobacco burns completely. **CAUTION:** *Be very careful when working with a Bunsen burner.*

3. Allow the test tube to cool before removing the cotton plug.

Describe the appearance of the cotton plug before and after the investigation. Which substance in tobacco smoke was collected in the cotton?

■ Design an investigation in which you determine whether a brand of cigarettes that is advertised as low in tar really is.

Figure 9–11 *There is a significant difference between the walls of the bronchus of a nonsmoker (right) and those of a smoker (left). This difference can often be fatal. The large grayish-green objects are cancer cells.*

Effects of Tobacco

Why is smoking so dangerous? When a cigarette burns, about 4000 substances are produced. Many of these substances are harmful. Some of these substances are listed in Figure 9–10. Although 10 percent of cigarette smoke is water, 60 percent is made of poisonous substances such as nicotine and carbon monoxide. Nicotine, as you have just read, is an addictive drug. Once in the body, nicotine causes the heart to beat faster, skin temperature to drop, and blood pressure to rise. Carbon monoxide is a poisonous gas often found in polluted air. Yet even the most polluted air on the most polluted day in history does not contain anywhere near the concentration of carbon monoxide that cigarette smoke does!

The remaining 30 percent of cigarette smoke consists of tars. Tars are probably the most dangerous part of cigarette smoke. As smoke travels to the lungs, the tars irritate and damage the entire respiratory system. Unfortunately, this damage is particularly serious in the developing lungs of teenagers.

Tobacco and Disease

Cigarette smoking causes damage to both the respiratory system and the circulatory system. Long-term smoking can lead to lung diseases such as bronchitis (brahng-KIGH-tihs) and emphysema (ehm-fuh-SEE-muh). These diseases are often life threatening. In addition, a heavy smoker has a twenty-times-greater chance of getting lung cancer than a nonsmoker has.

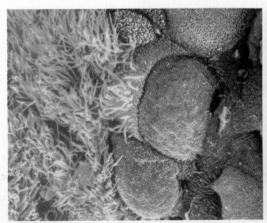
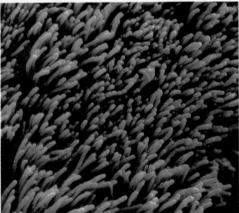

ACTIVIDAD

Humo

1. En un tubo de ensayo pon un poco de tabaco. Haz un tapón de algodón y colócalo en la boca del tubo.

2. Con el permiso de tu profesor(a), usa un mechero Bunsen para calentar el tubo hasta que todo el tabaco se queme. **CUIDADO:** *Trabaja con precaución usando el mechero Bunsen.*

3. Deja enfriar el tubo y quita el tapón de algodón.

Describe el aspecto del tapón antes y después de la investigación. ¿Qué sustancia del humo de tabaco quedó en el algodón?

■ Diseña un experimento para determinar si la marca de cigarrillos que se dice ser baja en alquitrán realmente lo es.

Figura 9–11 *Hay una gran diferencia entre las paredes del bronquio de un no fumador (derecha) y las de un fumador (izquierda). Esta diferencia a menudo puede ser mortal. Los objetos grandes de color gris verdoso son células de cáncer.*

Efectos del tabaco

¿Por qué es tan peligroso fumar? Cuando un cigarrillo se quema, se producen cerca de 4000 sustancias. Muchas de estas sustancias son dañinas. Algunas de ellas aparecen en la lista de la figura 9–10. Aunque un 10 por ciento del humo de un cigarrillo es agua, un 60 por ciento se compone de sustancias venenosas tales como la nicotina y el monóxido de carbono. La nicotina, como acabas de leer, es una droga adictiva. Una vez en el cuerpo, la nicotina hace que el corazón palpite más rápidamente, que baje la temperatura de la piel, y que suba la presión arterial. El monóxido de carbono es un gas venenoso que a menudo se encuentra en el aire contaminado. Pero, ¡aun el aire más contaminado del día más contaminado de la historia no contiene ni una fracción de la concentración de monóxido de carbono que contiene el humo de cigarrillo!

El 30 por ciento restante del humo de cigarrillo es alquitrán. Los alquitranes son probablemente las sustancias más peligrosas del humo de cigarrillo. Cuando el humo pasa a los pulmones, los alquitranes irritan y dañan todo el sistema respiratorio. Este daño es especialmente grave en los pulmones en desarrollo de los adolescentes.

El tabaco y las enfermedades

Fumar cigarrillos daña los sistemas respiratorio y circulatorio. Fumar por mucho tiempo puede causar enfermedades de los pulmones tales como bronquitis y enfisema. Estas enfermedades son muchas veces un riesgo mortal. Además, el fumador empedernido tiene veinte veces más posibilidades de contraer cáncer de pulmón que el no fumador.

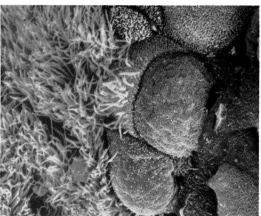
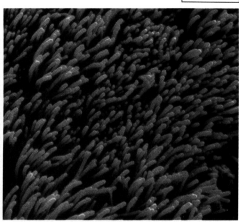

In addition to lung irritation, smoking also increases heartbeat, lowers skin temperature, and causes blood vessels to constrict, or narrow. Constriction of blood vessels increases blood pressure and makes the heart work harder. Heavy smokers are twice as likely to develop some forms of heart disease than are nonsmokers.

The Surgeon General's 1982 report not only named cigarette smoking as the single most preventable cause of death in the United States, it also contained a long list of cancers associated with smoking. In addition to lung cancer, the report named cancer of the bladder, mouth, esophagus, pancreas, and larynx. In fact, at least one third of all cancer deaths may be caused by smoking.

Not everyone who experiences the harmful effects of cigarette smoking has chosen to smoke. Many people are passive, or involuntary, smokers. A passive smoker is one who breathes in air containing the smoke from other people's cigars, pipes, or cigarettes. If one or both of your parents smoke, you probably have been a passive smoker all your life. As you may already know, passive smoking can be extremely unpleasant. It can cause your eyes to burn, itch, and water, and it can irritate your nose and throat.

What is even more important, however, is that passive smoking is harmful to your health. Recent research shows that nonsmokers who have worked closely with smokers for many years suffer a decrease in the functioning of the lungs. Other studies show that infants under the age of one year whose mothers smoke have twice as many lung infections as infants of nonsmoking mothers.

Figure 9–12 *Because passive smoking is harmful, some companies have made their buildings totally smoke free.*

9–3 Section Review

1. What effects does tobacco smoking have on the body?
2. What is nicotine? Tar?

Critical Thinking—*You and Your World*

3. What factors do you think influence someone to use tobacco?

ACTIVITY

CALCULATING

Cigarette Smoking

In 1980, there were 54 million smokers in the United States. If these people smoked 630 billion cigarettes each year, approximately how many cigarettes did each person smoke in a year? In a month?

Además de irritar los pulmones, fumar también acelera los latidos del corazón, baja la temperatura de la piel y hace que los vasos sanguíneos se contraigan. La contracción de los vasos sanguíneos eleva la presión de la sangre y hace que el corazón lata más rápidamente. Para los fumadores empedernidos la posibilidad de enfermarse del corazón dobla la de los no fumadores.

El informe de 1982 del Cirujano General no sólo establecía que fumar es una de las causas de muerte que más se podría evitar en los Estados Unidos sino que también tenía una larga lista de las formas de cáncer relacionados. Además del cáncer de pulmón, se mencionaba el cáncer de vejiga, boca, esófago, páncreas y laringe. Por lo menos una tercera parte de las muertes debidas al cáncer se deben al cigarrillo.

No todo el que sufre de los efectos del cigarrillo fuma. Muchas personas son fumadores pasivos, o involuntarios, es decir que inhalan el aire que contiene el humo de los puros, pipas, o cigarrillos de otros. Si uno o tus dos padres fuman, probablemente hayas sido un fumador pasivo toda la vida. Como ya has de saber, el fumar pasivo puede ser sumamente molesto. Puede causar comezón, ardor y lagrimeo de los ojos, y puede irritarte la nariz y la garganta.

Lo que aun es más importante, es que el fumar pasivo es dañino para tu salud. Investigaciones recientes muestran que los no fumadores que han trabajado, por mucho tiempo, al lado de fumadores experimentan mal funcionamiento de los pulmones. Otros estudios muestran que los bebés menores de un año cuyas madres fuman tienen dos veces más infecciones de los pulmones que los niños de madres que no fuman.

Figura 9–12 *Como el fumar pasivo es peligroso, algunas compañías prohiben que se fume en sus edificios.*

ACTIVIDAD

PARA CALCULAR

Consumo de cigarrillos

En 1980, había 54 millones de fumadores en los Estados Unidos. Si se fumaron aproximadamente 630 mil millones de cigarrillos en un año. ¿Cuántos cigarrillos fumó cada uno en un año? ¿Y en un mes?

9–3 Repaso de la sección

1. ¿Qué efectos causa en el cuerpo fumar tabaco?
2. ¿Qué es la nicotina? ¿Y el alquitrán?

Pensamiento crítico—*Tú y tu mundo*

3. ¿Qué factores crees tú que influyen para que alguien fume?

9–4 Commonly Abused Drugs

As you have already learned, drugs are substances that have an effect on the body. The specific effects differ with the type of drug. Some drugs affect the circulatory system, whereas others affect the respiratory system. The most powerful drugs, however, are those that affect the nervous system and change the user's behavior.

For the most part, drugs that affect the nervous system are the drugs that are most commonly abused. **Some commonly abused drugs include inhalants, depressants, stimulants, hallucinogens** (huh-LOO-sih-nuh-jehnz)**, and opiates** (OH-pee-ihtz)**.** In this section you will learn about the effects these drugs have on the body.

Inhalants

Drugs that are inhaled to get a desired effect are called **inhalants**. Because inhalants are able to enter the bloodstream directly through the lungs, they affect the body quickly.

Typically, people abuse inhalants to get a brief feeling of excitement. One such example of inhalant abuse is glue sniffing. After the effects of inhaling the fumes have worn off, the abuser often has nausea, dizziness, loss of coordination, blurred vision, and a headache. Some inhalants do permanent damage to the brain, liver, kidneys, and lungs. Continued abuse can lead to unconsciousness and even death.

Other examples of inhalants include nitrous oxide, amyl nitrite (AM-ihl NIGH-tright), and butyl (BYOO-tihl) nitrite. Nitrous oxide, which is more commonly known as "laughing gas," is used by dentists as a painkiller because it causes the body to relax. Long-term abuse of nitrous oxide can cause psychological dependence and can damage the kidneys, liver, and bone marrow. Both amyl nitrite and butyl nitrite cause relaxation, light-headedness, and a burst of energy. As with nitrous oxide, abuse of these drugs can cause psychological dependence and certain circulatory problems.

Figure 9–13 *Because products such as paint thinner give off dangerous fumes, their labels contain warnings for their use in well-ventilated rooms.*

9–4 Las drogas comúnmente abusadas

Como ya sabes, las drogas son sustancias que tienen un efecto en el cuerpo. Los efectos específicos varían según el tipo de droga. Algunas afectan el sistema circulatorio y otras afectan el respiratorio. Las drogas más potentes, sin embargo, son las que afectan el sistema nervioso y cambian el comportamiento del usuario.

En general, las drogas que afectan el sistema nervioso son de las que más se abusa. **Entre algunas de las drogas más comúnmente abusadas están los inhalantes, sedativos, estimulantes, alucinógenos, y narcóticos.** En esta sección aprenderás acerca de los efectos que estas drogas tienen en el cuerpo.

Inhalantes

Las drogas que son inhaladas para obtener el efecto deseado se llaman **inhalantes**. Como los inhalantes penetran en la sangre directamente a través de los pulmones, afectan al cuerpo rápidamente.

Típicamente, se abusa de los inhalantes para obtener una breve sensación vivificante. Un ejemplo de su abuso es la inhalación de pegamento. Al pasar los efectos, el que abusa a menudo tiene náuseas, mareos, pérdida de coordinación, visión borrosa, y dolor de cabeza. Algunos inhalantes causan daños permanentes al cerebro, al hígado, a los riñones y a los pulmones. El abuso contínuo puede llevar a la pérdida de sentido y hasta a la muerte.

Entre otros inhalantes están el óxido nitroso, el nitrito de amilo y el nitrito de butilo. El óxido nitroso, más comúnmente conocido como "gas de la risa," es usado por los dentistas como analgésico porque relaja el cuerpo. El uso prolongado de óxido nitroso puede causar dependencia psicológica y dañar los riñones, hígado y médula. Tanto, el nitrito de amilo como el de butilo producen relajamiento, mareos y una explosión de energía. Como con el óxido nitroso, el abuso de estas drogas puede causar dependencia psicológica y ciertos problemas circulatorios.

Figura 9–13 *Como productos tales como los solventes de pintura emiten vapores peligrosos, sus etiquetas advierten que deben usarse en cuartos bien ventilados.*

COMMONLY ABUSED DRUGS

Type of Drug	Examples	Basic Action on Central Nervous System	Psychological Dependence	Physical Dependence	Withdrawal Symptoms	Development of Tolerance
Opiates and related drugs	Heroin Demerol Methadone	Depressant	Yes, strong	Yes, very fast development	Severe but rarely life-threatening	Yes
Barbiturates	Phenobarbital Nembutal Seconal	Depressant	Yes	Yes	Severe, life-threatening	Yes
Tranquilizers (minor)	Valium Miltown Librium	Depressant	Yes	Yes	Yes	Yes
Alcohol	Beer Wines Liquors Whiskey	Depressant	Yes	Yes	Severe, life-threatening	Yes, more in some people than in others
Cocaine	As a powder Crack	Stimulant	Yes, strong	Yes	Yes	Possible
Cannabis	Marijuana Hashish	Ordinarily a depressant	Yes, moderate	Probably not	Probably none	Possible
Amphetamines	Benzedrine Dexedrine Methedrine	Stimulant	Yes	Possible	Possible	Yes, strong
Hallucinogens	LSD Mescaline Psilocybin	Stimulant	Yes	No	None	Yes, fast
Nicotine	In tobacco of cigarettes, cigars; also in pipe tobacco, chewing tobacco	Stimulant	Yes, strong	Yes	Yes	Yes
Inhalants	Nitrous oxide Amyl nitrite Butyl nitrite	Depressant	Yes	No	None	No

Figure 9–14 *This chart lists some of the commonly abused drugs. What type of drug is nicotine?*

Depressants

Earlier you read that alcohol is a depressant. Depressants slow down or decrease the actions of the nervous system. Two other commonly abused depressants are the powerful barbiturates (bahr-BIHCH-er-ihts) and the weaker tranquilizers (TRAN-kwihl-ighz-erz). Usually, these drugs are taken in pill form.

Because depressants calm the body and can bring on sleep, doctors once prescribed them for people who had sleeping problems or suffered from

DROGAS COMÚNMENTE ABUSADAS

Tipo de droga	Ejemplos	Efectos en el sistema nervioso central	Dependencia psicológica	Dependencia física	Síndromes de abstinencia	Desarrollo de tolerancia
Narcóticos y drogas relacionadas	Heroína Demerol Metadona	Sedante	Sí, fuerte	Sí, desarrollo muy rápido	Graves pero raramente mortales	Si
Barbitúricos	Fenobarbital Nembutal Seconal	Sedante	Si	Si	Graves, mortales	Si
Tranquilizantes (menores)	Valio Miltown Librio	Sedante	Si	Si	Si	Si
Alcohol	Cerveza Vinos Licores Whiskey	Sedante	Si	Si	Graves, mortales	Sí, más en unas personas que en otras
Cocaína	En polvo Crack	Estimulante	Sí, fuerte	Si	Si	Posible
Cannabis	Marihuana Hachís	Comúnmente un sedante	Sí, moderada	Probablemente no	Probablemente ninguno	Posible
Anfetaminas	Benzedrina Dexedrina Metedrina	Estimulante	Si	Posible	Posible	Sí, fuerte
Alucinógenos	LSD Mescalina Psilocibina	Estimulante	Si	No	Ninguno	Sí, rápido
Nicotina	En el tabaco de cigarrillos puros; también en el tabaco de pipa tabaco de masticar	Estimulante	Sí, fuerte	Si	Si	Si
Inhalantes	Óxido nitroso Nitrito de amilo Nitrito de butilo	Sedante	Si	No	·Ninguno	No

Figura 9–14 *En esta tabla están algunas de las drogas más comúnmente abusadas. ¿Qué tipo de droga es la nicotina?*

Sedantes

Ya leíste que el alcohol es un sedante. Los sedantes retardan o disminuyen las acciones del sistema nervioso. Otros dos sedantes comúnmente abusados son los potentes barbitúricos y los no tan fuertes tranquilizantes. Generalmente, estas drogas se toman en forma de píldoras.

Como los sedantes calman el cuerpo y pueden inducir el sueño, se solían recetar a personas con problemas para dormir o que sufrían de los nervios.

Figure 9–15 *When people take drugs such as barbiturates in combination with alcohol, the results are often fatal. Why?*

nervousness. But depressants, particularly barbiturates, cause both physical and psychological dependence. Withdrawal from barbiturate abuse is especially severe and can result in death if done without medical care. And because a tolerance to depressants builds up quickly, a person must continue to take more and more of the drug. This can lead to an overdose, which can lead to death. When barbiturates are used with alcohol, the results are often fatal because the nervous system can become so slowed down that even breathing stops.

Stimulants

While depressants decrease the activities of the nervous system, **stimulants** increase these activities. Caffeine, a drug in coffee, is a stimulant. However, caffeine is a mild stimulant. Far more powerful stimulants make up a class of drugs called amphetamines (am-FEHT-uh-meenz).

Today, the legal use of amphetamines is limited. Yet many people abuse amphetamines illegally. They seek the extra pep an amphetamine pill may bring. Long-term amphetamine abuse, however, can lead to serious psychological and physical problems. Perhaps no side effects are more dramatic than the feelings of dread and suspicion that go hand in hand with amphetamine abuse.

A stimulant that has been increasingly abused in recent years is cocaine. Cocaine comes from the leaves of coca plants that grow in South America. Cocaine may be injected by needle but is usually inhaled as a powder through the nose. In time, the lining of the nose becomes irritated from the powder. If abuse continues, it is not uncommon for cocaine to burn a hole through the walls of the nose.

Psychological dependence from cocaine abuse is so powerful that the drug is difficult to give up. Long-term cocaine abuse can lead to the same mental problems as those of amphetamine abuse.

Within the last 10 years, a very dangerous form of cocaine known as crack has become popular. Unlike cocaine, crack is smoked. Once in the body, crack travels quickly to the brain, where it produces an intense high. This high, however, wears off quickly, leaving the user in need of another dose. Crack is

Figure 9–16 *Under the influence of amphetamines, an orb-weaver spider weaves an irregular web. What type of drug is an amphetamine?*

Figura 9–15 *Cuando la gente toma drogas tales como barbitúricos combinados con alcohol, los resultados son mortales. ¿Por qué?*

Figura 9–16 *Bajo la influencia de las anfetaminas, una araña teje una tela irregular. ¿Qué tipo de droga es una anfetamina?*

Pero los sedantes, en particular los barbitúricos, causan dependencias físicas y psicológicas. El síndrome de abstinencia del abuso de un barbitúrico es especialmente grave y puede causar la muerte si no se hace bajo cuidado médico. Y como la tolerancia a los sedantes aumenta rápidamente, una persona debe tomar cada vez más. Esto puede conducir a una sobredosis, lo que puede causar la muerte. Cuando los barbitúricos se usan con alcohol, los resultados son generalmente mortales porque el sistema nervioso se retarda tanto que puede llegar a interrumpir la respiración.

Estimulantes

Mientras los sedantes reducen la actividad del sistema nervioso, los **estimulantes** las aumentan. La cafeína, una droga del café, es un estimulante, aunque es suave. Hay estimulantes mucho más fuertes que pertenecen a una clase de drogas llamadas anfetaminas.

Actualmente, el uso legal de anfetaminas es limitado. Sin embargo, mucha gente abusa de las anfetaminas ilegalmente. Buscan la energía extra que una pastilla de anfetamina puede proporcionar. El abuso prolongado de anfetaminas puede acarrear graves problemas psicológicos y físicos. Tal vez no haya efectos secundarios más dramáticos que los sentimientos de miedo y sospecha que acompañan el abuso de anfetaminas.

La cocaína es un estimulante cuyo abuso ha aumentado en años recientes. La cocaína se produce de las hojas de las plantas de coca que crecen en América del Sur. La cocaína puede ser inyectada, pero generalmente se inhala por la nariz en forma de polvo. Con el tiempo, la membrana de la nariz se irrita con el polvo. Si el abuso continúa, no es difícil que la cocaína haga un agujero en las paredes de la nariz.

La dependencia psicológica que causa la cocaína es tan fuerte, que es difícil abandonarla. Su abuso prolongado puede causar los mismos problemas mentales que el abuso de las anfetaminas.

Durante los últimos 10 años, se ha popularizado una forma muy peligrosa de cocaína llamada "crack." A diferencia de la cocaína, el crack se fuma. Una vez en el cuerpo, el crack llega rápidamente al cerebro, donde produce una culminación intensa. Sin embargo, ese sentimiento desaparece rápidamente, dejando al usuario con la necesidad de otra dosis. El crack es una de las

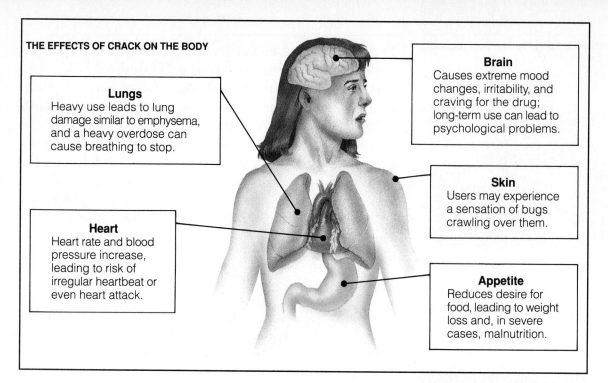

THE EFFECTS OF CRACK ON THE BODY

Lungs
Heavy use leads to lung damage similar to emphysema, and a heavy overdose can cause breathing to stop.

Brain
Causes extreme mood changes, irritability, and craving for the drug; long-term use can lead to psychological problems.

Skin
Users may experience a sensation of bugs crawling over them.

Heart
Heart rate and blood pressure increase, leading to risk of irregular heartbeat or even heart attack.

Appetite
Reduces desire for food, leading to weight loss and, in severe cases, malnutrition.

Figure 9–17 *Crack is an extremely powerful form of cocaine. What effects does crack have on the brain?*

among the most addictive drugs known. A crack user can become hooked on the drug in only a few weeks. Figure 9–17 shows some effects that crack has on the body.

Marijuana

Another drug that is usually smoked is **marijuana**. Marijuana is an illegal drug made from the flowers and leaves of the Indian hemp plant. The effects of marijuana are due mainly to a chemical in the plant known as THC. The THC in marijuana affects different people in different ways. And the effects are often hard to describe once they have passed.

Some users of marijuana report a sense of well-being, or a feeling of being able to think clearly. Others say that they become suspicious of people and cannot keep their thoughts from racing. For many, marijuana distorts the sense of time. A few seconds may seem like an hour, or several hours may race by like seconds.

Research findings now point to a variety of possible health problems caused by marijuana. Like alcohol, marijuana slows reaction time and is the direct cause of many highway accidents. Marijuana seems to have an effect on short-term memory. Heavy users

Figure 9–18 *Marijuana is an illegal drug made from the flowers and leaves of the Indian hemp plant. What chemical in marijuana is responsible for its effects?*

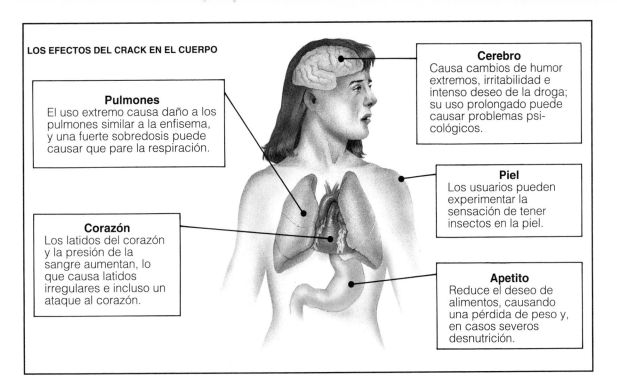

LOS EFECTOS DEL CRACK EN EL CUERPO

Cerebro
Causa cambios de humor extremos, irritabilidad e intenso deseo de la droga; su uso prolongado puede causar problemas psicológicos.

Pulmones
El uso extremo causa daño a los pulmones similar a la enfisema, y una fuerte sobredosis puede causar que pare la respiración.

Piel
Los usuarios pueden experimentar la sensación de tener insectos en la piel.

Corazón
Los latidos del corazón y la presión de la sangre aumentan, lo que causa latidos irregulares e incluso un ataque al corazón.

Apetito
Reduce el deseo de alimentos, causando una pérdida de peso y, en casos severos desnutrición.

Figura 9–17 *El crack es una forma de cocaína sumamente potente. ¿Qué efectos tiene el crack en el cerebro?*

drogas más adictivas que se conocen. Un usuario de crack puede volverse adicto en sólo unas pocas semanas. La figura 9–17 muestra algunos de los efectos que el crack tiene en el cuerpo.

Marihuana

Otra droga que se fuma comúnmente es la **marihuana**, una droga ilegal fabricada con las flores y hojas de la planta llamada hachís. Los efectos de la marihuana se deben principalmente a su agente químico conocido como THC. El THC afecta a la gente de diferentes maneras y sus efectos son a menudo difíciles de describir una vez que se han disipado.

Algunos usuarios de marihuana dicen que tienen un sentido de bienestar o la sensación de poder pensar claramente. Otros dicen que se vuelven sospechosos de la gente y que no pueden controlar sus pensamientos. Para muchos, se altera el sentido del tiempo: algunos segundos pueden parecer una hora, o varias horas pueden parecer segundos.

Los resultados de investigaciones indican que la marihuana puede causar una variedad de problemas de salud. Como el alcohol, la marihuana retarda el tiempo de reacción y es causa directa de muchos accidentes en carreteras. También parece tener un efecto en la

Figura 9–18 *La marihuana es una droga ilegal fabricada con las flores y hojas del hachís. ¿Qué sustancia química es responsable de sus efectos secundarios?*

often have trouble concentrating. And there can be no doubt that marijuana irritates the lungs and leads to some respiratory damage. It may surprise you to learn that smoking marijuana harms the lungs more than smoking tobacco does. Long-term abuse of marijuana produces psychological dependence but does not seem to lead to physical dependence. Withdrawal symptoms usually do not occur, but heavy users may suffer sleep difficulties and anxiety.

Hallucinogens

All **hallucinogens** are illegal. Hallucinogens are drugs that alter a user's view of reality. Abusers of hallucinogens cannot tell what is real and what is not. They may also experience memory loss and personality changes, and they may not be able to perform normal activities.

The strongest hallucinogen is LSD. The effects of LSD are unpredictable—it can either stimulate or depress the body. Abusers commonly see colorful pictures. A person may report seeing sound and hearing color. Solid walls may move in waves. Not all hallucinations are pleasant, however. Some people experience nightmarelike "bad trips" in which all sense of reality is lost. Fears are heightened, and a feeling of dread overcomes the user. During this time, accidental deaths and even suicide are not uncommon. A small percentage of abusers do not recover from an LSD experience for months and have to be hospitalized.

The hallucinogen called PCP or "angel dust" was originally developed as an anesthetic (painkilling substance) for animals. PCP may be smoked, injected, sniffed, or eaten. PCP can act as a stimulant, depressant, or hallucinogen. PCP abusers often engage in violent acts and some have even committed suicide.

Opiates

Some of the most powerful drugs known are the **opiates**, or painkilling drugs. Opiates, which are produced from the liquid sap of the opium poppy plant, include opium, morphine, codeine, paregoric (par-uh-GOR-ihk), and heroin. With the exception of

memoria de corto plazo. Los usuarios empedernidos tienen a menudo dificultad para concentrarse. Tampoco hay duda que la marihuana irrita los pulmones y causa daños respiratorios. Fumar marihuana daña los pulmones más que el tabaco. Su abuso prolongado produce dependencia psicológica pero no parece crear dependencia física, generalmente no hay síndromes de abstinencia, pero los usuarios empedernidos pueden tener dificultades para dormir y sufrir ansiedad.

Alucinógenos

Todos los **alucinógenos** son ilegales. Los alucinógenos son drogas que alteran el sentido de la realidad del usuario. Los que abusan de alucinógenos no pueden ver la diferencia entre lo real y lo irreal. También pueden experimentar pérdida de la memoria y cambios de personalidad, y es posible que no puedan realizar sus actividades normales.

El alucinógeno más potente es el LSD. Los efectos del LSD no son predecibles—pueden estimular el cuerpo o deprimirlo. Los que abusan generalmente ven coloridas imágenes. Una persona puede decir que vio sonidos y escuchó colores, las paredes sólidas pueden moverse como olas. Pero, no todas las alucinaciones son agradables. Algunos experimentan "malos viajes," pesadillas en las que se pierde todo sentido de la realidad. Se intensifican los miedos y un sentimiento de pavor invade al usuario. En estos casos, son comunes las muertes accidentales y aun los suicidios. Un pequeño número de usuarios no se recupera de la experiencia con LSD por meses y debe ser hospitalizado.

El alucinógeno llamado PCP o "polvo de ángel" originalmente fue desarrollado como anestésico (para quitar el dolor) de animales. El PCP se puede fumar, inyectar, inhalar o comer; puede actuar como estimulante, sedante o alucinógeno. Los que abusan de él participan a menudo en actos violentos y algunos hasta se han suicidado.

Narcóticos

Algunas de las drogas más potentes que se conocen son los **narcóticos**, o drogas para eliminar el dolor. Algunos narcóticos, que se fabrican con la sabia de la planta de opio, incluyen el opio, la morfina, la codeína, el paregórico y la heroína. Salvo la heroína y el opio,

Figure 9–19 *A close-up of a ripe poppy pod shows some of the opium-containing juice oozing out (left). The roundish yellow structure in the middle of the poppy flower is the pod (right).*

heroin and opium, all opiates can legally be used under a doctor's supervision.

In addition to causing a strong physical and psychological dependence, there are other dangers of opiate abuse. The most obvious to nonabusers is the antisocial behavior of people who have a strong need for the drug heroin but no money with which to buy it illegally. Such abusers become trapped in a world from which they cannot escape without help. And the longer they use heroin, the longer they are likely to suffer the dangers of its abuse. For example, most abusers risk an overdose. And overdoses often lead to death. In addition, life-threatening diseases such as AIDS and hepatitis can be transmitted by sharing needles. In their weakened condition, heroin abusers are no match for such serious diseases.

9–4 Section Review

1. Compare the effects a depressant and a stimulant have on the body.
2. Describe the effect hallucinogens have on the body.

Critical Thinking—*You and Your World*
3. You are at a party where drugs are being used. What should you do?

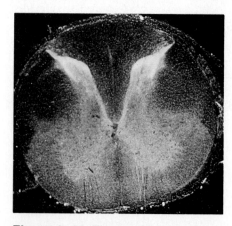

Figure 9–20 *The bright spots in this cross section of the spinal cord are opiate receptors. Opiate receptors are those areas where opiates attach to nerve cells.*

Figura 9–19 *Vista de cerca , se ven en una vaina madura de amapola las gotas del jugo que contiene opio (izquierda). La estructura redonda y amarilla del centro de la flor es la vaina (derecha).*

todos los narcóticos pueden usarse legalmente bajo la supervisión de un médico.

Además de causar una fuerte dependencia física y psicológica, el abuso de narcóticos tiene otros peligros. El más obvio para los que no abusan es el comportamiento antisocial de los que tienen una gran necesidad de heroína, pero que no tienen dinero para comprarla ilegalmente. Tales personas son atrapadas en un mundo del cual no pueden escapar sin ayuda. Cuanto más tiempo usan la heroína, más pueden sufrir los peligros de su abuso. La mayoría de los que abusan corren el riesgo de una dosis excesiva que puede llevarlos a la muerte. Además, enfermedades mortales como el SIDA y la hepatitis pueden transmitirse con las jeringas que se comparten. Los que abusan de la heroína están tan debilitados que no pueden luchar contra enfermedades tan graves.

9–4 Repaso de la sección

1. Compara los efectos en el cuerpo de un sedante y un estimulante.
2. Describe los efectos de los alucinógenos en el cuerpo.

Pensamiento crítico—*Tú y tu mundo*
3. Estás en una fiesta donde se están usando drogas ¿Qué debes hacer?

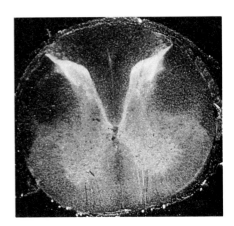

Figura 9–20 *Las manchas brillantes en esta sección transversal de la espina dorsal son receptores de narcóticos. Los receptores son las áreas donde los narcóticos se adhieren a las células nerviosas.*

Laboratory Investigation

Analyzing Smoking Advertisements

Problem

How are advertisements used to convince people to smoke or not to smoke?

Materials *(per group)*

magazines
paper

Procedure

1. Choose two or three different types of magazines. Glance through the magazines to find advertisements for and against cigarette smoking.

2. On a sheet of paper, make a chart like the one shown. Then, for each advertisement you found, fill in the information in the chart. In the last column, record the technique that the advertisement uses to attract the public to smoke or not to smoke. Examples of themes used to attract people to smoke are "Beautiful women smoke brand X"; "Successful people smoke brand Y"; "Brand Z tastes better." Examples of themes used to stop people from smoking are "Smoking is dangerous to your health"; "Smart people do not smoke"; "If you cared about yourself or your family, you would not smoke."

Observations

1. Were there more advertisements for or against smoking?

2. Which advertising themes were used most often? Least often?

Analysis and Conclusions

1. Which advertisements appealed to you personally? Why?

2. In general, how are the advertising themes that are used related to the type of magazine in which the advertisements appear?

3. **On Your Own** Repeat the procedure, but this time look for advertisements for and against drinking alcohol. Compare the way in which drinking alcohol is advertised to the way in which smoking cigarettes is advertised.

Magazine	Advertisements for Smoking (specify brand)	Advertisements Against Smoking (specify advertisement)	Theme

Investigación de laboratorio

Análisis de los anuncios de cigarrillos

Problema

¿Cómo se utiliza la publicidad para convencer al público de que fume o deje de fumar?

Materiales *(por grupo)*

revistas
papel

Procedimiento

1. Elige dos o tres revistas diferentes. Hojéalas y busca anuncios a favor y en contra del consumo de cigarrillos.

2. En una hoja de papel, haz una tabla como la que se ve más abajo. Completa la información de la tabla con cada anuncio que encuentres. En la última columna, anota las técnicas que se usan para atraer al público para que fume o para que no lo haga. Ejemplos de temas utilizados para atraer son: "Las mujeres hermosas fuman marca X"; "Las personas de éxito fuman marca Y"; "La marca Z tiene mejor sabor." Para que las personas dejen de fumar se usa: "Fumar es peligroso para la salud"; "Las personas inteligentes no fuman"; "Si te interesas en ti mismo y en tu familia, no fumes."

Observaciones

1. ¿Había más anuncios en favor o en contra del consumo de cigarrillos?

2. ¿Qué temas se usan con más frecuencia en los anuncios? ¿Y con menos?

Análisis y conclusiones

1. ¿Qué tipos de anuncios te atrajeron más? ¿Por qué?

2. En general, ¿cómo se relacionan los temas publicitarios con el tipo de revista que los publica?

3. **Por tu cuenta** Repite el procedimiento, pero esta vez busca anuncios sobre el consumo de alcohol. Compara cómo se hace publicidad para el consumo de cigarrillos y para el consumo de alcohol.

Revista	Anuncios a favor de fumar *(especifica la marca)*	Anuncios en contra de fumar *(especifica el anuncio)*	Tema

Summarizing Key Concepts

9–1 What Are Drugs?

▲ A drug is any substance that has an effect on the body.

▲ Tolerance, dependence, and withdrawal are serious dangers of drug abuse.

▲ Tolerance causes the body to need increasingly larger amounts of the drug to get the same effect originally produced.

▲ Psychological dependence is a strong desire or need to continue using a drug. Physical dependence, or addiction, occurs when the body becomes used to a drug and needs it to function normally.

▲ Withdrawal is stopping the use of a drug.

9–2 Alcohol

▲ The abuse of alcohol can lead to destruction of liver and brain cells and can cause both physical and psychological dependence.

▲ In the brain, alcohol acts as a depressant and slows down the actions of the central nervous system.

▲ Treatment for alcoholism includes medical and psychological help.

9–3 Tobacco

▲ Cigarette smoking causes damage to both the respiratory system and the circulatory system.

▲ Cigarette smoke contains poisonous substances such as nicotine, carbon dioxide, and tars.

▲ Cigarette smoking is the most important cause of lung cancer. Cigarette smoking irritates the lining of the nose, throat, and mouth; increases heartbeat; lowers skin temperature; and constricts blood vessels.

▲ Passive smokers are those people who breathe in air containing smoke from other people's cigars, cigarettes, and pipes.

9–4 Commonly Abused Drugs

▲ Some commonly abused drugs include inhalants, depressants, stimulants, hallucinogens, and opiates.

▲ Inhalants are drugs that are inhaled to get a desired effect.

▲ Depressants are drugs that decrease the actions of the nervous system.

▲ Stimulants speed up the actions of the nervous system.

▲ The effects of marijuana are due mainly to a chemical called THC. Like alcohol, marijuana slows down reaction time.

▲ Hallucinogens are drugs that produce hallucinations.

▲ Opiates, which are produced from the opium poppy, are used as painkillers.

Reviewing Key Terms

Define each term in a complete sentence.

9–1 What Are Drugs?
drug
drug abuse
tolerance
psychological dependence
physical dependence
withdrawal

9–2 Alcohol
depressant
alcoholism

9–4 Commonly Abused Drugs
inhalant
stimulant

marijuana
hallucinogen
opiate

Resumen de conceptos claves

9-1 ¿Qué son las drogas?

▲ Una droga es cualquier sustancia que afecta al cuerpo.

▲ La tolerancia, la dependencia y el síndrome de abstinencia son graves peligros del abuso de drogas.

▲ La tolerancia hace que el cuerpo necesite cantidades cada vez mayores de droga para que produzcan los mismos efectos que se producían originalmente.

▲ La dependencia psicológica es un fuerte deseo o necesidad de continuar usando la droga. La dependencia física, o adicción, ocurre cuando el cuerpo se acostumbra a la droga y la necesita para funcionar normalmente.

▲ El síndrome de abstinencia aparece cuando se deja de usar la droga.

9-2 El alcohol

▲ El abuso del alcohol puede conducir a la destrucción del hígado, de las células del cerebro y puede causar dependencia física y psicológica.

▲ En el cerebro el alcohol actúa como un sedante que hace más lentas las funciones del sistema nervioso central.

▲ El tratamiento del alcoholismo incluye ayuda médica y psicológica.

9-3 El tabaco

▲ Fumar cigarrillos causa daños al sistema respiratorio y al circulatorio.

▲ El humo del cigarrillo contiene sustancias tóxicas como la nicotina, el bióxido de carbono y el alquitrán.

▲ Fumar es la causa más importante del cáncer de pulmón. Irrita las mucosas de la nariz, la garganta y la boca; aumenta los latidos del corazón; disminuye la temperatura de la piel y contrae los vasos sanguíneos.

▲ Los fumadores pasivos son los que inhalan aire que contiene humo de cigarrillos, cigarros y pipas que fuman otros.

9-4 Las drogas comúnmente abusadas

▲ Entre las drogas comúnmente abusadas están los inhalantes, sedantes, estimulantes, alucinógenos y los narcóticos.

▲ Los inhalantes son drogas que se inhalan para obtener el efecto deseado.

▲ Los sedantes son drogas que hacen más lentas las reacciones del sistema nervioso.

▲ Los estimulantes aceleran las reacciones del sistema nervioso.

▲ Los efectos de la marihuana se deben principalmente a una sustancia química llamada THC. Como el alcohol, la marihuana hace más lentas las reacciones.

▲ Los alucinógenos son drogas que producen alucinaciones.

▲ Los narcóticos, que se obtienen del opio de las amapolas, se utilizan como analgésicos.

Repaso de palabras claves

Define cada palabra o palabras con una oración completa.

9-1 ¿Qué son las drogas?

droga
abuso de las drogas
tolerancia
dependencia psicológica
dependencia física
síndrome de abstinencia

9-2 El alcohol

sedante
alcoholismo

9-4 Las drogas comúnmente abusadas

inhalante
estimulante

marihuana
alucinógenos
narcóticos

Chapter Review

Content Review

Multiple Choice

Choose the letter of the answer that best completes each statement.

1. Which requires no prescription?
   a. barbiturate   c. amphetamine
   b. tranquilizer   d. aspirin
2. Which is not an example of drug misuse?
   a. buying an over-the-counter drug
   b. taking an illegal drug
   c. taking more of a drug than the amount prescribed by a doctor
   d. taking a drug prescribed for someone else
3. Alcohol acts as a(an)
   a. stimulant.   c. hallucinogen.
   b. opiate.   d. depressant.
4. Alcohol mainly affects the
   a. heart.   c. brain.
   b. muscles.   d. stomach.
5. Which system does bronchitis, a disorder aggravated by smoking, affect?
   a. respiratory   c. digestive
   b. circulatory   d. nervous

6. An addictive drug found in tobacco products is
   a. tar.   c. nicotine.
   b. THC.   d. heroin.
7. An example of an inhalant is
   a. THC.
   b. a barbiturate.
   c. codeine.
   d. nitrous oxide.
8. Barbiturates are
   a. opiates.
   b. hallucinogens.
   c. depressants.
   d. stimulants.
9. Crack is classified as a(an)
   a. stimulant.   c. depressant.
   b. opiate.   d. hallucinogen.
10. Heroin is a(an)
    a. stimulant.   c. depressant.
    b. opiate.   d. hallucinogen.

True or False

If the statement is true, write "true." If it is false, change the underlined word or words to make the statement true.

1. The deliberate misuse of drugs for uses other than medical ones is known as <u>drug abuse</u>.
2. <u>Physical dependence</u> is also known as addiction.
3. The abuse of alcohol can lead to <u>alcoholism</u>.
4. Cirrhosis affects the <u>lungs</u>.
5. The most dangerous part of cigarette smoke is <u>carbon dioxide</u>.
6. <u>Amphetamines</u> and barbiturates are examples of depressants.
7. LSD belongs to a group of drugs known as <u>opiates</u>.

Concept Mapping

Complete the following concept map for Section 9–1. Refer to pages H8–H9 to construct a concept map for the entire chapter.

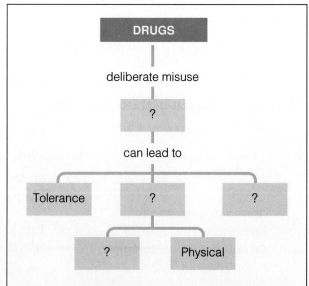

Repaso del capítulo

Repaso del contenido

Selección múltiple

Selecciona la letra de la respuesta que mejor complete cada frase.

1. ¿Cuál no requiere receta?
   a. barbitúrico
   b. sedante
   c. anfetamina
   d. aspirina

2. ¿Cuál no es un ejemplo del mal uso de drogas?
   a. comprar una droga de venta libre
   b. consumir una droga ilegal
   c. tomar una dosis mayor que la recetada por el médico
   d. tomar una medicina recetada para otra persona

3. El alcohol actúa como un
   a. estimulante.
   b. opiáceo.
   c. alucinógeno.
   d. sedante.

4. El alcohol afecta principalmente
   a. el corazón.
   b. los músculos.
   c. el cerebro.
   d. el estómago.

5. ¿A qué sistema afecta la bronquitis, una efermedad agravada por fumar?
   a. respiratorio
   b. circulatorio
   c. digestivo
   d. nervioso

6. Una droga adictiva que se encuentra en el tabaco es
   a. el alquitrán.
   b. el THC.
   c. la nicotina.
   d. la heroína.

7. Un ejemplo de un inhalante es
   a. el THC.
   b. un barbitúrico.
   c. la codeína.
   d. el óxido nitroso.

8. Los barbitúricos son
   a. narcóticos.
   b. alucinógenos.
   c. sedantes.
   d. estimulantes.

9. El crack se clasifica como
   a. estimulante.
   b. narcótico.
   c. sedante.
   d. alucinógeno.

10. La heroína es un
    a. estimulante.
    b. narcótico.
    c. sedante.
    d. alucinógeno.

Verdadero o falso

Si la afirmación es verdadera, escribe "verdad." Si es falsa, cambia las palabras subrayadas para que sea verdadera.

1. El mal uso intencional de las drogas con fines no medicinales se conoce como <u>abuso de las drogas</u>.
2. A la <u>dependencia física</u> se la llama también adicción.
3. El abuso del alcohol puede llevar al <u>alcoholismo</u>.
4. La cirrosis afecta los <u>pulmones</u>.
5. El componente más peligroso del humo de cigarrillo es el <u>bióxido de carbono</u>.
6. Las <u>anfetaminas</u> y los barbitúricos son ejemplos de sedantes.
7. El LSD pertenece a un grupo de drogas conocidas como <u>narcóticos</u>.

Mapa de conceptos

Completa el siguiente mapa de conceptos para la sección 9–1. Para hacer un mapa de conceptos de todo el capítulo, consulta las páginas H8–H9.

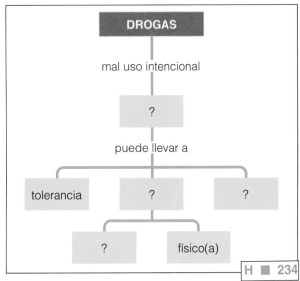

Concept Mastery

Discuss each of the following in a brief paragraph.

1. Explain how any drug can be abused.
2. It has been said that no one is ever cured of drug dependence. Explain why.
3. Why is alcohol considered a depressant?
4. What are dependence, withdrawal, and tolerance?
5. List the six commonly abused drugs. Describe the effect each has on the body.
6. How does an alcoholic differ from those who drink occasionally?
7. Describe the substances in cigarette smoke and their effects on the body.
8. List and describe some of the disorders that can result from smoking.
9. Compare psychological dependence and physical dependence.

Critical Thinking and Problem Solving

Use the skills you have developed in this chapter to answer each of the following.

1. **Applying facts** What precautions would you take when working with paint thinner?
2. **Applying concepts** Explain why heroin abusers need medical help while they are going through withdrawal.
3. **Relating facts** Almost 30 percent of the people in the United States smoke. Explain why people smoke even when they know the dangers.
4. **Making comparisons** Compare cocaine and crack.

5. **Relating cause and effect** How is cigarette smoke related to respiratory and circulatory problems?
6. **Relating concepts** Cigarette smoke is harmful to nonsmokers as well as to smokers. Explain this statement.
7. **Expressing an opinion** What are some ways in which people who abuse drugs can be discouraged from doing so?
8. **Applying concepts** Explain the meaning of this old Japanese proverb: "First the man takes a drink, then the drink takes a drink, then the drink takes the man!"
9. **Making inferences** In what ways are drug abuse and criminal acts related?
10. **Using the writing process** Imagine you are a parent. Write a letter to your child in which you try to discourage your child from experimenting with drugs.

Dominio de conceptos

Comenta cada uno de los puntos siguientes en un párrafo breve.

1. Explica cómo se puede abusar de cualquier droga.
2. Se dice que nadie se cura completamente de la dependencia de las drogas. Explica por qué.
3. ¿Por qué se considera al alcohol un sedante?
4. ¿Qué son la dependencia, el síndrome de abstinencia y la tolerancia?
5. Enumera las seis drogas más comúnmente abusadas.
6. ¿En qué se diferencia un alcohólico de una persona que bebe ocasionalmente?
7. Describe las sustancias del humo de cigarrillo y sus efectos en el cuerpo.
8. Enumera y describe algunos de los desórdenes que puede causar el fumar.
9. Compara la dependencia psicológica con la dependencia física.

Pensamiento crítico y solución de problemas

Usa las destrezas que has desarrollado en este capítulo para resolver lo siguiente.

1. **Aplicar hechos** ¿Qué precauciones debes tomar al usar disolvente de pintura?
2. **Aplicar conceptos** Explica por qué las personas que abusan de la heroína necesitan ayuda médica cuando sufren el síndrome de abstinencia.
3. **Relacionar hechos** Casi un 30% de las personas de los Estados Unidos fuman. Explica por qué la gente fuma aún cuando saben los peligros que eso implica.
4. **Hacer comparaciones** Compara la cocaína y el crack.

5. **Relacionar causa y efecto** ¿Cómo está relacionado el humo del cigarrillo con las enfermedades respiratorias y circulatorias?
6. **Relacionar conceptos** El humo del cigarrillo es perjudicial tanto para fumadores como para no fumadores. Explica por qué.
7. **Expresar una opinión** ¿Qué métodos se podrían utilizar para convencer a las personas que abusan de las drogas que dejen de hacerlo?
8. **Aplicar conceptos** Explica el significado de este antiguo proverbio japonés: "Primero la persona bebe un trago, después el trago bebe un trago, ¡después el trago se bebe a la persona!"
9. **Hacer deducciones** ¿De qué manera se relacionan el abuso de las drogas y los actos criminales?
10. **Usar el proceso de la escritura** Imagina que eres padre o madre de familia. Escríbele una carta a tu hijo (a) para advertirle de los peligros de experimentar con drogas.

GAZETTE

Ask Claire Veronica Broome about her work at the Centers for Disease Control in Atlanta, Georgia, and she is apt to break into a grin. "It's very exciting," she says, "because the answers you get are practical." Along with other scientists on her team, Dr. Broome travels to different locations to study outbreaks of disease.

One of the most confusing cases this "disease detective" has ever solved was an outbreak of listeriosis in Halifax, Nova Scotia. Listeriosis is a disease that affects membranes around the brain. This disease is caused by a type of bacterium called *Listeria monocytogenes*. Often the disease affects the

CLAIRE VERONICA BROOME:
DISEASE DETECTIVE

elderly. However, it can infect an infant before it is born. In fact, it was an epidemic of listeriosis in newborn infants that brought this case to Dr. Broome's attention.

Before going to Halifax, Dr. Broome gathered as much data on listeriosis as possible. She discovered that the bacteria that cause listeriosis were identified as a cause of human disease in 1929. At that time, it was learned that the bacteria live in soil and can infect animals. But as late as the 1980s, no one was certain how the bacteria are transmitted to unborn humans.

When Claire Broome and her team of researchers arrived in Halifax, they set to work reviewing hospital records and talking to physicians about past occurrences of listeriosis. Soon, they discovered the hospital in Halifax was experiencing an epidemic.

Dr. Broome compared two groups of people. The mothers of infants born with listeriosis made up one group. Mothers who gave birth to healthy babies made up the second group. People in both groups were interviewed. Dr. Broome collected data that covered several months of the new mothers' lives before they gave birth. Dr. Broome soon noticed a definite trend. The women with sick babies had eaten more cheeses than the women with healthy babies. Could the cheese have been contaminated by the bacteria that made the babies ill?

During her research, Dr. Broome became aware of another case of listeriosis. This case occurred in a Halifax man who had not spent time in a hospital. After examining the contents of the man's refrigerator, Dr. Broome added coleslaw to her list of possible transmitters of listeriosis. She reasoned that coleslaw is made from uncooked cabbage and cabbage grows in soil—a place in which listeria bacteria had already been discovered. Careful chemical analysis revealed that listeria bacteria were present in the coleslaw found in the sick man's refrigerator.

Dr. Broome and her team traced some of the contaminated coleslaw to a cabbage farm.

▲ **In her laboratory, Dr. Broome uses a computer to analyze data about epidemics.**

They found that the farmer used sheep manure to fertilize the cabbage. When the sheep were tested, they were also found to contain the listeria bacteria.

Now it was time for Dr. Broome to interview the mothers of the sick babies again. Not surprisingly, she found that many of them had eaten coleslaw during the time they were carrying their child. Later, Dr. Broome discovered that the bacteria that causes listeriosis can also live in milk and milk products, including cheese.

What made the packaged coleslaw and the milk products a good environment for bacteria to live in? Actually, it was the refrigerator in which these foods were stored that contributed to this disease outbreak. Refrigerators are used to keep foods from spoiling quickly. However, *Listeria monocytogenes* can survive, and even multiply, in cold temperatures. Even under proper storage conditions, the coleslaw and the cheese contained enough bacteria to make people ill.

The mystery of the Halifax listeriosis outbreak was solved. This case was closed. Dr. Broome returned to her office in Atlanta, but she barely had time to unpack before she was off to discover the cause of another "mystery" disease.

SCIENCE GAZETTE:

★ ARE AMERICANS ★
OVEREXERCISING?

One summer day in 1984, 13-year-old Rory Bentley left his home for his daily 6-mile jog through Carlisle, Massachusetts. On this particular day, however, Rory never made it back home. After jogging, he collapsed and died on the sidewalk in front of his house. Although he was only 13 and a veteran of many races, Rory died from heart failure.

Less than two months before Rory died, a motorcyclist found the body of a man lying on a country road in Vermont. The dead man was identified as James Fixx, the 52-year-old author of *The Complete Book of Running*. Fixx died of a heart attack during one of his daily 20-mile jogs.

Deaths such as these have led Americans to question the value of vigorous exercise, and running in particular. Soon after these incidents occurred, many magazines began publishing articles warning runners of the dangers of too much exercise. Doctors, medical writers, athletic directors, and others have recently expressed doubt over whether exercise is always good and whether more exercise is always better. In fact, doctors recently have reported many more patients with exercise-related injuries. For example, shin splints, a condition in which the shin tendons peel away from the bone, have become much more common since the exercise boom began. One cause of shin splints is running on hard surfaces.

Even grade school and high school athletics may be getting out of hand. Some scientists point out that young people can suffer serious long-term effects from too much ex-ercise. For example, overdoing running or other sports can stunt growth by damaging the flexible tissue that surrounds the bones.

Adults, too, can be victims of serious problems caused by exercise, doctors say. Among the most serious to female runners is the loss of calcium in the body. This loss can eventually damage the spine and other bones. Muscles and tendons can also be damaged—sometimes causing lasting joint problems.

Nutrition experts have discovered a rise in what they call "eating disorders" among amateur runners and others who exercise a great deal. Such people tend to undereat out of fear that they'll lose their trim, athletic look. In doing so, they deprive their bodies of essential proteins, vitamins, and minerals. In the most serious cases, heart muscles are weakened and fatal heart attacks can occur.

RUNNERS, RUNNERS EVERYWHERE

Despite the recent warnings, however, there appears to be little decrease in the popularity of exercise. The jogging craze began in the mid-1970s, and there seems to be no shortage of runners today. There's hardly a place where runners are not a common sight. A few years ago, a 1-mile run by an amateur runner was considered special. But today's runners regularly run 3, 5, or more miles.

But running is just one part of the exercise boom. People exercise in their homes, their offices, and in their health clubs or gyms. These people learn their exercises from

▶ **Off and running—toward better health or serious injury?**

▲ More and more men and women of all ages are exercising in their homes, offices, and gyms. Should everyone do this? And how much exercise is good for a person? Scientists, sports health experts, and doctors have different opinions.

a variety of books, records, videocassettes, TV programs, and magazine articles. Not only are more people exercising, but there has been an increase in the amount of exercising that individuals do.

THE BIG QUESTION

Should exercise be avoided? To begin with, there is strong evidence that people who exercise regularly are much less likely to have heart attacks, develop high blood pressure, and suffer from diseases related to old age. One study of nearly 17,000 Harvard University graduates showed that there were twice as many heart attacks among those who did *not* exercise as there were among those who exercised regularly. Another study of about 6000 men and women aged 20 to 65 who exercised showed fewer people with high blood pressure. Some of the researchers said that regular exercise also helped rid the body and mind of stress and anxiety, which can cause health and psychological problems.

Those who favor regular exercise and see running as a definite health benefit are not stopped by "horror stories" such as the sudden deaths of Rory Bentley and James Fixx. They argue that carelessness and not the ex-

ercise itself is to blame in most cases of injury or death. People with a family history of heart disease should be careful not to overdo their exercise and, in fact, should exercise only under a doctor's care. When that is done, exercise is healthy.

SOME TIPS ON EXERCISING

People should warm up before strong exercise, avoid overdoing exercise, and cool down slowly afterward. People should also eat the proper foods, wear correct shoes, and learn the rules of the sport they are playing.

Picking the right exercise and the right amount of it for you is the key rule. "We think that people need a prescription for exercise just as they need a prescription for a drug," said a sports health expert. "While there is a sport for everyone, not everyone can play each and every sport."

Studies indicate that even if exercise does have some risks and drawbacks, lack of exercise is even worse. Statistics seem to show that more Americans die from sitting around than from running around. But are too many Americans running around too much, too far, and too often? What do you think?

THE BIONIC BOY

FROM: *Dr. R. K. Smith, Moon Base Alpha, Crater Village (6M14Y14)*

TO: *Evelyn Washington, Futura Center, Dakotas (1/ZM-43BY)*

DATE: *06/14/2071*

Dear Evelyn:

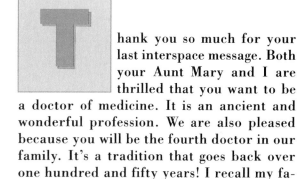

hank you so much for your last interspace message. Both your Aunt Mary and I are thrilled that you want to be a doctor of medicine. It is an ancient and wonderful profession. We are also pleased because you will be the fourth doctor in our family. It's a tradition that goes back over one hundred and fifty years! I recall my father telling me that our family helped develop the first vaccines against cancer in the early 1990s!

You asked what it was like "being a doctor in the old days." The year I started treating people, 2006, seems like yesterday. I was a new physician then, and I wanted to set up a small-town practice. The town I chose, Chesterville, was so old-fashioned that it still had push-button telephones.

Chesterville turned out to be a good choice. Beth and Mike played on the same spaceball team as many of the children I treated, and Aunt Mary was a Scoutmaster. I still

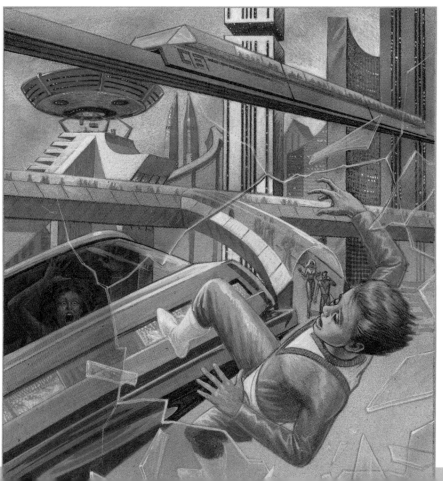

smile when I think back to how excited the kids were when we took them to the first Undersea Colony in the Atlantic Ocean.

But what I remember most clearly was a terrible accident. A group of children were on their way home from the learning center. As they were crossing the main intersection on the moving sidewalk, an old gravity-car lost its automatic steering. A crash occurred, and Tommy, a boy of only 14, was thrown through a plate-glass window. Tommy suffered terrible damage to his muscles and skin, and his lungs were destroyed as well. Fortunately, by then— the early part of the twenty-first century—

▲ Carbon fibers, implanted in ligaments, strengthen injured limbs and become part of the living system.

we had learned how to replace all destroyed body parts with artificial parts. Since you want to be a doctor, Evelyn, I thought I'd tell you a little more about how we performed surgery on Tommy.

It might be interesting if I told you a little about artificial body parts. During an important period of research, 1960 to 1990, scientists tried to perfect transplant techniques. That is, they would take organs from one person and put them into the body of another person to help that person live. By the time I was born in 1976, doctors had learned how to transplant skin, hearts, livers, lungs, kidneys, and bone tissue.

Unfortunately, in most cases, the organs would not live in the new body for very long—even with the use of special drugs.

The reasons are complicated, and you will learn about them in time. However, the main reason has to do with the fact that the body "thinks" that living tissues, cells, or organs not of its own making must be destroyed. Even though a transplanted human heart, for example, may work perfectly, the body will use all its defenses to destroy it.

So, as early as 1950, scientists began to experiment with special metals, plastics, and filters that could be used to replace real body parts. I think I know what you must be thinking. Why wouldn't the body try to destroy these artificial hearts, livers, and lungs? The simplest answer is that the body doesn't "think" the plastic part is dangerous.

By 1965, doctors were using metal and plastic parts to replace hip and finger joints. With further research, they learned to build organs that could work just like the real thing for short periods of time. A few years after I was born, the first artificial heart was put inside a man. It worked for only a few weeks. Now, of course, the heart transplant lasts indefinitely! But the big news toward the end of the twentieth century was the making of artificial parts that would, in time, become living parts. The body's own cells would slowly grow around it and in it until it was alive!

Now back to Tommy. After he was brought into our emergency center, our examination showed that his lungs were damaged beyond

repair. Also, the muscles in his left arm were destroyed, and he had several broken bones.

A set of artificial lungs was hooked up to Tommy's windpipe, or trachea. The hookup was done with a special "glue." The amazing thing about this glue was that the cells of the body grew over and around it, making new tissue. In a few months, this body glue actually became part of the body's tissue.

The artificial lungs looked a lot like large, gray sponges. When we attached these artificial organs to the chest wall, they moved in and out with the diaphragm and chest muscles, just like real lungs. As you know, our lungs are needed to help us take in oxygen and get rid of carbon dioxide. Real lungs work because tiny blood vessels, or capillaries, surround the air sacs, or alveoli, of the lung and carry gases back and forth. Our artificial lungs were made so that Tommy's own capillaries would grow into the channels in the spongy material.

▼ **Artificial lungs would be made of spongy material so they could move as a person breathes.**

As I mentioned before, a great deal of the boy's arm muscle was destroyed during the accident by glass. We had to rebuild his arm using a new substance called Bionic Jelly. This jelly was made from plastic fibers that could be molded into any shape we wanted. The jelly could get bigger and smaller just like real muscle when the arm moved. We glued the ends of the fake muscle to the bones of the arm using our special glue. Then we hooked up the nerve endings to a pea-sized computer in the jelly itself. The arm looked and worked like the real thing.

Why do I remember Tommy? Because it was just so amazing to me, as a young doctor, to see how far science had come.

Now, at the age of 95, I look back at our achievements with pride. Science is wonderful, and I am glad you want to take part in it. I hope to be at your medical school graduation, which should be on my 110th birthday!

Love,
Uncle Bill

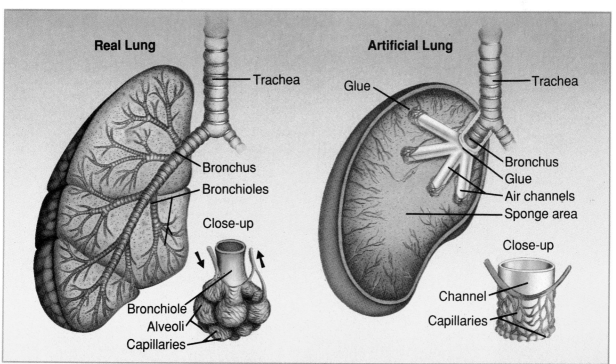

GACETA

CIENCIAS

Si se le pregunta a Claire Veronica Broome sobre su trabajo en los Centros para el Control de Enfermedades en Atlanta, Georgia, ella se sonríe. "Es fascinante," dice, "porque las respuestas que se obtienen son prácticas." Junto con otros científicos de su equipo, la Dra. Broome viaja a distintos lugares para estudiar los brotes de enfermedades.

Uno de los casos más enigmáticos que le ha tocado resolver a esta "detective de enfermedades" fue un brote de listeriosis en Halifax, Nova Scotia. Listeriosis es una enfermedad que afecta las membranas que envuelven el cerebro y cuya causa es un tipo de bacteria llamada *Listeria monocytogenes*. A

CLAIRE VERONICA BROOME:
DETECTIVE DE ENFERMEDADES

menudo esta enfermedad afecta a los ancianos. Sin embargo, también puede afectar a un bebé antes de nacer. En efecto, fue una epidemia de listeriosis en infantes recién nacidos lo que llamó la atención de la Dra. Broome.

Antes de ir a Halifax, la Dra. Broome reunió todos los datos disponibles sobre la listeriosis. Descubrió que la bacteria que la causa había sido identificada como causa de enfermedades humanas en 1929 cuando se descubrió que vivía en la tierra y podía infectar a animales. Pero hasta la década de 1980 nadie sabía exactamente cómo se transmitía la bacteria a seres humanos antes de nacer.

Cuando Claire Broome y su equipo de investigadores llegaron a Halifax, trabajaron revisando historiales de hospitales y hablando con médicos acerca de casos anteriores de listeriosis. Muy pronto descubrieron que en el hospital de Halifax había una epidemia.

La Dra. Broome comparó dos grupos de individuos: uno eran las madres de bebés nacidos con listeriosis, el otro las madres de bebés sanos. La Dra. Broome recopiló datos sobre las vidas de las nuevas mamás varios meses antes de dar a luz. Ella muy pronto notó entonces una tendencia definida. Las mujeres con niños enfermos habían comido más quesos que las mujeres con niños sanos. ¿Podría el queso haber estado contaminado con la bacteria causante de la enfermedad?

Durante sus investigaciones, la Dra. Broome supo de otro caso con listeriosis. Era el de un hombre de Halifax que no había estado hospitalizado. Después de haber examinado los contenidos del refrigerador del enfermo, la Dra. Broome añadió ensalada de col a su lista de posibles transmisores de listeriosis. Ella pensó que la ensalada estaba hecha con col sin cocinar y que la col crece en la tierra—lugar donde ya se había descubierto la bacteria de listeria. Un meticuloso análisis químico reveló que la bacteria de listeria estaba presente en la ensalada de col encontrada en el refrigerador del enfermo.

La Dra. Broome y su equipo siguieron la pista de la ensalada de col hasta una granja de coles. Descubrieron que el agricultor usaba estiércol de ovejas para fertilizar la col. Cuando se hicieron

▲ **En su laboratorio, la Dra. Broome usa una computadora para analizar datos de epidemias.**

pruebas a las ovejas, se encontró que éstas también estaban infectadas con la bacteria.

Era hora de que la Dra. Broome entrevistara de nuevo a las madres de los bebés enfermos. Por supuesto, encontró que muchas de ellas habían comido ensalada de col cuando estaban embarazadas. Más tarde la Dra. Broome descubrió que la bacteria que causa listeriosis también puede vivir en la leche y los productos lácteos, incluso el queso.

¿Por qué la ensalada empaquetada y los productos lácteos eran un buen medio para las bacterias? En realidad lo que contribuyó al brote de la enfermedad fue el refrigerador en el que estaban los alimentos. Los refrigeradores se usan para que los alimentos no se echen a perder rápidamente. Sin embargo, la *Listeria monocytogenes* puede sobrevivir, y aun multiplicarse, a bajas temperaturas. Aun bajo condiciones adecuadas de almacenamiento, la ensalada de col y el queso contenían suficientes bacterias para causar la enfermedad.

El misterio del brote de listeriosis en Halifax había sido resuelto. Se había cerrado el caso. La Dra. Broome regresó a su oficina en Atlanta, pero apenas había tenido tiempo para desempacar cuando tuvo que salir a descubrir la causa de otra enfermedad "misteriosa."

CIENCIAS
GACETA

¿ABUSAN DEL EJERCICIO LOS ★
ESTADOUNIDENSES?

Un día de verano de 1984, Rory Bentley, de 13 años de edad, salió de su casa para correr sus 6 millas diarias en Carlisle, Massachusetts. Ese día Rory no regresó a su casa. Después de la carrera cayó muerto en la acera. Aunque sólo tenía 13 años y era veterano de muchas carreras, Rory murió de un ataque al corazón.

Menos de dos meses antes de que Rory muriera, un motociclista encontró el cuerpo sin vida de un hombre en un camino en Vermont. Se trataba de James Fixx, de 52 años y autor del libro *The Complete Book of Running* (El libro completo del corredor). Fixx había muerto de un ataque al corazón durante su diaria carrera de 20 millas.

Muertes como éstas han hecho que los estadounidenses se pregunten si el ejercicio vigoroso, especialmente correr, tiene valor. Poco después de estos incidentes, muchas revistas empezaron a publicar artículos advirtiendo a los corredores de los peligros del exceso de ejercicio. Los médicos, escritores de medicina, directores atléticos y demás, expresaron recientemente sus dudas acerca del valor del ejercicio, y de si hacer más ejercicio es siempre mejor. Los médicos han reportado recientemente muchos más casos de lesiones relacionadas con el ejercicio. Las esquirlas, por ejemplo, que ocurre cuando los tendones de las espinillas se separan del hueso, se han vuelto mucho más comunes desde que empezó el auge del ejercicio. Una de las causas de esa condición es correr sobre superficies duras.

Aun en la escuela elemental y en la escuela superior los programas de atletismo pueden exigir demasiado. Algunos científicos señalan que los jóvenes pueden sufrir graves efectos a largo plazo a causa del exceso de ejercicio. El correr o la práctica excesiva de otros deportes puede retardar el crecimiento al dañar los tejidos flexibles que envuelven los huesos.

Los adultos también pueden sufrir problemas causados por el ejercicio, dicen los médicos. Entre los más serios para las mujeres corredoras es la pérdida de calcio en el cuerpo. Esta pérdida puede eventualmente dañar la columna vertebral y otros huesos. Los músculos y los tendones también se pueden dañar, causando a veces problemas de largo alcance en las coyunturas.

Los expertos en nutrición han notado un aumento en lo que ellos llaman "trastornos alimenticios" entre corredores aficionados y otros que hacen demasiado ejercicio. Estas personas tienden a no comer lo suficiente por miedo a perder su esbelta apariencia atlética. Así, están privando al cuerpo de proteínas, vitaminas, y minerales esenciales. En los casos más serios, los músculos del corazón se debilitan y puede llegar a ocurrir un ataque mortal al corazón.

CORREDORES, CORREDORES POR TODAS PARTES

Sin embargo, a pesar de las advertencias recientes, no parece haber habido ninguna disminución en la popularidad del ejercicio. La locura del correr empezó alrededor de 1975, y hoy sigue todavía. Los corredores se ven por todas partes. Hace algunos años, era excepional que un corredor aficionado corriera una milla, los corredores de hoy normalmente corren 3, 5 o más.

Pero correr es solamente parte del auge del ejercicio. Se hace ejercicio en las casas, las oficinas y los clubes o gimnasios. La gente aprende a hacer ejercicios con una variedad de libros, discos, videocasetes, programas de TV, y artículos de

▶ Corriendo—¿Hacia una salud mejor o hacia una seria lesión?

▲ Cada vez más hombres y mujeres de todas las edades hacen ejercicio en sus casas, oficinas, y gimnasios. ¿Debe hacerlo todo el mundo? ¿Y cuánto ejercicio es bueno ? Los científicos, los expertos de salud deportiva,y los médicos tienen opiniones diferentes.

revistas. No sólo ha aumentado el número de personas que hacen ejercicio, sino también la cantidad de ejercicios que cada individuo practica.

LA PREGUNTA MÁS IMPORTANTE

¿Se debería evitar el ejercicio? Para comenzar, hay evidencia de que la gente que hace ejercicio con regularidad, tiene menos riesgo de sufrir ataques al corazón, desarrollar hipertensión o sufrir enfermedades relacionadas con la edad avanzada. Un estudio de cerca de 17,000 graduados de la Universidad de Harvard, demostró que había el doble de ataques al corazón entre los que no hacían, que entre los que hacían ejercicio con regularidad. Otro estudio de cerca de 6,000 hombres y mujeres de 20 a 65 años que hacían ejercicio, demostró que había menos con alta presión sanguinea. Algunos de los investigadores dijeron que el ejercicio regular también ayudaba a eliminar la ansiedad y la tensión del cuerpo y de la mente.

Los que están a favor del ejercicio regular ven el correr como un beneficio para la salud y no los detienen los "cuentos de horror" como las muertes repentinas de Rory Bentley y James Fixx. Argumentan que la falta de cuidado, y no el ejercicio, es culpable en la mayoría de los casos de lesiones o muerte. Las personas con un historial familiar de ataques al corazón deben tener cuidado de no sobrepasarse con el ejercicio y, de hecho, deberían hacer ejercicio sólo bajo la supervisión de un médico. Cuando se hace esto, el ejercicio es saludable.

ALGUNOS CONSEJOS SOBRE EL EJERCICIO

Debemos calentar los músculos antes de hacer ejercicio fuerte, evitar sobrepasarnos en el ejercicio y enfriarnos lentamente después de hacerlo. También se deben comer los alimentos adecuados, usar los zapatos correctos y aprender las reglas del deporte que se practica.

La regla principal es escoger el tipo y la cantidad de ejercicio adecuados para ti. "Pensamos que la gente necesita una receta para el ejercicio, tanto como una receta para una medicina," dijo un experto en salud deportiva. "Aunque hay un deporte para cada uno, no todos pueden practicar todos los deportes."

Hay estudios que indican que aun si el ejercicio tiene sus riesgos y desventajas, la falta de ejercicio es peor. Las estadísticas parecen mostrar que más estadounidenses mueren de estar sentados que de correr. Pero, ¿hay muchos americanos que corren demasiado, muy lejos y muy seguido? ¿Qué crees?

CIENCIAS GACETA:

UN JOVEN BIÓNICO

DE: *Dr. R. K. Smith Moon Base Alpha Crater Village (6M14Y14)*

A: *Evelyn Washington, Futura Center, Dakotas (1/ZM–43BY)*

FECHA: *06/14/2071*

Querida Evelyn:

Muchas gracias por tu mensaje interespacial. Tu tía Mary y yo estamos muy emocionados de que quieras ser doctora de medicina. Es una profesión antigua y maravillosa. También nos agrada porque serás el cuarto doctor de nuestra familia. ¡Es una tradición que se remonta a más de ciento cincuenta años! ¡Recuerdo que mi padre me decía que nuestra familia ayudó a desarrollar la primera vacuna contra el cáncer alrededor de 1990!

Me preguntas cómo era "ser médico en aquel tiempo." El año en que yo empecé a tener pacientes, 2006, me parece ayer. Yo era un médico nuevo entonces y quería establecerme en un pueblecito. El pueblo que elegí, Chesterville, era tan a la antigua que todavía tenía teléfonos con botones.

Chesterville resultó ser una buena elección. Beth y Mike jugaban en el mismo equipo de pelota espacial que muchos de los niños a quienes yo trataba, y la Tía Mary era jefa de exploradores. Yo

todavía me río cuando pienso en lo emocionados que estaban los chicos cuando los llevamos a la primera Colonia bajo el mar en el Océano Atlántico.

Pero lo que recuerdo con más claridad fue un accidente terrible. Un grupo de niños volvían a casa del centro de aprendizaje. Cuando la acera móvil que los transportaba llegó al cruce principal, un viejo auto gravitacional perdió su dirección automática. Hubo un choque y Tommy, un chico de sólo 14 años, sufrió heridas terribles en los músculos y la piel, y sus pulmones se destruyeron. Afortunadamente, para entonces—la primera parte del siglo veintiuno—ya sabíamos cómo remplazar las partes dañadas del cuerpo con piezas artificiales. Evelyn, como tú quieres ser médico, pensé contarte un poco más sobre la operación que le hicimos a Tommy.

Durante un período importante en las investigaciones, de 1960 a 1990, los científicos trataron de perfeccionar las técnicas de transplante. O sea, trataban de tomar órganos del cuerpo de una persona y ponerlos en el de otra para ayudarle a vivir. Yo nací en 1976 y, para entonces, los médicos habían aprendido a transplantar piel, corazones, hígados, pulmones, riñones y tejidos óseos.

Pero, en la mayoría de los casos, los órganos no sobrevivían en el nuevo cuerpo por mucho tiempo—aun usando drogas especiales. Las razones son complicadas, y las sabrás con el tiempo. El motivo fundamental es que el cuerpo "piensa" que los tejidos vivos, las células, o los

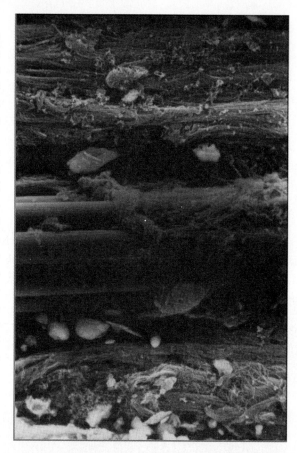

▲ **Las fibras de carbono, implantadas en ligamentos, fortalecen las partes dañadas y se vuelven parte del sistema vivo.**

órganos que no son suyos deben ser destruidos. Aunque, por ejemplo, el corazón transplantado funcione perfectamente, el cuerpo usa todas sus defensas para destruirlo.

Así, ya en 1950, los científicos habían empezado a experimentar con metales especiales, plásticos y filtros para reemplazar partes del cuerpo. Me imagino que estarás pensando: ¿por qué el cuerpo no trataría de destruir esos corazones, hígados y pulmones artificiales? Simplemente, porque el cuerpo no "piensa" que una parte de plástico es peligrosa.

En 1965, los médicos estaban usando partes de metal y plástico para reemplazar articulaciones de la cadera y los dedos. Con investigaciones adicionales, aprendieron a desarrollar órganos que podían funcionar exactamente como los naturales por cortos períodos de tiempo. Unos años después que yo nací, se le puso el primer corazón artificial a una persona. Funcionó sólo por pocas semanas. ¡Ahora, por supuesto, un transplante del corazón dura indefinidamente! Pero la gran noticia a fines del siglo veinte fue hacer partes artificiales que con el tiempo se transformaban en partes vivas. ¡Las mismas células del cuerpo crecían lentamente alrededor y dentro de una parte, hasta que tomaba vida!

Volvamos a Tommy. Después que lo llevaron al centro de emergencia, vimos que sus pulmones no tenían remedio. Los músculos de su brazo derecho estaban también destruidos y tenía varios huesos rotos.

Se conectó un par de pulmones artificiales a la tráquea de Tommy. La conexión se hizo con una "goma" especial. Lo más fantástico de la goma era que las células crecían a su alrededor, formando un nuevo tejido. Después de unos meses, se había integrado a los tejidos del cuerpo.

Los pulmones artificiales parecían grandes esponjas grises. Cuando los adherimos a la pared del pecho, se movían junto con el diafragma y los otros músculos del pecho, exactamente como pulmones verdaderos. Como sabes, necesitamos los pulmones para inhalar oxígeno y exhalar bióxido de carbono. Los pulmones funcionan porque pequeños vasos sanguíneos o capilares que envuelven los alvéolos, llevan los gases de un lado a otro. Nuestros pulmones artificiales estaban hechos para que los propios capilares de Tommy crecieran en los canales del material esponjoso.

Como ya te había mencionado, el vidrio había destruido gran parte de los músculos del brazo del niño en el accidente. Tuvimos que reconstruirle el brazo con una nueva sustancia llamada Jalea biónica que era de fibras de plástico y podía ser modelada. La jalea se podía alargar o encoger como un músculo natural cuando el brazo se movía. Con nuestra goma especial pegamos las puntas del músculo artificial a los huesos del brazo. Después conectamos las puntas de los nervios a una computadora del tamaño de un guisante dentro de la misma jalea. El brazo se veía y funcionaba exactamente como el verdadero.

¿Por qué recuerdo a Tommy? Porque para mí, un médico joven, era tan fantástico ver lo lejos que había llegado la ciencia.

Ahora, a los 95 años, recuerdo nuestros logros con orgullo. La ciencia es maravillosa, y me alegra que quieras participar en ella. Espero ir a tu graduación de la escuela de medicina, ¡cuando cumpla 110 años!

Cariñosamente,
tío Bill

> ▼ **Los pulmones artificiales se podrían hacer de un material esponjoso para que se movieran al respirar.**

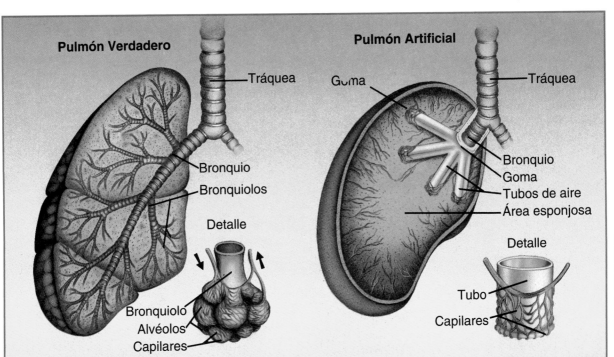

Pulmón Verdadero — Tráquea, Bronquio, Bronquiolos, Detalle, Bronquiolo, Alvéolos, Capilares

Pulmón Artificial — Goma, Tráquea, Bronquio, Goma, Tubos de aire, Área esponjosa, Detalle, Tubo, Capilares

For Further Reading

If you have been intrigued by the concepts examined in this textbook, you may also be interested in the ways fellow thinkers—novelists, poets, essayists, as well as scientists—have imaginatively explored the same ideas.

Chapter 1: The Human Body

Asimov, Isaac. *Fantastic Voyage.* New York: Bantam.
Platt, Kin. *The Boy Who Could Make Himself Disappear.* New York: Dell.
Swift, Jonathan. *Gulliver's Travels.* New York: Penguin Books.

Chapter 2: Skeletal and Muscular Systems

Blume, Judy. *Deenie.* New York: Bradbury Press.
Savitz, Harriet May. *Run, Don't Walk.* New York: Signet Vista Books.

Chapter 3: Digestive System

Atwood, Margaret. *The Edible Woman.* New York: Warner Books.
Dacquino, V. T. *Kiss the Candy Days Goodbye.* New York: Delacorte Press.
Levenkron, Steven. *The Best Little Girl in the World.* New York: Warner Books.
Silone, Ignazio. *Bread and Wine.* New York: Atheneum.

Chapter 4: Circulatory System

Arnold, Elliott. *Blood Brother.* Lincoln, NE: University of Nevada Press.
McCullers, Carson. *The Heart Is a Lonely Hunter.* Boston: Houghton.
Paterson, Katherine. *Jacob Have I Loved.* New York: Crowell.

Chapter 5: Respiratory and Excretory Systems

Myers, Walter Dean. *Hoops.* New York: Delacorte Press.
Winthrop, Elizabeth. *Marathon Miranda.* New York: Holiday House.

Chapter 6: Nervous and Endocrine Systems

Keller, Helen. *The Story of My Life.* New York: Watermill Press.

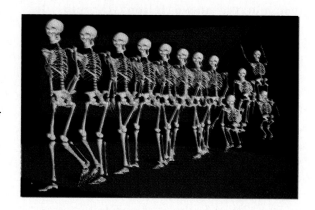

Pomerance, Bernard. *The Elephant Man.* New York: Grove-Weidenfeld.
Young, Helen. *What Difference Does It Make, Danny?* New York: Andre Deutsch.

Chapter 7: Reproduction and Development

Eyerly, Jeanette. *He's My Baby Now.* New York: J. B. Lippincott Co.
Zindel, Paul. *The Girl Who Wanted a Boy.* New York: Bantam Books.

Chapter 8: Immune System

Crichton, Michael. *Five Patients: The Hospital Explained.* New York: Avon Books.
Gunther, John. *Death Be Not Proud.* New York: Harper and Row.
Hoffman, Alice. *At Risk.* London: MacMillan.
Lipsyte, Robert. *The Contender.* New York: Harper.

Chapter 9: Alcohol, Tobacco, and Drugs

Abbey, Nancy and Ellen Wagman. *Say No to Alcohol.* Santa Cruz, CA: Network Publications.
Anonymous. *Go Ask Alice.* Englewood Cliffs, NJ: Prentice Hall.
Newman, Susan. *It Won't Happen to Me: True Stories of Teen Alcohol & Drug Abuse.* New York: Putnam.
Scott, Sharon. *How to Say No and Keep Your Friends, Peer Pressure Reversal.* Amherst, MA: Human Resource Development Press.
Ward, Brian. *Smoking and Health.* New York: Watts.

Otras lecturas

Si los conceptos que has visto en este libro te han intrigado, puede interesarte ver cómo otros pensadores —novelistas, poetas, ensayistas y también científicos — han explorado con su imaginación las mismas ideas.

Capítulo 1: El cuerpo humano

Asimov, Isaac. *Fantastic Voyage*. New York: Bantam.

Platt, Kim. *The Boy Who Could Make Himself Disappear*. New York: Dell.

Swift, Jonathan. *Gulliver's Travels,* New York: Penguin Books

Capítulo 2: El esqueleto y el sistema muscular

Blume, Judy. *Deenie*. New York: Bradbury Press.

Savitz, Harriet May. *Run, Don't Walk*. New York: Signet Vista Books.

Capítulo 3: Sistema digestivo

Atwood, Margaret. *The Edible Woman*. New York: Warner Books.

Dacquino, V. T. *Kiss the Candy Days Goodbye*. New York: Delacorte Press.

Levenkron, Steven. *The Best Little Girl in the World*. New York: Warner Books.

Silone, Ignazio. *Bread and Wine*. New York: Atheneum.

Capítulo 4: El sistema circulatorio

Arnold, Elliot. *Blood Brother*. Lincoln, NE: University of Nevada Press.

McCullers, Carson. *The Heart Is a Lonely Hunter*. Boston: Houghton.

Paterson, Katherine. *Jacob Have I Loved*. New York: Crowell.

Capítulo 5: Sistemas respiratorio y excretor

Myers, Walter Dean. *Hoops*. New York: Delacorte Press.

Winthrop, Elizabeth. *Marathon Miranda*. New York: Holiday House.

Capítulo 6: Los sistemas nervioso y endocrino

Keller, Helen. *The Story of My Life*. New York: Watermill Press.

Pomerance, Bernard. *The Elephant Man*. New York: Grove-Weidenfeld.

Young, Helen. *What Difference Does it Make, Danny?* New York: Andre Deutsch.

Capítulo 7: Reproducción y desarrollo

Eyerly, Jeanette. *He's My Baby Now*. New York: J. B. Lippincott Co.

Zindel, Paul. *The Girl Who Wanted a Boy*. New York: Bantam Books.

Capítulo 8: El sistema inmunológico

Crichton, Michael. *Five Patients: The Hospital Explained*. New York: Avon Books.

Gunther, John. *Death Be Not Proud*. New York: Harper and Row.

Hoffman, Alice. *At Risk*. London: MacMillan.

Lipsyte, Robert. *The Contender*. New York: Harper.

Capítulo 9: El alcohol, el tabaco y las drogas

Abbey, Nancy and Ellen Wagman. *Say No to Alcohol*. Santa Cruz, CA: Network Publications.

Anonymous. *Go Ask Alice*. Englewood Cliffs, NJ: Prentice Hall.

Newman, Susan. *It Won't Happen to Me: True Stories of Teen Alcohol & Drug Abuse*. New York: Putman.

Scott, Sharon. *How to Say No and Keep Your Friends, Peer Pressure Reversal*. Amherst, MA: Human Resource Development Press.

Ward, Brian. *Smoking and Health*. New York: Watts.

$\mathbf{A}$ctivity $\mathbf{B}$ank

Welcome to the Activity Bank! This is an exciting and enjoyable part of your science textbook. By using the Activity Bank you will have the chance to make a variety of interesting and different observations about science. The best thing about the Activity Bank is that you and your classmates will become the detectives, and as with any investigation you will have to sort through information to find the truth. There will be many twists and turns along the way, some surprises and disappointments too. So always remember to keep an open mind, ask lots of questions, and have fun learning about science.

Pozo de actividades

¡Bienvenido al pozo de actividades! Esta es la parte más excitante y agradable de tu libro de ciencias. Usando el pozo de actividades tendrás la oportunidad de hacer observaciones interesantes sobre ciencias. Lo mejor del pozo de actividades es que tú y tus compañeros actuarán como detectives, y como en toda investigación, deberás buscar a través de la información para encontrar la verdad. Habrá muchos tropiezos, sorpresas y decepciones a lo largo del proceso. Por eso recuerda mantener la mente abierta, haz muchas preguntas y diviértete aprendiendo sobre ciencias.

A HUMAN CELL VS. AN AMEBA

What do you and a single-celled ameba have in common? Perhaps, you may think nothing. But if you were to look a little closer, you would see that you and an ameba have a lot more in common than you thought. Why not try this activity and find out for yourself.

Materials

flat toothpick
2 microscope slides
2 medicine droppers
2 coverslips

methylene blue
paper towel
microscope
ameba culture
pencil

Procedure 🧪 📷

1. Put a drop of water in the center of a microscope slide.

2. Using the end of the toothpick, gently scrape the inside of your cheek. Even though you cannot see them, there will be cheek cells sticking to the toothpick.

3. Stir the scrapings into the drop of water on the slide.

4. To make a wet-mount slide, use the tip of the pencil to gently lower the cover-slip over the cheek cells.

5. With a medicine dropper, put one drop of methylene blue at the edge of the coverslip. **CAUTION:** *Be careful when using methylene blue because it may stain the skin and clothing.*

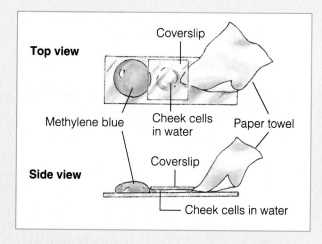

6. Place a small piece of paper towel near the edge of the coverslip and allow the paper towel to absorb the excess methylene blue.

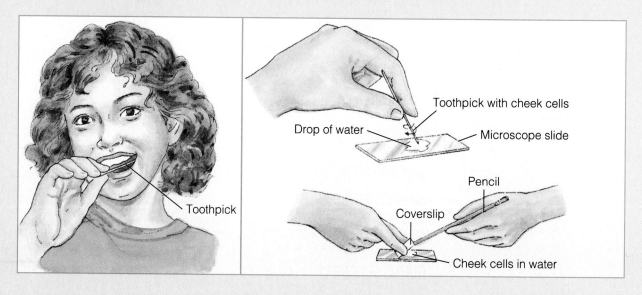

Pozo de actividades

¿Qué tienes en común con una ameba de una sola célula. Aunque creas que nada, si te fijas un poco te darás cuenta de que la ameba y tú tienen en común más de lo que se cree. Haz la siguiente actividad y lo descubrirás.

Materiales

palillo de dientes
2 portaobjetos
2 goteros
2 cubreobjetos

azul de metileno
toalla de papel
microscopio
cultivo de ameba
lápiz

Procedimiento

1. Coloca una gota de agua en el centro del portaobjetos.

2. Raspa levemente el interior de tu mejilla con la punta del palillo. Aunque no las veas, habrá células de tu mejilla en el palillo.

3. Mezcla la raspadura con la gota de agua en el portaobjetos.

4. Para preparar una muestra en el portaobjetos, baja el cubreobjetos lentamente sobre las células con la punta del lápiz.

5. Con un gotero, pon una gota de azul de metileno en el borde del cubreobjetos. **CUIDADO:** *al usar el azul de metileno porque puede manchar la piel y la ropa.*

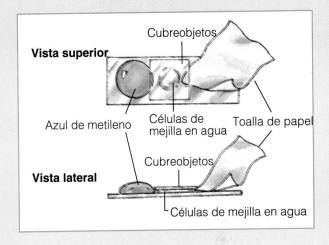

Vista superior — Cubreobjetos, Azul de metileno, Células de mejilla en agua, Toalla de papel

Vista lateral — Cubreobjetos, Células de mejilla en agua

6. Coloca un trozo de toalla de papel cerca del borde del cubreobjetos para que absorba el exceso de azul de metileno.

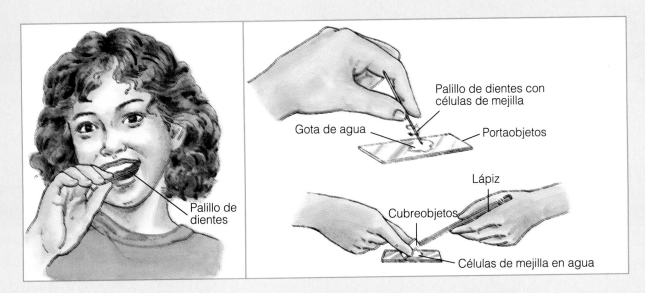

Palillo de dientes

Gota de agua — Palillo de dientes con células de mejilla — Portaobjetos

Cubreobjetos — Lápiz — Células de mejilla en agua

7. With a medicine dropper, have your partner place a drop of the ameba culture on the other microscope slide.

8. Your partner should make a wet-mount slide of the ameba culture.

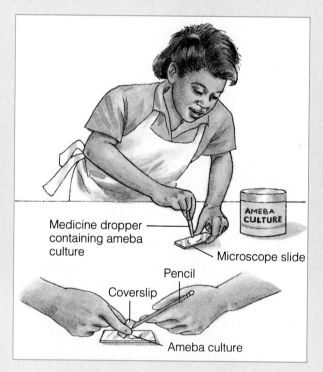

Medicine dropper containing ameba culture

Microscope slide

Pencil

Coverslip

Ameba culture

9. To remove any excess liquid, your partner should repeat step 6.

10. Place the slide of your cheek cells on the stage of the microscope and locate a cheek cell under low power. Then switch to the high-power objective lens.

11. Observe a cheek cell and sketch what you see. Label the cell parts that you see.

12. Have your partner repeat steps 10 and 11 using the slide of the ameba culture.

13. Reverse roles with your partner and repeat steps 1 through 12.

14. Construct a data table similar to the one shown here. If the cheek cell or the ameba contains any of the structures listed in the data table, write the word *present* in the appropriate place. If the cheek cell or the ameba does not have the structure, write the word *absent.*

Observations

DATA TABLE

Cell	Cell Membrane	Nucleus	Other
Human cheek			
Ameba			

Analysis and Conclusions

1. How are a human cheek cell and an ameba similar?

2. How are they different?

3. How many cells are you made of? An ameba?

4. Share your results with those of your classmates. Did the findings of any of your classmates differ from yours? Can you explain why there was a difference?

7. Pide a un(a) compañero(a) que con el gotero, ponga una gota de cultivo de ameba en otro portaobjetos.

8. Tu compañero(a) debe hacer una muestra del cultivo de ameba.

Gotero con cultivo de ameba

CULTIVO DE AMEBA

Portaobjetos

Lápiz

Cubreobjetos

Cultivo de ameba

9. Tu compañero(a) debe repetir el paso 6 para evitar exceso de líquido.

10. Coloca el portaobjetos con las células de tu mejilla en el microscopio y localiza una célula usando el ajuste de bajo poder. Luego usa el de alto poder.

11. Observa la célula y dibuja lo que ves. Marca las partes de la célula que ves.

12. Pide a tu compañero que repita los pasos 10 y 11 usando el cultivo de ameba.

13. Cambia papeles con tu compañero(a) y repitan todos lo pasos del 1 al 12.

14. Crea una tabla de datos similar a la que se ve aquí. Si la célula de la mejilla o la ameba presentan alguna de las estructuras mencionadas en la tabla, escribe la palabra *presente* en el lugar apropiado. Si la célula de la mejilla o la ameba no presentan la estrucura, escribe *ausente*.

Observaciones

TABLA DE DATOS

Célula	Membrana celular	Núcleo	Otro
Mejilla humana			
Ameba			

Análisis y conclusiones

1. ¿En qué se parecen una célula de mejilla humana y una ameba?

2. ¿En qué se diferencian?

3. ¿De cuántas células estás compuesto? ¿Y la ameba?

4. Comparte tus resultados con tus compañeros. ¿Hay diferencias entre tus resultados y los de ellos? ¿Podrías explicar el por qué de las diferencias?

Muscles are the only body tissues that are able to contract, or tighten up. You coordinate the movements of muscles without thinking by relaxing one muscle while you tighten another. Some movements, such as holding your hand out in front of you, are so slight that they go unnoticed. However, you can make these movements visible by doing this activity. All you will need is a table knife and a hairpin.

What You Will Do

1. Have your partner hold the knife out in front of him or her parallel to the top of a table or level desk. **Note:** *Your partner should not touch the table with his or her hand or arm.*

2. Place the hairpin on the knife as shown in the diagram.

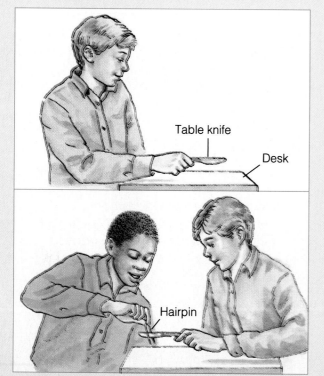

Table knife

Desk

Hairpin

3. Have your partner raise the knife just high enough off the table for the "legs" of the hairpin to touch the table and the "head" of the hairpin to rest on the edge of the knife.

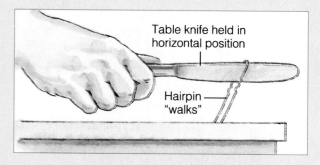

Table knife held in horizontal position

Hairpin "walks"

4. Have your partner hold the knife as steady as he or she can for 20 seconds. Observe what happens to the hairpin.

5. Repeat step 4, having your partner tighten his or her hold on the knife. Observe what happens.

6. Reverse roles with your partner and repeat steps 1 through 5. Share your results with your classmates.

What You Will Discover

1. What happened to the hairpin in step 4? What does this action show?

2. What happened to the hairpin when the hold on it was tightened? How do you explain this action?

3. Did your classmates have similar results?

Going Further

Repeat the activity but this time increase the time given in steps 4 and 5 to 1 minute. Observe what happens to the hairpin. How can you relate this activity to what happens when you have to stand in the same place for a long time?

Los músculos son el único tejido del cuerpo capaz de contraerse y apretarse. Tú coordinas los movimientos de los músculos sin pensar un músculo se relaja mientras otro se contrae. Algunos movimientos, como extender la mano, son tan leves que pasan desapercibidos. Sin embargo, puedes hacer esos movimientos evidentes al hacer la siguiente actividad. Todo lo que necesitas es un cuchillo de mesa y una horquilla.

Que vas a hacer

1. Pide a tu compañero(a) que sostenga un cuchillo paralelo a la superficie de una mesa o escritorio. **Nota:** *Tu compañero(a) no debe tocar la mesa con la mano ni el brazo.*

2. Coloca la horquilla sobre el cuchillo como se muestra en el dibujo.

Cuchillo de mesa

Mesa

Horquilla

3. Pide a tu compañero(a) que levante el cuchillo lo suficiente de la mesa para que las "patas" de la horquilla toquen la mesa y la "cabeza" de la horquilla descanse sobre el borde del cuchillo.

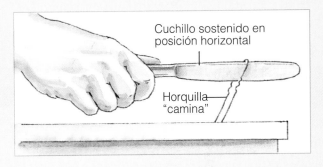

Cuchillo sostenido en posición horizontal

Horquilla "camina"

4. Dile a tu compañero(a) que sostenga el cuchillo lo más firme que pueda durante 20 segundos. Observa lo que pasa con la horquilla.

5. Repite el paso 4, pide a tu compañero(a) que apriete el cuchillo. Observa lo que pasa.

6. Cambia con tu compañero(a) y repite los pasos 1 al 5. Comparte tus resultados con tus compañeros de clase.

Que vas a averiguar

1. ¿Qué pasó con la horquilla en el paso 4? ¿Qué indica esto?

2. ¿Qué pasó con la horquilla cuando se apretó el cuchillo? ¿Cómo puedes explicar esto?

3. ¿Tus compañeros de clase tuvieron resultados similares?

Investigación adicional

Repite la actividad aumentando a 1 minuto la duración de los pasos 4 y 5. Observa lo que pasa con la horquilla. ¿Cómo puedes relacionar esta actividad con lo que te pasa cuando tienes que estar parado sin moverte durante un tiempo largo?

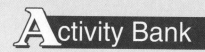
GETTING THE IRON OUT

Have you ever read the list of ingredients on the side panel of your box of breakfast cereal? Perhaps you should. The list of ingredients contains some important information about the nutrients your body needs. Nutrients include carbohydrates, proteins, fats, minerals, and vitamins. Sometimes nutrients are added to breakfast cereals, forming mixtures (combinations of substances that are not chemically combined). How can you separate one substance from another in a mixture? Try this activity to find out how you can separate the mineral iron from a breakfast cereal.

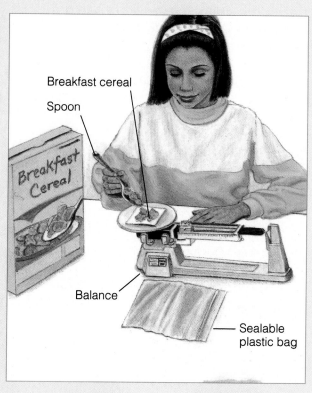

Materials

balance
breakfast cereal with 100 percent of the
    recommended daily requirement (RDA)
    of iron
sealable plastic bag
large plastic container
bar magnet
clock or timer
white tissue paper
hand lens
spoon

Procedure

1. Measure out 50 g of a breakfast cereal. Place the cereal into a sealable plastic bag, pressing down on it to remove most of the air inside. **CAUTION:** *Do not eat any foods or drink any liquids during this activity.*

2. With your hands, crush the cereal into a fine powder and pour it into the plastic container. Add enough water to completely cover the cereal.

(continued)

SACANDO EL HIERRO

¿Has leído alguna vez la lista de ingredientes de una caja de cereal? Quizá deberías hacerlo. Contiene información importante sobre los nutrientes que tu cuerpo necesita, entre los que se incluyen carbohidratos, proteínas, grasas, minerales y vitaminas. A veces estos nutrientes se añaden a los cereales formando una mezcla (sustancias que no están químicamente combinadas). ¿Cómo puedes separar una sustancia de otra en una mezcla? Intenta la siguiente actividad y verás como puedes separar el hierro del cereal del desayuno.

Materiales

balanza
cereal con 100 por ciento de la cantidad diaria recomendada de hierro (RDA)
bolsa de plástico de cierre hermético
recipiente grande de plástico
barra magnética
reloj o cronómetro
toalla de papel blanca
lupa
cuchara

Procedimiento

1. Pesa 50 g de cereal. Coloca el cereal en la bolsa plástica, presiona la bolsa para sacarle el aire. **CUIDADO:** *No comas ni bebas nada mientras haces esta actividad.*

2. Con las manos, muele el cereal hasta hacerlo polvo y échalo en el recipiente de plástico. Añade suficiente agua para cubrirlo por completo.

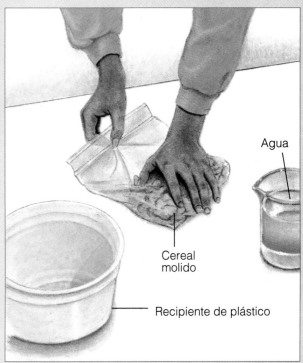

3. Use a bar magnet to stir the cereal-and-water mixture for at least 10 minutes.

Bar magnet

Plastic container

Cereal-and-water mixture

4. Remove the bar magnet from the mixture. Allow any liquid on the magnet to drain off.

5. Use a piece of tissue paper to scrape off any particles that are attached to the bar magnet. Observe the particles with a hand lens.

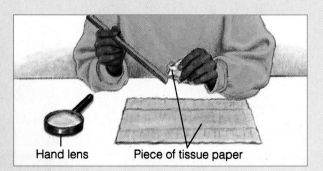

Hand lens   Piece of tissue paper

Observations

What did you observe when you looked at the particles scraped from the sides of the bar magnet?

Analysis and Conclusions

1. How do you know that the breakfast cereal is a mixture?

2. What do you think the particles scraped from the bar magnet are?

3. Why do you think it was possible to separate the particles from the rest of the cereal?

4. Do you think the cereal is a mixture made up of different materials unevenly spread out or a mixture of materials uniformly spread out? Explain.

Going Further

Repeat the procedure with 50 g of another cereal that contains less than 100 percent of the RDA for iron. Can you separate the iron from this cereal?

3. Con la barra magnética revuelve la mezcla del cereal y el agua durante 10 minutos por lo menos.

Barra magnética

Recipiente de plástico

Mezcla de cereal y agua

4. Saca la barra magnética de la mezcla. Deja que el líquido de la barra se seque.

5. Con un trozo de toalla de papel, saca cualquier partícula que haya quedado adherida a la barra magnética. Observa las partículas con la lupa.

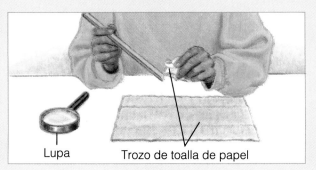

Lupa

Trozo de toalla de papel

Observaciones

¿ Qué observaste cuando miraste las partículas que habían quedado en los lados de la barra magnética?

Análisis y conclusiones

1. ¿Cómo sabes que el cereal del desayuno es una mezcla?

2. ¿Qué crees que son las partículas raspadas de la barra magnética?

3. ¿Por qué es posible separar las partículas del resto del cereal?

4. ¿Crees que el cereal es una mezcla hecha de diferentes materiales esparcidos irregularmente o uniformemente? Explica.

Investigación adicional

Repite el procedimiento con 50 g de otro cereal que contenga menos del 100 por ciento de la cantidad recomendada de hierro. ¿Puedes separar el hierro de este cereal?

YOU'VE GOT TO HAVE HEART

Just as the mechanical pump in the water system in your home provides a constant pressure to force fluids along the pipes when you open the tap, so too does your heart provide pumping pressure. The job of any pump is to produce pressure and move a certain amount of fluid in a specific direction at an acceptable speed. Fluids, like blood, travel from an area of high pressure to an area of lower pressure.

Try to simulate the pumping action of your heart by doing this activity. You will need two plastic bottles of the same size, two one-hole rubber stoppers, and two 15-cm plastic tubes.

What You Will Do

1. Fill the two plastic bottles with water.
2. Insert the plastic tubes into the one-hole rubber stoppers. Then insert the rubber stoppers containing the plastic tubes into each bottle.
3. Have your partner squeeze one bottle with one hand, while you squeeze the other bottle with two hands. Observe what happens.

Squeezing plastic bottle with one hand

Squeezing plastic bottle with two hands

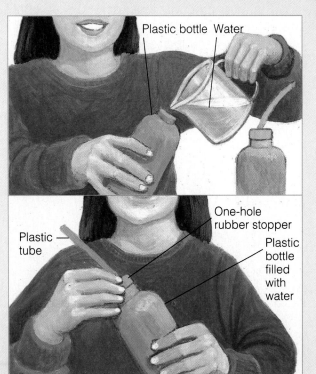

Plastic bottle Water

Plastic tube

One-hole rubber stopper

Plastic bottle filled with water

What You Will Discover

1. Which action squirted water further? Explain.
2. Which action better simulated the pumping action of the heart?
3. What general statement can you make about pressure and the distance water travels?
4. When blood is pumped out of the heart, where does it go?
5. How do your results and your partner's results compare with the class's results? Are they similar? Are they different? Explain why.

TIENES QUE TENER CORAZÓN

Así como la bomba mecánica del sistema de agua de tu casa, brinda una presión constante para que los fluidos pasen por la tubería cuando abres la llave, tu corazón también provee presión de bombeo. El trabajo de cualquier bomba es producir presión para movilizar cierta cantidad de fluido en una dirección específica y a una velocidad aceptable. Fluidos como la sangre, viajan de un área de alta presión a un área de baja presión.

Intenta imitar la acción de bombeo de tu corazón mediante la siguiente actividad. Necesitarás dos botellas de plástico del mismo tamaño, dos tapones de goma con un agujero y dos tubos de plástico de 15 cm.

Que vas a hacer

1. Llena las dos botellas de plástico con agua.

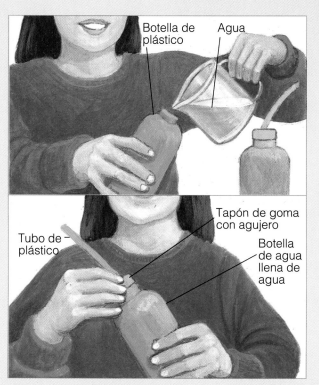

Botella de plástico
Agua

Tubo de plástico
Tapón de goma con agujero
Botella de agua llena de agua

2. Mete los tubos de plástico en los tapones de goma. Luego coloca los tapones con los tubos en cada botella.

3. Pídele a un(a) compañero(a) que apriete una botella con una mano, y tú aprieta la otra con las dos manos. Observa lo que pasa.

Apretando la botella con una mano

Apretando la botella con las dos manos

Que vas a averiguar

1. ¿Qué movimiento hizo que el chorro llegara más lejos? Explica.

2. ¿Qué movimiento imitó mejor la acción de bombeo del corazón?

3. ¿Qué puedes decir en general sobre la presión y la distancia que alcanza el agua?

4. ¿A dónde va la sangre después que el corazón la bombea?

5. Compara los resultados que obtuviste con tu compañero(a) con los del resto de la clase? ¿Se parecen? ¿Son diferentes? Explica por qué.

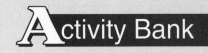
THE SQUEEZE IS ON

If you could look inside an artery and a vein, you would discover that the wall of the artery is thicker and more muscular than the wall of the vein. Might this characteristic make the blood pressure in arteries higher than the blood pressure in veins? Let's see.

What Do You Need?

plastic squeeze bottle

15-cm plastic tube

two-hole rubber stopper

15-cm glass tube

2 large desk blotters

meterstick

scissors

transparent tape

What Do You Do?

1. Fill a plastic squeeze bottle with water.

2. Place a plastic tube into one of the holes in a two-hole rubber stopper. Place a glass tube of the same length into the second hole of the stopper.

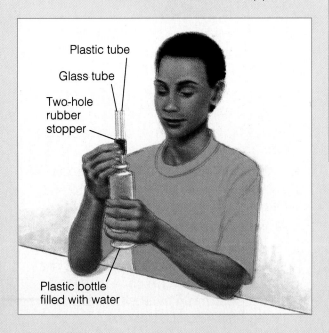

Plastic tube

Glass tube

Two-hole rubber stopper

Plastic bottle filled with water

3. Insert the rubber stopper into the plastic bottle.

4. Cut two large desk blotters into 30-cm strips. Tape several strips together to form three 120-cm strips.

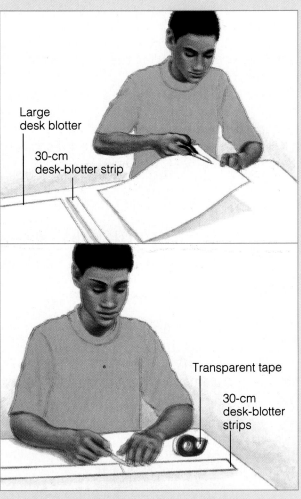

Large desk blotter

30-cm desk-blotter strip

Transparent tape

30-cm desk-blotter strips

5. Place one of the blotter strips on the floor. Kneel on the floor with your knees touching one end of the blotter strip.

6. Hold the plastic bottle so that the glass tube is on the left and the plastic tube is on the right. Firmly squeeze the plastic bottle once.

Pozo de actividades

Si pudieras mirar el interior de una arteria y una vena, verías que la pared de la arteria es más gruesa que la pared de la vena. ¿Podría esto hacer que la presión sanguínea de las arterias sea mayor que la de las venas? Vamos a ver.

¿Qué vas a necesitar?

botella de plástico flexible
15 cm. de tubo de plástico
tapón de goma con dos agujeros
15 cm. de tubo de vidrio

2 hojas grandes de papel secante
regla métrica
tijeras
cinta adhesiva transparente

¿Qué vas a hacer? 🧪

1. Llena la botella con agua.
2. En uno de los agujeros del tapón coloca un tubo de plástico. En el otro, coloca un tubo de vidrio de la misma longitud.

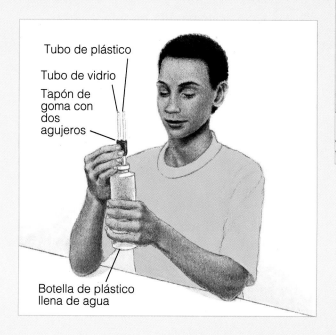

Tubo de plástico
Tubo de vidrio
Tapón de goma con dos agujeros
Botella de plástico llena de agua

3. Coloca el tapón en la botella de plástico.
4. Recorta las hojas de papel secante en tiras de 30 cm de largo. Con la cinta adhesiva pega varias tiras y forma tres tiras de 120 cm de largo.

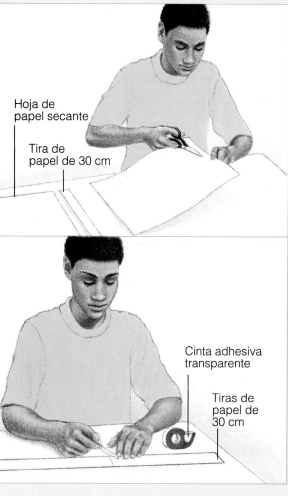

Hoja de papel secante
Tira de papel de 30 cm

Cinta adhesiva transparente
Tiras de papel de 30 cm

5. Coloca una de las tiras secantes en el suelo. Arrodíllate y toca un extremo de la tira con las rodillas.
6. Sujeta la botella de manera que el tubo de vidrio quede a la izquierda y el tubo de plástico a la derecha. Aprieta la botella con fuerza una sola vez.

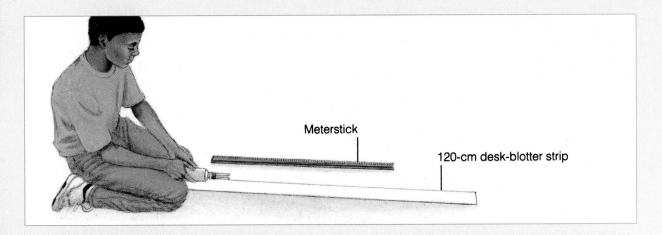

Meterstick

120-cm desk-blotter strip

7. With a meterstick, measure the distance from the edge of the blotter to where the wet spot for each tube first appears on the blotter. This is the distance water travels from each tube. Record this information in a data table similar to the one shown.

8. Repeat steps 5 through 7 two more times using the remaining blotter strips.

9. Calculate the average distance the water travels from each tube. Record the average distance for each tube.

What Did You See?

Which tube squirted water further?

What Did You Discover?

1. Which tube represents an artery? A vein?

2. What does the water in the tubes represent?

3. What does this activity tell you about blood pressure in arteries and veins?

4. What is the name of the body structure that forces the blood through the blood vessels?

5. How do your results compare with those of your classmates? If there were any differences, can you explain why?

DATA TABLE

Trial	Distance Water Traveled (cm)	
	Glass Tube	Plastic Tube
1		
2		
3		
Average		

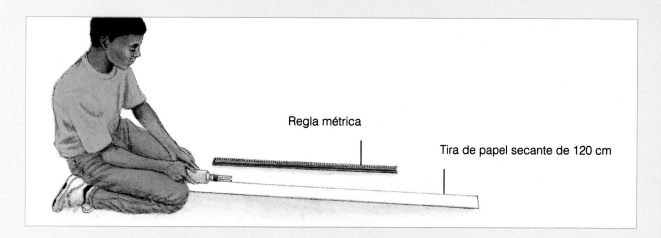

Regla métrica

Tira de papel secante de 120 cm

7. Con una regla de medir, mide la distancia desde el extremo de la tira hasta el comienzo de la mancha de cada tubo. Esta es la distancia recorrida por el agua de cada tubo. Anota esta información en una tabla de datos como la que se ve aquí.

8. Repite los pasos 5 al 7 dos veces más con el resto de las tiras de papel secante.

9. Calcula la distancia media que recorre el agua de cada tubo. Anota esta información.

¿Qué observaste?

¿Qué tubo lanzó el agua más lejos?

¿Qué averiguaste?

1. ¿Cuál de los tubos representa una arteria? ¿Cuál una vena?

2. ¿Qué representa el agua de los tubos?

3. ¿Qué te indica esta actividad sobre la presión sanguínea en las arterias y las venas?

4. ¿Cómo se llama la estructura corporal que empuja la sangre por los vasos sanguíneos?

5. ¿Cómo se comparan tus resultados con los de tus compañeros de clase? Si hay algunas diferencias, ¿cómo las puedes explicar?

TABLA DE DATOS

Intento	Distancia recorrida por el agua (cm)	
	Tubo de vidrio	Tubo de plástico
1		
2		
3		
Promedio		

HOW FAST DO YOUR NAILS GROW?

Your nails are rough and are made of a protein called keratin that gives them their characteristic strength. The visible part of the nail is called the body, or nail plate. It grows out of the root, which is hidden beneath the nail at its base. Also at the base, there is a whitish half-moon shape called the lunula (lunula is Latin for little moon). The area under the nail is called the nail bed. To find out how long it takes for your nail to grow from its base to its top, try this activity.

What You Will Need
thin paintbrush
acrylic paint
metric ruler

What You Will Do

1. Using a thin paintbrush, place a tiny dot of acrylic paint above the cuticle (area of hardened skin) at the base of one of your fingernails and one of your toenails. Let the paint dry. Allow the acrylic paint to remain there undisturbed for three weeks.

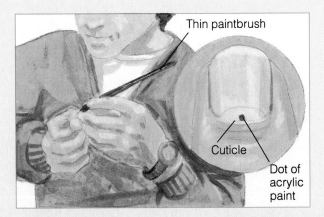

Thin paintbrush
Cuticle
Dot of acrylic paint

2. Observe the acrylic-paint dots each day. If they begin to wear away, put another dot of paint on. Be sure to place the new acrylic-paint dot exactly on top of the old acrylic-paint dot.

3. At the end of each week, use a metric ruler to measure the distance from the cuticle to the acrylic-paint dot on each nail. Record this measurement in a data table similar to the one shown. Continue to do this until the dot grows to the point that you cut it off when you clip your nails.

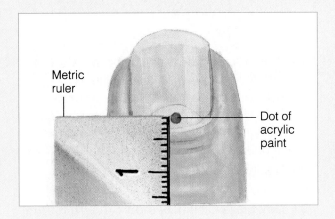

Metric ruler
Dot of acrylic paint

What Did You Find Out?

DATA TABLE

Day	Distance From Cuticle	
	Fingernail	**Toenail**
1		

1. What was the average weekly growth of your fingernail? Your toenail?

2. Which nail grew faster—fingernail or toenail? Suggest a possible explanation for your observation.

3. Compare your results with those of your classmates.

4. What functions do your nails serve?

Pozo de actividades

Tus uñas son resistentes y están hechas de una proteína llamada queratina que les da fuerza. La parte visible de la uña se llama el cuerpo o la placa de la uña. La uña crece desde la raíz que está escondida en la base. En la base también hay una mancha blanca en forma de media luna que se llama lúnula (lúnula quiere decir en latín luna pequeña). La zona debajo de la uña se llama el lecho de la uña. Para saber cuánto tiempo le toma a la uña crecer desde la base hasta la punta, haz la siguiente actividad.

Lo que necesitarás

pincel fino
pintura acrílica
regla métrica

Lo que harás

1. Con el pincel, píntate un puntito arriba de la cutícula (área de piel endurecida) en la base de una de las uñas de tus manos y de una de las uñas de tus pies. Deja secar la pintura. No la toques ni te la saques por tres semanas.

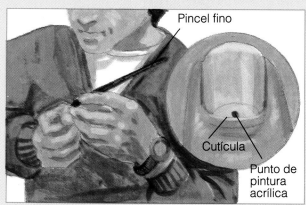

Pincel fino

Cutícula

Punto de pintura acrílica

2. Observa las marcas de pintura todos los días. Si empiezan a borrarse, pon otro poco de pintura exactamente encima de la vieja.

3. Al fin de cada semana, con una regla métrica, mide la distancia entre la cutícula y la marca de pintura en cada uña. Anota las medidas en una tabla de datos como la que se ve aquí. Continúa haciendo lo mismo hasta que el puntito llegue a la parte en que te cortas las uñas.

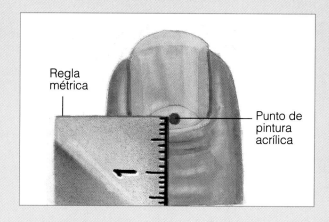

Regla métrica

Punto de pintura acrílica

¿Qué averiguaste?

TABLA DE DATOS

Día	Distancia desde la cutícula	
	Uña de la mano	Uña del pie
1		

1. ¿Cuál fue el promedio semanal de crecimiento de la uña de la mano? ¿Y de la del pie?

2. ¿Qué uña creció más rápido—la de la mano o la del pie? Sugiere una posible explicación de lo que observaste.

3. Compara tus resultados con los de tus compañeros

4. ¿Qué función tienen las uñas?

HOW FAST CAN YOU REACT?

Imagine you are riding your bicycle in the park. Suddenly a squirrel darts out across the path in front of you. You react quickly and miss hitting the squirrel by centimeters. The length of time that passed between your seeing a change in your environment (squirrel darting out in front of you) and your reacting to that change (turning the bicycle away) is called your reaction time. Why is it important to react quickly to situations such as this? Can you measure your reaction time? By doing the following activity you will find out the answers to these questions. All that you will need for this activity is a metric ruler.

Procedure

1. Have your partner hold a metric ruler vertically about 50 cm above a table.

2. Without touching the ruler, position your thumb and forefinger around the zero mark. See the diagram below.

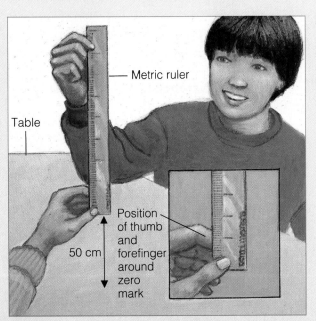

Metric ruler

Table

50 cm

Position of thumb and forefinger around zero mark

3. Your partner should drop the ruler whenever he or she chooses. Moving only your thumb and forefinger (not your hand), try to catch the ruler as soon as it falls.

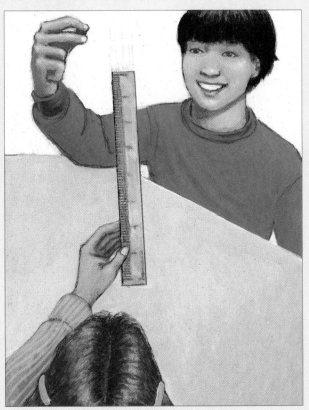

4. In a data table similar to the one on page H256, record the distance in centimeters that the ruler falls.

5. Repeat steps 1 through 4 four more times.

6. To obtain an average distance, add the five distances together and divide the sum by five. Record the average distance in your data table.

7. Reverse roles with your partner and repeat steps 1 through 6.

(continued)

¿QUÉ RÁPIDO REACCIONAS?

Imagina que andas en bicicleta por el parque. De repente una ardilla se te cruza por el camino. Reaccionas inmediatamente y la evitas por apenas unos centímetros. La cantidad de tiempo transcurrida desde que viste un cambio en tu alrededor (la ardilla que se te cruzó) y tu reacción (desviar la bicicleta) se llama tiempo de reacción. ¿Por qué es importante una reacción rápida en situaciones como ésta? ¿Cómo puedes calcular tu tiempo de reacción? Al hacer la siguiente actividad hallarás las repuestas. Todo lo que necesitas para esta actividad es una regla métrica.

Procedimiento

1. Pídele a tu compañero(a) que sostenga verticalmente una regla métrica a unos 50 cm de una mesa.

2. Sin tocar la regla, coloca el dedo pulgar y el índice alrededor del cero. Mira el diagrama de abajo.

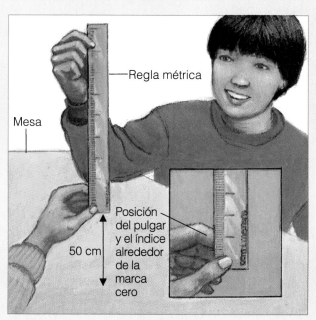

Regla métrica

Mesa

50 cm

Posición del pulgar y el índice alrededor de la marca cero

3. Tu compañero (a) hará caer la regla en cualquier momento. Moviendo sólo tu pulgar y tu índice (no la mano) trata de agarrar la regla tan pronto como caiga.

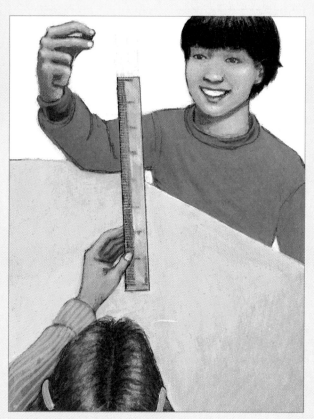

4. En una tabla de datos como la de la página H256, anota la distancia en centímetros que recorre la regla al caer.

5. Repite los pasos del 1 al 4 cuatro veces más.

6. Para calcular la distancia promedio, suma las cinco distancias y divide la suma entre cinco. Anota la distancia promedio en tu tabla de datos.

7. Cambia con tu compañero(a) y repite los pasos del 1 al 6.

(continua)

Observations

DATA TABLE

Trial	Distance Metric Ruler Falls (cm)
1	
2	
3	
4	
5	
Average	

Analysis and Conclusions

1. Why does measuring the distance that the ruler falls give a relative measure of reaction time?

2. Why is it important to calculate an average reaction time?

3. Compare the reaction times of all your classmates. What can you conclude about all of the reaction times?

Going Further

Design an investigation in which you determine the effect fatigue has on your reaction time.

Observaciones

TABLA DE DATOS

Intento	Distancia (cm) de la caída de la regla
1	
2	
3	
4	
5	
Promedio	

Análisis y conclusiones

1. ¿Por qué medir la distancia que cae la regla nos da la medida relativa del tiempo de reacción?

2. ¿Por qué es importante calcular el tiempo promedio de reacción?

3. Compara los tiempos de reacción de todos tus compañeros de clase. ¿Qué puedes decir sobre todos los tiempos de reacción?

Investigación adicional

Diseña una investigación para determinar el efecto del cansancio en tu tiempo de reacción.

A GENTLE TOUCH

If a large insect crawls on you, you can usually tell where it is, even with your eyes closed. The reason is that whenever something touches you, or you touch something, your sense of touch goes into action. To discover the remarkable things your sense of touch is capable of, try this activity.

Things You Will Need

nickel
dime
penny
quarter

small shoe box with cover
blindfold

Directions

1. Place the nickel, dime, penny, and quarter in the shoe box and cover the box.
2. Blindfold your partner and have your partner reach into the shoe box and remove one coin.
3. Have your partner identify the coin by holding it in his or her hand and touching it.
4. After your partner has identified the coin, have your partner remove the blindfold to see if he or she was correct.

5. Repeat steps 2 through 4 three more times. Record your observations in a data table similar to the one shown on page H258.
6. Remove the coins from the shoe box and set them flat on a table.

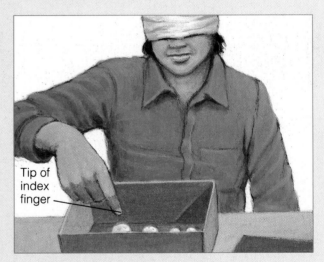

Tip of index finger

7. Put the blindfold on your partner again and this time have your partner touch the top of each coin with only the tip of his or her index finger. **Note:** *Do not allow your partner to pick up the coins.*
8. Have your partner identify each coin.

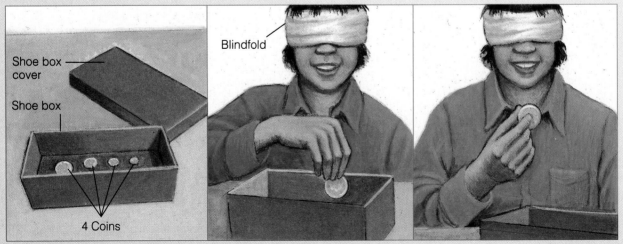

Shoe box cover

Shoe box

4 Coins

Blindfold

(continued)

UN POCO DE TACTO

Si te camina un insecto grande sobre el cuerpo, puedes generalmente decir donde está, aun con los ojos cerrados. Esto se debe a que cuando algo te toca, o tú tocas algo, tu sentido del tacto actúa. Para descubrir todo lo que el tacto es capaz de hacer, realiza la siguiente actividad.

Cosas que necesitarás

moneda de 5 centavos	caja de zapatos
moneda de 10 centavos	pequeña con
moneda de 1 centavo	tapa
moneda de 25 centavos	venda para ojos

Instrucciones

1. Coloca las monedas de 1, 5, 10 y 25 centavos en la caja y tápala.

2. Véndale los ojos a tu compañero(a), y pon su mano dentro de la caja. Pídele que saque una moneda.

3. Haz que tu compañero(a) identifique la moneda mientras la tiene en la mano y la toca.

4. Después de identificar la moneda, dile que se quite la venda de los ojos y compruebe si acertó o no.

5. Repite los pasos del 2 al 4 tres veces más. Anota tus observaciones en una tabla de datos como la que se ve en la página H258.

6. Saca las monedas de la caja de zapatos y colócalas sobre la mesa.

Punta del dedo índice

7. Véndale los ojos a tu compañero(a) otra vez y díle que toque la superficie de la moneda solamente con la punta de su dedo índice. **Nota:** *No dejes que tu compañero (a) tome las monedas.*

8. Dile a tu compañero(a) que identifique cada moneda.

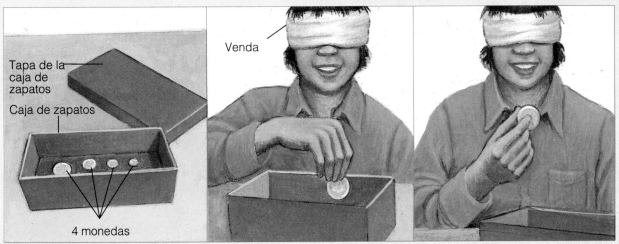

Tapa de la caja de zapatos

Caja de zapatos

4 monedas

Venda

9. Repeat steps 7 and 8 three more times. Record your observations in your data table.
10. Reverse roles with your partner and repeat steps 1 through 9.

Things to Look For

DATA TABLE

Trial	Holding Coin in Hand		Touching Coin With Fingertip	
	What I Think Coin Is	What Coin Actually Is	What I Think Coin Is	What Coin Actually Is
1				
2				
3				
4				

Conclusions to Draw

1. Was it easier to identify the coins by picking them up and touching them or by touching their tops with your index finger? Give a reason for your answer.
2. In which case were you actually using only touch receptors to identify the coins?
3. In addition to touch receptors, what other receptors might you be using?
4. Compare your results with those of your classmates.

9. Repite los pasos 7 y 8 tres veces más. Anota tus observaciones en la tabla de datos.

10. Cambia con tu compañero (a) y repite los pasos del 1 al 9.

Cosas que debes observar

TABLA DE DATOS

Intento	Moneda sostenida en la mano		Moneda tocada con el dedo	
	Creo que es...	Es...	Creo que es...	Es...
1				
2				
3				
4				

Conclusiones

1. ¿Es más fácil identificar las monedas al tomarlas y tocarlas, o al rozarlas con la punta del dedo? Da una razón para tu respuesta.

2. ¿En qué caso usaste sólo receptores táctiles para identificar las monedas?

3. Además de los receptores táctiles, ¿qué otros receptores puedes haber usado?

4. Compara tus resultados con los de tus compañeros.

IT'S NO SKIN OFF YOUR NOSE

The skin is the body's largest organ. Its tough outer covering protects the body from invading microorganisms. As long as the skin remains uninjured, the invading microorganisms are kept outside the body. But what happens when the skin is injured? Find out by doing this activity.

Materials

4 sheets of
    unlined white
    paper
pencil
soap

4 apples
straight pin
cotton swab
rubbing alcohol

Procedure

1. Place four sheets of paper on a flat surface. Label the papers A, B, C, and D. Carefully wash your hands with soap and water. Dry them thoroughly.

2. Wash four apples and place one apple on each sheet of paper. Do not touch apple D for the remainder of this activity.

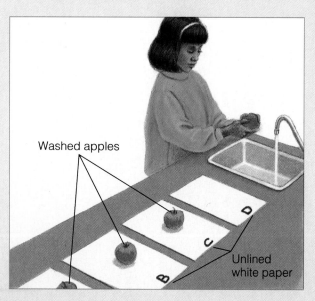

Washed apples

Unlined white paper

3. Using a straight pin, puncture four holes in apple B and four holes in apple C.

Washed apple with pinholes

Washed apple

Washed apple

A   B   C   D

4. Have your partner who has not washed his or her hands hold and rub apple A, apple B, and apple C.

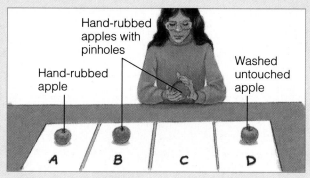

Hand-rubbed apples with pinholes

Hand-rubbed apple

Washed untouched apple

A   B   C   D

5. Dip a cotton swab in rubbing alcohol. Thoroughly swab each of the holes and their surrounding area in apple B.

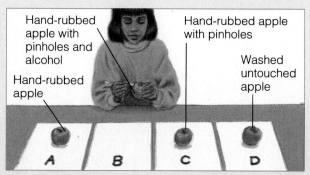

Hand-rubbed apple with pinholes and alcohol

Hand-rubbed apple

Hand-rubbed apple with pinholes

Washed untouched apple

A   B   C   D

(continued)

La piel es el órgano más grande del cuerpo, es una fuerte cubierta exterior que protege al cuerpo de la invasión de microorganismos. Si la piel no tiene heridas, los microorganismos invasores se mantienen fuera del cuerpo. Pero, ¿qué pasa cuando la piel tiene una herida? Descúbrelo haciendo esta actividad.

Materiales

4 hojas de papel sin líneas
lápiz
jabón

4 manzanas
alfiler
palillo con algodón
alcohol de frotar

Procedimiento

1. Coloca las 4 hojas de papel sobre una superficie plana. Márcalas A, B, C y D. Lávate bien las manos con agua y jabón. Sécatelas bien.

2. Lava las cuatro manzanas y coloca una de ellas sobre cada hoja. No toques la manzana D durante el resto de la actividad.

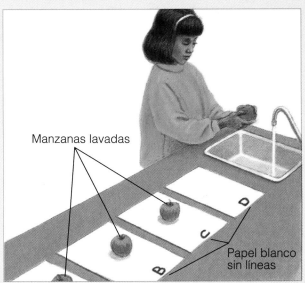

Manzanas lavadas

Papel blanco sin líneas

3. Con un alfiler, haz cuatro perforaciones en la manzana B y cuatro en la manzana C.

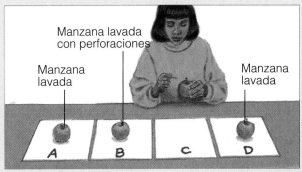

Manzana lavada con perforaciones

Manzana lavada

Manzana lavada

A B C D

4. Díle a tu compañero(a) que, sin lavarse, las manos, tome y frote las manzanas A, B y C.

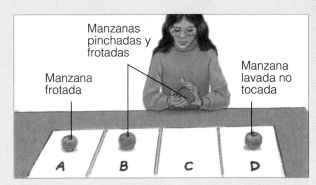

Manzanas pinchadas y frotadas

Manzana frotada

Manzana lavada no tocada

A B C D

5. Humedece un palillo con algodón con alcohol de frotar. Luego frota bien cada agujero y sus bordes en la manzana B.

Manzana pinchada frotada con la mano y alcohol

Manzana frotada con la mano

Manzana pinchada y frotada con la mano

Manzana lavada y no tocada

A B C D

(continua)

6. Place the four apples in an area where they will remain undisturbed for one week. Examine each apple every day. **Note:** *Do not touch the apples while examining them.* Arrange your observations in a data table similar to the one shown.

7. After one week, compare the apples.

8. Share your results with the class.

Observations

DATA TABLE

Day	Observations
1	
2	
3	

Analysis and Conclusions

1. How did the apples compare?

2. What was the purpose of apple D?

3. What is the relationship between the apples and your skin?

4. How did your results compare with those of your classmates? Were they similar? Different? Explain any differences.

6. Coloca las cuatro manzanas en un área donde puedan permanecer por una semana sin tocar. Examínalas todos los días. **Nota:** *No toques las manzanas cuando las examines.* Organiza tus observaciones en una tabla de datos como a la que se muestra aquí.

7. Compara las manzanas después de una semana.

8. Comparte tus resultados con el resto de la clase.

Análisis y conclusiones

1. ¿Cómo se diferenciaban las manzanas?
2. ¿Cuál fue el propósito de la manzana D?
3. ¿Cuál es la relación entre las manzanas y tu piel?
4. Compara tus resultados con los de tus compañeros(as). ¿Fueron semejantes? ¿Diferentes? Explica el por qué de las diferencias.

Observaciones

TABLA DE DATOS

Día	Observaciones
1	
2	
3	

$\mathbb{A}$ppendix A

The metric system of measurement is used by scientists throughout the world. It is based on units of ten. Each unit is ten times larger or ten times smaller than the next unit. The most commonly used units of the metric system are given below. After you have finished reading about the metric system, try to put it to use. How tall are you in metrics? What is your mass? What is your normal body temperature in degrees Celsius?

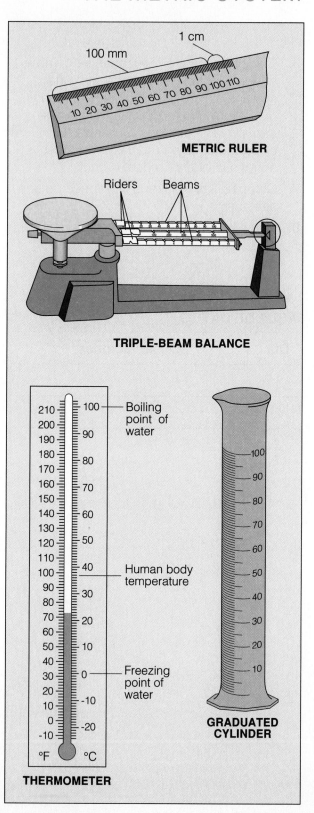

METRIC RULER

Riders Beams

TRIPLE-BEAM BALANCE

Commonly Used Metric Units

Length The distance from one point to another

meter (m) A meter is slightly longer than a yard.
1 meter = 1000 millimeters (mm)
1 meter = 100 centimeters (cm)
1000 meters = 1 kilometer (km)

Volume The amount of space an object takes up

liter (L) A liter is slightly more than a quart.
1 liter = 1000 milliliters (mL)

Mass The amount of matter in an object

gram (g) A gram has a mass equal to about one paper clip.
1000 grams = 1 kilogram (kg)

Temperature The measure of hotness or coldness

degrees
Celsius (°C) 0°C = freezing point of water
100°C = boiling point of water

Metric–English Equivalents

2.54 centimeters (cm) = 1 inch (in.)
1 meter (m) = 39.37 inches (in.)
1 kilometer (km) = 0.62 miles (mi)
1 liter (L) = 1.06 quarts (qt)
250 milliliters (mL) = 1 cup (c)
1 kilogram (kg) = 2.2 pounds (lb)
28.3 grams (g) = 1 ounce (oz)
$°C = 5/9 \times (°F - 32)$

Boiling point of water

Human body temperature

Freezing point of water

THERMOMETER

GRADUATED CYLINDER

Apéndice A

Los científicos de todo el mundo usan el sistema métrico. Está basado en unidades de diez. Cada unidad es diez veces más grande o más pequeña que la siguiente. Abajo se pueden ver las unidades del sistema métrico más usadas. Cuando termines de leer sobre el sistema métrico, trata de usarlo. ¿Cuál es tu altura en metros? ¿Cuál es tu masa? ¿Cuál es tu temperatura normal en grados Celsio?

Unidades métricas más comunes

Longitud   Distancia de un punto a otro

metro (m)   Un metro es un poco más largo que una yarda.

1 metro = 1000 milímetros (mm)
1 metro = 100 centímetros (cm)
1000 metros = 1 kilómetro (km)

Volumen   Cantidad de espacio que ocupa un objeto

litro (L) =   Un litro es un poco más que un cuarto de galón.

1 litro = 1000 mililitros (mL)

Masa   Cantidad de materia que tiene un objeto

gramo (g)   El gramo tiene una masa más o menos igual a la de una presilla para papel.

1000 gramos = kilogramo (kg)

Temperatura   Medida de calor o frío

grados   0°C = punto de congelación del agua

Celsio (°C)   100°C = punto de ebullición del agua

Equivalencias métricas inglesas

2.54 centímetros (cm) = 1 pulgada (in.)
1 metro (m) = 39.37 pulgadas (in.)
1 kilómetro (km) = 0.62 millas (mi)
1 litro (L) = 1.06 cuartes (qt)
250 mililitros (mL) = 1 taza (c)
1 kilogramo (kg) = 2.2 libras (lb)
28.3 gramos (g) = 1 onza (oz)
$°C = 5/9 \times (°F - 32)$

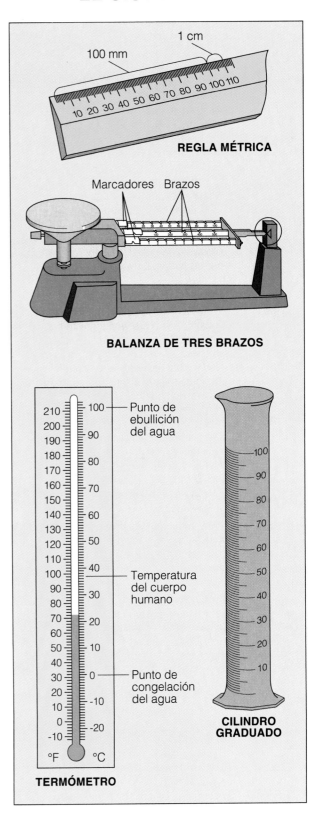

REGLA MÉTRICA

BALANZA DE TRES BRAZOS

TERMÓMETRO

CILINDRO GRADUADO

Glassware Safety

1. Whenever you see this symbol, you will know that you are working with glassware that can easily be broken. Take particular care to handle such glassware safely. And never use broken or chipped glassware.
2. Never heat glassware that is not thoroughly dry. Never pick up any glassware unless you are sure it is not hot. If it is hot, use heat-resistant gloves.
3. Always clean glassware thoroughly before putting it away.

Fire Safety

1. Whenever you see this symbol, you will know that you are working with fire. Never use any source of fire without wearing safety goggles.
2. Never heat anything—particularly chemicals—unless instructed to do so.
3. Never heat anything in a closed container.
4. Never reach across a flame.
5. Always use a clamp, tongs, or heat-resistant gloves to handle hot objects.
6. Always maintain a clean work area, particularly when using a flame.

Heat Safety

Whenever you see this symbol, you will know that you should put on heat-resistant gloves to avoid burning your hands.

Chemical Safety

1. Whenever you see this symbol, you will know that you are working with chemicals that could be hazardous.
2. Never smell any chemical directly from its container. Always use your hand to waft some of the odors from the top of the container toward your nose—and only when instructed to do so.
3. Never mix chemicals unless instructed to do so.
4. Never touch or taste any chemical unless instructed to do so.
5. Keep all lids closed when chemicals are not in use. Dispose of all chemicals as instructed by your teacher.

6. Immediately rinse with water any chemicals, particularly acids, that get on your skin and clothes. Then notify your teacher.

Eye and Face Safety

1. Whenever you see this symbol, you will know that you are performing an experiment in which you must take precautions to protect your eyes and face by wearing safety goggles.
2. When you are heating a test tube or bottle, always point it away from you and others. Chemicals can splash or boil out of a heated test tube.

Sharp Instrument Safety

1. Whenever you see this symbol, you will know that you are working with a sharp instrument.
2. Always use single-edged razors; double-edged razors are too dangerous.
3. Handle any sharp instrument with extreme care. Never cut any material toward you; always cut away from you.
4. Immediately notify your teacher if your skin is cut.

Electrical Safety

1. Whenever you see this symbol, you will know that you are using electricity in the laboratory.
2. Never use long extension cords to plug in any electrical device. Do not plug too many appliances into one socket or you may overload the socket and cause a fire.
3. Never touch an electrical appliance or outlet with wet hands.

Animal Safety

1. Whenever you see this symbol, you will know that you are working with live animals.
2. Do not cause pain, discomfort, or injury to an animal.
3. Follow your teacher's directions when handling animals. Wash your hands thoroughly after handling animals or their cages.

Apéndice B

PRECAUCIONES EN EL LABORATORIO
Normas y símbolos

¡Cuidado con los recipientes de vidrio!

1. Este símbolo te indicará que estás trabajando con recipientes de vidrio que pueden romperse. Procede con mucho cuidado al manejar esos recipientes. Y nunca uses vasos rotos ni astillados.
2. Nunca pongas al calor recipientes húmedos. Nunca tomes ningún recipiente si está caliente. Si lo está, usa guantes resistentes al calor.
3. Siempre limpia bien un recipiente de vidrio antes de guardarlo.

¡Cuidado con el fuego!

1. Este símbolo te indicará que estás trabajando con fuego. Nunca uses algo que produzca llama sin ponerte gafas protectoras.
2. Nunca calientes nada a menos que te digan que lo hagas.
3. Nunca calientes nada en un recipiente cerrado.
4. Nunca extiendas el brazo por encima de una llama.
5. Usa siempre una grapa, pinzas o guantes resistentes al calor para manipular algo caliente.
6. Procura tener un área de trabajo vacía y limpia, especialmente si estás usando una llama.

¡Cuidado con el calor!

Este símbolo te indicará que debes ponerte guantes resistentes al calor para no quemarte las manos.

¡Cuidado con los productos químicos!

1. Este símbolo te indicará que vas a trabajar con productos químicos que pueden ser peligrosos.
2. Nunca huelas un producto químico directamente. Usa siempre las manos para llevar las emanaciones a la nariz y hazlo sólo si te lo dicen.
3. Nunca mezcles productos químicos a menos que te lo indiquen.
4. Nunca toques ni pruebes ningún producto químico a menos que te lo indiquen.
5. Mantén todas las tapas de los productos químicos cerradas cuando no los uses. Deséchalos según te lo indiquen.

6. Enjuaga con agua cualquier producto químico, en especial un ácido. Si se pone en contacto con tu piel o tus ropas, comunícaselo a tu profesor(a).

¡Cuidado con los ojos y la cara!

1. Este símbolo te indicará que estás haciendo un experimento en el que debes protegerte los ojos y la cara con gafas protectoras.
2. Cuando estés calentando un tubo de ensayo, pon la boca en dirección contraria a los demás. Los productos químicos pueden salpicar o derramarse de un tubo de ensayo caliente.

¡Cuidado con los instrumentos afilados!

1. Este símbolo te indicará que vas a trabajar con un instrumento afilado.
2. Usa siempre hojas de afeitar de un solo filo. Las hojas de doble filo son muy peligrosas.
3. Maneja un instrumento afilado con sumo cuidado. Nunca cortes nada hacia ti sino en dirección contraria.
4. Notifica inmediatamente a tu profesor(a) si te cortas.

¡Cuidado con la electricidad!

1. Este símbolo te indicará que vas a usar electricidad en el laboratorio.
2. Nunca uses cables de prolongación para enchufar un aparato eléctrico. No enchufes muchos aparatos en un enchufe porque puedes recargarlo y provocar un incendio.
3. Nunca toques un aparato eléctrico o un enchufe con las manos húmedas.

¡Cuidado con los animales!

1. Este símbolo, te indicará que vas a trabajar con animales vivos.
2. No causes dolor, molestias o heridas a ningun animal.
3. Sigue las instrucciones de tu profesor(a) al tratar a los animales. Lávate bien las manos después de tocar los animales o sus jaulas.

One of the first things a scientist learns is that working in the laboratory can be an exciting experience. But the laboratory can also be quite dangerous if proper safety rules are not followed at all times. To prepare yourself for a safe year in the laboratory, read over the following safety rules. Then read them a second time. Make sure you understand each rule. If you do not, ask your teacher to explain any rules you are unsure of.

Dress Code

1. Many materials in the laboratory can cause eye injury. To protect yourself from possible injury, wear safety goggles whenever you are working with chemicals, burners, or any substance that might get into your eyes. Never wear contact lenses in the laboratory.

2. Wear a laboratory apron or coat whenever you are working with chemicals or heated substances.

3. Tie back long hair to keep it away from any chemicals, burners and candles, or other laboratory equipment.

4. Remove or tie back any article of clothing or jewelry that can hang down and touch chemicals and flames.

General Safety Rules

5. Read all directions for an experiment several times. Follow the directions exactly as they are written. If you are in doubt about any part of the experiment, ask your teacher for assistance.

6. Never perform activities that are not authorized by your teacher. Obtain permission before "experimenting" on your own.

7. Never handle any equipment unless you have specific permission.

8. Take extreme care not to spill any material in the laboratory. If a spill occurs, immediately ask your teacher about the proper cleanup procedure. Never simply pour chemicals or other substances into the sink or trash container.

9. Never eat in the laboratory.

10. Wash your hands before and after each experiment.

First Aid

11. Immediately report all accidents, no matter how minor, to your teacher.

12. Learn what to do in case of specific accidents, such as getting acid in your eyes or on your skin. (Rinse acids from your body with lots of water.)

13. Become aware of the location of the first-aid kit. But your teacher should administer any required first aid due to injury. Or your teacher may send you to the school nurse or call a physician.

14. Know where and how to report an accident or fire. Find out the location of the fire extinguisher, phone, and fire alarm. Keep a list of important phone numbers—such as the fire department and the school nurse—near the phone. Immediately report any fires to your teacher.

Heating and Fire Safety

15. Again, never use a heat source, such as a candle or burner, without wearing safety goggles.

16. Never heat a chemical you are not instructed to heat. A chemical that is harmless when cool may be dangerous when heated.

17. Maintain a clean work area and keep all materials away from flames.

18. Never reach across a flame.

19. Make sure you know how to light a Bunsen burner. (Your teacher will demonstrate the proper procedure for lighting a burner.) If the flame leaps out of a burner toward you, immediately turn off the gas. Do not touch the burner. It may be hot. And never leave a lighted burner unattended!

20. When heating a test tube or bottle, always point it away from you and others. Chemicals can splash or boil out of a heated test tube.

21. Never heat a liquid in a closed container. The expanding gases produced may blow the container apart, injuring you or others.

Una de las primeras cosas que aprende un científico es que trabajar en el laboratorio es muy interesante. Pero el laboratorio puede ser un lugar muy peligroso si no se respetan las reglas de seguridad apropiadas. Para prepararte para trabajar sin riesgos en el laboratorio, lee las siguientes reglas una y otra vez. Debes comprender muy bien cada regla. Pídele a tu profesor(a) que te explique si no entiendes algo.

Vestimenta adecuada

1. Muchos materiales del laboratorio pueden ser dañinos para la vista. Como precaución, usa gafas protectoras siempre que trabajes con productos químicos, mecheros o una sustancia que pueda entrarte en los ojos. Nunca uses lentes de contacto en el laboratorio.

2. Usa un delantal o guardapolvo siempre que trabajes con productos químicos o con algo caliente.

3. Si tienes pelo largo, átatelo para que no roce productos químicos, mecheros, velas u otro equipo del laboratorio.

4. No debes llevar ropa o alhajas que cuelguen y puedan entrar en contacto con productos químicos o con el fuego.

Normas generales de precaución

5. Lee todas las instrucciones de un experimento varias veces. Síguelas al pie de la letra. Si tienes alguna duda, pregúntale a tu profesor(a).

6. Nunca hagas nada sin autorización de tu profesor(a). Pide permiso antes de "experimentar" por tu cuenta.

7. Nunca intentes usar un equipo si no te han dado permiso para hacerlo.

8. Ten mucho cuidado de no derramar nada en el laboratorio. Si algo se derrama, pregunta inmediatamente a tu profesor(a) cómo hacer para limpiarlo.

9. Nunca comas en el laboratorio.

10. Lávate las manos antes y después de cada experimento.

Primeros auxilios

11. Por menos importante que parezca un accidente, informa inmediatamente a tu profesor(a) si ocurre algo.

12. Aprende qué debes hacer en caso de ciertos accidentes, como si te cae ácido en la piel o te entra en los ojos. (Enjuágate con muchísima agua.)

13. Debes saber dónde está el botiquín de primeros auxilios. Pero es tu profesor(a) quien debe encargarse de dar primeros auxilios. Puede que él o ella te envíe a la enfermería o llame a un médico.

14. Debes saber dónde llamar si hay un accidente o un incendio. Averigua dónde está el extinguidor, el teléfono y la alarma de incendios. Debe haber una lista de teléfonos importantes—como los bomberos y la enfermería—cerca del teléfono. Avisa inmediatamente a tu profesor(a) si se produce un incendio.

Precauciones con el calor y con el fuego

15. Nunca te acerques a una fuente de calor, como un mechero o una vela sin ponerte las gafas protectoras.

16. Nunca calientes ningún producto químico si no te lo indican. Un producto inofensivo cuando está frío puede ser peligroso si está caliente.

17. Tu área de trabajo debe estar limpia y todos los materiales alejados del fuego.

18. Nunca extiendas el brazo por encima de una llama.

19. Debes saber bien cómo encender un mechero Bunsen. (Tu profesor(a) te indicará el procedimiento apropiado.) Si la llama salta del mechero, apaga el gas inmediatamente. No toques el mechero. ¡Nunca dejes un mechero encendido sin nadie al lado!

20. Cuando calientes un tubo de ensayo, apúntalo en dirección contraria. Los productos químicos pueden salpicar o derramarse al hervir.

21. Nunca calientes un líquido en un recipiente cerrado. Los gases que se producen pueden hacer que el recipiente explote y te lastime a ti y a tus compañeros.

22. Before picking up a container that has been heated, first hold the back of your hand near it. If you can feel the heat on the back of your hand, the container may be too hot to handle. Use a clamp or tongs when handling hot containers.

Using Chemicals Safely

23. Never mix chemicals for the "fun of it." You might produce a dangerous, possibly explosive substance.

24. Never touch, taste, or smell a chemical unless you are instructed by your teacher to do so. Many chemicals are poisonous. If you are instructed to note the fumes in an experiment, gently wave your hand over the opening of a container and direct the fumes toward your nose. Do not inhale the fumes directly from the container.

25. Use only those chemicals needed in the activity. Keep all lids closed when a chemical is not being used. Notify your teacher whenever chemicals are spilled.

26. Dispose of all chemicals as instructed by your teacher. To avoid contamination, never return chemicals to their original containers.

27. Be extra careful when working with acids or bases. Pour such chemicals over the sink, not over your workbench.

28. When diluting an acid, pour the acid into water. Never pour water into an acid.

29. Immediately rinse with water any acids that get on your skin or clothing. Then notify your teacher of any acid spill.

Using Glassware Safely

30. Never force glass tubing into a rubber stopper. A turning motion and lubricant will be helpful when inserting glass tubing into rubber stoppers or rubber tubing. Your teacher will demonstrate the proper way to insert glass tubing.

31. Never heat glassware that is not thoroughly dry. Use a wire screen to protect glassware from any flame.

32. Keep in mind that hot glassware will not appear hot. Never pick up glassware without first checking to see if it is hot. See #22.

33. If you are instructed to cut glass tubing, fire-polish the ends immediately to remove sharp edges.

34. Never use broken or chipped glassware. If glassware breaks, notify your teacher and dispose of the glassware in the proper trash container.

35. Never eat or drink from laboratory glassware. Thoroughly clean glassware before putting it away.

Using Sharp Instruments

36. Handle scalpels or razor blades with extreme care. Never cut material toward you; cut away from you.

37. Immediately notify your teacher if you cut your skin when working in the laboratory.

Animal Safety

38. No experiments that will cause pain, discomfort, or harm to mammals, birds, reptiles, fishes, and amphibians should be done in the classroom or at home.

39. Animals should be handled only if necessary. If an animal is excited or frightened, pregnant, feeding, or with its young, special handling is required.

40. Your teacher will instruct you as to how to handle each animal species that may be brought into the classroom.

41. Clean your hands thoroughly after handling animals or the cage containing animals.

End-of-Experiment Rules

42. After an experiment has been completed, clean up your work area and return all equipment to its proper place.

43. Wash your hands after every experiment.

44. Turn off all burners before leaving the laboratory. Check that the gas line leading to the burner is off as well.

22. Antes de tomar un recipiente que se ha calentado, acerca primero el dorso de tu mano. Si puedes sentir el calor, el recipiente está todavía caliente. Usa una grapa o pinzas cuando trabajes con recipientes calientes.

Precauciones en el uso de productos químicos

23. Nunca mezcles productos químicos para "divertirte." Puede que produzcas una sustancia peligrosa tal como un explosivo.

24. Nunca toques, pruebes o huelas un producto químico si no te indican que lo hagas. Muchos de estos productos son venenosos. Si te indican que observes las emanaciones, llévalas hacia la nariz con las manos. No las aspires directamente del recipiente.

25. Usa sólo los productos necesarios para esa actividad. Todos los envases deben estar cerrados si no están en uso. Informa a tu profesor(a) si se produce algún derrame.

26. Desecha todos los productos químicos según te lo indique tu profesor(a). Para evitar la contaminación, nunca los vuelvas a poner en su envase original.

27. Ten mucho cuidado cuando trabajes con ácidos o bases. Viértelos en la pila, no sobre tu mesa.

28. Cuando diluyas un ácido, viértelo en el agua. Nunca viertas agua en el ácido.

29. Enjuágate inmediatamente la piel o la ropa con agua si te cae ácido. Notifica a tu profesor(a).

Precauciones con el uso de vidrio

30. Para insertar vidrio en tapones o tubos de goma, deberás usar un movimiento de rotación y un lubricante. No lo fuerces. Tu profesor(a) te indicará cómo hacerlo.

31. No calientes recipientes de vidrio que no estén secos. Usa una pantalla para proteger el vidrio de la llama.

32. Recuerda que el vidrio caliente no parece estarlo. Nunca tomes nada de vidrio sin controlarlo antes. Véase # 22.

33. Cuando cortes un tubo de vidrio, lima las puntas inmediatamente para alisarlas.

34. Nunca uses recipientes rotos ni astillados. Si algo de vidrio se rompe, notifícalo inmediatamente y desecha el recipiente en el lugar adecuado.

35. Nunca comas ni bebas de un recipiente de vidrio del laboratorio. Limpia los recipientes bien antes de guardarlos.

Uso de instrumentos afilados

36. Maneja los bisturíes o las hojas de afeitar con sumo cuidado. Nunca cortes nada hacia ti sino en dirección contraria.

37. Notifica inmediatamente a tu profesor(a) si te cortas.

Precauciones con los animales

38. No debe realizarse ningún experimento que cause ni dolor, ni incomodidad, ni daño a los animales en la escuela o en la casa.

39. Debes tocar a los animales sólo si es necesario. Si un animal está nervioso o asustado, preñado, amamantando o con su cría, se requiere cuidado especial.

40. Tu profesor(a) te indicará cómo proceder con cada especie animal que se traiga a la clase.

41. Lávate bien las manos después de tocar los animales o sus jaulas.

Al concluir un experimento

42. Después de terminar un experimento limpia tu área de trabajo y guarda el equipo en el lugar apropiado.

43. Lávate las manos después de cada experimento.

44. Apaga todos los mecheros antes de irte del laboratorio. Verifica que la línea general esté también apagada.

Glossary

Pronunciation Key

When difficult names or terms first appear in the text, they are respelled to aid pronunciation. A syllable in SMALL CAPITAL LETTERS receives the most stress. The key below lists the letters used for respelling. It includes examples of words using each sound and shows how the words would be respelled.

Symbol	Example	Respelling
a	hat	(hat)
ay	pay, late	(pay), (layt)
ah	star, hot	(stahr), (haht)
ai	air, dare	(air), (dair)
aw	law, all	(law), (awl)
eh	met	(meht)
ee	bee, eat	(bee), (eet)
er	learn, sir, fur	(lern), (ser), (fer)
ih	fit	(fiht)
igh	mile, sigh	(mighl), (sigh)
oh	no	(noh)
oi	soil, boy	(soil), (boi)
oo	root, tule	(root), (rool)
or	born, door	(born), (dor)
ow	plow, out	(plow), (owt)

Symbol	Example	Respelling
u	put, book	(put), (buk)
uh	fun	(fuhn)
yoo	few, use	(fyoo), (yooz)
ch	chill, reach	(chihl), (reech)
g	go, dig	(goh), (dihg)
j	jet, gently, bridge	(jeht), (JEHNT-lee), (brihj)
k	kite, cup	(kight), (kuhp)
ks	mix	(mihks)
kw	quick	(kwihk)
ng	bring	(brihng)
s	say, cent	(say), (sehnt)
sh	she, crash	(shee), (krash)
th	three	(three)
y	yet, onion	(yeht), (UHN-yuhn)
z	zip, always	(zihp), (AWL-wayz)
zh	treasure	(TREH-zher)

active immunity: immunity in which a person's own immune system responds to the presence of an antigen

adolescence: stage of development that begins at age 13 and ends at age 20

adrenal: endocrine gland on top of each kidney that produces the hormone adrenaline

adulthood: stage of development that begins at age 20 and lasts the rest of a person's life

AIDS: Acquired Immune Deficiency Syndrome; disease in which certain cells of the immune system are killed by a virus called HIV

alcoholism: incurable disease in which a person is physically and psychologically dependent on alcohol

allergy: reaction that occurs when the body is overly sensitive to certain substances called allergens

alveolus (al-VEE-uh-luhs): grapelike clusters of round sacs in the lungs; site of gas exchange

amino acid: building block of protein

amniotic (am-nee-AHT-ihk) **sac:** fluid-filled sac that cushions and protects the developing baby

antibody: protein produced by the immune system in response to an antigen

antigen: invading organism or substance that triggers the action of an antibody

anus: opening at the end of the rectum through which solid wastes are eliminated

artery: blood vessel that carries blood away from the heart

Glosario

Clave de pronunciación

Cada vez que nombres o términos difíciles aparecen por primera vez en el texto de inglés, se deletrean para facilitar su pronunciación. La sílaba que está en MAYUSCULA PEQUEÑA es la más acentuada. En la clave de abajo hay una lista de las letras usadas en nuestro deletreo. Incluye ejemplos de las palabras que usan cada sonido y muestra cómo se deletrean.

Símbolo	Ejemplo	Redeletreo
a	hat	(hat)
ay	pay, late	(pay), (layt)
ah	star, hot	(stahr), (haht)
ai	air, dare	(air), (dair)
aw	law, all	(law), (awl)
eh	met	(meht)
ee	bee, eat	(bee), (eet)
er	learn, sir, fur	(lern), (ser), (fer)
ih	fit	(fiht)
igh	mile, sigh	(mighl), (sigh)
oh	no	(noh)
oi	soil, boy	(soil), (boi)
oo	root, rule	(root), (rool)
or	born, door	(born), (dor)
ow	plow, out	(plow), (owt)

Símbolo	Ejemplo	Redeletreo
u	put, book	(put), (buk)
uh	fun	(fuhn)
yoo	few, use	(fyoo), (yooz)
ch	chill, reach	(chihl), (reech)
g	go, dig	(goh), (dihg)
j	jet, gently, bridge	(jeht), (JEHNT-lee), (brihj)
k	kite, cup	(kight), (kuhp)
ks	mix	(mihks)
kw	quick	(kwihk)
ng	bring	(brihng)
s	say, cent	(say), (sehnt)
sh	she, crash	(shee), (krash)
th	three	(three)
y	yet, onion	(yeht), (UHN-yuhn)
z	zip, always	(zihp), (AWL-wayz)
zh	treasure	(TREH-zher)

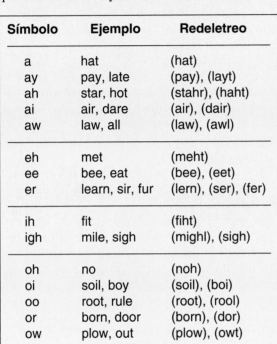

abuso de drogas: uso intencional excesivo de drogas con propósitos no medicinales

adolescencia: etapa de desarrollo que comienza a los 13 años y concluye a los 20

alcoholismo: enfermedad incurable en la que una persona depende física y psicológicamente del alcohol

alergia: reacción que ocurre cuando el cuerpo es demasiado sensible a sustancias llamadas alérgenos

alucinógeno: droga ilegal que altera la visión de la realidad de quien la usa

alvéolo: cada uno de los sacos de aire de los pulmones agrupado en racimos; lugar donde se realiza el intercambio de gases

aminoácido: unidad básica de las proteínas

anticuerpo: proteína producida por el sistema inmunológico como respuesta a la invasión de un antígeno

antígeno: organismo o sustancia invasora que provoca la acción de los anticuerpos

ano: abertura al final del recto por la cual son eliminados los desechos sólidos

arteria: vaso sanguíneo que lleva la sangre del corazón a otras partes del cuerpo

arterioesclerosis: engrosamiento de la membrana interna de una arteria

articulación: punto de unión entre los huesos

artritis reumática: enfermedad que causa invalidez y afecta la piel, los pulmones y las articulaciones

aurícula: cámara superior del corazón

axón: fibra larga y delgada que conduce impulsos nerviosos desde el cuerpo celular de una

atherosclerosis (ath-er-oh-skluh-ROH-sihs): thickening of the inner wall of an artery

atrium (AY-tree-uhm): upper heart chamber

axon: taillike fiber that carries messages away from the cell body

bone: structure that makes up the body's skeleton

brain: main control center of the central nervous system

bronchus (BRAHNG-kuhs): tube that branches off from the trachea and enters the lung

Calorie: amount of energy needed to raise the temperature of 1 kilogram of water by 1 degree Celsius

cancer: noninfectious disease in which the body's own cells multiply uncontrollably

capillary: tiny, thin-walled blood vessel that connects an artery to a vein

capsule: cup-shaped part of the nephron

carbohydrate: energy-rich nutrient found in foods such as vegetables and grain products

cardiac muscle: muscle tissue found only in the heart

cardiovascular (kahr-dee-oh-VAS-kyoo-ler) **disease:** disease that affects the heart and blood vessels

cartilage: dense, fibrous, flexible connective tissue

cell: building block of living things

cell body: largest part of the neuron, which contains the nucleus

cerebellum (ser-uh-BEHL-uhm): part of the brain that controls balance and coordinates muscle activity

cerebrum (SER-uh-bruhm): largest part of the brain; controls the senses, thought, and conscious activity

childhood: stage of development that begins at about 2 years of age and continues until the age of 13

cochlea (KAHK-lee-uh): snail-shaped tube in the inner ear from which nerve impulses are carried to the brain

cornea: transparent protective covering of the eye

dendrite: threadlike structure in the neuron that carries messages to the cell body

depressant: substance that slows down the actions of the brain and spinal cord

dermis: bottom layer of the skin

diabetes mellitus (digh-uh-BEET-eez muh-LIGHT-uhs): noninfectious disease in which the body either secretes too little insulin or is not able to use the insulin that is does secrete

diaphragm (DIGH-uh-fram): dome-shaped muscle that aids in breathing

disease: sickness or illness

dislocation: injury in which a bone is forced out of its joint

drug: substance that has an effect on the body

drug abuse: deliberate misuse of a drug for a use other than a medical one

eardrum: membrane in the ear that vibrates when struck by sound waves

effector: muscle cell or gland cell that is stimulated by a motor neuron

egg: female sex cell; ovum

embryo (EHM-bree-oh): developing baby from the second to the eighth week of development

enzyme: chemical substance that helps control chemical reactions

epidermis: top layer of the skin

epiglottis (ehp-uh-GLAHT-ihs): small flap of tissue that closes over the trachea (windpipe)

esophagus (ih-SAHF-uh-guhs): tube that carries food to the stomach

excretion: process by which wastes are removed from the body

Fallopian (fuh-LOH-pee-uhn) **tube:** structure through which an egg travels from the ovary to the uterus; oviduct

fat: nutrient that supplies the body with energy and also helps support and cushion the vital organs in the body

fertilization: process by which a sperm nucleus and an egg nucleus join

fetus (FEET-uhs): developing baby from the eighth week to birth

fibrin (FIGH-brihn): chemical that forms a net across cut in a blood vessel to trap blood cells and plasma

fracture: break in a bone

hallucinogen (huh-LOO-sih-nuh-jehn): illegal drug that alters an abuser's view of reality

hemoglobin (HEE-muh-gloh-bihn): iron-containing protein found in red blood cells

homeostasis (hoh-mee-oh-STAY-sihs): process by which the delicate balance between the activities occurring inside the body and those occurring outside is maintained

hormone (HOR-mohn): chemical messenger produced by an endocrine gland

hypertension: high blood pressure

hypothalamus (high-poh-THAL-uh-muhs): endocrine gland at base of brain that provides a link between the nervous system and the endocrine system

immunity (im-MYOON-ih-tee): resistance to a disease-causing organism or a harmful substance

neurona hacia afuera.

bronquio: uno de los tubos de la tráquea que llega al pulmón

caloría: cantidad de energía requerida para elevar la temperatura de 1 kilogramo de agua 1 grado Celsio

canal semicircular: pequeño canal en el oído interno responsable del sentido del equilibrio

cáncer: enfermedad no infecciosa en la cual las células del cuerpo se reproducen anormal e incontroladamente

capilar: vaso sanguíneo sumamente fino y pequeño que conecta una arteria con una vena

cápsula de Bowman: parte del nefrón en forma de taza

caracol: tubo enrollado en espiral del oído interno, que trasmite impulsos nerviosos al cerebro

carbohidrato: sustancia fuente de nutrientes y energía que se encuentra en alimentos como los vegetales y cereales

cartílago: tejido conectivo flexible, denso y fibroso

célula: unidad básica de los seres vivos

cerebelo: parte del cerebro que controla el equilibrio y coordina la actividad muscular

cerebro: la parte más grande del encéfalo; controla los sentidos, el pensamiento y la actividad consciente

ciclo menstrual: ciclo mensual de cambios que ocurren en el aparato reproductor femenino

cigoto: óvulo femenino fecundado

cordón umbilical: estructura en forma de cuerda que conecta el feto a la placenta

córnea: cubierta protectora y transparente del ojo

cuerda vocal: pliegue de tejido que se extiende a lo ancho de la laringe y vibra con el movimiento del aire para producir sonidos

cuerpo celular: parte de mayor tamaño de una neurona, que contiene el núcleo

dendrita: estructura ramificada de las neuronas que trasmite mensajes al cuerpo celular

dependencia física: efecto del abuso de una droga que ocurre cuando el cuerpo no puede funcionar adecuadamente sin ella

dependencia psicológica: efecto del abuso de una droga en el cual una persona experimenta un fuerte deseo de seguir usándola

dermis: capa interior de la piel

diabetes mellitus: enfermedad no infecciosa que ocurre cuando el cuerpo segrega muy poca insulina o no puede utilizar la insulina que segrega

diafragma: músculo en forma de cúpula que ayuda a respirar

dislocación: lesión en la cual un hueso sale de su articulación

droga: sustancia que tiene un efecto en el cuerpo

edad adulta: etapa de desarrollo que comienza a los 20 años y dura el resto de la vida de una persona

efector: célula muscular o glandular que es estimulada por una neurona motora

embrión: etapa de desarrollo prenatal que se extiende desde la segunda hasta la octava semana

encéfalo: centro de control principal del sistema nervioso central

enfermedad: afección, dolencia

enfermedad cardiovascular: enfermedad que afecta al corazón y los vasos sanguíneos

enfermedad infecciosa: enfermedad trasmitida por microorganismos patógenos

enfermedad no infecciosa: enfermedad que no es causada por microorganismos patógenos

enzima: sustancia química que ayuda a controlar las reacciones químicas

epidermis: capa exterior de la piel

epiglotis: lámina cartilaginosa que cierra la tráquea

esófago: conducto por el que pasan los alimentos al estómago

espermatozoide: célula sexual masculina

estimulante: sustancia que acelera las acciones del cerebro y de la médula espinal

estímulo: cambio en el medio ambiente

estómago: órgano del sistema digestivo en forma de J que conecta el esófago con el intestino delgado

excreción: proceso por el cual se expulsan los productos de desecho del cuerpo

fertilización: proceso por el cual se unen el óvulo y el espermatozoide

feto: etapa de desarrollo prenatal que se extiende desde la octava semana hasta el nacimiento

fibrina: sustancia química que forma una red de fibras en las heridas de los vasos sanguíneos y que atrapa glóbulos rojos y plasma

fractura: rotura de un hueso

glóbulo blanco: célula que defiende al cuerpo contra organismos invasores

glóbulo rojo: célula que transporta oxígeno a todo el cuerpo

grasa: nutriente que provee energía al cuerpo y ayuda a sostener y proteger los órganos vitales

infancy: stage of development that lasts from 1 month to about 2 years of age

infectious (ihn-FEHK-shuhs) **disease:** disease transmitted by disease-causing microorganisms

inflammatory (ihn-FLAM-uh-tor-ee) **response:** body's second line of defense against invading organisms, in which fluid and white blood cells leak from blood vessels into tissues

inhalant: drug that is inhaled

interferon: substance produced by body cells when they are attacked by viruses

interneuron: type of neuron that connects sensory and motor neurons

iris: circular, colored portion of the eye

islets (IGH-lihts) **of Langerhans** (LAHNG-er-hahns): small group of cells in the pancreas that produce the hormones insulin and glucagon

joint: place where two bones meet

kidney: main excretory organ

large intestine: organ in the digestive system in which water is absorbed and undigested food is stored

larynx (LAR-ihngks): voice box; organ that contains the vocal cords

lens: part of the eye that focuses light rays coming into the eye

ligament: connective tissue that holds bones together

liver: organ that produces bile

lung: main respiratory organ

marijuana: illegal drug that is made from the leaves and flowers of the Indian hemp plant

marrow: soft material found within bone

medulla (mih-DUHL-uh): part of the brain that controls involuntary actions

menstrual (MEHN-struhl) **cycle:** monthly cycle of change that occurs in the female reproductive system

mineral: nutrient that helps maintain the normal functioning of the body

motor neuron: type of neuron that carries messages from the brain and spinal cord to an effector

negative-feedback mechanism: mechanism by which the production of a hormone is controlled by the amount of another hormone

nephron (NEHF-rahn): microscopic chemical filtering factory in the kidneys

nerve impulse: electrical and chemical signals that travel across a neuron

neuron: nerve cell

noninfectious disease: disease not caused by disease-causing microorganisms

nose: organ through which air enters the respiratory system

nutrient (NOO-tree-ehnt): usable portion of food

opiate: pain-killing drug produced from the opium poppy

organ: group of different tissues that have a specific job

organ system: group of organs that work together to perform a specific job

ovary (OH-vuh-ree): endocrine gland that produces female hormones; female sex gland

ovulation (ahv-yoo-LAY-shuhn): process by which the follicle in the ovary releases the egg

pancreas (PAN-kree-uhs): organ that produces pancreatic juice and insulin

parathyroid: endocrine gland embedded in the thyroid that produces a hormone which controls the level of calcium in the blood

passive immunity: immunity that is gotten from another source

pepsin: enzyme produced by the stomach that digests proteins

peristalsis (per-uh-STAHL-sihs): waves of muscular contractions that move food through the digestive system

physical dependence: effect of drug abuse that occurs when the body becomes used to a drug and needs it to function normally

pituitary (pih-TOO-uh-ter-ee): endocrine gland located below the hypothalamus that controls many body processes

placenta (pluh-SEHN-tuh): structure through which a developing baby receives food and oxygen from its mother

plasma: fluid portion of the blood

platelet: cell fragment that aids in blood clotting

protein: nutrient that is used to build and repair body parts; made of amino acids

psychological (SIGH-kuh-lahj-ih-kuhl) **dependence:** effect of drug abuse in which a person has a strong desire or need to continue using a drug

ptyalin (TIGH-uh-lihn): enzyme in saliva that breaks down some starches into sugars

puberty (PYOO-ber-tee): beginning of adolescence

pupil: small opening in the middle of the eye

receptor: special cell that receives information from its surroundings

rectum: end of the large intestine

red blood cell: cell that carries oxygen throughout the body

reflex: simple response to a stimulus

respiration: energy-releasing process that is fueled by oxygen

hemoglobina: proteína rica en hierro que se encuentra en los glóbulos rojos

hígado: órgano que produce bilis

hipertensión: presión sanguínea alta

hipotálamo: glándula endocrina situada en la base del cerebro que sirve de enlace entre los sistemas nervioso y endocrino

homeostasis: proceso por el cual se mantiene un equilibrio entre los cambios que ocurren en el exterior y las condiciones internas del cuerpo

hormona: mensajero químico producido por una glándula endocrina

hueso: estructura que forma el esqueleto del cuerpo

infancia: etapa de desarrollo que se extiende desde el mes hasta cerca de los 2 años de vida

impulso nervioso: señales eléctricas y químicas que viajan por una neurona

inhalante: droga que se inhala

inmunidad: resistencia a organismos patógenos o sustancias dañinas

inmunidad activa: reacción del sistema inmunológico de una persona ante la presencia de un antígeno

inmunidad pasiva: inmunidad que proviene de una fuente externa

interferona: sustancia que producen las células al ser atacadas por un virus

intestino delgado: órgano del sistema digestivo en el que se realiza la mayor parte del proceso digestivo

intestino grueso: órgano del sistema digestivo en el cual se absorbe el agua y se almacenan los alimentos no digeridos

iris: área de color alrededor de la pupila del ojo

islotes de Langerhans: pequeño grupo de células en el páncreas que producen las hormonas insulina y glucagón

laringe: órgano que contiene las cuerdas vocales

lente: parte del ojo que enfoca los rayos de luz que entran en la pupila

ligamento: tejido conectivo que mantiene unidos a los huesos

marihuana: droga ilegal que se extrae de las hojas y flores de cáñamo de la India

mecanismo de retroalimentación: mecanismo por el cual la producción de una hormona se controla por la cantidad de otra

médula espinal: conecta el cerebro con el resto del cuerpo

médula oblongada: parte del cerebro que controla las actividades involuntarias del cuerpo

médula ósea: tejido blando que se encuentra dentro de los huesos

mineral: sustancia nutriente que ayuda a mantener el funcionamiento normal del cuerpo

músculo cardíaco: tejido muscular que se encuentra solamente en el corazón

músculo estriado: tejido muscular que está adherido a los huesos y mueve el esqueleto

músculo liso: tejido muscular responsable de los movimientos involuntarios

narcótico: droga analgésica producida con el opio de la adormidera

nariz: órgano por el cual entra aire al sistema respiratorio

nefrón: unidad de filtración microscópica en los riñones

niñez: etapa de desarrollo que se extiende desde los 2 años hasta cerca de los 13

neurona: célula nerviosa

neurona de asociación: neurona que conecta las neuronas sensoriales y las motoras

neurona motora: tipo de neurona que trasmite los impulsos del cerebro y la médula espinal a un efector

neurona sensorial: tipo de neurona que trasmite mensajes de los receptores al cerebro o a la médula espinal

nutriente: parte aprovechable de los alimentos

órgano: grupo de tejidos diferentes que cumplen una función específica

ovario: glándula endocrina que produce hormonas femeninas; glándula sexual femenina

ovulación: proceso por el cual el óvulo se desprende del folículo del ovario

óvulo: célula sexual femenina

páncreas: órgano que produce jugo pancreático e insulina

paratiroides: glándula endocrina que segrega una hormona que controla el nivel de calcio en la sangre

pepsina: enzima producida por el estómago que digiere las proteínas

peristalsis: ondas de contracciones musculares que empujan los alimentos a través del sistema digestivo

piel: membrana exterior del cuerpo

pituitaria: glándula endocrina que se encuentra debajo del hipotálamo y controla varios procesos en el cuerpo

placenta: estructura a través de la cual un feto recibe alimento y oxígeno de su madre

plaqueta: fragmento de una célula que ayuda a

retina (REHT-'n-uh): inner layer of the eye on which an image is focused; contains the light-sensitive rods and cones

rheumatoid (ROO-muh-toid) **arthritis:** disabling disease that affects the skin, lungs, and joints

semicircular canal: tiny canal in inner ear that is responsible for the sense of balance

sensory neuron: type of neuron that carries messages from the receptors to the brain or spinal cord

skeletal muscle: muscle tissue that is attached to bone and moves the skeleton

skin: outer covering of the body

small intestine: digestive organ in which most digestion takes place

smooth muscle: muscle tissue responsible for involuntary movement

sperm: male sex cell

spinal cord: provides the link between the brain and the rest of the body

sprain: injury in which ligaments are torn or stretched

stimulant: substance that speeds up the actions of the brain and spinal cord

stimulus: change in the environment

stomach: J-shaped digestive organ that connects the esophagus to the small intestine

synapse (SIHN-aps): tiny gap between two neurons

tendon: connective tissue that attaches bone to muscle

testis (TEHS-tihs): endocrine gland that produces male hormones; male sex gland

thymus (THIGH-muhs): endocrine gland that is responsible for the development of the immune system

thyroid: endocrine gland located in the neck that produces a hormone which controls how quickly food is burned up

tissue: group of similar cells that perform the same function

tolerance: effect of drug abuse in which the body needs increasingly larger amounts of the drug to get the same effect that was originally produced

trachea: windpipe; carries air from the nose to the lungs

umbilical (uhm-BIHL-ih-kuhl) **cord:** cordlike structure that connects the fetus to the placenta

ureter (yoo-REET-er): tube that carries urine from a kidney to the urinary bladder

urethra (yoo-REE-thruh): tube through which urine leaves the body

urinary bladder: muscular sac that stores urine

uterus (YOOT-er-uhs): pear-shaped organ in which a fertilized egg develops into a child; womb

vaccination (vak-sih-NAY-shuhn): process by which an antigen is deliberately introduced to stimulate the immune system

vein: blood vessel that carries blood to the heart

ventricle: lower heart chamber

villus (VIHL-uhs): fingerlike structure that lines the small intestine through which food is absorbed into the bloodstream

vitamin: nutrient that helps regulate growth and normal body functioning

vocal cord: fold of tissue stretched across the larynx that vibrates with the movement of air to form sounds

white blood cell: cell that defends the body against invading organisms

withdrawal: stopping the use of a drug

zygote (ZIGH-goht): fertilized egg

coagular la sangre

plasma: parte líquida de la sangre

proteína: nutriente que es usado para formar y reparar las partes del cuerpo; formada por aminoácidos

ptialina: enzima en la saliva que convierte en azúcares algunos almidones

pubertad: principio de la adolescencia

pupila: pequeña abertura en el centro del ojo

pulmón: órgano respiratorio principal

receptor: célula especializada que recibe información del medio que la rodea

recto: parte final del intestino grueso

reflejo: respuesta simple a un estímulo

respiración: proceso liberador de energía alimentado por el oxígeno

respuesta inflamatoria: segunda línea de defensas del cuerpo contra los organismos invasores, durante la cual fluidos y glóbulos blancos van de los vasos sanguíneos a los tejidos

retina: membrana interna del ojo en la cual se enfoca la imagen; contiene bastoncillos y conos sensibles a la luz

riñón: órgano excretor más importante

saco amniótico: bolsa llena de líquido que protege al feto que se desarrolla

sedante: droga que retarda las actividades del cerebro y la médula espinal

sinapsis: pequeño espacio entre dos células

SIDA: Síndrome de Inmunodeficiencia Adquirida; enfermedad causada por el virus HIV que destruye cierto tipo de células del sistema inmunológico

síndrome de abstinencia: efecto que se produce cuando una persona que depende físicamente de una droga deja de tomarla

sistema de órganos: grupo de órganos que trabajan juntos para realizar una función específica

suprarrenal: glándula endocrina que está arriba de cada riñon y que produce adrenalina

tejido: grupo de células semejantes que realizan una misma función

tendón: tejido conector que adhiere el hueso al músculo

testículos: glándula endocrina que produce hormonas masculinas; glándula sexual masculina

timo: glándula endocrina que es responsable del desarrollo del sistema inmunológico

tímpano: membrana del oído que vibra cuando recibe ondas sonoras

tiroides: glándula endocrina localizada en el cuello que produce una hormona que controla el metabolismo

tolerancia: efecto del abuso de una droga en el cual el cuerpo requiere el aumento continuo de la cantidad de la droga para obtener el mismo efecto

torcedura: lesión en la cual los ligamentos se estiran o se desgarran

tráquea: tubo respiratorio; lleva aire de la nariz a los pulmones

trompa de Falopio: tubo que sirve para el paso del óvulo desde el ovario hasta el útero

uréter: tubo por el que pasa la orina desde el riñón a la vejiga urinaria

uretra: tubo por el cual la orina es evacuada

útero: estructura en forma de pera donde tiene lugar el desarrollo de un embrión; matriz

vacunación: proceso por el cual se introduce deliberadamente un antígeno en el cuerpo para estimular el sistema inmunológico

vejiga urinaria: bolsa de tejido muscular que almacena la orina

vena: vaso sanguíneo que lleva sangre al corazón

ventrículo: cámara inferior del corazón

vellosidades: estructuras similares al vello que cubren el intestino delgado y por las que el alimento pasa a la sangre

vitamina: nutriente que ayuda a regular el crecimiento y el funcionamiento normal del cuerpo

Index

Índice

Connective tissue, H19
Cornea, H145–146
Crack, H228–229

Dendrites, neurons, H134
Denis, Jean-Baptiste, H93
Dependence, physical and
psychological, H218
Depressants, H227–228
alcohol as, H220
types of, H227–228
Dermis, H122, H193
Developmental stages
adolescence, H182–183
adulthood, H183–184
after birth, 180–181
childhood, H182
infancy, H181–182
prenatal development, H177–180
Diabetes mellitus, H159, H208
Diaphragm, and respiration, H115–116
Diet, and atherosclerosis, H97
Digestive system
absorption of food, H69–70
esophagus, H65
function of, H61
and liver, H68
mouth, H62–64
and pancreas, H68
small intestine, H67–68
stomach, H66
Disease
infectious disease, H203–206
noninfectious disease, H206–208
Dislocation, of bones, H43–44
Driving while intoxicated (DWI), H220
Drug abuse, H217–219
and dependence, H218
depressants, H227–228
hallucinogens, H230
inhalants, H226
marijuana, H229–230
most commonly abused drugs, chart
of, H227
opiates, H230–231
stimulants, H228–229
and tolerance, H217–218
and withdrawal, H218–219
Drugs
definition of, H216
drug misuse, H216–217
over-the-counter drugs, H216
prescription drugs, H216

Ear
and balance, H150–151
cochlea, H150
eardrum, H149–150
semicircular canals, H150
Ecology, H209
Effectors, H135, H142
Egg, human
fertilization of, H169
as zygote, H177
Electrical current
and bone growth, H45
to heal fractures, H44
of heart, H101
osteoporosis treatment, 45
Electrocardiogram (ECG), H101
Embryo, H170

Emphysema, H224
Endocrine glands, H155–160
adrenal gland, H159
glands/hormones, chart of, H157
hormones, H155–156
hypothalamus, H156, H158
ovaries, H160
pancreas, H159–160
parathyroid glands, H159
pituitary gland, H158
testes, H160
thymus, H158
thyroid gland, H158–159
Endocrine system
endocrine glands, H155–160
negative-feedback mechanism,
H160–161
Enzymes
function of, H18, H67
of mouth, H62–63, H67
of pancreas, H67
of small intestine, H67
of stomach, H66, H67
types of digestive enzymes, H67
Epidemics, H203
Epidermis, H122, H193
Epiglottis, H111
and swallowing, H64
Esophagus, H65
Estrogen, H173
Excretion, definition of, H118
Excretory system
function of, H118
kidneys, H118–121
liver, H121
skin, H122–125
Exercise, and health, H71
Exocrine glands, H156
Eye, H145–147
cornea, H145–146
eyeball, H145
iris, H146
lens, H146–147
pupil, H146
retina, H147
sclera, H145

Fallopian tubes, H172
Farsightedness, H148
Fat
and body weight, H71–72
as connective tissue, H19
Fats, dietary, H56
digestion of, H68
oils as, H56
sources of, H56
Fat-soluble vitamins, H57
Female reproductive system, H172–176
cervix, H173
eggs, H173
Fallopian tubes, H172
menstrual cycle, H174–176
ovaries, H172
uterus, H172–173
vagina, H173
Femur, composition of, H33–34
Fertilization of egg
and menstrual cycle, H175–176
process of, H169
Fetus, H178–179
Fingerprints, H122–123

Food
absorption of food, H69–70
calories, H53–54
and digestion, H61
importance of, H52–53
information from food labels,
H60–61
nutrients, H53, H54–59
See also Digestive system.
Food poisoning, H204
Fractures, H43
treatment of, H44

Gallbladder, and bile, H68
Galvanometer, H117
Gas exchange, in lungs, H114–115
Glands
endocrine glands, H155–160
exocrine glands, H156
Glucagon, H160
Glucose, H159
Glue sniffing, H226
Glycogen, H159

Hair, H123
Hallucinogens, H230
LSD, H230
PCP, H230
Health
and exercise, H71
and weight control, H71–72
Hearing, H149–151
process of, H149–150
See also Ear.
Heart, H80, H82–85
aorta, H85–86
circulation of blood, H84–86
and electrocardiogram (ECG),
H101
heartbeat, H82–83
left atrium, H85
left ventricle, H85
muscle tissue, H19
as organ, H21
pacemaker, H83
right atrium, H83–84
right ventricle, H84
size of, H82
Heat transfer, methods of, H73
Hemoglobin, H58, H121
and red blood cells, H91
Hepatitis, H204
Heroin, H230
Hinge joint, H36
Histamines, H201
HIV infection, and AIDS,
H201–202
Homeostasis, definition of, H15
Hormones, H155–156
and circulatory system, H156
functions of, H155
and negative feedback, H161
produced by bacteria, H156
and sexual development, H171
Human body
homeostasis, H15
levels of organization, H15–21
Hydrochloric acid, and digestion, H66
Hypertension, H99–100
treatment of, H100
Hypothalamus, H156, H158

Credits

Cover Background: Ken Karp
Photo Research: Natalie Goldstein
Contributing Artists: Jeani Brunnick/Christine Prapas, Art Representative; Warren Budd Assoc., Ltd.; Fran Milner; Kim Mulkey; Gary Philips/Gwen Goldstein, Art Representative; Function Thru Form
Photographs: 4 left: Calvin Larsen/Photo Researchers, Inc.; right: Mary Kate Denny/Photoedit; **5** left: Lee Wardle/Sports File; center: Obremski/Image Bank; right: Dan McCoy/Rainbow; **6** top: Bill Longcore/Photo Researchers, Inc.; center: A. Upitis/Image Bank; bottom: Granger Collection; **7** top: Stuart Franklin/Sygma; center: Art Siegel; bottom: David Madison/Duomo Photography, Inc.; **8** top: Lefever/Grushow/Grant Heilman Photography; center: Index Stock Photography, Inc.; bottom: Rex Joseph; **10** top: David Madison Photography; bottom: Chris Jones/Stock Market; **11** David Madison/Duomo Photography, Inc.; **12** and **13** Dr. R. P. Clark & M. Goff/Science Photo Library/Photo Researchers, Inc.; **14** Richard Hutchings/Photoedit; **16** left: M. P. Kahl/DRK Photo; right: David Phillips/Visuals Unlimited; **17** top: Dwight Kuhn Photography; bottom: Michael Webb/Visuals Unlimited; **18** Alfred Pasieka/Science Photo Library/Photo Researchers, Inc.; **19** Veronika Burmeister/Visuals Unlimited; **20** top left: Bruce Iverson/Visuals Unlimited; top right: Cabisco/Visuals Unlimited; center: Robert E. Daemmrich/Tony Stone Worldwide/Chicago Ltd.; bottom left: Dwight Kuhn Photography; bottom right: Don Fawcett/Visuals Unlimited; **23** top left, right, and bottom left: Dan McCoy/Rainbow; **27** Tony Duffy/Allsport; **28** and **29** Leonard Kamsler; **30** Seltzer/OSU/Dan McCoy/Rainbow; **31** Tom McHugh/Photo Researchers, Inc.; **32** Biophoto Associates/Photo Researchers, Inc.; **33** Prof. Aaron Polliack/Science Photo Library/Photo Researchers, Inc.; **34** From TISSUES AND ORGANS: A TEXT-ATLAS OF SCANNING ELECTRON MICROSCOPY by Richard G. Kessel and Randy H. Kardon. Copyright © 1979 by W. H. Freeman and Company. Reprinted by permission.; **35** top left: © Lennart Nilsson, BEHOLD MAN, Little, Brown and Company; top right: © Lennart Nilsson, THE INCREDIBLE MACHINE, National Geographic Society; bottom: Dan McCoy/Rainbow; **36** Tim Davis/David Madison Photography; **38** top left: Dwight Kuhn Photography; bottom left: Steven J. Krasemann/DRK Photo; bottom right: Brooks Dodge/Sports File; **40** left: Eric Grave/Photo Researchers, Inc.; center: Triarch/Visuals Unlimited; right: Michael Abbey/Photo Researchers, Inc.; **41** Ken Karp; **43** Bruce Curtis/Peter Arnold, Inc.; **44** left: Photo Researchers, Inc.; right: Princess Margaret Rose Orthopaedic Hospital/Science Photo Library/Photo Researchers, Inc.; **45** right and bottom: © Lennart Nilsson, THE INCREDIBLE MACHINE, National Geographic Society; **49** left and right: Biophoto Associates/Science Source/Photo Researchers, Inc.; **50** and **51** NASA; **52** top and bottom: USDA; **53** top left: Tony Freeman/Photoedit; top right: Myrleen Ferguson/Photoedit; bottom left: David Young-Wolff/Photoedit; bottom right: Don & Pat Valenti/F/Stop Pictures, Inc.; **54** CNRI/Science Photo Library/Photo Researchers, Inc.; **56** top left: L. Morris/Photoquest, Inc.; top right: Wolfgang Kaehler; bottom: Kristen Brochmann/Fundamental Photographs; **59** left: Guido Alberto Rossi/Image Bank; right: A. Upitis/Image Bank; **63** Howard Sochurek Inc.; **64** top left and bottom: © Lennart Nilsson, BEHOLD MAN, Little, Brown and Company; top right: Omikron/Science Source/Photo Researchers, Inc.; **65** L. V. Bergman & Associates; **66** top and bottom: Lennart Nilsson, THE INCREDIBLE MACHINE, National Geographic Society, © Boehringer Ingelheim International GmbH; **69** © Lennart Nilsson, THE INCREDIBLE MACHINE, National Geographic Society; **70** top and bottom left: L. V. Bergman & Associates; bottom right: © Lennart Nilsson, THE INCREDIBLE MACHINE, National Geographic Society; **71** John McGrail; **72** top: Tony Duffy/Allsport; bottom: Robert Rathe/Folio, Inc.; **73** Derik Murray/Image Bank; **77** Nancy Coplon; **78** and **79** David Wagner/Phototake; **80** CNRI/Science Photo Library/Photo Researchers, Inc.; **82** Lennart Nilsson, THE INCREDIBLE MACHINE, National Geographic Society, © Boehringer Ingelheim Internationl GmbH; **84** top: Philippe Plailly/Science Photo Library/Photo Researchers, Inc.; bottom: VU/SIU/Visuals Unlimited; **86** R. G Kessel and R. H. Kardon; **87** © Lennart Nilsson, BEHOLD MAN, Little, Brown and Company; **90** top: NIBSC/Science Photo Library/Photo Researchers, Inc.; bottom left: Lennart Nilsson, THE INCREDIBLE MACHINE, National Geographic Society, © Boehringer Ingelheim International GmbH; bottom right: Bill Longcore/Photo Researchers, Inc.; **91** top: © Lennart Nilsson, THE INCREDIBLE MACHINE, National Geographic Society; bottom left: CNRI/Science Photo Library/Photo Researchers, Inc.; bottom right: Lennart Nilsson, THE INCREDIBLE MACHINE, National Geographic Society, © Boehringer Ingelheim International GmbH; **92** Lennart Nilsson, THE INCREDIBLE MACHINE, National Geographic Society, © Boehringer Ingelheim International GmbH; **94** © Lennart Nilsson, THE INCREDIBLE MACHINE, National Geographic Society; **96** and **97** Lennart Nilsson, THE INCREDIBLE MACHINE, National Geographic Society, © Boehringer Ingelheim International GmbH; **99** Alexander Tsiaras/Science Source/Photo Researchers, Inc.; **101** Simon Fraser, Hexham General/Science Photo Library/Photo Researchers, Inc.; **102** Ken Karp; **105** Dan McCoy/Rainbow; **106** and **107** Tim Davis/Duomo Photography, Inc.; **108** left: Michael Fogden/DRK Photo; right: Peter Veit/DRK Photo; **110** top: Art Siegel; bottom: Lennart Nilsson, THE INCREDIBLE MACHINE, National Geographic Society, © Boehringer Ingelheim International GmbH; **111** Chet Childs/Tony Stone Worldwide/Chicago Ltd.; **112** top and bottom: Dr. G. Paul Moore; **113** left: Jack Vartoogian; right: Myrleen Ferguson/Photoedit; **114** © Lennart Nilsson, THE INCREDIBLE MACHINE, National Geographic Society; **115** CNRI/Science Photo Library/Photo Researchers, Inc.; **116** top: Paul J. Sutton/Duomo Photography, Inc.; bottom: NASA; **119** L. V. Bergman & Associates; **120** CNRI/Science Photo Library/Photo Researchers, Inc.; **121** top: © Lennart Nilsson, THE INCREDIBLE MACHINE, National Geographic Society; bottom: David York/Medichrome/The Stock Shop; **123** left: Veronika Burmeister/Visuals Unlimited; right: Obremski/Image Bank; **124** top left: P. Bartholomew/Gamma-Liaison, Inc; top right: Biophoto/Photo Researchers, Inc.; bottom: © Lennart Nilsson, BEHOLD MAN, Little, Brown and Company; **125** Eric Reynolds/Adventure Photo; **130** and **131** Alan Goldsmith/Stock Market; **132** top: David Madison/Duomo Photography, Inc.; bottom left: Mary Kate Denny/Photoedit; bottom right: Bob Daemmrich Photography; **133** left: Johnny Johnson/DRK Photo; right: Bob Daemmrich/The Image Works; **134** Michael Abbey/Photo Researchers, Inc.; **135** © Lennart Nilsson, THE INCREDIBLE MACHINE, National Geographic Society; **136** CNRI/Science Photo Library/Photo Researchers, Inc.; **138** Bill Longcore/Photo Researchers, Inc.; **141** CNRI/Science Photo Library/Photo Researchers, Inc.; **142** © Lennart Nilsson, THE INCREDIBLE MACHINE, National Geographic Society; **145** left: Randy Trine/DRK Photo; right: Andrew McClenaghan/Science Photo Library/Photo Researchers, Inc.; **146** © Lennart Nilsson, BEHOLD MAN, Little, Brown and Company; **147** top: Jesse Simmons Photo; bottom left: © Lennart Nilsson, BEHOLD MAN, Little, Brown and Company; bottom right: © Lennart Nilsson, THE INCREDIBLE MACHINE, National Geographic Society; **149** © Lennart Nilsson, BEHOLD MAN, Little, Brown and Company; **150** top: © Lennart Nilsson, BEHOLD MAN, Little, Brown and Company; bottom: © Lennart Nilsson, THE INCREDIBLE MACHINE, National Geographic Society; **151** top left: John Zoiner/Stock Boston, Inc.; top right: Hank Morgan/Rainbow; bottom: Garry Gay/Image Bank; **152** top: © Lennart Nilsson, BEHOLD MAN, Little, Brown and Company; bottom: Nathan Benn/Woodfin Camp & Associates; **154** top: Synaptek Scientific Products, Inc./Science Photo Library/Photo Researchers, Inc.; bottom: © 1991 Bill Redic; **158** © Lennart Nilsson, THE INCREDIBLE MACHINE, National Geographic Society; **160** Martin M. Rotker; **166** and **167** Michael Tcherevkoff/Image Bank; **168** left: Animals Animals Stock/Animals Animals/Earth Scenes; right: David W. Hamilton/Image Bank; **169** top: John Giannicchi/Science Source/Photo Researchers, Inc.; bottom: Dr. G. Schatten/Science Photo Library/Photo Researchers, Inc.; **170** Dr. Ram Verna/Phototake; **172** Bob Daemmrich/The Image Works; **174** © Lennart Nilsson, THE INCREDIBLE MACHINE, National Geographic Society; **175** top left: © Lennart Nilsson, A CHILD IS BORN, Dell Publishing Company; top right: © Lennart Nilsson, BEHOLD MAN, Little, Brown and Company; bottom left and bottom right: © Lennart Nilsson, THE INCREDIBLE MACHINE, National Geographic Society; **179** Howard Sochurek Inc.; **180** Mickey Pfleger; **181** left: Niki Mareschal/Image Bank; center: Richard Hutchings/Photo Researchers, Inc.; right: Edward Lettau/FPG International; **182** top: Bob Daemmrich Photography; bottom: W. Rosin Malecki/Photoedit; **183** Bill Hess/National Geographic Magazine; right: Bob Daemmrich Photography; **184** left: Janeart Ltd./Image Bank; right: Don Hamerman/Folio, Inc.; **185** Karen Leeds/Stock Market; **190** and **191** Larry Mulvehill/Photo Researchers, Inc.; **192** left: K. G. Murti/Visuals Unlimited; right: © Lennart Nilsson, National Geographic Society; **193** top: © Lennart Nilsson, THE INCREDIBLE MACHINE, National Geographic Society; center and bottom: Lennart Nilsson, THE INCREDIBLE MACHINE, National Geographic Society, © Boehringer Ingelheim International GmbH; **194** Lennart Nilsson, THE INCREDIBLE MACHINE, National Geographic Society, © Boehringer Ingelheim International GmbH; **195** Gabe Palmer/Stock Market; **196** top: E. D. Getzoff, J. A. Tainer, A. J. Olson of the Scripps Research Institute; bottom: Lennart Nilsson, National Geographic Society, © Boehringer Ingelheim International GmbH; **198** Bob Daemmrich/The Image Works; **200** top left: Manfred Kage/Peter Arnold, Inc.; top right: Robert Dudzic/F/Stop Pictures, Inc.; bottom left: Dick Canby/DRK Photo; bottom right: Dr. Jeremy Burgess/Science Photo Library/Photo Researchers, Inc.; **201** left: Lennart Nilsson, National Geographic Society, © Boehringer Ingelheim International GmbH; right: Stuart Franklin/Sygma; **202** top: Lennart Nilsson, National Geographic Society, © Boehringer Ingelheim International GmbH; bottom: Susan Van Etten/Photoedit; Photography by Ken Karp, **203** left and right: CNRI/Science Photo Library/Photo Researchers, Inc.; **204** top left: Don Smetzer/Tony Stone Worldwide/Chicago Ltd.; top center: © Lennart Nilsson, THE INCREDIBLE MACHINE, National Geographic Society; top right: G. I. Bernard/Animals Animals/Earth Scenes; bottom: Dr. Willy Burgdorfer/Rocky Mountain Laboratories; **205** top: Lennart Nilsson, National Geographic Society, © Boehringer Ingelheim International GmbH; bottom: CNRI/Science Photo Library /Photo Researchers, Inc.; **206** top: © Lou Lainey/1984 Discover Publications; bottom: Lennart Nilsson, National Geographic Society, © Boehringer Ingelheim International GmbH; **207** Lennart Nilsson, National Geographic Society, © Boehringer Ingelheim International GmbH; **208** Lee Wardle/Sports File; **209** Tom & Pat Leeson/Photo Researchers, Inc.; **214** and **215** Bobby Holland/Reader's Digest Foundation; **216** left: Michael P. Gadomski/Photo Researchers, Inc.; right: Benn Mitchell/Image Bank; **217** top: The University Museum, University of Pennsylvania; bottom: Ken Karp; **218** left: Tony Savino/Sipa Press; right: Bruce Delis/Gamma-Liaison, Inc; **219** top: Richard Hutchings/Photo Researchers, Inc.; bottom: Granger Collection; **221** A. Glauberman/Science Source/Photo Researchers, Inc.; **222** Stacy Pick/Stock Boston, Inc.; **223** Richard Hutchings/Photo Researchers, Inc.; **224** Lennart Nilsson, THE INCREDIBLE MACHINE, National Geographic Society, © Boehringer Ingelheim International GmbH; **225** Calvin Larsen/Photo Researchers, Inc.; **226** Ken Karp; **228** top: Ken Karp; center: Edward S. Ross/Phototake; bottom: Howard Sochurek Inc.; **229** Fred Lombardi/Photo Researchers, Inc.; **230** David Alan Harvey/Woodfin Camp & Associates; **231** top left: Walter H. Hodge/Peter Arnold, Inc.; top right: Michael Hardy/Woodfin Camp & Associates; bottom: National Institutes of Health; **235** Wesley Bocxe/Photo Researchers, Inc.; **236** Grant Heilman/Grant Heilman Photography; **237** Centers for Disease Control; **239** UPI/Bettmann; **240** Charles Gupton/Stock Boston, Inc.; **242** Dr. Jack Ricci, Department of Orthopaedic Research, New Jersey Medical School; **244** Seltzer/OSU/Dan McCoy/Rainbow; **265** Dick Canby/DRK Photo; **269** Dwight Kuhn Photography

Créditos

Cover Background: Ken Karp
Photo Research: Natalie Goldstein
Contributing Artists: Jeani Brunnick/Christine Prapas, Art Representative; Warren Budd Assoc., Ltd.; Fran Milner; Kim Mulkey; Gary Philips/Gwen Goldstein, Art Representative; Function Thru Form
Photographs: 4 left: Calvin Larsen/Photo Researchers, Inc.; right: Mary Kate Denny/Photoedit; **5** left: Lee Wardle/Sports File; center: Obremski/Image Bank; right: Dan McCoy/Rainbow; **6** top: Bill Longcore/Photo Researchers, Inc.; center: A. Upitis/Image Bank; bottom: Granger Collection; **7** top: Stuart Franklin/Sygma; center: Art Siegel; bottom: David Madison/Duomo Photography, Inc.; **8** top: Lefever/Grushow/Grant Heilman Photography; center: Index Stock Photography, Inc.; bottom: Rex Joseph; **10** top: David Madison Photography; bottom: Chris Jones/Stock Market; **11** David Madison/Duomo Photography, Inc.; **12** and **13** Dr. R. P. Clark & M. Goff/Science Photo Library/Photo Researchers, Inc.; **14** Richard Hutchings/Photoedit; **16** left: M. P. Kahl/DRK Photo; right: David Phillips/Visuals Unlimited; **17** top: Dwight Kuhn Photography; bottom: Michael Webb/Visuals Unlimited; **18** Alfred Pasieka/Science Photo Library/Photo Researchers, Inc.; **19** Veronika Burmeister/Visuals Unlimited; **20** top left: Bruce Iverson/Visuals Unlimited; top right: Cabisco/Visuals Unlimited; center: Robert E. Daemmrich/Tony Stone Worldwide/Chicago Ltd.; bottom left: Dwight Kuhn Photography; bottom right: Don Fawcett/Visuals Unlimited; **23** top left, right, and bottom left: Dan McCoy/Rainbow; **27** Tony Duffy/Allsport; **28** and **29** Leonard Kamsler; **30** Seltzer/OSU/Dan McCoy/Rainbow; **31** Tom McHugh/Photo Researchers, Inc.; **32** Biophoto Associates/Photo Researchers, Inc.; **33** Prof. Aaron Polliack/Science Photo Library/Photo Researchers, Inc.; **34** From TISSUES AND ORGANS: A TEXT-ATLAS OF SCANNING ELECTRON MICROSCOPY by Richard G. Kessel and Randy H. Kardon. Copyright © 1979 by W. H. Freeman and Company. Reprinted by permission.; **35** top left: © Lennart Nilsson, BEHOLD MAN, Little, Brown and Company; top right: © Lennart Nilsson, THE INCREDIBLE MACHINE, National Geographic Society; bottom: Dan McCoy/Rainbow; **36** Tim Davis/David Madison Photography; **38** top left: Dwight Kuhn Photography; bottom left: Steven J. Krasemann/DRK Photo; bottom right: Brooks Dodge/Sports File; **40** left: Eric Grave/Photo Researchers, Inc.; center: Triarch/Visuals Unlimited; right: Michael Abbey/Photo Researchers, Inc.; **41** Ken Karp; **43** Bruce Curtis/Peter Arnold, Inc.; **44** left: Photo Researchers, Inc.; right: Princess Margaret Rose Orthopaedic Hospital/Science Photo Library/Photo Researchers, Inc.; **45** right and bottom: © Lennart Nilsson, THE INCREDIBLE MACHINE, National Geographic Society; **49** left and right: Biophoto Associates/Science Source/Photo Researchers, Inc.; **50** and **51** NASA; **52** top and bottom: USDA; **53** top left: Tony Freeman/Photoedit; top right: Myrleen Ferguson/Photoedit; bottom left: David Young-Wolff/Photoedit; bottom right: Don & Pat Valenti/F/Stop Pictures, Inc.; **54** CNRI/Science Photo Library/Photo Researchers, Inc.; **56** top left: L. Morris/Photoquest, Inc.; top right: Wolfgang Kaehler; bottom: Kristen Brochmann/Fundamental Photographs; **59** left: Guido Alberto Rossi/Image Bank; right: A. Upitis/Image Bank; **63** Howard Sochurek Inc.; **64** top left and bottom: © Lennart Nilsson, BEHOLD MAN, Little, Brown and Company; top right: Omikron/Science Source/Photo Researchers, Inc.; **65** L. V. Bergman & Associates; **66** top and bottom: Lennart Nilsson, THE INCREDIBLE MACHINE, National Geographic Society, © Boehringer Ingelheim International GmbH; **69** © Lennart Nilsson, THE INCREDIBLE MACHINE, National Geographic Society; **70** top and bottom left: L. V. Bergman & Associates; bottom right: © Lennart Nilsson, THE INCREDIBLE MACHINE, National Geographic Society; **71** John McGrail; **72** top: Tony Duffy/Allsport; bottom: Robert Rathe/Folio, Inc.; **73** Derik Murray/Image Bank; **77** Nancy Coplon; **78** and **79** David Wagner/Phototake; **80** CNRI/Science Photo Library/Photo Researchers, Inc.; **82** Lennart Nilsson, THE INCREDIBLE MACHINE, National Geographic Society, © Boehringer Ingelheim Internationl GmbH; **84** top: Philippe Plailly/Science Photo Library/Photo Researchers, Inc.; bottom: VU/SIU/Visuals Unlimited; **86** R. G Kessel and R. H. Kardon; **87** © Lennart Nilsson, BEHOLD MAN, Little, Brown and Company; **90** top: NIBSC/Science Photo Library/Photo Researchers, Inc.; bottom left: Lennart Nilsson, THE INCREDIBLE MACHINE, National Geographic Society, © Boehringer Ingelheim International GmbH; bottom right: Bill Longcore/Photo Researchers, Inc.; **91** top: © Lennart Nilsson, THE INCREDIBLE MACHINE, National Geographic Society; bottom left: CNRI/Science Photo Library/Photo Researchers, Inc.; bottom right: Lennart Nilsson, THE INCREDIBLE MACHINE, National Geographic Society, © Boehringer Ingelheim International GmbH; **92** Lennart Nilsson, THE INCREDIBLE MACHINE, National Geographic Society, © Boehringer Ingelheim International GmbH; **94** © Lennart Nilsson, THE INCREDIBLE MACHINE, National Geographic Society; **96** and **97** Lennart Nilsson, THE INCREDIBLE MACHINE, National Geographic Society, © Boehringer Ingelheim International GmbH; **99** Alexander Tsiaras/Science Source/Photo Researchers, Inc.; **101** Simon Fraser, Hexham General/Science Photo Library/Photo Researchers, Inc.; **102** Ken Karp; **105** Dan McCoy/Rainbow; **106** and **107** Tim Davis/Duomo Photography, Inc.; **108** left: Michael Fogden/DRK Photo; right: Peter Veit/DRK Photo; **110** top: Art Siegel; bottom: Lennart Nilsson, THE INCREDIBLE MACHINE, National Geographic Society, © Boehringer Ingelheim International GmbH; **111** Chet Childs/Tony Stone Worldwide/Chicago Ltd.; **112** top and bottom: Dr. G. Paul Moore; **113** left: Jack Vartoogian; right: Myrleen Ferguson/Photoedit; **114** © Lennart Nilsson, THE INCREDIBLE MACHINE, National Geographic Society; **115** CNRI/Science Photo Library/Photo Researchers, Inc.; **116** top: Paul J. Sutton/Duomo Photography, Inc.; bottom: NASA; **119** L. V. Bergman & Associates; **120** CNRI/Science Photo Library/Photo Researchers, Inc.; **121** top: © Lennart Nilsson, THE INCREDIBLE MACHINE, National Geographic Society; bottom: David York/Medichrome/The Stock Shop; **123** left: Veronika Burmeister/Visuals Unlimited; right: Obremski/Image Bank; **124** top left: P. Bartholomew/Gamma-Liaison, Inc; top right: Biophoto/Photo Researchers, Inc.; bottom: © Lennart Nilsson, BEHOLD MAN, Little, Brown and Company; **125** Eric Reynolds/Adventure Photo; **130** and **131** Alan Goldsmith/Stock Market; **132** top: David Madison/Duomo Photography, Inc.; bottom left: Mary Kate Denny/Photoedit; bottom right: Bob Daemmrich Photography; **133** left: Johnny Johnson/DRK Photo; right: Bob Daemmrich/The Image Works; **134** Michael Abbey/Photo Researchers, Inc.; **135** © Lennart Nilsson, THE INCREDIBLE MACHINE, National Geographic Society; **136** CNRI/Science Photo Library/Photo Researchers, Inc.; **138** Bill Longcore/Photo Researchers, Inc.; **141** CNRI/Science Photo Library/Photo Researchers, Inc.; **142** © Lennart Nilsson, THE INCREDIBLE MACHINE, National Geographic Society; **145** left: Randy Trine/DRK Photo; right: Andrew McClenaghan/Science Photo Library/Photo Researchers, Inc.; **146** © Lennart Nilsson, BEHOLD MAN, Little, Brown and Company; **147** top: Jesse Simmons Photo; bottom left: © Lennart Nilsson, BEHOLD MAN, Little, Brown and Company; bottom right: © Lennart Nilsson, THE INCREDIBLE MACHINE, National Geographic Society; **149** © Lennart Nilsson, BEHOLD MAN, Little, Brown and Company; **150** top: © Lennart Nilsson, BEHOLD MAN, Little, Brown and Company; bottom: © Lennart Nilsson, THE INCREDIBLE MACHINE, National Geographic Society; **151** top left: John Zoiner/Stock Boston, Inc.; top right: Hank Morgan/Rainbow; bottom: Garry Gay/Image Bank; **152** top: © Lennart Nilsson, BEHOLD MAN, Little, Brown and Company; bottom: Nathan Benn/Woodfin Camp & Associates; **154** top: Synaptek Scientific Products, Inc./Science Photo Library/Photo Researchers, Inc.; bottom: © 1991 Bill Redic; **158** © Lennart Nilsson, THE INCREDIBLE MACHINE, National Geographic Society; **160** Martin M. Rotker; **166** and **167** Michael Tcherevkoff/Image Bank; **168** left: Animals Animals Stock/Animals Animals/Earth Scenes; right: David W. Hamilton/Image Bank; **169** top: John Giannicchi/Science Source/Photo Researchers, Inc.; bottom: Dr. G. Schatten/Science Photo Library/Photo Researchers, Inc.; **170** Dr. Ram Verna/Phototake; **172** Bob Daemmrich/The Image Works; **174** © Lennart Nilsson, THE INCREDIBLE MACHINE, National Geographic Society; **175** top left: © Lennart Nilsson, A CHILD IS BORN, Dell Publishing Company; top right: © Lennart Nilsson, BEHOLD MAN, Little, Brown and Company; bottom left and bottom right: © Lennart Nilsson, THE INCREDIBLE MACHINE, National Geographic Society; **179** Howard Sochurek Inc.; **180** Mickey Pfleger; **181** left: Niki Mareschal/Image Bank; center: Richard Hutchings/Photo Researchers, Inc.; right: Edward Lettau/FPG International; **182** top: Bob Daemmrich Photography; bottom: W. Rosin Malecki/Photoedit; **183** Bill Hess/National Geographic Magazine; right: Bob Daemmrich Photography; **184** left: Janeart Ltd./Image Bank; right: Don Hamerman/Folio, Inc.; **185** Karen Leeds/Stock Market; **190** and **191** Larry Mulvehill/Photo Researchers, Inc.; **192** left: K. G. Murti/Visuals Unlimited; right: © Lennart Nilsson, National Geographic Society; **193** top: © Lennart Nilsson, THE INCREDIBLE MACHINE, National Geographic Society; center and bottom: Lennart Nilsson, THE INCREDIBLE MACHINE, National Geographic Society, © Boehringer Ingelheim International GmbH; **194** Lennart Nilsson, THE INCREDIBLE MACHINE, National Geographic Society, © Boehringer Ingelheim International GmbH; **195** Gabe Palmer/Stock Market; **196** top: E. D. Getzoff, J. A. Tainer, A. J. Olson of the Scripps Research Institute; bottom: Lennart Nilsson, National Geographic Society, © Boehringer Ingelheim International GmbH; **198** Bob Daemmrich/The Image Works; **200** top left: Manfred Kage/Peter Arnold, Inc.; top right: Robert Dudzic/F/Stop Pictures, Inc.; bottom left: Dick Canby/DRK Photo; bottom right: Dr. Jeremy Burgess/Science Photo Library/Photo Researchers, Inc.; **201** left: Lennart Nilsson, National Geographic Society, © Boehringer Ingelheim International GmbH; right: Stuart Franklin/Sygma; **202** top: Lennart Nilsson, National Geographic Society, © Boehringer Ingelheim International GmbH; bottom: Susan Van Etten/Photoedit; Photography by Ken Karp, **203** left and right: CNRI/Science Photo Library/Photo Researchers, Inc.; **204** top left: Don Smetzer/Tony Stone Worldwide/Chicago Ltd.; top center: © Lennart Nilsson, THE INCREDIBLE MACHINE, National Geographic Society; top right: G. I. Bernard/Animals Animals/Earth Scenes; bottom: Dr. Willy Burgdorfer/Rocky Mountain Laboratories; **205** top: Lennart Nilsson, National Geographic Society, © Boehringer Ingelheim International GmbH; bottom: CNRI/Science Photo Library /Photo Researchers, Inc.; **206** top: © Lou Lainey/1984 Discover Publications; bottom: Lennart Nilsson, National Geographic Society, © Boehringer Ingelheim International GmbH; **207** Lennart Nilsson, National Geographic Society, © Boehringer Ingelheim International GmbH; **208** Lee Wardle/Sports File; **209** Tom & Pat Leeson/Photo Researchers, Inc.; **214** and **215** Bobby Holland/Reader's Digest Foundation; **216** left: Michael P. Gadomski/Photo Researchers, Inc.; right: Benn Mitchell/Image Bank; **217** top: The University Museum, University of Pennsylvania; bottom: Ken Karp; **218** left: Tony Savino/Sipa Press; right: Bruce Delis/Gamma-Liaison, Inc; **219** top: Richard Hutchings/Photo Researchers, Inc.; bottom: Granger Collection; **221** A. Glauberman/Science Source/Photo Researchers, Inc.; **222** Stacy Pick/Stock Boston, Inc.; **223** Richard Hutchings/Photo Researchers, Inc.; **224** Lennart Nilsson, THE INCREDIBLE MACHINE, National Geographic Society, © Boehringer Ingelheim International GmbH; **225** Calvin Larsen/Photo Researchers, Inc.; **226** Ken Karp; **228** top: Ken Karp; center: Edward S. Ross/Phototake; bottom: Howard Sochurek Inc.; **229** Fred Lombardi/Photo Researchers, Inc.; **230** David Alan Harvey/Woodfin Camp & Associates; **231** top left: Walter H. Hodge/Peter Arnold, Inc.; top right: Michael Hardy/Woodfin Camp & Associates; bottom: National Institutes of Health; **235** Wesley Bocxe/Photo Researchers, Inc.; **236** Grant Heilman/Grant Heilman Photography; **237** Centers for Disease Control; **239** UPI/Bettmann; **240** Charles Gupton/Stock Boston, Inc.; **242** Dr. Jack Ricci, Department of Orthopaedic Research, New Jersey Medical School; **244** Seltzer/OSU/Dan McCoy/Rainbow; **265** Dick Canby/DRK Photo; **269** Dwight Kuhn Photography